풍산자

일등급유형

엄선된 기출문제는 자신감으로

명쾌한 해설은 실력으로 쌓이는

〈풍산자 일등급유형〉입니다.

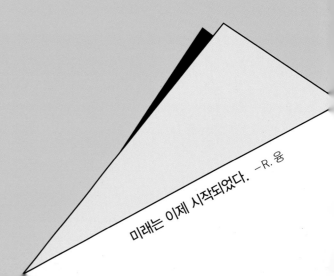

미래는 이제 시작되었다.   —R. 융

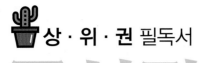

상·위·권 필독서

풍산자
일등급유형

풍산자의 일등급 도전 로드맵

| 필수 개념과 유형으로 **상위권 실력 입문** | 상 수준의 문제로 **상위권 실력 완성** | 최고난도 문제로 **최상위권 정복** | 미니 모의고사로 **상위권 실력 점검** |

출제율 높은 필수 문제 엄선

최신 학교 시험, 평가원, 교육청 기출 문제 철저 분석, 출제율 높은 문제 엄선

상위권 문제 단계별 공략

필수 기출 – 일등급 완성 – 도전 문제의 단계별 공략으로 1등급 실력 완성

일등급 사고력, 창의력 강화

실전에서 만나는 일등급 문제 해결을 위한 사고력, 창의력 강화 문제 다수 수록

상·위·권 실력 완성

풍산자
일등급
유형

- 최신 기출 문제 분석을 통한 문제 엄선
- 난이도별 구성으로 상위권 실력 완성
- 실력 점검용 미니모의고사 2회 수록

기하

지학사

풍산자
일등급
유형
기

기하

I.
이차곡선

01 이차곡선

001

포물선 $y^2=12x=4\times3\times x$의 준선의
방정식은 $x=-3$
오른쪽 그림과 같이 점 P에서 준선에
내린 수선의 발을 H라고 하면 포물선
의 정의에 의하여
$\overline{PH}=\overline{PF}=9$
따라서 점 P의 x좌표를 a라고 하면
$a-(-3)=9$ ∴ $a=6$

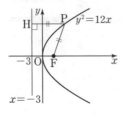

답 ①

풍쌤 비법

포물선 $y^2=4px$ 위의 점 P에서 준선에 내린 수선의 발을 H라 하
고 초점을 F라고 하면 포물선의 정의에 의하여 $\overline{PH}=\overline{PF}$이므로
점 P의 x좌표를 a라고 하면
$\overline{PH}=|p|+|a|$
이를 이용하면 점 P의 x좌표를 구할 수 있다.

002

포물선 $y^2=4px$의 꼭짓점의 좌표는 $(0, 0)$, 준선의 방정식은
$x=-p$이므로 꼭짓점과 준선 사이의 거리는 p $(∵ p>0)$이다.
∴ $p=5$
즉, 포물선의 방정식은 $y^2=4\times5\times x=20x$이므로 이 포물선과 직
선 $x=5$의 두 교점의 좌표는
$(5, -10), (5, 10)$ ── $y^2=20x$에 $x=5$를 대입하면
$\qquad\qquad\qquad\qquad y^2=20\times5=100$ ∴ $y=\pm10$
따라서 구하는 거리는
$10-(-10)=20$

답 20

003

포물선 $y^2=8x=4\times2\times x$의 초점은
F$(2, 0)$, 준선의 방정식은 $x=-2$이
다.
$\overline{BF}=4$, $\overline{BF}\perp\overline{OF}$이므로
B$(2, -4)$
오른쪽 그림과 같이 점 A에서 준선
$x=-2$에 내린 수선의 발을 H라고 하면
$\overline{AH}=\overline{AF}=10$
즉, 점 A의 x좌표는
$10-2=8$

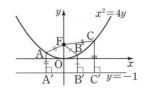

따라서 삼각형 AFB의 넓이는
$\dfrac{1}{2}\times4\times(8-2)=12$
$\qquad$└── $\overline{BF}$를 밑변으로 보면 높이는
$\qquad\qquad$ 두 점 A, F의 x좌표의 차가 된다.

답 ③

004

접근

포물선의 정의를 이용하여 $\overline{AF}$, $\overline{BF}$, $\overline{CF}$의 길이를 세 점 A, B, C의
y좌표를 이용하여 나타낸다.

포물선 $x^2=4y=4\times1\times y$의 초점은 F$(0, 1)$, 준선의 방정식은
$y=-1$이다.
다음 그림과 같이 세 점 A, B, C에서 준선 $y=-1$에 내린 수선의
발을 각각 A′, B′, C′이라고 하면 포물선의 정의에 의하여
$\overline{AF}=\overline{AA'}$, $\overline{BF}=\overline{BB'}$, $\overline{CF}=\overline{CC'}$

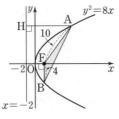

이때 세 점 A, B, C의 y좌표가 각각 y_1, y_2, y_3이므로
$\overline{AA'}=y_1+1$, $\overline{BB'}=y_2+1$, $\overline{CC'}=y_3+1$
즉, $\overline{AF}+\overline{BF}+\overline{CF}=12$에서
$(y_1+1)+(y_2+1)+(y_3+1)=12$
∴ $y_1+y_2+y_3=9$
한편 세 점 A(x_1, y_1), B(x_2, y_2), C(x_3, y_3)이 포물선 $x^2=4y$ 위
의 점이므로
$x_1{}^2=4y_1$, $x_2{}^2=4y_2$, $x_3{}^2=4y_3$
∴ $x_1{}^2+x_2{}^2+x_3{}^2=4y_1+4y_2+4y_3$
$\qquad\qquad\qquad\quad =4(y_1+y_2+y_3)$
$\qquad\qquad\qquad\quad =4\times9=36$

답 ③

005

주어진 포물선을 직선 CF를 y
축으로 하고, 점 C를 지나면서
직선 CF에 수직인 직선을 x축
으로 하는 좌표평면 위에 놓으
면 오른쪽 그림과 같이 점 C가
원점이 된다.

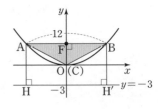

두 점 A, B에서 준선에 내린 수선의 발을 각각 H, H′이라고 하면
포물선의 정의에 의하여
$\overline{AH}=\overline{AF}$, $\overline{BH'}=\overline{BF}$
이때 $\overline{AB}=12$이므로 $\overline{AF}=\overline{BF}=6$
∴ $\overline{AH}=\overline{BH'}=6$ └── 포물선은 축에 대하여 대칭이므로 $\overline{AF}=\overline{BF}$
또, 포물선의 정의에 의하여 포물선의 꼭짓점에서 초점에 이르는
거리와 준선에 이르는 거리는 같으므로
$\overline{CF}=\dfrac{1}{2}\overline{AH}=3$
따라서 삼각형 ABC의 넓이는

$$\frac{1}{2} \times \overline{AB} \times \overline{CF} = \frac{1}{2} \times 12 \times 3 = 18$$

답 18

참고

주어진 포물선은 점 F(0, 3)을 초점으로 하고 준선의 방정식이
$y=-3$이므로 이 포물선의 방정식은
$x^2 = 4 \times 3 \times y = 12y$

006

포물선 $(x-4)^2 = k(y+1)$은 포물선 $x^2 = ky$를 x축의 방향으로 4
만큼, y축의 방향으로 -1만큼 평행이동한 것이다.

포물선 $x^2 = ky = 4 \times \frac{k}{4} \times y$의 초점의 좌표는 $\left(0, \frac{k}{4}\right)$이므로 포물선
$(x-4)^2 = k(y+1)$의 초점의 좌표는
$$\left(4, \frac{k}{4}-1\right) \qquad \cdots\cdots \ \text{㉠}$$

포물선 $(y-2)^2 = 12(x-1)$은 포물선 $y^2 = 12x$를 x축의 방향으로
1만큼, y축의 방향으로 2만큼 평행이동한 것이다.

포물선 $y^2 = 12x = 4 \times 3 \times x$의 초점의 좌표는 $(3, 0)$이므로 포물선
$(y-2)^2 = 12(x-1)$의 초점의 좌표는
$$(4, 2) \qquad \cdots\cdots \ \text{㉡}$$

㉠, ㉡이 일치하므로
$$\frac{k}{4}-1 = 2, \ \frac{k}{4} = 3$$
$$\therefore k = 12$$

답 ③

007

포물선 $x^2 = 2y = 4 \times \frac{1}{2} \times y$의 초점은 $F\left(0, \frac{1}{2}\right)$, 준선의 방정식

$y = -\frac{1}{2}$이다.

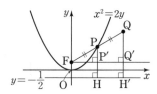

위의 그림과 같이 두 점 P, Q에서 준선 $y = -\frac{1}{2}$에 내린 수선의 발

을 각각 H, H'이라 하고 점 F에서 $\overline{QH'}$에 내린 수선의 발을 Q',
$\overline{FQ'}$과 $\overline{PH}$의 교점을 P'이라고 하자.

포물선의 정의에 의하여
$\overline{PH} = \overline{FP} = 2$, $\overline{P'H} = \frac{1}{2} + \frac{1}{2} = 1$이므로
$\overline{PP'} = \overline{PH} - \overline{P'H} = 2 - 1 = 1$
$\triangle FPP' \sim \triangle FQQ'$ (AA 닮음)이고 $\overline{FP} = \overline{PQ}$이므로
$\overline{FP} : \overline{FQ} = \overline{PP'} : \overline{QQ'}$, $1 : 2 = 1 : \overline{QQ'}$
$\therefore \overline{QQ'} = 2$

따라서 점 Q와 x축 사이의 거리는
$$2 + \frac{1}{2} = \frac{5}{2}$$

답 ①

008

포물선 $y^2 = 16x = 4 \times 4 \times x$의 초점의 좌표는 $(4, 0)$이고 준선의
방정식은 $x = -4$이다.

즉, 점 A(4, 0)은 주어진 포물선의 초점이다.

오른쪽 그림과 같이 두 점 B, C에서
준선 $x = -4$에 내린 수선의 발을 각
각 H, H'이라고 하면 포물선의 정의
에 의하여
$\overline{AC} = \overline{CH'}$

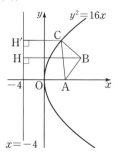

즉, 삼각형 ABC의 둘레의 길이는
$\overline{AB} + \overline{BC} + \overline{CA} = \overline{AB} + \overline{BC} + \overline{CH'}$
$$\geq \overline{AB} + \overline{BH}$$

이때
$\overline{AB} = \sqrt{(7-4)^2 + (4-0)^2} = \sqrt{25} = 5$
$\overline{BH} = 7 - (-4) = 11$
이므로
$\overline{AB} + \overline{BC} + \overline{CA} \geq 5 + 11 = 16$
따라서 삼각형 ABC의 둘레의 길이의 최솟값은 16이다.

답 ⑤

009

타원 $16x^2 + 25y^2 = 400$, 즉 $\frac{x^2}{25} + \frac{y^2}{16} = 1$에서
$\sqrt{25-16} = 3$이므로 초점의 좌표는
$(3, 0)$, $(-3, 0)$
이때 $p > 0$이므로 $p = 3$
타원의 장축의 길이는 $2 \times 5 = 10$이므로 $m = 10$
타원의 단축의 길이는 $2 \times 4 = 8$이므로 $n = 8$
$\therefore m + n + p = 10 + 8 + 3 = 21$

답 ⑤

010

타원 $\frac{x^2}{20} + \frac{y^2}{36} = 1$에서 $\sqrt{36-20} = 4$이므로 두 초점의 좌표는
F(0, 4), F'(0, -4)
두 점 F, F'을 초점으로 하고 점 P(6, 4)를 지나는 타원의 방정식을
$\frac{x^2}{a^2} + \frac{y^2}{b^2} = 1 \ (b > a > 0)$
이라고 하면 장축의 길이는 $2b$이고
$\overline{PF} + \overline{PF'} = |6-0| + \sqrt{(6-0)^2 + \{4-(-4)\}^2}$
$$= 6 + 10 = 16$$
이므로 타원의 정의에 의하여
$2b = 16$ $\therefore b = 8$
$b^2 - a^2 = 4^2$에서 $a^2 = 8^2 - 4^2 = 48$
$\therefore a = 4\sqrt{3} \ (\because a > 0)$
따라서 타원의 단축의 길이는
$2a = 8\sqrt{3}$

답 $8\sqrt{3}$

다른 풀이

구하는 타원의 방정식을
$\frac{x^2}{a^2} + \frac{y^2}{b^2} = 1 \ (b > a > 0)$

이라고 하면 초점이 $(0, 4)$, $(0, -4)$이므로 $b^2-a^2=4^2$에서
$$a^2=b^2-16 \qquad \cdots\cdots \text{㉠}$$
또, 타원이 점 $P(6, 4)$를 지나므로
$$\frac{6^2}{a^2}+\frac{4^2}{b^2}=1 \quad \therefore 36b^2+16a^2=a^2b^2 \qquad \cdots\cdots \text{㉡}$$
㉠을 ㉡에 대입하면 $\overbrace{}^{\text{양변에 } a^2b^2\text{을 곱한다.}}$
$$36b^2+16(b^2-16)=(b^2-16)b^2$$
$$b^4-68b^2+256=0,\ (b^2-4)(b^2-64)=0$$
$$\therefore b^2=4 \ \text{또는} \ b^2=64$$
이것을 ㉠에 대입하면
$b^2=4$일 때 $a^2=-12$
$b^2=64$일 때 $a^2=48$
$a^2>0$, $b>a>0$이므로 $a^2=48$, $b^2=64$
$$\therefore a=4\sqrt{3},\ b=8$$

011

$4x^2+8x+9y^2-54y+49=0$에서
$$4(x+1)^2+9(y-3)^2=36$$
$$\therefore \frac{(x+1)^2}{9}+\frac{(y-3)^2}{4}=1$$
즉, 타원 $4x^2+8x+9y^2-54y+49=0$은 타원 $\frac{x^2}{9}+\frac{y^2}{4}=1$을 x축
의 방향으로 -1만큼, y축의 방향으로 3만큼 평행이동한 것이다.
타원 $\frac{x^2}{9}+\frac{y^2}{4}=1$에서 $\sqrt{9-4}=\sqrt{5}$이므로 초점의 좌표는
$$(\sqrt{5}, 0),\ (-\sqrt{5}, 0)$$
따라서 타원 $4x^2+8x+9y^2-54y+49=0$의 초점의 좌표는
$$(\sqrt{5}-1, 3),\ (-\sqrt{5}-1, 3)$$
이므로
$$a+b+c+d=(\sqrt{5}-1)+3+(-\sqrt{5}-1)+3=4$$
답 ④

012

▶ 접근
타원의 정의를 이용하여 장축의 길이를 구한 후 피타고라스 정리를 이용하여 $\overline{F'F}$의 길이를 구한다.

타원 $\frac{x^2}{49}+\frac{y^2}{a}=1$의 두 초점 F, F'이
x축 위에 있으므로 장축의 길이는
$$2\sqrt{49}=14$$
타원의 정의에 의하여
$$\overline{PF}+\overline{PF'}=14$$
이므로
$$\overline{PF'}=14-\overline{PF}=14-9=5$$
직각삼각형 PHF에서
$$\overline{PH}=\sqrt{\overline{PF}^2-\overline{FH}^2}=\sqrt{9^2-(6\sqrt{2})^2}=3$$
$$\therefore \overline{HF'}=\overline{PF'}-\overline{PH}=5-3=2$$
직각삼각형 HF'F에서
$$\overline{F'F}=\sqrt{\overline{HF}^2+\overline{HF'}^2}=\sqrt{(6\sqrt{2})^2+2^2}=2\sqrt{19}$$
따라서 $F(\sqrt{19}, 0)$, $F'(-\sqrt{19}, 0)$이므로
$$49-a=(\sqrt{19})^2 \quad \therefore a=30$$
답 30

013

삼각형 ABF'의 둘레의 길이가 24이므로
$$\overline{AF'}+\overline{F'B}+\overline{AB}=24$$
$$\overline{AF'}+\overline{F'B}+\overline{AF}+\overline{BF}=24$$
$$\therefore (\overline{AF'}+\overline{AF})+(\overline{BF'}+\overline{BF})=24 \qquad \cdots\cdots \text{㉠}$$
주어진 타원의 방정식을
$$\frac{x^2}{a^2}+\frac{y^2}{b^2}=1 \ (a>b>0)$$
이라고 하면 장축의 길이는 $2a$이고 타원의 정의에 의하여
$$\overline{AF'}+\overline{AF}=2a,\ \overline{BF'}+\overline{BF}=2a$$
이므로 ㉠에서
$$2a+2a=24,\ 4a=24 \quad \therefore a=6$$
또, 타원의 초점이 $F(3, 0)$, $F'(-3, 0)$이므로
$$a^2-b^2=3^2 \text{에서} \quad b^2=6^2-3^2=27$$
$$\therefore b=3\sqrt{3}\ (\because b>0)$$
따라서 타원의 단축의 길이는
$$2b=2\times 3\sqrt{3}=6\sqrt{3}$$
답 $6\sqrt{3}$

014

타원 $\frac{x^2}{49}+\frac{y^2}{13}=1$에서
$\sqrt{49-13}=6$이므로 두 초점의 좌표는
$(6, 0)$, $(-6, 0)$
원 $x^2+y^2=36$이 x축과 만나는 두
교점의 좌표가 $(6, 0)$, $(-6, 0)$이
므로 두 점 A, B는 타원 $\frac{x^2}{49}+\frac{y^2}{13}=1$
의 두 초점이다.

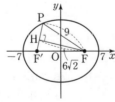

이때 점 P가 타원 위의 점이므로 타원의 정의에 의하여
$$\overline{PA}+\overline{PB}=2\times 7=14 \qquad \cdots\cdots \text{㉠}$$
또, 점 P가 원 $x^2+y^2=36$ 위의 점이므로
$$\angle APB=90°$$
직각삼각형 PAB에서 피타고라스 정리에 의하여
$$\overline{PA}^2+\overline{PB}^2=\overline{AB}^2=12^2=144 \qquad \cdots\cdots \text{㉡}$$
따라서 삼각형 PAB의 넓이는
$$\frac{1}{2}\times \overline{PA}\times \overline{PB}=\frac{1}{2}\times \frac{(\overline{PA}+\overline{PB})^2-(\overline{PA}^2+\overline{PB}^2)}{2}$$
$$=\frac{1}{2}\times \frac{14^2-144}{2}\ (\because \text{㉠}, \text{㉡})$$
$$=\frac{1}{2}\times 26=13$$
답 ④

참고
중심이 원점인 타원과 원은 각각 x축, y축, 원점에 대하여 대칭이므로 이 타원과 원의 한 교점의 좌표를 (a, b)라고 하면 나머지 세 교점의 좌표는 $(a, -b)$, $(-a, b)$, $(-a, -b)$이다.

015

쌍곡선의 정의에 의하여
$$2|b|=4\sqrt{3},\ |b|=2\sqrt{3} \quad \therefore b^2=12$$

쌍곡선 $\dfrac{x^2}{a^2}-\dfrac{y^2}{12}=-1$의 두 초점이 $(0, 2\sqrt{6})$, $(0, -2\sqrt{6})$이므로

$a^2+12=(2\sqrt{6})^2$ $\therefore a^2=12$

$\therefore \left(\dfrac{a}{b}\right)^2=\dfrac{a^2}{b^2}=1$

답 ①

016

쌍곡선 $\dfrac{x^2}{a^2}-\dfrac{y^2}{b^2}=1$의 점근선의 방정식이 $y=\pm\dfrac{4}{3}x$이므로

$\pm\dfrac{b}{a}=\pm\dfrac{4}{3}$

$\therefore 16a^2=9b^2$ ······ ㉠

쌍곡선 $\dfrac{x^2}{a^2}-\dfrac{y^2}{b^2}=1$이 점 $(3\sqrt{3}, 4)$를 지나므로

$\dfrac{(3\sqrt{3})^2}{a^2}-\dfrac{4^2}{b^2}=1$

$\therefore 27b^2-16a^2=a^2b^2$ ―양변에 a^2b^2을 곱한다. ······ ㉡

㉠, ㉡을 연립하여 풀면 $a^2=18$, $b^2=32$ $(\because a^2>0, b^2>0)$

$\therefore a^2+b^2=50$

답 ③

017

쌍곡선 $7x^2-9y^2=63$, 즉 $\dfrac{x^2}{9}-\dfrac{y^2}{7}=1$에서

$\sqrt{9+7}=4$이므로 두 초점의 좌표는

$(4, 0)$, $(-4, 0)$

$\therefore \overline{FF'}=4-(-4)=8$

삼각형 PFF'의 넓이가 $8\sqrt{7}$이므로

$\dfrac{1}{2}\times 8\times|b|=8\sqrt{7}$, $|b|=2\sqrt{7}$ $\therefore b^2=28$

점 $P(a, b)$가 쌍곡선 $7x^2-9y^2=63$ 위의 점이므로

$7a^2-9b^2=63$, $7a^2=63+9\times28=315$ $\therefore a^2=45$

$\therefore a^2+b^2=45+28=73$

답 73

018

ㄱ은 옳다.

쌍곡선 $\dfrac{x^2}{4}-\dfrac{y^2}{60}=1$에서 $\sqrt{4+60}=8$이므로

$F(8, 0)$, $F'(-8, 0)$

$\therefore \overline{FF'}=8-(-8)=16$

ㄴ은 옳지 않다.

쌍곡선 $\dfrac{x^2}{4}-\dfrac{y^2}{60}=1$에서 쌍곡선의 정의에 의하여

$\overline{PF}-\overline{PF'}=2\times2=4$ ······ ㉠

한편 $\angle FPF'=90°$이므로 피타고라스 정리에 의하여

$\overline{PF}^2+\overline{PF'}^2=\overline{FF'}^2=16^2=256$

㉠의 양변을 제곱하면

$\overline{PF}^2-2\overline{PF}\times\overline{PF'}+\overline{PF'}^2=16$

$\therefore \overline{PF}\times\overline{PF'}=\dfrac{(\overline{PF}^2+\overline{PF'}^2)-16}{2}$

$=\dfrac{256-16}{2}=120$

따라서 삼각형 $PF'F$의 넓이는

$\dfrac{1}{2}\times\overline{PF}\times\overline{PF'}=\dfrac{1}{2}\times120=60$

ㄷ은 옳다.

세 점 P, F', F를 동시에 지나는 원은 $\overline{FF'}$을 지름으로 하는 원이므로 그 넓이는

$\pi\times\left(\dfrac{16}{2}\right)^2=64\pi$

따라서 옳은 것은 ㄱ, ㄷ이다.

답 ④

다른 풀이 ❶

ㄴ은 옳지 않다.

$\overline{PF}-\overline{PF'}=4$ ······ ㉠

$\overline{PF}^2+\overline{PF'}^2=256$ ······ ㉡

㉠, ㉡을 연립하여 풀면

$\overline{PF}=2\sqrt{31}+2$, $\overline{PF'}=2\sqrt{31}-2$

따라서 삼각형 $PF'F$의 넓이는

$\dfrac{1}{2}\times\overline{PF}\times\overline{PF'}=\dfrac{1}{2}\times(2\sqrt{31}+2)(2\sqrt{31}-2)=60$

다른 풀이 ❷

ㄴ은 옳지 않다.

점 P의 좌표를 (a, b)라고 하면 점 P가 쌍곡선 $\dfrac{x^2}{4}-\dfrac{y^2}{60}=1$ 위의 점이므로

$\dfrac{a^2}{4}-\dfrac{b^2}{60}=1$

$\therefore 15a^2-b^2=60$ ······ ㉠

또, $\angle FPF'=90°$이므로

$\dfrac{b}{a-8}\times\dfrac{b}{a-(-8)}=-1$

$\therefore b^2=-a^2+64$ ―두 직선 PF, PF'의 기울기의 곱은 -1이다. ······ ㉡

㉠, ㉡을 연립하여 풀면

$a^2=\dfrac{31}{4}$, $b^2=\dfrac{225}{4}$

즉, $|b|=\sqrt{\dfrac{225}{4}}=\dfrac{15}{2}$이므로 삼각형 $PF'F$의 넓이는

$\dfrac{1}{2}\times\overline{FF'}\times|b|=\dfrac{1}{2}\times16\times\dfrac{15}{2}=60$

019

▶ **접근**

초점의 좌표를 이용하여 원의 반지름의 길이를 구하고, 점근선의 기울기를 이용하여 부채꼴의 중심각의 크기를 구한다.

쌍곡선 $\dfrac{x^2}{4}-\dfrac{y^2}{12}=1$에서 $\sqrt{4+12}=4$이므로

$F(4, 0)$, $F'(-4, 0)$

따라서 주어진 원의 반지름의 길이는 4이다.

또, 쌍곡선 $\dfrac{x^2}{4}-\dfrac{y^2}{12}=1$의 점근선의 방정식은

$y=\pm\dfrac{2\sqrt{3}}{2}x$ $\therefore y=\pm\sqrt{3}x$

$\angle POF=\theta$라고 하면 $\tan\theta°=\sqrt{3}$이므로

$\theta°=60°$

따라서 부채꼴 POF의 넓이는

$\pi\times4^2\times\dfrac{60}{360}=\dfrac{8}{3}\pi$

답 ②

참고

(1) 직선이 x축의 양의 방향과 이루는 각의 크기가 $\theta°$일 때, 이 직선의 기울기를 m이라고 하면 ➡ $m=\tan\theta°$

(2) 반지름의 길이가 r, 중심각의 크기가 $x°$인 부채꼴에서 호의 길이를 l, 넓이를 S라고 하면

➡ $l=2\pi r\times\dfrac{x}{360}$, $S=\pi r^2\times\dfrac{x}{360}=\dfrac{1}{2}rl$

020

$\overline{FF'}=2c$이고, 사각형 ABF'F가 정사각형이므로

$\overline{AF}=\overline{FF'}=2c$ ······ ㉠

삼각형 AF'F는 직각이등변삼각형이므로

$\overline{AF'}=\sqrt{2}\,\overline{FF'}=2c\sqrt{2}$ ······ ㉡

주축의 길이가 2이므로 쌍곡선의 정의에 의하여

$\overline{AF'}-\overline{AF}=2$

위의 식에 ㉠, ㉡을 대입하면

$2c\sqrt{2}-2c=2$, $(\sqrt{2}-1)c=1$

$\therefore c=\dfrac{1}{\sqrt{2}-1}=\sqrt{2}+1$

따라서 정사각형 ABF'F의 대각선의 길이는

$\overline{AF'}=2c\sqrt{2}=2\sqrt{2}(\sqrt{2}+1)=4+2\sqrt{2}$

답 ③

021

접근

쌍곡선의 정의를 이용하여 $\overline{PF}-\overline{PF'}$을 구하고, 원에서 지름에 대한 원주각의 크기는 90°임을 이용하여 닮음인 두 직각삼각형을 찾는다.

쌍곡선 $\dfrac{x^2}{5}-\dfrac{y^2}{b}=1$에서 주축의 길이는 $2\sqrt{5}$

점 P가 쌍곡선 위의 점이므로 쌍곡선의 정의에 의하여

$\overline{PF}-\overline{PF'}=2\sqrt{5}$ ······ ㉠

점 P가 $\overline{FF'}$을 지름으로 하는 원 위의 점이므로

$\angle F'PF=90°$

또, $\overline{PF}\perp\overline{OQ}$이므로

$\triangle FPF'\sim\triangle FQO$ (AA 닮음)

$F(c,\,0)$, $F'(-c,\,0)$ $(c>0)$이라고 하면

$\overline{FO}=c$, $\overline{FF'}=2c$

이므로 $\triangle FPF'$과 $\triangle FQO$의 닮음비는

$\overline{FF'}:\overline{FO}=2:1$

$\triangle FQO$에서 $\overline{FO}=c$, $\overline{QO}=\sqrt{5}$이므로 피타고라스 정리에 의하여

$\overline{QF}=\sqrt{c^2-5}$

원의 중심이 원점이고 원이 쌍곡선의 꼭짓점 $(\sqrt{5},\,0)$, $(-\sqrt{5},\,0)$을 지나므로 원의 반지름의 길이는 $\sqrt{5}$이다.

$\triangle FPF'$에서

$\overline{PF'}=2\overline{QO}=2\sqrt{5}$, $\overline{PF}=2\overline{QF}=2\sqrt{c^2-5}$

이므로 ㉠에서

$2\sqrt{c^2-5}-2\sqrt{5}=2\sqrt{5}$, $\sqrt{c^2-5}=2\sqrt{5}$

$c^2-5=20$, $c^2=25$ $\therefore c=5\ (\because c>0)$

$\therefore \overline{FF'}=2c=2\times5=10$

답 ①

022

방정식 $kx^2+(1-k)y^2-2y=0$이 나타내는 도형이 타원이 되려면

$k(1-k)>0$, $k\neq1-k$

이어야 한다.

$k(1-k)>0$에서

$k(k-1)<0$ $\therefore 0<k<1$ ······ ㉠

$k\neq1-k$에서

$2k\neq1$ $\therefore k\neq\dfrac{1}{2}$ ······ ㉡

㉠, ㉡에서

$0<k<\dfrac{1}{2}$ 또는 $\dfrac{1}{2}<k<1$

답 $0<k<\dfrac{1}{2}$ 또는 $\dfrac{1}{2}<k<1$

023

포물선 $(2+a)x^2-y^2+8x+by+c=0$의 준선이 y축에 평행하므로

$2+a=0$ $\therefore a=-2$

즉, 주어진 포물선의 방정식은

$y^2-by=8x+c$ ······ ㉠

이므로 이 포물선은 포물선 $y^2=8x$를 평행이동한 것이다.

포물선 $y^2=8x=4\times2\times x$의 초점의 좌표는 $(2,\,0)$

포물선 ㉠의 초점의 좌표가 $(3,\,4)$이므로 포물선 ㉠은 포물선 $y^2=8x$를 x축의 방향으로 1만큼, y축의 방향으로 4만큼 평행이동한 것이다.

따라서 주어진 포물선의 방정식은

$(y-4)^2=8(x-1)$

$\therefore y^2-8y=8x-24$

즉, $b=8$, $c=-24$이므로

$a+b-c=-2+8+24=30$

답 ④

024

포물선 $y^2=16x=4\times4\times x$의 초점 F의 좌표는 $(4,\,0)$이고 준선의 방정식은 $x=-4$이므로 점 $P(-4,\,k)$는 준선 위의 점이다.

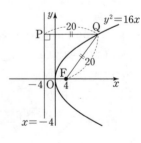

따라서 오른쪽 그림과 같이 $\overline{PQ}$는 준선 $x=-4$에 수직이므로 점 Q의 좌표는 $(20-4,\,k)$, 즉 $(16,\,k)$이다.

점 Q가 포물선 $y^2=16x$ 위의 점이므로

$k^2=16\times16$ $\therefore k=16\ (\because k>0)$

답 16

025

포물선 $y^2=12x=4\times3\times x$의 초점 F의 좌표는 $(3, 0)$이고 준선의
방정식은 $x=-3$이다.

오른쪽 그림과 같이 두 점 A, B
에서 준선에 내린 수선의 발을 각
각 H, H'이라 하고 두 점 A, B
의 x좌표를 각각 a, b라고 하면
포물선의 정의에 의하여

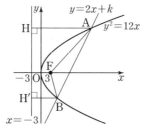

$\overline{\text{AF}}=\overline{\text{AH}}=a+3$,
$\overline{\text{BF}}=\overline{\text{BH}'}=b+3$

이때 $\overline{\text{AF}}+\overline{\text{BF}}=27$이므로

$(a+3)+(b+3)=27$

$\therefore a+b=21$ ...... ㉠

한편 a, b는 포물선 $y^2=12x$와 직선 $y=2x+k$의 교점의 x좌표이
므로 이차방정식 $(2x+k)^2=12x$, 즉 $4x^2+4(k-3)x+k^2=0$의
두 근이다.

이때 이차방정식의 근과 계수의 관계에 의하여

$a+b=-(k-3)$ ...... ㉡

㉠, ㉡에서

$-(k-3)=21$ $\therefore k=-18$

답 ③

참고

이차방정식의 근과 계수의 관계
이차방정식 $ax^2+bx+c=0$의 두 근을 α, β라고 하면
$\alpha+\beta=-\dfrac{b}{a}$, $\alpha\beta=\dfrac{c}{a}$

026

포물선 $y^2=2x=4\times\dfrac{1}{2}\times x$의 초점

F의 좌표는 $\left(\dfrac{1}{2}, 0\right)$이고 준선의 방

정식은 $x=-\dfrac{1}{2}$이다.

오른쪽 그림과 같이 점 P_n에서 준선
에 내린 수선의 발을 H_n이라고 하면
포물선의 정의에 의하여

$\overline{\text{P}_n\text{F}}=\overline{\text{P}_n\text{H}_n}=x_n+\dfrac{1}{2}$이므로

$a_n=x_n+\dfrac{1}{2}$

$\therefore \displaystyle\sum_{n=1}^{300}(a_n-x_n)=\sum_{n=1}^{300}\dfrac{1}{2}=300\times\dfrac{1}{2}=150$

답 150

참고

합의 기호 $\sum$의 성질 (수학 I)

(1) $\displaystyle\sum_{k=1}^{n}(a_k+b_k)=\sum_{k=1}^{n}a_k+\sum_{k=1}^{n}b_k$

(2) $\displaystyle\sum_{k=1}^{n}(a_k-b_k)=\sum_{k=1}^{n}a_k-\sum_{k=1}^{n}b_k$

(3) $\displaystyle\sum_{k=1}^{n}ca_k=c\sum_{k=1}^{n}a_k$ (단, c는 상수이다.)

(4) $\displaystyle\sum_{k=1}^{n}c=cn$ (단, c는 상수이다.)

027

오른쪽 그림과 같이 위성방송 안테나의
단면의 축을 x축, 축에 수직이면서 꼭짓
점을 지나는 직선을 y축으로 하는 좌표평
면 위에 놓자.

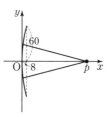

수신기의 좌표를 $(p, 0)$ $(p>0)$이라고
하면 이 포물선의 방정식은

$y^2=4px$

이때 점 $(8, 60)$은 이 포물선 위의 점이므로

$60^2=4p\times8$ $\therefore p=\dfrac{225}{2}$

따라서 수신기와 꼭짓점 사이의 거리는 $\dfrac{225}{2}$ cm이다.

답 ④

028

접근

포물선의 정의를 이용하여 직각삼각형 PRF에서 두 선분 PR, PF의
길이의 비를 구하고 ∠PRF의 크기를 구한다.

포물선 $y^2=8x=4\times2\times x$의 초점 F의 좌표는 $(2, 0)$이고 준선
l의 방정식은 $x=-2$이다.

포물선의 정의에 의하여 $\overline{\text{PF}}=\overline{\text{PQ}}$이고 $\overline{\text{PQ}}=\overline{\text{QR}}$이므로 직각삼각
형 PRF에서 $\overline{\text{PR}}:\overline{\text{PF}}=2:1$

$\therefore \angle\text{RPF}=60°$

$\overline{\text{PF}}=\overline{\text{PQ}}=\overline{\text{QR}}=a$라 하고, 오른
쪽 그림과 같이 점 P에서 x축에
내린 수선의 발을 H_1, 직선 l과 x
축의 교점을 H_2라고 하면 직각삼
각형 PFH_1에서

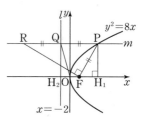

$\angle\text{PFH}_1=\angle\text{RPF}=60°$ (엇각)

이므로

$\overline{\text{PH}_1}=\overline{\text{PF}}\times\sin60°=\dfrac{\sqrt{3}}{2}a$

$\overline{\text{FH}_1}=\overline{\text{PF}}\times\cos60°=\dfrac{1}{2}a$

이때 $\overline{\text{H}_1\text{H}_2}=\overline{\text{FH}_2}+\overline{\text{FH}_1}$이고 $\overline{\text{H}_1\text{H}_2}=\overline{\text{PQ}}=a$,
$\overline{\text{FH}_2}=2-(-2)=4$이므로

$a=4+\dfrac{1}{2}a$, $\dfrac{1}{2}a=4$ $\therefore a=8$

즉, $\overline{\text{PH}_1}=\dfrac{\sqrt{3}}{2}\times8=4\sqrt{3}$이므로 $\text{Q}(-2, 4\sqrt{3})$

따라서 선분 OQ의 길이는

$\sqrt{(-2)^2+(4\sqrt{3})^2}=\sqrt{52}=2\sqrt{13}$

답 $2\sqrt{13}$

029

포물선 $y^2=4x=4\times1\times x$의 초점
F의 좌표는 $(1, 0)$이고 준선의 방
정식은 $x=-1$이다.

오른쪽 그림과 같이 점 D에서 준선
에 내린 수선의 발을 H라고 하면
포물선의 정의에 의하여

$\overline{\text{DH}}=\overline{\text{DF}}=5$

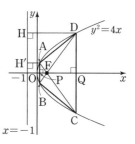

이므로 점 D의 x좌표는

$5-1=4$

점 D가 포물선 $y^2=4x$ 위의 점이므로 $x=4$를 이 식에 대입하면

$y^2=4\times4=16$ $\therefore y=\pm4$

이때 두 점 C, D가 x축에 대하여 대칭이므로

$C(4, -4)$, $D(4, 4)$

선분 AB, CD가 x축과 만나는 점을 각각 P, Q라 하고 점 A에서 준선에 내린 수선의 발을 H′이라고 하자.

점 P의 좌표를 $(a, 0)\,(a>0)$이라고 하면

$\overline{AH'}=\overline{AF}=a+1$, $\overline{PF}=1-a$

한편 $\triangle APF \backsim \triangle DQF$ (AA 닮음)이므로

$\overline{AF} : \overline{DF}=\overline{PF} : \overline{QF}$ ⎧ 포물선이 x축에 대하여 대칭이므로

$(a+1) : 5=(1-a) : (4-1)$ $\angle AFP=\angle BFP$

$5(1-a)=3(a+1)$, $8a=2$ $\angle BFP=\angle DFQ$ (맞꼭지각)이므로

$\therefore a=\dfrac{1}{4}$ $\angle AFP=\angle DFQ$

또, $\angle APF=\angle DQF=90°$이므로

$\triangle APF \backsim \triangle DQF$

즉, 두 점 A, B의 x좌표가 $\dfrac{1}{4}$이므로 $x=\dfrac{1}{4}$을 $y^2=4x$에 대입하면

$y^2=4\times\dfrac{1}{4}=1$ $\therefore y=\pm1$

$\therefore A\left(\dfrac{1}{4}, 1\right)$, $B\left(\dfrac{1}{4}, -1\right)$

따라서 사각형 ABCD의 넓이는

$\dfrac{1}{2}\times(\overline{AB}+\overline{CD})\times\overline{PQ}=\dfrac{1}{2}\times(2+8)\times\left(4-\dfrac{1}{4}\right)=\dfrac{75}{4}$

답 ③

다른 풀이

두 점 $D(4, 4)$, $F(1, 0)$을 지나는 직선의 방정식은

$y-4=\dfrac{0-4}{1-4}(x-4)$

$\therefore y=\dfrac{4}{3}x-\dfrac{4}{3}$

이것을 $y^2=4x$에 대입하면

$\left(\dfrac{4}{3}x-\dfrac{4}{3}\right)^2=4x$, $4x^2-17x+4=0$

$(4x-1)(x-4)=0$ $\therefore x=\dfrac{1}{4}$ 또는 $x=4$

따라서 점 B의 좌표는 $\left(\dfrac{1}{4}, -1\right)$이므로 점 A의 좌표는 $\left(\dfrac{1}{4}, 1\right)$이다.

030

포물선 $y^2=8x=4\times2\times x$의 초점 F의 좌표는 $(2, 0)$이고 준선의 방정식은 $x=-2$이다.

두 점 A, B에서 준선에 내린 수선의 발을 각각 H, H′이라 하고 두 점 A, B의 x좌표를 각각 a, b라고 하면

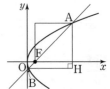

$\overline{AF}=\overline{AH}=a+2$, $\overline{BF}=\overline{BH'}=b+2$

삼각형 AFB의 무게중심의 x좌표가 5이므로

$\dfrac{2+a+b}{3}=5$ $\therefore a+b=13$ ……… ㉠

$\therefore \overline{AF}\times\overline{BF}=(a+2)(b+2)$

$=ab+2(a+b)+4$

$=ab+30$ ($\because$ ㉠)

이때 a, b는 ㉠을 만족시키는 2보다 큰 자연수이므로

$a=6$, $b=7$ 또는 $a=7$, $b=6$일 때 ab의 최댓값은 42이다.

따라서 $\overline{AF}\times\overline{BF}$의 최댓값은 $42+30=72$이다.

답 ④

참고

합이 13인 2보다 큰 두 자연수를 구하여 그 곱을 구하면 다음 표와 같다.

합이 13인 두 자연수	두 자연수의 곱
3, 10	30
4, 9	36
5, 8	40
6, 7	42

따라서 $a=6$, $b=7$ 또는 $a=7$, $b=6$일 때 ab의 값이 최대가 된다.

031

오른쪽 그림과 같이 점 A, B에서 포물선의 준선에 내린 수선의 발을 각각 C, D라 하고 직선 AB와 준선의 교점을 E라고 하자.

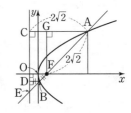

또, 점 F에서 $\overline{AC}$에 내린 수선의 발을 G라고 하면 직선 AB의 기울기가 1이므로 삼각형 AGF는 직각이등변삼각형이다.

$\overline{AG}=2$이므로 $\overline{AF}=\sqrt{2}\times\overline{AG}=2\sqrt{2}$

포물선의 정의에 의하여 $\overline{AC}=\overline{AF}=2\sqrt{2}$이므로 직각이등변삼각형 ACE에서 $\overline{AE}=\sqrt{2}\times\overline{AC}=4$

또, 포물선의 정의에 의하여 $\overline{BD}=\overline{BF}$이고 직각이등변삼각형 BDE에서

$\overline{BE}=\sqrt{2}\times\overline{BF}$

이때 $\overline{AE}=\overline{BE}+\overline{BF}+\overline{AF}=4$이므로

$\sqrt{2}\times\overline{BF}+\overline{BF}+2\sqrt{2}=4$, $(\sqrt{2}+1)\overline{BF}=4-2\sqrt{2}$

$\therefore \overline{BF}=\dfrac{4-2\sqrt{2}}{\sqrt{2}+1}=6\sqrt{2}-8$

$\therefore \overline{AB}=\overline{AF}+\overline{BF}=2\sqrt{2}+(6\sqrt{2}-8)=8\sqrt{2}-8$

따라서 $a=-8$, $b=8$이므로

$a^2+b^2=(-8)^2+8^2=128$

답 128

다른 풀이

오른쪽 그림과 같이 점 A에서 점 B를 지나고 x축에 평행한 직선에 내린 수선의 발을 H라고 하자.

점 F의 좌표를 $(p, 0)\,(p>0)$이라고 하면 포물선의 방정식은

$y^2=4px$

직선 AB는 기울기가 1이고 점 $F(p, 0)$을 지나므로 그 방정식은

$y=x-p$

두 점 A, B의 x좌표는 이차방정식 $(x-p)^2=4px$, 즉

$x^2-6px+p^2=0$의 두 근이다.

이때 점 A의 x좌표는 $p+2$이고 두 점 A, B의 x좌표의 합이 $6p$이

므로 점 B의 x좌표는
$$6p-(p+2)=5p-2$$
$$\therefore \overline{BH}=p+2-(5p-2)=4-4p$$
점 $A(p+2, 2)$가 포물선 $y^2=4px$ 위의 점이므로
$$2^2=4p(p+2), \quad p^2+2p-1=0$$
$$\therefore p=\sqrt{2}-1 \ (\because p>0)$$
즉, $\overline{BH}=4-4p=4-4(\sqrt{2}-1)=8-4\sqrt{2}$이므로 직각이등변삼각형 ABH에서
$$\overline{AB}=\sqrt{2}\times\overline{BH}=\sqrt{2}(8-4\sqrt{2})=8\sqrt{2}-8$$

032

다음 그림과 같이 포물선 C_1, C_2의 준선 m, n을 긋고 점 P에서 직선 m에 내린 수선의 발을 H, 점 Q에서 직선 n에 내린 수선의 발을 H′이라 하고 직선 m, n과 x축의 교점을 각각 C, D라고 하자.

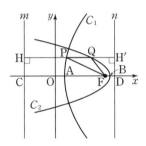

두 점 A, B가 각각 포물선 C_1, C_2의 꼭짓점이므로
$$\overline{AF}=\overline{AC}, \quad \overline{BF}=\overline{BD} \qquad \cdots\cdots \text{㉠}$$
또, 포물선의 정의에 의하여
$$\overline{PF}=\overline{PH}, \quad \overline{QF}=\overline{QH'}$$
따라서 삼각형 PFQ의 둘레의 길이는
$$\overline{PF}+\overline{PQ}+\overline{QF}=\overline{PH}+\overline{PQ}+\overline{QH'}=\overline{HH'}=\overline{CD}$$
$$=\overline{AC}+\overline{AF}+\overline{BF}+\overline{BD}=2(\overline{AF}+\overline{BF}) \ (\because \text{㉠})$$
$$=2\overline{AB}=2|8-2|=12$$

답 ④

033

점 B의 좌표를 $(a, 0)(a>0)$이라고 하면 $\overline{AB}=4$이므로
$$A(a-4, 0)$$
포물선 p_1은 꼭짓점 $A(a-4, 0)$, 초점이 $B(a, 0)$이므로 그 방정식은
$$y^2=4\times \fbox{4}\times(x-a+4)$$ — $\overline{AB}=4$
$$=16(x-a+4) \qquad \cdots\cdots \text{㉠}$$ — 포물선 $y^2=16x$를 x축의 방향으로 $a-4$만큼 평행이동한 것이다.
포물선 p_2는 꼭짓점이 $B(a, 0)$, 초점이 원점 O이므로 그 방정식은
$$y^2=-4\times \fbox{a}\times(x-a)$$ — $\overline{OB}=a$
$$=-4a(x-a) \qquad \cdots\cdots \text{㉡}$$ — 포물선 $y^2=-4ax$를 x축의 방향으로 a만큼 평행이동한 것이다.
㉠, ㉡이 y축 위의 두 점 C, D에서 만나므로 ㉠, ㉡에 $x=0$을 대입하여 얻은 y^2의 값이 같아야 한다.
즉, $16(-a+4)=-4a\times(-a)$이므로
$$a^2+4a-16=0 \qquad \therefore a=-2+2\sqrt{5} \ (\because a>0)$$
따라서 포물선 p_1의 방정식은 $y^2=16(x+6-2\sqrt{5})$이고 포물선 p_2의 방정식은 $y^2=(8-8\sqrt{5})(x+2-2\sqrt{5})$이므로
$$C(0, 4\sqrt{5}-4), \quad D(0, 4-4\sqrt{5})$$

따라서 사각형 ADBC의 넓이는
$$2\triangle ABC=2\times\left\{\frac{1}{2}\times4\times(4\sqrt{5}-4)\right\}=16(\sqrt{5}-1)$$

답 ①

참고

포물선 p_2의 방정식 $y^2=(8-8\sqrt{5})(x+2-2\sqrt{5})$에 $x=0$을 대입하면
$$y^2=(8-8\sqrt{5})(2-2\sqrt{5})=16(1-\sqrt{5})^2=\{4(\sqrt{5}-1)\}^2$$
이므로
$$y=\pm4(\sqrt{5}-1)$$
이때 점 C의 y좌표는 양수이고 점 D의 y좌표는 음수이므로
$$C(0, 4\sqrt{5}-4), \quad D(0, 4-4\sqrt{5})$$

034

→ 접근

포물선의 준선을 긋고 두 점 A_1, A_2에서 준선까지의 거리를 포물선의 정의를 이용하여 구한다.

오른쪽 그림과 같이 포물선의 준선 m을 긋고, 포물선의 꼭짓점을 O, 점 A_1, A_2에서 직선 l에 내린 수선의 발을 각각 B, C라 하고, 준선 m에 내린 수선의 발을 각각 H_1, H_2라고 하자.

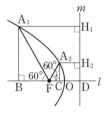

직각삼각형 A_1BF에서
$$\overline{BF}=\overline{A_1F}\times\cos 60°$$
$$=60\times\frac{1}{2}=30 \, (\text{cm})$$
직각삼각형 A_2CF에서 $\overline{A_2F}=a \, (\text{cm})$라고 하면
$$\overline{FC}=\overline{A_2F}\times\cos 60°$$
$$=a\times\frac{1}{2}=\frac{1}{2}a \, (\text{cm})$$
포물선의 정의에 의하여
$$\overline{A_1H_1}=\overline{A_1F}=60 \, (\text{cm})$$
$$\overline{A_2H_2}=\overline{A_2F}=a \, (\text{cm})$$
두 직선 l, m의 교점을 D라고 하면
$$\overline{BD}=\overline{A_1H_1}=60 \, (\text{cm})$$
$$\therefore \overline{FD}=\overline{A_1H_1}-\overline{BF}=60-30=30 \, (\text{cm})$$
이때 $\overline{FD}=\overline{FC}+\overline{CD}=\overline{FC}+\overline{A_2H_2}$이므로
$$30=\frac{1}{2}a+a, \quad \frac{3}{2}a=30 \qquad \therefore a=20$$
따라서 두 지점 A_2와 F 사이의 거리는 20 cm이다.

답 20 cm

035

두 식 $(x-2)^2+y^2=4$, $(x-4)^2+(y-4)^2=16$을 연립하여 풀면
$$x=\frac{4}{5}, y=\frac{8}{5} \ \text{또는} \ x=4, y=0$$ — 꼭짓점이 $\left(\frac{2}{5}, \frac{8}{5}\right)$이므로 포물선 $y^2=4\times\frac{2}{5}\times x=\frac{8}{5}x$를 x축의 방향으로 $\frac{2}{5}$만큼, y축의 방향으로 $\frac{8}{5}$만큼 평행이동한 것이다.
$$\therefore A\left(\frac{4}{5}, \frac{8}{5}\right), B(4, 0)$$
포물선 p_1은 점 $A\left(\frac{4}{5}, \frac{8}{5}\right)$을 초점으로 하고 y축을 준선으로 하는 포물선이므로 그 방정식은

$$\left(y-\frac{8}{5}\right)^2=\frac{8}{5}\left(x-\frac{2}{5}\right)$$

포물선 p_2는 점 $B(4, 0)$을 초점으로 하고 y축을 준선으로 하는 포물선이므로 그 방정식은 ⌐꼭짓점이 $(2, 0)$이므로 포물선 $y^2=4\times 2x=8x$를 └ x축의 방향으로 2만큼 평행이동한 것이다.
$$y^2=8(x-2)$$

두 식 $\left(y-\frac{8}{5}\right)^2=\frac{8}{5}\left(x-\frac{2}{5}\right)$, $y^2=8(x-2)$를 연립하여 풀면

$x=2$, $y=0$ 또는 $x=4$, $y=4$

따라서 두 포물선 p_1, p_2의 교점은 $(2, 0)$, $(4, 4)$이므로 두 교점 사이의 거리는
$$\sqrt{(4-2)^2+(4-0)^2}=2\sqrt{5}$$

답 ③

036

타원 $\dfrac{x^2}{25}+\dfrac{y^2}{16}=1$에서 $\sqrt{25-16}=3$이므로 두 초점의 좌표는

$F(3, 0)$, $F'(-3, 0)$ ∴ $\overline{F'F}=6$

타원의 정의에 의하여 $\overline{PF}+\overline{PF'}=2\times 5=10$이므로 $\overline{PF'}=t$라고 하면
$$\overline{PF}=10-t$$

한편 점 P에서 선분 $F'F$에 내린 수선의 발을 H라고 하면

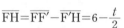

$$\overline{F'H}=\overline{PF'}\cos 60°=\frac{t}{2}$$

$$\overline{FH}=\overline{FF'}-\overline{F'H}=6-\frac{t}{2}$$

직각삼각형 PHF'에서 피타고라스 정리에 의하여
$$\overline{PH}^2=\overline{PF'}^2-\overline{F'H}^2=t^2-\left(\frac{t}{2}\right)^2$$
$$=\frac{3}{4}t^2 \qquad\qquad \cdots\cdots ㉠$$

직각삼각형 PHF에서 피타고라스 정리에 의하여
$$\overline{PH}^2=\overline{PF}^2-\overline{FH}^2=(10-t)^2-\left(6-\frac{t}{2}\right)^2$$
$$=64-14t+\frac{3}{4}t^2 \qquad \cdots\cdots ㉡$$

㉠=㉡이므로 $64-14t=0$

∴ $t=\dfrac{32}{7}$

답 ②

다른 풀이

삼각형 PF'F에서 $\angle PF'F=60°$이므로 코사인법칙에 의하여
$$\overline{PF}^2=\overline{PF'}^2+\overline{F'F}^2-2\times\overline{PF'}\times\overline{F'F}\cos 60°$$
$$(10-t)^2=t^2+6^2-2\times t\times 6\times\frac{1}{2}$$

$14t=64$ ∴ $t=\dfrac{32}{7}$

참고

코사인법칙 (수학Ⅰ)

삼각형 ABC에서

(1) $a^2=b^2+c^2-2bc\cos A$

(2) $b^2=c^2+a^2-2ca\cos B$

(3) $c^2=a^2+b^2-2ab\cos C$

037

타원 $\dfrac{x^2}{16}+\dfrac{y^2}{7}=1$에서 $\sqrt{16-7}=3$이므로 두 초점의 좌표는

$F(3, 0)$, $F'(-3, 0)$

∴ $\overline{F'F}=6$

또, 타원의 정의에 의하여
$$\overline{PF}+\overline{PF'}=2\times 4=8 \qquad \cdots\cdots ㉠$$

한편 $\overline{OP}=\overline{OF}$이므로 점 P는 오른쪽 그림과 같이 중심이 원점이고 반지름의 길이가 $\overline{OF}=3$인 원 위의 점이다.

∴ $\angle F'PF=90°$

직각삼각형 PF'F에서 피타고라스 정리에 의하여
$$\overline{PF}^2+\overline{PF'}^2=\overline{F'F}^2=6^2=36 \qquad \cdots\cdots ㉡$$

∴ $\overline{PF}\times\overline{PF'}=\dfrac{(\overline{PF}+\overline{PF'})^2-(\overline{PF}^2+\overline{PF'}^2)}{2}$

$$=\frac{8^2-36}{2}=14 \ (\because ㉠, ㉡)$$

답 ⑤

038

▶ 접근

타원의 정의와 피타고라스 정리를 이용하여 삼각형 PF'F의 밑변의 길이와 높이를 구한다.

타원 $\dfrac{x^2}{36}+\dfrac{y^2}{20}=1$에서 $\sqrt{36-20}=4$이므로 두 초점의 좌표는

$F(4, 0)$, $F'(-4, 0)$

∴ $\overline{FF'}=8$

또, 타원의 정의에 의하여
$$\overline{PF}+\overline{PF'}=2\times 6=12$$

$\overline{PF}=t$라고 하면
$$\overline{PF'}=12-t$$

오른쪽 그림과 같이 $\overline{PF}$의 중점을 M이라고 하면
$$\overline{PM}=\overline{MF}=\frac{t}{2}$$

두 직각삼각형 PF'M, FF'M에서 피타고라스 정리에 의하여
$$\overline{PF'}^2-\overline{PM}^2=\overline{FF'}^2-\overline{MF}^2$$

이므로
$$(12-t)^2-\left(\frac{t}{2}\right)^2=8^2-\left(\frac{t}{2}\right)^2$$

$t^2-24t+80=0$, $(t-4)(t-20)=0$

∴ $t=4$ $(\because 0<t<12)$ ⌐ $\overline{PF}=t$, $\overline{PF'}=12-t$에서 $t>0$, $12-t>0$이므로 └ $0<t<12$

직각삼각형 FF'M에서 피타고라스 정리에 의하여
$$\overline{F'M}=\sqrt{\overline{FF'}^2-\overline{MF}^2}=\sqrt{8^2-2^2}=2\sqrt{15}$$

따라서 삼각형 PF'F의 넓이는
$$\frac{1}{2}\times\overline{PF}\times\overline{F'M}=\frac{1}{2}\times 4\times 2\sqrt{15}=4\sqrt{15}$$

답 $4\sqrt{15}$

039

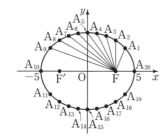

타원 $\dfrac{x^2}{25}+\dfrac{y^2}{16}=1$의 다른 한 초점을 F′이라 하고 x좌표가 정수인

타원 위의 점 A_1, A_2, A_3, $\cdots$, A_{20}을 위의 그림과 같이 잡으면

$\overline{F'A_1}=\overline{FA_9}$, $\overline{F'A_2}=\overline{FA_8}$, $\overline{F'A_3}=\overline{FA_7}$, $\overline{F'A_4}=\overline{FA_6}$,

$\overline{F'A_5}=\overline{FA_{15}}$, $\overline{F'A_{10}}=\overline{FA_{20}}$, $\overline{F'A_{11}}=\overline{FA_{19}}$, $\overline{F'A_{12}}=\overline{FA_{18}}$,

$\overline{F'A_{13}}=\overline{FA_{17}}$, $\overline{F'A_{14}}=\overline{FA_{16}}$

이므로

$$\sum_{k=1}^{20}\overline{FA_k}=\overline{FA_1}+\overline{FA_2}+\overline{FA_3}+\cdots+\overline{FA_{20}}$$
$$=\left(\overline{FA_1}+\overline{FA_9}\right)+\left(\overline{FA_2}+\overline{FA_8}\right)+\left(\overline{FA_3}+\overline{FA_7}\right)$$
$$\quad+\left(\overline{FA_4}+\overline{FA_6}\right)+\left(\overline{FA_5}+\overline{FA_{15}}\right)+\left(\overline{FA_{10}}+\overline{FA_{20}}\right)$$
$$\quad+\left(\overline{FA_{11}}+\overline{FA_{19}}\right)+\left(\overline{FA_{12}}+\overline{FA_{18}}\right)$$
$$\quad+\left(\overline{FA_{13}}+\overline{FA_{17}}\right)+\left(\overline{FA_{14}}+\overline{FA_{16}}\right)$$
$$=\left(\overline{FA_1}+\overline{F'A_1}\right)+\left(\overline{FA_2}+\overline{F'A_2}\right)+\left(\overline{FA_3}+\overline{F'A_3}\right)$$
$$\quad+\left(\overline{FA_4}+\overline{F'A_4}\right)+\left(\overline{FA_5}+\overline{F'A_5}\right)$$
$$\quad+\left(\overline{FA_{10}}+\overline{F'A_{10}}\right)+\left(\overline{FA_{11}}+\overline{F'A_{11}}\right)$$
$$\quad+\left(\overline{FA_{12}}+\overline{F'A_{12}}\right)+\left(\overline{FA_{13}}+\overline{F'A_{13}}\right)$$
$$\quad+\left(\overline{FA_{14}}+\overline{F'A_{14}}\right)$$

└ 타원의 장축의 길이가 $2\times5=10$이고 A_k가 타원
위의 점이므로 타원의 정의에 의하여
$\overline{FA_k}+\overline{F'A_k}=10$

$$=10\times10=100$$

답 100

[참고]

합의 기호 $\sum$ (수학 I)

수열 $\{a_n\}$의 첫째항부터 제n항까지의 합을 합의 기호 $\sum$를 사용하여

$$a_1+a_2+a_3+\cdots+a_n=\sum_{k=1}^{n}a_k$$

와 같이 나타낸다.

040

▸ **접근**

평행이동을 이용하여 점 F, P, Q의 좌표를 구하고, 포물선과 타원의 정의를 이용한다.

포물선 $y^2=-8(x-5)$는 포물선 $y^2=-8x$를 x축의 방향으로 5만큼 평행이동한 것이다.

포물선 $y^2=-8x=4\times(-2)\times x$의 초점의 좌표가 $(-2, 0)$, 준선의 방정식이 $x=2$이므로 포물선 $y^2=-8(x-5)$의 초점 F의 좌표는 $(-2+5, 0)$, 즉 $(3, 0)$이고 준선의 방정식은 $x-5=2$, 즉 $x=7$이다.

또, 타원 $\dfrac{(x+3)^2}{4}+\dfrac{y^2}{8}=1$은 타원 $\dfrac{x^2}{4}+\dfrac{y^2}{8}=1$을 x축의 방향으로 -3만큼 평행이동한 것이다.

타원 $\dfrac{x^2}{4}+\dfrac{y^2}{8}=1$에서 $\sqrt{8-4}=2$이므로 두 초점의 좌표는 $(0, 2)$, $(0, -2)$이고, 타원 $\dfrac{(x+3)^2}{4}+\dfrac{y^2}{8}=1$의 두 초점 P, Q의 좌표는 각각 $(-3, 2)$, $(-3, -2)$이다.

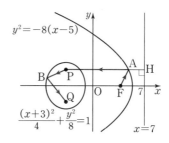

위의 그림과 같이 점 A에서 포물선의 준선 $x=7$에 내린 수선의 발을 H라고 하면 포물선의 정의에 의하여

$$\overline{FA}=\overline{AH}$$

또, 타원의 정의에 의하여

$$\overline{PB}+\overline{BQ}=2\times2\sqrt{2}=4\sqrt{2}$$

이므로

$$\overline{FA}+\overline{AP}+\overline{PB}+\overline{BQ}=\overline{AH}+\overline{AP}+\overline{PB}+\overline{BQ}$$
$$=\overline{PH}+\overline{PB}+\overline{BQ}$$
$$=|7-(-3)|+4\sqrt{2}$$
$$=10+4\sqrt{2}$$

답 $10+4\sqrt{2}$

041

오른쪽 그림과 같이 원 C_1에 내접하고 원 C_2에 외접하는 원의 중심을 P, 반지름의 길이를 r라 하고, 두 원 C_1, C_2의 중심을 각각 A, B라고 하면

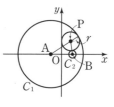

$$\overline{PA}=9-r, \quad \overline{PB}=1+r$$
$$\therefore \overline{PA}+\overline{PB}=10$$

따라서 점 P의 집합이 나타내는 도형은 두 점 $A(-3, 0)$, $B(3, 0)$을 초점으로 하고 장축의 길이가 10인 타원이므로

└ $2a=10$이므로 $a=5$

타원의 방정식은

$$\dfrac{x^2}{25}+\dfrac{y^2}{16}=1$$

즉, $a=5$, $b=4$이므로

└ $5^2-3^2=16$

$$a+b=9$$

답 ⑤

[풍쌤 비법]

타원이 되는 점의 자취

(1) 한 원에 내접하고 다른 한 원에 외접하는 원의 중심의 자취는 두 원의 중심을 초점으로 하고, 두 원의 반지름의 길이의 합이 장축의 길이인 타원이다.

(2) 중심이 C인 원의 내부의 한 정점을 F, 원 위의 임의의 점을 P라고 할 때, 선분 FP의 수직이등분선과 선분 CP의 교점의 자취는 두 점 C, F를 초점으로 하고 원의 반지름의 길이가 장축의 길이인 타원이다.

(3) 길이가 일정한 선분 AB의 한 끝 점은 x축, 다른 한 끝 점은 y축 위에 있을 때, 선분 AB를 $m:n$ $(m>0, n>0, m\neq n)$으로 내분하는 점의 자취는 타원이다.

두 원의 위치 관계

두 원 O, O'의 반지름의 길이를 각각 r, r' $(r>r')$, 중심 사이의 거리를 d라고 할 때, 두 원의 위치 관계에 따른 r, r', d 사이의 관계는 다음과 같다.

(1) 한 원이 다른 원의 외부에 있다. ➡ $d>r+r'$

(2) 두 원이 외접한다.(한 원이 다른 원의 외부에서 접한다.)
  ➡ $d=r+r'$

(3) 두 원이 서로 다른 두 점에서 만난다. ➡ $r-r'<d<r+r'$

(4) 두 원이 내접한다.(한 원이 다른 원의 내부에서 접한다.)
  ➡ $d=r-r'$

(5) 한 원이 다른 원의 내부에 있다. ➡ $d<r-r'$

(6) 두 원의 중심이 같다. ➡ $d=0$

042

ㄱ은 옳다.

원 $x^2+y^2=64$에 내접하면서 점 A$(6, 0)$을 지나는 원의 반지름의 길이를 r이라고 하면
$$\overline{PO}=8-r, \ \overline{PA}=r \quad \therefore \overline{PO}+\overline{PA}=8$$

ㄴ은 옳지 않다.

ㄱ에 의하여 점 P가 그리는 도형은 두 점 O, A를 초점으로 하고 장축의 길이가 8인 타원이다.

ㄷ은 옳다.

점 P가 그리는 도형의 두 초점이 O$(0, 0)$, A$(6, 0)$이므로 이 타원의 중심은 $(3, 0)$이다. 즉, 점 P가 그리는 도형은 초점이 $(-3, 0)$, $(3, 0)$이고 장축의 길이가 8인 타원을 x축의 방향으로 3만큼 평행이동한 것이므로 ┌ $2a=8$에서 $a=4$
$$\frac{(x-3)^2}{16}+\frac{y^2}{7}=1 \qquad 4^2-3^2=7이므로 \ \frac{x^2}{16}+\frac{y^2}{7}=1$$
$$\therefore 7(x-3)^2+16y^2=112$$

따라서 옳은 것은 ㄱ, ㄷ이다.

답 ⑤

043

두 삼각형 BPF', BFA의 둘레의 길이의 차가 4이므로
$$|(\overline{BP}+\overline{PF'}+\overline{BF'})-(\overline{BF}+\overline{FA}+\overline{AB})|=4$$
$$|\overline{BP}+\overline{PF'}+\overline{BA}+\overline{AF'}-(\overline{BP}+\overline{PF}+\overline{FA}+\overline{AB})|=4$$
$$|\overline{PF'}+\overline{AF'}-\overline{PF}-\overline{FA}|=4$$

이때 $\overline{AF'}=\overline{FA}$이므로
$$|\overline{PF'}-\overline{PF}|=\overline{PF'}-\overline{PF}=4 \ (\because \overline{PF'}>\overline{PF}) \qquad \cdots\cdots ㉠$$

타원 $\dfrac{x^2}{a^2}+\dfrac{y^2}{25}=1$에서 장축의 길이는 $2\times5=10$이므로 타원의 정의에 의하여
$$\overline{PF'}+\overline{PF}=10 \qquad \cdots\cdots ㉡$$

㉠, ㉡을 연립하여 풀면 $\overline{PF}=3$, $\overline{PF'}=7$

직각삼각형 PFF'에서 $\overline{FF'}=\sqrt{\overline{PF'}^2-\overline{PF}^2}=\sqrt{7^2-3^2}=\sqrt{40}=2\sqrt{10}$
$$\therefore F(0, \sqrt{10}), \ F'(0, -\sqrt{10})$$

따라서 $25-a^2=(\sqrt{10})^2$이므로 $a^2=15$ $\therefore a=\sqrt{15} \ (\because a>0)$
$$\therefore \triangle AFF'=\frac{1}{2}\times\overline{FF'}\times\overline{OA}=\frac{1}{2}\times2\sqrt{10}\times\sqrt{15}=5\sqrt{6}$$

답 ①

044

타원의 장축의 길이가 12이고 두 점 F$(2\sqrt{5}, 0)$, F'$(-2\sqrt{5}, 0)$을 초점으로 하므로 타원의 정의에 의하여

$$\overline{PF'}+\overline{PF}=12 \qquad \cdots\cdots ㉠$$
$$\overline{QF'}+\overline{QF}=12 \qquad \cdots\cdots ㉡$$

또, 점 P가 원 위의 점이므로
$$\angle F'PF=90° \qquad\qquad \begin{array}{l} x^2+y^2=20에서 \ y=0일 \ 때 \\ x^2=20 \quad \therefore x=\pm2\sqrt{5} \end{array}$$

직각삼각형 F'PF에서 피타고라스 정리에 의하여
$$\overline{PF'}^2+\overline{PF}^2=\overline{F'F}^2=(4\sqrt{5})^2=80 \qquad \cdots\cdots ㉢$$

직각삼각형 F'PQ에서 피타고라스 정리에 의하여
$$\overline{PF'}^2+\overline{PQ}^2=\overline{F'Q}^2 \qquad \cdots\cdots ㉣$$

$\overline{PF}=a$라고 하면 ㉠에서 $\overline{PF'}=12-a$이므로 ㉢에 의하여
$$(12-a)^2+a^2=80, \ a^2-12a+32=0$$
$$(a-4)(a-8)=0 \quad \therefore a=4 \ 또는 \ a=8$$

이때 $\overline{PF}<\overline{PF'}$이므로 $\overline{PF}=4$, $\overline{PF'}=8$

$\overline{FQ}=b$라고 하면 ㉡에서 $\overline{QF'}=12-b$이므로 ㉣에 의하여
$$8^2+(4+b)^2=(12-b)^2, \ 32b=64$$
$$\therefore b=2$$

즉, 선분 FQ의 길이는 2이다.

답 ②

045

포물선의 초점이 F이고 꼭짓점이 원점이므로 포물선의 준선 l은 오른쪽 그림과 같이 점 F'을 지난다.

점 P에서 준선 l에 내린 수선의 발을 H, 선분 PQ와 x축의 교점을 C라 하고 $\overline{PF}=a$, $\overline{PF'}=b$라고 하자.

포물선의 정의에 의하여 $\overline{PH}=\overline{PF}=a$

타원의 정의에 의하여 $\overline{PF}+\overline{PF'}=2\times6=12$
$$\therefore a+b=12 \qquad \cdots\cdots ㉠$$

포물선은 축에 대하여 대칭이고 $\overline{PQ}=4\sqrt{6}$이므로
$$\overline{PC}=\frac{1}{2}\overline{PQ}=\frac{1}{2}\times4\sqrt{6}=2\sqrt{6}$$

또, $\overline{PQ}\perp\overline{F'F}$이므로 직각삼각형 PF'C에서 피타고라스 정리에 의하여
$$\overline{PF'}^2=\overline{F'C}^2+\overline{PC}^2, \ b^2=a^2+(2\sqrt{6})^2 \qquad \cdots\cdots ㉡$$

㉠, ㉡을 연립하여 풀면 $a=5$, $b=7$ ┌ $\overline{F'C}=\overline{PH}=a$

따라서 $\overline{PF}=5$, $\overline{PF'}=7$이므로
$$\overline{PF}\times\overline{PF'}=35$$

답 ⑤

046

4개의 원의 반지름의 길이를 r이라고 하면 주어진 타원의 네 꼭짓점의 좌표는 각각
$$(12-r, 0), \ (-12+r, 0), \ (0, 8-r), \ (0, -8+r)$$

이므로 타원의 방정식은
$$\frac{x^2}{(12-r)^2}+\frac{y^2}{(8-r)^2}=1$$

이 타원의 두 초점 사이의 거리가 16이므로 두 초점의 좌표는
$(8, 0), (-8, 0)$
즉, $(12-r)^2-(8-r)^2=8^2$이므로
$8r=16$ ∴ $r=2$
따라서 장축의 길이는
$a=2(12-r)=2(12-2)=20$
단축의 길이는
$b=2(8-r)=2(8-2)=12$
∴ $a+b=32$

답 32

047

$k=b^2 (b>0)$이라고 하면 $A(0, b)$
또, 두 초점의 좌표를 각각 $F(c, 0)$, $F'(-c, 0)$ $(c>0)$이라고 하면
$54-b^2=c^2$ ...... ㉠
오른쪽 그림과 같이 y축과 선분 BC의 교점을 M이라고 하면
$\overline{AO}:\overline{OM}=2:1$ (무게중심은 각 중선을 꼭짓점으로부터 2:1로 나눈다.)
한편 점 C에서 x축에 내린 수선의 발을 H라고 하면 삼각형 AOF와 삼각형 CHF는 서로 닮음이고 닮음비가 2:1이므로 $(\overline{OA}=b, \overline{OF}=c)$
$\overline{CH}=\dfrac{b}{2}, \overline{FH}=\dfrac{c}{2}$
∴ $C\left(\dfrac{3}{2}c, -\dfrac{1}{2}b\right)$
이때 점 C는 타원 $\dfrac{x^2}{54}+\dfrac{y^2}{b^2}=1$ 위의 점이므로
$\dfrac{\frac{9}{4}c^2}{54}+\dfrac{\frac{1}{4}b^2}{b^2}=1, \dfrac{c^2}{24}+\dfrac{1}{4}=1, c^2=18$
$c>0$이므로 $c=3\sqrt{2}$
㉠에서 $b^2=54-c^2=54-18=36$
∴ $b=6 (∵ b>0)$
$\overline{BC}=2\overline{CM}=2\times\dfrac{3}{2}c=3c=9\sqrt{2}$,
$\overline{AM}=\overline{AO}+\overline{OM}=b+\dfrac{b}{2}=\dfrac{3}{2}b=9$
이므로 구하는 삼각형 ABC의 넓이는
$\dfrac{1}{2}\times9\sqrt{2}\times9=\dfrac{81\sqrt{2}}{2}$

답 $\dfrac{81\sqrt{2}}{2}$

다른 풀이 ❶

원점 O가 삼각형 ABC의 무게중심이므로
$\overline{AF}:\overline{FC}=2:1$ ∴ $\overline{AC}=\dfrac{3}{2}\overline{AF}$
초점 F의 좌표는 $(\sqrt{54-k}, 0)$이고 꼭짓점 A의 좌표는 $(0, \sqrt{k})$이므로 점 C의 좌표는
$\left(\dfrac{3\sqrt{54-k}}{2}, -\dfrac{\sqrt{k}}{2}\right)$

이때 점 C는 타원 $\dfrac{x^2}{54}+\dfrac{y^2}{k}=1$ 위의 점이므로
$\dfrac{1}{54}\times\dfrac{9}{4}(54-k)+\dfrac{1}{k}\times\dfrac{k}{4}=1$
$\dfrac{9}{4}-\dfrac{1}{24}k+\dfrac{1}{4}=1, \dfrac{1}{24}k=\dfrac{3}{2}$
∴ $k=36$
따라서 A$(0, 6)$, B$\left(-\dfrac{9\sqrt{2}}{2}, -3\right)$, C$\left(\dfrac{9\sqrt{2}}{2}, -3\right)$이므로 삼각형 ABC의 넓이는
$\dfrac{1}{2}\times9\sqrt{2}\times9=\dfrac{81\sqrt{2}}{2}$

다른 풀이 ❷

원점 O가 삼각형 ABC의 무게중심이므로
$\overline{AF}:\overline{FC}=2:1$ | A$(0, \sqrt{k})$, F$(\sqrt{54-k}, 0)$이므로
$\overline{AF}=\overline{AF'}=\sqrt{54}=3\sqrt{6}$이므로 | $\overline{AF}=\sqrt{(\sqrt{54-k})^2+(-\sqrt{k})^2}=\sqrt{54}$
$\overline{FC}=\dfrac{1}{2}\overline{AF}=\dfrac{3\sqrt{6}}{2}, \overline{AC}=\dfrac{3}{2}\overline{AF}=\dfrac{9\sqrt{6}}{2}$
또, 점 C는 타원 위의 점이므로 타원의 정의에 의하여
$\overline{FC}+\overline{F'C}=2\times3\sqrt{6}=6\sqrt{6}$
∴ $\overline{F'C}=6\sqrt{6}-\dfrac{3\sqrt{6}}{2}=\dfrac{9\sqrt{6}}{2}$
즉, $\overline{AC}=\overline{F'C}$이므로 삼각형 CAF'은 이등변삼각형이다.
오른쪽 그림과 같이 점 C에서 선분 AF'에 내린 수선의 발을 P라고 하면
$\overline{AP}=\dfrac{1}{2}\overline{AF'}=\dfrac{3\sqrt{6}}{2}$
이므로 직각삼각형 CAP에서 피타고라스 정리에 의하여
$\overline{CP}=\sqrt{\overline{CA}^2-\overline{AP}^2}$
$=\sqrt{\left(\dfrac{9\sqrt{6}}{2}\right)^2-\left(\dfrac{3\sqrt{6}}{2}\right)^2}$
$=\sqrt{108}=6\sqrt{3}$
따라서 삼각형 ABC의 넓이는
$\dfrac{1}{2}\times\overline{AB}\times\overline{CP}=\dfrac{1}{2}\times\dfrac{9\sqrt{6}}{2}\times6\sqrt{3}=\dfrac{81\sqrt{2}}{2}$
$\overline{AB}=\overline{AC}=\dfrac{9\sqrt{6}}{2}$

048

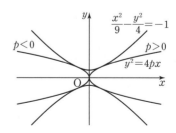

쌍곡선 $\dfrac{x^2}{9}-\dfrac{y^2}{4}=-1$과 포물선 $y^2=4px$가 서로 다른 두 점에서 만나려면 위의 그림과 같이 쌍곡선과 포물선이 접해야 한다. 즉, $y^2=4px$를 $\dfrac{x^2}{9}-\dfrac{y^2}{4}=-1$에 대입하여 정리한 x에 대한 이차방정식 $x^2-9px+9=0$이 중근을 가져야 한다.

이차방정식 $x^2-9px+9=0$의 판별식을 D라고 하면
$D=(9p)^2-4\times9=0$, $9p^2-4=0$
$(3p+2)(3p-2)=0$
$\therefore p=-\dfrac{2}{3}$ 또는 $p=\dfrac{2}{3}$
따라서 모든 p의 값의 곱은
$-\dfrac{2}{3}\times\dfrac{2}{3}=-\dfrac{4}{9}$

답 $-\dfrac{4}{9}$

참고

p에 대한 이차방정식 $9p^2-4=0$에서 이차방정식의 근과 계수의 관계에 의하여 모든 p의 값의 곱은 $-\dfrac{4}{9}$이다.

049

쌍곡선 $\dfrac{x^2}{4}-\dfrac{y^2}{12}=1$에서 $\sqrt{4+12}=4$이므로
$F(4, 0)$, $F'(-4, 0)$
쌍곡선의 정의에 의하여
$\overline{PF}-\overline{PF'}=2\times2=4$ ...... ㉠
원 C는 중심이 $F(4, 0)$이고 쌍곡선과 점 $(2, 0)$에서 접하므로 반지름의 길이는 2이다.
직각삼각형 PQF에서 $\overline{PQ}=4\sqrt{2}$,

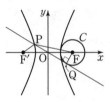

$\overline{FQ}=2$이므로 피타고라스 정리에 의하여
$\overline{PF}=\sqrt{(4\sqrt{2})^2+2^2}=6$
㉠에 의하여
$\overline{PF'}=\overline{PF}-4=6-4=2$

답 2

050

쌍곡선의 정의에 의하여
$\overline{PF}-\overline{PF'}=2\times4=8$ ...... ㉠
원 C 위를 움직이는 점 Q에 대하여 선분 FQ의 길이가 최대가 되는 경우는 점 Q가 오른쪽 그림과 같이 직선 FP가 원 C와 만나는 점 중 점 F에서 더 멀리 떨어진 점 Q_1에 위치할 때이다. $\overline{FQ}\le\overline{PF}+\overline{PQ_1}=\overline{PF}+\overline{PF'}$

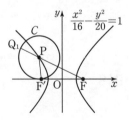

이때 $\overline{PF'}=\overline{PQ_1}$이고 $\overline{PF}+\overline{PQ_1}=20$이므로
$\overline{PF}+\overline{PF'}=20$ ...... ㉡
㉠, ㉡을 연립하여 풀면
$\overline{PF}=14$, $\overline{PF'}=6$
즉, 원 C의 반지름의 길이는 6이므로 원 C의 넓이는
$\pi\times6^2=36\pi$

답 36π

간단 풀이

원 C의 반지름의 길이를 r라고 하면 쌍곡선의 정의에 의하여
$\overline{PF}-\overline{PF'}=8$에서 $\overline{PF}-r=8$ $\therefore \overline{PF}=8+r$

선분 FQ의 길이가 최대일 때의 점 Q는 오른쪽 그림의 점 Q_1에 위치할 때이다.

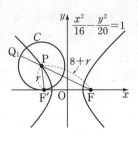

이때 $\overline{FQ_1}=8+2r=20$이므로
$2r=12$ $\therefore r=6$
따라서 원 C의 넓이는
$\pi\times6^2=36\pi$

051

쌍곡선 $\dfrac{x^2}{16}-\dfrac{y^2}{9}=1$에서 $\sqrt{16+9}=5$

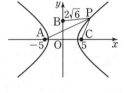

이므로 $A(-5, 0)$
쌍곡선의 두 초점 중 x좌표가 양수인 점을 C라고 하면 $C(5, 0)$
쌍곡선의 정의에 의하여
$\overline{PA}-\overline{PC}=2\times4=8$
$\therefore \overline{PA}=\overline{PC}+8$
$\therefore \overline{PA}+\overline{PB}=(\overline{PC}+8)+\overline{PB}=\overline{PC}+\overline{PB}+8$
$\qquad\qquad\ \ge\overline{BC}+8$
$\qquad\qquad\ =\sqrt{(5-0)^2+(0-2\sqrt{6})^2}+8=15$
따라서 $\overline{PA}+\overline{PB}$의 최솟값은 15이다.

답 ⑤

참고

$\overline{PA}+\overline{PB}$가 최소가 될 때 점 P의 위치는 오른쪽 그림과 같이 쌍곡선과 선분 BC의 교점이다.

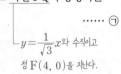

052

쌍곡선 $\dfrac{x^2}{12}-\dfrac{y^2}{4}=1$에서 $\sqrt{12+4}=4$이므로
$F(4, 0)$, $F'(-4, 0)$
또, 점근선의 방정식은 $y=\pm\dfrac{1}{\sqrt{3}}x$이므로 직선 PQ의 방정식은
$y=-\sqrt{3}(x-4)$ ...... ㉠

$y=\dfrac{1}{\sqrt{3}}x$와 수직이고 점 $F(4, 0)$을 지난다.

㉠을 쌍곡선의 식에 대입하면
$\dfrac{x^2}{12}-\dfrac{3(x-4)^2}{4}=1$
$x^2-9(x-4)^2=12$, $2x^2-18x+39=0$
이 이차방정식의 두 근을 α, β라고 하면 이차방정식의 근과 계수의 관계에 의하여
$\alpha+\beta=9$, $\alpha\beta=\dfrac{39}{2}$
$P(\alpha, -\sqrt{3}(\alpha-4))$, $Q(\beta, -\sqrt{3}(\beta-4))$로 놓으면
$\overline{PQ}=\sqrt{(\beta-\alpha)^2+3(\beta-\alpha)^2}=2\sqrt{(\alpha-\beta)^2}$
$\qquad=2\sqrt{(\alpha+\beta)^2-4\alpha\beta}=2\sqrt{9^2-4\times\dfrac{39}{2}}=2\sqrt{3}$
한편 점 P, Q는 모두 쌍곡선 위의 점이므로 쌍곡선의 정의에 의하여
$\overline{PF'}-\overline{PF}=4\sqrt{3}$ ...... ㉡
$\overline{QF'}-\overline{QF}=4\sqrt{3}$ ...... ㉢

이때 $\overline{PQ}=\overline{PF}+\overline{FQ}=2\sqrt{3}$이므로 ⓒ+ⓒ을 하면
$$\overline{PF'}+\overline{QF'}=\overline{PF}+\overline{QF}+8\sqrt{3}=10\sqrt{3}$$
따라서 삼각형 F'PQ의 둘레의 길이는
$$\overline{PF'}+\overline{QF'}+\overline{PQ}=10\sqrt{3}+2\sqrt{3}=12\sqrt{3}$$

답 ④

풍쌤 비법

쌍곡선 $\dfrac{x^2}{a^2}-\dfrac{y^2}{b^2}=1$의 두 초점을 F,

F'이라 하고 초점 F를 지나는 직선과
쌍곡선의 두 교점을 P, Q라고 하면
쌍곡선의 정의에 의하여
$$\overline{PF'}-\overline{PF}=2a,\ \overline{QF'}-\overline{QF}=2a$$
이므로
$$\overline{PF'}+\overline{QF'}=\overline{PQ}+4a$$

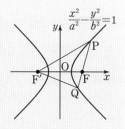

053

쌍곡선 $\dfrac{x^2}{16}-\dfrac{y^2}{9}=1$에서 $\sqrt{16+9}=5$이므로
$F(5, 0)$, $F'(-5, 0)$
쌍곡선의 정의에 의하여
$$\overline{PF'}-\overline{PF}=2\times4=8 \qquad\cdots\cdots\ \text{㉠}$$
점 P의 좌표를 (a, b) $(a>0, b>0)$라고 하면 삼각형 PF'F가 이 등변삼각형이 되는 경우는 다음의 두 경우가 있다.

(i) $\overline{PF'}=\overline{FF'}=10$인 경우
㉠에 의하여 $\overline{PF}=\overline{PF'}-8=10-8=2$
$\overline{PF'}=10$에서 $\overline{PF'}^2=10^2$이므로
$$(a+5)^2+b^2=100 \qquad\cdots\cdots\ \text{㉡}$$
$\overline{PF}=2$에서 $\overline{PF}^2=2^2$이므로
$$(a-5)^2+b^2=4 \qquad\cdots\cdots\ \text{㉢}$$
㉡, ㉢을 연립하여 풀면
$$a=\frac{24}{5},\ b=\frac{3\sqrt{11}}{5}\ (\because a>0,\ b>0)$$

(ii) $\overline{PF}=\overline{FF'}=10$인 경우
㉠에 의하여 $\overline{PF'}=\overline{PF}+8=10+8=18$
$\overline{PF}=10$에서 $\overline{PF}^2=10^2$이므로
$$(a-5)^2+b^2=100 \qquad\cdots\cdots\ \text{㉣}$$
$\overline{PF'}=18$에서 $\overline{PF'}^2=18^2$이므로
$$(a+5)^2+b^2=324 \qquad\cdots\cdots\ \text{㉤}$$
㉣, ㉤을 연립하여 풀면
$$a=\frac{56}{5},\ b=\frac{9\sqrt{19}}{5}\ (\because a>0,\ b>0)$$

(i), (ii)에서 $\left(\dfrac{24}{5},\ \dfrac{3\sqrt{11}}{5}\right)$ 또는 $\left(\dfrac{56}{5},\ \dfrac{9\sqrt{19}}{5}\right)$

답 $\left(\dfrac{24}{5},\ \dfrac{3\sqrt{11}}{5}\right)$ 또는 $\left(\dfrac{56}{5},\ \dfrac{9\sqrt{19}}{5}\right)$

054

접근

쌍곡선의 정의와 등차중항을 이용하여 삼각형 ABC의 세 변의 길이 사이의 관계를 구한다.

주축의 길이가 $2\times2=4$이므로 쌍곡 선의 정의에 의하여
$$\overline{AC}-\overline{AP}=4 \qquad\cdots\cdots\ \text{㉠}$$
$$\overline{BC}-\overline{BP}=4 \qquad\cdots\cdots\ \text{㉡}$$
㉠+㉡을 하면
$$\overline{AC}+\overline{BC}-(\overline{AP}+\overline{BP})=8$$
$$\overline{AC}+\overline{BC}-\overline{AB}=8$$
$$\therefore \overline{AC}+\overline{BC}=8+\overline{AB} \qquad\cdots\cdots\ \text{㉢}$$
삼각형 ABC의 세 변의 길이 $\overline{CA}$, $\overline{AB}$, $\overline{BC}$가 이 순서대로 등차수 열을 이루므로
$$\overline{AB}=\frac{\overline{CA}+\overline{BC}}{2}$$
$$\therefore \overline{AC}+\overline{BC}=2\overline{AB} \qquad\cdots\cdots\ \text{㉣}$$
㉢, ㉣을 연립하여 풀면 $\overline{AC}+\overline{BC}=16$, $\overline{AB}=8$
따라서 삼각형 ABC의 둘레의 길이는
$$\overline{AC}+\overline{BC}+\overline{AB}=16+8=24$$

답 24

참고

등차중항 (수학 I)
세 수 a, b, c가 이 순서대로 등차수열을 이룰 때, b를 a와 c의 등 차중항이라고 하며, $b=\dfrac{a+c}{2}$이다.

055

정삼각형 ABC의 한 변의 길이가 10이므 로 높이는
$$\frac{\sqrt{3}}{2}\times10=5\sqrt{3}$$
따라서 삼각형 ABC를 오른쪽 그림과 같 이 $A(0, 5\sqrt{3})$, $B(-5, 0)$, $C(5, 0)$이 되 도록 좌표평면 위에 놓을 수 있다.

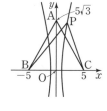

이때 $\overline{PB}-\overline{PC}=2$이므로 점 P는 두 점 $B(-5, 0)$, $C(5, 0)$을 초 점으로 하고 주축의 길이가 2인 쌍곡선 위의 점이다.
이 쌍곡선의 방정식을 $\dfrac{x^2}{a^2}-\dfrac{y^2}{b^2}=1$ $(a>0, b>0)$이라고 하면
$2a=2$에서 $a=1$
$a^2+b^2=5^2$에서 $b^2=25-1=24$ $\therefore b=2\sqrt{6}\ (\because b>0)$
즉, 점 P는 쌍곡선 $x^2-\dfrac{y^2}{24}=1$ 위의 점이므로 점 P의 좌표를 (p, q)라고 하면
$$p^2-\frac{q^2}{24}=1 \qquad\therefore p^2=1+\frac{q^2}{24}$$
$$\therefore \overline{PA}^2=(p-0)^2+(q-5\sqrt{3})^2=p^2+(q-5\sqrt{3})^2$$
$$=1+\frac{q^2}{24}+(q-5\sqrt{3})^2=\frac{25}{24}q^2-10\sqrt{3}q+76$$
$$=\frac{25}{24}\left(q-\frac{24\sqrt{3}}{5}\right)^2+4$$
따라서 $\overline{PA}^2$은 $q=\dfrac{24\sqrt{3}}{5}$일 때 최소이고, 이때 선분 PA의 길이도 최소가 된다. 즉, 선분 PA의 길이가 최소가 될 때 점 P의 y좌표가 $\dfrac{24\sqrt{3}}{5}$이므로 구하는 삼각형 PBC의 넓이는
$$\frac{1}{2}\times10\times\frac{24\sqrt{3}}{5}=24\sqrt{3}$$

답 ⑤

정삼각형의 높이와 넓이

한 변의 길이가 a인 정삼각형의 높이를 h, 넓이를 S라고 하면

$$h=\frac{\sqrt{3}}{2}a,\ S=\frac{\sqrt{3}}{4}a^2$$

056

쌍곡선 $\dfrac{x^2}{4}-\dfrac{y^2}{12}=1$에서 $\sqrt{4+12}=4$이므로

$F(4, 0)$, $F'(-4, 0)$

쌍곡선의 정의에 의하여 $\overline{PF'}-\overline{PF}=2\times2=4$

이때 $\overline{PF}=\overline{PQ}$이므로

$\overline{F'Q}=\overline{PF'}-\overline{PQ}=\overline{PF'}-\overline{PF}=4$

쌍곡선의 점근선의 방정식이

$$y=\pm\frac{2\sqrt{3}}{2}x,\ \text{즉}\ y=\pm\sqrt{3}x$$

이므로 직선 PF'의 기울기를 m이라고 하면

$0<m<\sqrt{3}$

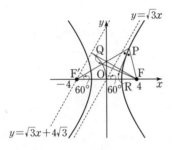

즉, 점 Q는 중심이 $F'(-4, 0)$이고 반지름의 길이가 4, 중심각의 크기가 $60°$인 부채꼴의 호 위의 점이다. $\left[\tan 60°=\sqrt{3}\right.$

두 삼각형 PQR와 PFR에서

$\overline{PR}$는 공통, $\overline{PQ}=\overline{PF}$, $\angle QPR=\angle FPR$

이므로 $\triangle PQR\equiv\triangle PFR$ (SAS 합동)

즉, $\overline{QR}=\overline{FR}$이므로 점 R는 선분 QF의 중점이다.

두 점 Q, R의 좌표를 각각 (a, b), (x, y)라고 하면

점 Q는 원 $(x+4)^2+y^2=16$ 위의 점이므로

$(a+4)^2+b^2=16$ ...... ㉠

또, 점 R는 두 점 Q(a, b), F$(4, 0)$을 잇는 선분의 중점이므로

$x=\dfrac{a+4}{2}$, $y=\dfrac{b}{2}$ $\therefore a=2x-4$, $b=2y$

이것을 ㉠에 대입하여 정리하면

$x^2+y^2=4$

즉, 점 R는 중심이 원점이고 반지름의 길이가 2, 중심각의 크기가 $60°$인 부채꼴의 호 위의 점이므로 점 R가 그리는 도형의 길이는

$$2\pi\times2\times\frac{60}{360}=\frac{2}{3}\pi$$

답 ④

057

ㄱ은 옳다.

$a=1$이면 주어진 이차곡선의 식은

$x^2+y^2+2x+by+2=0$

$\therefore (x+1)^2+\left(y+\dfrac{b}{2}\right)^2=\dfrac{b^2}{4}-1$ ...... ㉠

이때 $b>2$이면 $\dfrac{b^2}{4}-1>0$이므로 ㉠은 중심이 $\left(-1, -\dfrac{b}{2}\right)$이고 반지름의 길이가 $\sqrt{\dfrac{b^2}{4}-1}$인 원이다.

ㄴ도 옳다.

$a=0$, $b=-4$이면 주어진 이차곡선의 식은

$x^2+2x-4y+2=0$

$\therefore (x+1)^2=4\left(y-\dfrac{1}{4}\right)$ ...... ㉡

즉, ㉡은 포물선 $x^2=4y$를 x축의 방향으로 -1만큼, y축의 방향으로 $\dfrac{1}{4}$만큼 평행이동한 것이므로 오른쪽 그림과 같이 제1, 2사분면을 지나는 포물선이다.

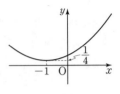

ㄷ은 옳지 않다.

$a=-1$이면 주어진 이차곡선의 식은

$x^2-y^2+2x+by+2=0$

$\therefore (x+1)^2-\left(y-\dfrac{b}{2}\right)^2=-\dfrac{b^2}{4}-1$ ...... ㉢

이때 $-\dfrac{b^2}{4}-1<0$이므로 ㉢은 주축이 y축에 평행한 쌍곡선이다.

따라서 옳은 것은 ㄱ, ㄴ이다.

답 ④

058

이차곡선 $x^2-6x+16y^2-7=0$에서

$(x-3)^2+16y^2=16$ $\therefore \dfrac{(x-3)^2}{16}+y^2=1$

따라서 이차곡선 $x^2-6x+16y^2-7=0$은 타원 $\dfrac{x^2}{16}+y^2=1$을 x축의 방향으로 3만큼 평행이동한 것이다.

즉, 타원 $x^2-6x+16y^2-7=0$은 중심이 $(3, 0)$이고, 장축의 길이가 8, 단축의 길이가 2인 타원이다.

오른쪽 그림과 같이 중심이 $(3, 0)$이고 반지름의 길이가 r인 원과 타원이 서로 다른 네 점에서 만나려면 반지름의 길이가 1보다 크고 4보다 작아야 한다.

$\therefore 1<r<4$

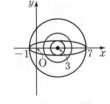

답 ③

059

원의 반지름의 길이를 r라고 하자.

점 Q는 $\overline{PF}$의 수직이등분선 위의 점이므로

$\overline{QP}=\overline{QF}$

$\therefore \overline{QF}-\overline{QO}=\overline{QP}-\overline{QO}$

$=\overline{OP}$

$=r$(일정)

따라서 점 Q에서 두 점 O, F 까지의 거리의 차가 일정하므로 점 Q는 두 점 O, F를 초점으로 하는 쌍곡선 위를 움직인다.

답 ⑤

02 이차곡선의 접선

060

$y=mx+3$을 $y^2=8x$에 대입하면

$(mx+3)^2=8x$ $\quad\therefore m^2x^2+2(3m-4)x+9=0$

이 이차방정식의 판별식을 D라고 하면 직선과 포물선이 만나지 않으므로

$\dfrac{D}{4}=(3m-4)^2-9m^2<0$

$-24m+16<0$ $\quad\therefore m>\dfrac{2}{3}$

답 ④

061

직선 $y=kx+k=k(x+1)$은 k의 값에 상관없이 항상 점 $(-1,\,0)$을 지나는 직선이다.

$y=kx+k$를 $y^2=4x$에 대입하면

$(kx+k)^2=4x$ $\quad\therefore k^2x^2+2(k^2-2)x+k^2=0$

이 이차방정식의 판별식을 D라고 하면 오른쪽 그림과 같이 직선이 포물선에 접할 때

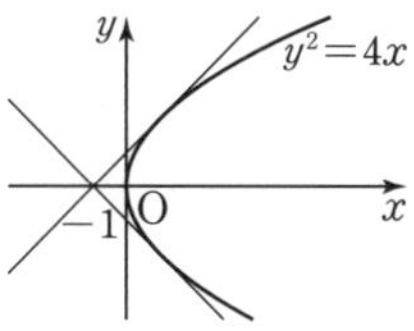

$\dfrac{D}{4}=(k^2-2)^2-k^4=0$

$-4k^2+4=0,\ k^2=1$

$\therefore k=\pm1$

또, $k=0$이면 직선은 x축이 되므로 포물선과 한 점에서 만난다.

$\therefore f(k)=\begin{cases}0\ (k<-1\ \text{또는}\ k>1)\\1\ (k=-1\ \text{또는}\ k=0\ \text{또는}\ k=1)\\2\ (-1<k<0\ \text{또는}\ 0<k<1)\end{cases}$

$\therefore f(-2)+f(-1)+f\left(-\dfrac{1}{2}\right)+f(0)+f\left(\dfrac{2}{3}\right)+f(1)$

$\quad=0+1+2+1+2+1=7$

답 ⑤

062

$y=x+k$를 $x^2+8y^2=12$에 대입하면

$x^2+8(x+k)^2=12$ $\quad\therefore 9x^2+16kx+8k^2-12=0$

이 이차방정식의 판별식을 D라고 하면 타원과 직선이 접하므로

$\dfrac{D}{4}=(8k)^2-9(8k^2-12)=0$

$-8k^2+108=0,\ k^2=\dfrac{27}{2}$ $\quad\therefore k=\pm\dfrac{3\sqrt{6}}{2}$

따라서 모든 실수 k의 값의 곱은

$-\dfrac{3\sqrt{6}}{2}\times\dfrac{3\sqrt{6}}{2}=-\dfrac{27}{2}$

답 $-\dfrac{27}{2}$

063

$y=mx+3$을 $4x^2+y^2-8x=0$에 대입하면

$4x^2+(mx+3)^2-8x=0$

$\therefore (4+m^2)x^2+2(3m-4)x+9=0$

이 이차방정식의 판별식을 D라고 하면 직선과 타원이 서로 다른 두 점에서 만나므로

$\dfrac{D}{4}=(3m-4)^2-9(4+m^2)>0$

$-24m-20>0$ $\quad\therefore m<-\dfrac{5}{6}$

답 ①

064

ㄱ은 옳다.

$x-2y+3=0$에서 $x=2y-3$

이것을 $4x^2-y^2=12$에 대입하면

$4(2y-3)^2-y^2=12$ $\quad\therefore 5y^2-16y+8=0$

이 이차방정식의 판별식을 D라고 하면

$\dfrac{D}{4}=(-8)^2-5\times8=24>0$

즉, 직선과 쌍곡선은 서로 다른 두 점에서 만난다.

ㄴ도 옳다.

$3x-y+2=0$에서 $y=3x+2$

이것을 $4x^2-y^2=12$에 대입하면

$4x^2-(3x+2)^2=12$ $\quad\therefore 5x^2+12x+16=0$

이 이차방정식의 판별식을 D라고 하면

$\dfrac{D}{4}=6^2-5\times16=-44<0$

즉, 직선과 쌍곡선은 만나지 않는다.

ㄷ도 옳다.

$4x-y+6=0$에서 $y=4x+6$

이것을 $4x^2-y^2=12$에 대입하면

$4x^2-(4x+6)^2=12$ $\quad\therefore x^2+4x+4=0$

이 이차방정식의 판별식을 D라고 하면

$\dfrac{D}{4}=2^2-1\times4=0$

즉, 직선과 쌍곡선은 한 점에서 만난다.

따라서 옳은 것은 ㄱ, ㄴ, ㄷ이다.

답 ⑤

065

포물선 $y^2=4x=4\times1\times x$에 접하고 기울기가 2인 직선의 방정식은 $y=2x+\dfrac{1}{2}$ ($p=1$)

이때 이 접선이 x축, y축과 만나는 점의 좌표가 각각 $\left(-\dfrac{1}{4},\,0\right)$, $\left(0,\,\dfrac{1}{2}\right)$이므로 구하는 삼각형의 넓이는

$\dfrac{1}{2}\times\left|-\dfrac{1}{4}\right|\times\dfrac{1}{2}=\dfrac{1}{16}$

답 $\dfrac{1}{16}$

066

직선 $y=-\dfrac{1}{3}x$에 수직인 직선의 기울기는 3이므로 포물선 $y^2=12x=4\times3\times x$에 접하고 기울기가 3인 직선의 방정식은 ($p=3$)

$y=3x+\dfrac{3}{3}$ $\quad\therefore y=3x+1$

이 직선이 점 $(-2,\,a)$를 지나므로

$a=3\times(-2)+1=-5$

답 ⑤

067

포물선 $y^2=8x=4\times2\times x$에 접하고 기울기가 1인 직선의 방정식은

$y=x+\dfrac{2}{1}$ $\qquad$ ∴ $y=x+2$

이 직선이 점 $P(a, b)$를 지나므로

$b=a+2$ $\qquad\qquad\qquad\qquad$ ······ ㉠

또, 점 $P(a, b)$가 포물선 $y^2=8x$ 위의 점이므로

$b^2=8a$ $\qquad\qquad\qquad\qquad$ ······ ㉡

㉠, ㉡을 연립하여 풀면

$a=2,\ b=4$ (∵ 점 P는 제1사분면의 점이다.)

∴ $a^2+b^2=2^2+4^2=20$

$\qquad\qquad\qquad\qquad\qquad\qquad$ 답 20

참고

오른쪽 그림과 같이 점 P가 제4사분면 위의 점이면 접선의 기울기는 음수가 된다.

따라서 접선의 기울기가 1이려면 점 P는 제1사분면의 점이어야 한다.

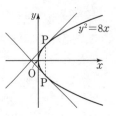

다른 풀이

포물선 $y^2=8x=4\times2\times x$ 위의 점 $P(a, b)$에서의 접선의 방정식은

$by=2\times2(x+a)$

∴ $y=\dfrac{4}{b}x+\dfrac{4a}{b}$ (∵ $b\neq0$)

$\qquad\qquad$ ┌─ $b=0$이면 점 P는 원점이 된다.

이 직선의 기울기가 1이므로 $\qquad$ 원점에서의 포물선의 접선의 기울기는 1이 될 수 없으므로 $b\neq0$이다.

$\dfrac{4}{b}=1$ $\qquad$ ∴ $b=4$

이때 점 $P(a, 4)$가 포물선 $y^2=8x$ 위의 점이므로

$4^2=8a$ $\qquad$ ∴ $a=2$

∴ $a^2+b^2=2^2+4^2=20$

068

포물선 $y^2=2x=4\times\dfrac{1}{2}\times x$ 위의 점 $(2, 2)$에서의 접선의 방정식은

$2y=2\times\dfrac{1}{2}(x+2)$ $\qquad$ ∴ $y=\dfrac{1}{2}x+1$

따라서 이 직선에 수직인 직선의 기울기는 -2이므로 포물선 $y^2=2x$의 초점 $\left(\dfrac{1}{2},\ 0\right)$을 지나고 기울기가 -2인 직선의 방정식은

$y-0=-2\left(x-\dfrac{1}{2}\right)$ $\qquad$ ∴ $y=-2x+1$

즉, 구하는 직선의 y절편은 1이다.

$\qquad\qquad\qquad\qquad\qquad\qquad$ 답 ①

069

접점의 좌표를 (x_1, y_1)이라고 하면 포물선

$y^2=12x=4\times3\times x$ 위의 점 (x_1, y_1)에서의 접선의 방정식은

$y_1y=2\times3(x+x_1)$ $\qquad\qquad$ ······ ㉠

이 직선이 점 $(-2, 1)$을 지나므로

$y_1=6(-2+x_1)$ $\qquad\qquad$ ······ ㉡

점 (x_1, y_1)이 포물선 $y^2=12x$ 위의 점이므로

$y_1{}^2=12x_1$ $\qquad\qquad$ ······ ㉢

㉡, ㉢을 연립하여 풀면

$x_1=\dfrac{4}{3},\ y_1=-4$ 또는 $x_1=3,\ y_1=6$

이것을 ㉠에 대입하면 접선의 방정식은

$-4y=6\left(x+\dfrac{4}{3}\right)$ 또는 $6y=6(x+3)$

∴ $y=-\dfrac{3}{2}x-2$ 또는 $y=x+3$

따라서 두 접선의 기울기의 곱은

$-\dfrac{3}{2}\times1=-\dfrac{3}{2}$

$\qquad\qquad\qquad\qquad\qquad\qquad$ 답 $-\dfrac{3}{2}$

다른 풀이

접선의 기울기를 m이라고 하면 접선의 방정식은

$y=mx+\dfrac{3}{m}$

이 직선이 점 $(-2, 1)$을 지나므로

$1=-2m+\dfrac{3}{m}$ $\qquad$ ∴ $2m^2+m-3=0$

이 이차방정식의 두 근이 접선의 기울기이므로 이차방정식의 근과 계수의 관계에 의하여 두 접선의 기울기의 곱은

$\dfrac{-3}{2}=-\dfrac{3}{2}$

070

$x+2y-y^2=1$에서 $(y-1)^2=x$

즉, 포물선 $x+2y-y^2=1$은 포물선 $y^2=x$를 y축의 방향으로 1만큼 평행이동한 것이다.

따라서 주어진 접선은 포물선 $y^2=x$ 위의 점 $(4, 2)$에서의 접선을 y축의 방향으로 1만큼 평행이동한 것이다. $\qquad$ ┌─ y축의 방향으로 1만큼 평행이동하면 $(4, 3)$

포물선 $y^2=x=4\times\dfrac{1}{4}\times x$ 위의 점 $(4, 2)$에서의 접선의 방정식은

$2y=2\times\dfrac{1}{4}(x+4)$ $\qquad$ ∴ $y=\dfrac{1}{4}x+1$

따라서 구하는 접선의 기울기는 $\dfrac{1}{4}$이다.

$\qquad$ ┌─ 직선을 평행이동하여도 $\qquad$ 답 ①
$\qquad\quad$ 기울기는 변하지 않는다.

다른 풀이

구하는 접선의 기울기를 m이라고 하면 이 직선이 점 $(4, 3)$을 지나므로 직선의 방정식은

$y=m(x-4)+3$

이것을 $x+2y-y^2=1$에 대입하여 정리하면

$m^2x^2-(8m^2-4m+1)x+16m^2-16m+4=0$

이 이차방정식의 판별식을 D라고 하면

$D=(8m^2-4m+1)^2-4m^2(16m^2-16m+4)=0$

$16m^2-8m+1=0,\ (4m-1)^2=0$ $\qquad$ ∴ $m=\dfrac{1}{4}$

071

▶ **접근**

먼저 포물선의 초점의 좌표와 포물선 위의 점에서의 접선의 방정식을 구한 후 점과 직선 사이의 거리 공식을 이용한다.

포물선 $y^2=ax=4\times\dfrac{a}{4}\times x$의 초점의 좌표는 $\left(\dfrac{a}{4},\,0\right)$

포물선 $y^2=ax$ 위의 점 $(a,\,a)$에서의 접선의 방정식은

$ay=2\times\dfrac{a}{4}(x+a)$ $\therefore y=\dfrac{1}{2}x+\dfrac{1}{2}a\ (\because a>0)$

초점 $\left(\dfrac{a}{4},\,0\right)$과 직선 $y=\dfrac{1}{2}x+\dfrac{1}{2}a$, 즉 $x-2y+a=0$ 사이의 거리가 b이므로

$\dfrac{\left|\dfrac{a}{4}+0+a\right|}{\sqrt{1^2+(-2)^2}}=b,\ \dfrac{a\sqrt{5}}{4}=b\ (\because a>0)$

$\therefore \dfrac{a\sqrt{5}}{b}=4$

답 4

참고

점과 직선 사이의 거리

좌표평면에서 점 $(x_1,\,y_1)$과 직선 $ax+by+c=0$ 사이의 거리는

➡ $\dfrac{|ax_1+by_1+c|}{\sqrt{a^2+b^2}}$

072

포물선 $y^2=4(x-1)$은 포물선 $y^2=4x$를 x축의 방향으로 1만큼 평행이동한 것이다.

포물선 $y^2=4x=4\times1\times x$의 초점의 좌표는 $(1,\,0)$, 준선의 방정식은 $x=-1$이므로 포물선 $y^2=4(x-1)$의 초점의 좌표는 $\mathrm{F}(2,\,0)$, 준선의 방정식은 $x=0$이다.

오른쪽 그림과 같이 점 P에서 준선 $x=0$에 내린 수선의 발을 H라고 하면 포물선의 정의에 의하여 $\overline{\mathrm{PH}}=\overline{\mathrm{PF}}=3$

즉, 점 P의 x좌표가 3이므로 $x=3$을 $y^2=4(x-1)$에 대입하면

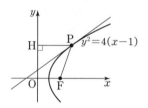

$y^2=4(3-1)=8$ $\therefore y=2\sqrt{2}\ (\because y>0)$ ─ 점 P가 제1사분면 위의 점이므로 $y>0$

$\therefore \mathrm{P}(3,\,2\sqrt{2})$

따라서 포물선 $y^2=4(x-1)$ 위의 점 $\mathrm{P}(3,\,2\sqrt{2})$에서의 접선의 방정식은

$2\sqrt{2}y=2(x-1+2)$ $\therefore y=\dfrac{\sqrt{2}}{2}x+\dfrac{\sqrt{2}}{2}$

즉, 구하는 접선의 기울기는 $\dfrac{\sqrt{2}}{2}$이다.

└ 포물선 $y^2=4x$ 위의 점 $(2,\,2\sqrt{2})$에서의 접선의 방정식 $2\sqrt{2}y=2(x+2)$를 x축의 방향으로 1만큼 평행이동한 직선이다.

답 ③

073

직선 $x+y+4=0$, 즉 $y=-x-4$와 평행한 직선의 기울기는 -1이므로 포물선 $y^2=8x=4\times2\times x$에 접하고 기울기가 -1인 직선의 방정식은

$y=-x+\dfrac{2}{-1}$ $\therefore x+y+2=0$

포물선 $y^2=8x$ 위의 임의의 점과 직선 $x+y+4=0$ 사이의 거리의 최솟값은 두 직선 $x+y+4=0$, $x+y+2=0$ 사이의 거리와 같으므로 직선 $x+y+4=0$ 위의 점 $(-4,\,0)$과 직선 $x+y+2=0$

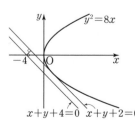

사이의 거리와 같다.

따라서 구하는 최솟값은

$\dfrac{|-4+0+2|}{\sqrt{1^2+1^2}}=\sqrt{2}$

답 ④

참고

평행한 두 직선 l, l' 사이의 거리는 직선 l 위의 임의의 점과 직선 l' 사이의 거리와 같다.

다른 풀이

포물선 $y^2=8x$ 위의 점 $(a,\,b)$에서 직선 $x+y+4=0$ 사이의 거리는

$\dfrac{|a+b+4|}{\sqrt{1^2+1^2}}=\dfrac{1}{\sqrt{2}}|a+b+4|$ $\cdots\cdots$ ㉠

이때 점 $(a,\,b)$가 포물선 $y^2=8x$ 위의 점이므로

$b^2=8a$ $\therefore a=\dfrac{b^2}{8}$

이것을 ㉠에 대입하면

$\dfrac{1}{\sqrt{2}}|a+b+4|=\dfrac{1}{\sqrt{2}}\left|\dfrac{b^2}{8}+b+4\right|$

$=\dfrac{1}{\sqrt{2}}\left|\dfrac{1}{8}(b+4)^2+2\right|$

따라서 $b=-4$일 때 최소가 되므로 구하는 거리의 최솟값은

$\dfrac{2}{\sqrt{2}}=\sqrt{2}$ ─ 직선 $x+y+4=0$ 사이의 거리가 최소가 되는 포물선 위의 점은 $(2,\,-4)$이다.

074

직선 $x+2y+1=0$, 즉 $y=-\dfrac{1}{2}x-\dfrac{1}{2}$과 수직인 직선의 기울기는 2이므로 타원 $\dfrac{x^2}{4}+\dfrac{y^2}{9}=1$에 접하고 기울기가 2인 직선의 방정식은

$y=2x\pm\sqrt{4\times2^2+9}$ $\therefore y=2x\pm5$

$\therefore m^2+n^2=2^2+(\pm5)^2=4+25=29$

답 ④

075

직선 $y=-2x+1$을 x축의 방향으로 k만큼 평행이동한 직선의 방정식은

$y=-2(x-k)+1$ $\therefore y=-2x+2k+1$ $\cdots\cdots$ ㉠

타원 $2x^2+y^2=8$, 즉 $\dfrac{x^2}{4}+\dfrac{y^2}{8}=1$에 접하고 기울기가 -2인 직선의 방정식은

$y=-2x\pm\sqrt{4\times(-2)^2+8}$ $\therefore y=-2x\pm2\sqrt{6}$ $\cdots\cdots$ ㉡

㉠, ㉡이 일치해야 하므로

$2k+1=2\sqrt{6}$ 또는 $2k+1=-2\sqrt{6}$

$\therefore k=\sqrt{6}-\dfrac{1}{2}$ 또는 $k=-\sqrt{6}-\dfrac{1}{2}$

따라서 모든 k의 값의 곱은

$\left(\sqrt{6}-\dfrac{1}{2}\right)\left(-\sqrt{6}-\dfrac{1}{2}\right)=\left(\dfrac{1}{2}-\sqrt{6}\right)\left(\dfrac{1}{2}+\sqrt{6}\right)$

$=\left(\dfrac{1}{2}\right)^2-(\sqrt{6})^2$

$=\dfrac{1}{4}-6=-\dfrac{23}{4}$

답 ④

$y=-2x+2k+1$을 $2x^2+y^2=8$에 대입하여 정리하면

$6x^2-4(2k+1)x+4k^2+4k-7=0$

이 이차방정식의 판별식을 D라고 하면

$$\frac{D}{4}=\{-2(2k+1)\}^2-6(4k^2+4k-7)=0$$

$$\therefore 4k^2+4k-23=0$$

이차방정식의 근과 계수의 관계에 의하여 모든 k의 값의 곱은

$$-\frac{23}{4}$$

076

타원 $\dfrac{x^2}{12}+\dfrac{y^2}{4}=1$ 위의 점 (a, b)에서의 접선의 방정식은

$$\frac{ax}{12}+\frac{by}{4}=1$$

이 직선이 점 $(6, 0)$을 지나므로

$$\frac{6a}{12}=1 \quad \therefore a=2$$

점 $(2, b)$가 타원 $\dfrac{x^2}{12}+\dfrac{y^2}{4}=1$ 위의 점이므로

$$\frac{2^2}{12}+\frac{b^2}{4}=1$$

$$\frac{b^2}{4}=\frac{2}{3} \quad \therefore b^2=\frac{8}{3}$$

$$\therefore a^2+3b^2=2^2+3\times\frac{8}{3}=12$$

답 **12**

077

직선 $y=x+5$와 평행한 직선의 기울기는 1이므로 타원 $4x^2+3y^2=12$, 즉 $\dfrac{x^2}{3}+\dfrac{y^2}{4}=1$에 접하고 기울기가 1인 직선의 방정식은

$$y=x\pm\sqrt{3\times1+4} \quad \therefore y=x\pm\sqrt{7}$$

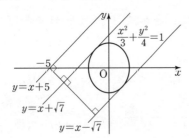

타원 $4x^2+3y^2=12$ 위의 점과 직선 $y=x+5$ 사이의 거리의 최댓값은 직선 $y=x+5$ 위의 점 $(-5, 0)$과 직선 $y=x-\sqrt{7}$, 즉 $x-y-\sqrt{7}=0$ 사이의 거리와 같으므로

$$\frac{|-5+0-\sqrt{7}|}{\sqrt{1^2+(-1)^2}}=\frac{5\sqrt{2}}{2}+\frac{\sqrt{14}}{2}$$

타원 $4x^2+3y^2=12$ 위의 점과 직선 $y=x+5$ 사이의 거리의 최솟값은 직선 $y=x+5$ 위의 점 $(-5, 0)$과 직선 $y=x+\sqrt{7}$, 즉 $x-y+\sqrt{7}=0$ 사이의 거리와 같으므로

$$\frac{|-5+0+\sqrt{7}|}{\sqrt{1^2+(-1)^2}}=\frac{5\sqrt{2}}{2}-\frac{\sqrt{14}}{2}$$

따라서 구하는 최댓값과 최솟값의 합은

$$\left(\frac{5\sqrt{2}}{2}+\frac{\sqrt{14}}{2}\right)+\left(\frac{5\sqrt{2}}{2}-\frac{\sqrt{14}}{2}\right)=5\sqrt{2}$$

답 ②

078

타원 $\dfrac{x^2}{16}+\dfrac{y^2}{7}=1$에서 $\sqrt{16-7}=3$이므로 두 초점의 좌표는

$F(3, 0)$, $F'(-3, 0)$

타원 $\dfrac{x^2}{16}+\dfrac{y^2}{7}=1$ 위의 점 $\left(3, \dfrac{7}{4}\right)$에서의 접선의 방정식은

$$\frac{3x}{16}+\frac{\frac{7}{4}y}{7}=1, \quad \frac{3}{16}x+\frac{1}{4}y=1$$

$$\therefore 3x+4y-16=0$$

위의 식에 $y=0$을 대입하면

$$3x-16=0 \quad \therefore x=\frac{16}{3}$$

$$\therefore Q\left(\frac{16}{3}, 0\right)$$

오른쪽 그림에서
$\triangle QRF \varpropto \triangle QSF'$
(AA 닮음)이므로
$\overline{QR}:\overline{QF}=\overline{QS}:\overline{QF'}$

$$\therefore \frac{\overline{QS}}{\overline{QR}}=\frac{\overline{QF'}}{\overline{QF}}$$

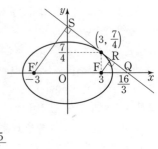

$$=\frac{\left|\frac{16}{3}-(-3)\right|}{\left|\frac{16}{3}-3\right|}=\frac{25}{7}$$

답 ⑤

점 $F(3, 0)$과 접선 $3x+4y-16=0$ 사이의 거리는

$$\overline{FR}=\frac{|9+0-16|}{\sqrt{3^2+4^2}}=\frac{7}{5}$$

점 $F'(-3, 0)$과 접선 $3x+4y-16=0$ 사이의 거리는

$$\overline{F'S}=\frac{|-9+0-16|}{\sqrt{3^2+4^2}}=\frac{25}{5}=5$$

$$\therefore \frac{\overline{QS}}{\overline{QR}}=\frac{\overline{F'S}}{\overline{FR}}=\frac{5}{\frac{7}{5}}=\frac{25}{7}$$

079

접점의 좌표를 (x_1, y_1)이라고 하면 타원 $\dfrac{x^2}{12}+\dfrac{y^2}{16}=1$ 위의 점 (x_1, y_1)에서의 접선의 방정식은

$$\frac{x_1 x}{12}+\frac{y_1 y}{16}=1$$

이 직선이 점 $A(6, 4)$를 지나므로

$$\frac{6x_1}{12}+\frac{4y_1}{16}=1 \quad \therefore y_1=4-2x_1 \quad \cdots\cdots ㉠$$

점 (x_1, y_1)이 타원 $\dfrac{x^2}{12}+\dfrac{y^2}{16}=1$ 위의 점이므로

$$\frac{x_1^2}{12}+\frac{y_1^2}{16}=1 \quad \cdots\cdots ㉡$$

◯, ◯을 연립하여 풀면

$x_1=0, y_1=4$ 또는 $x_1=3, y_1=-2$

$\therefore$ B$(0, 4)$, C$(3, -2)$ 또는 B$(3, -2)$, C$(0, 4)$

오른쪽 그림과 같이 B$(0, 4)$,

C$(3, -2)$라고 하면

$\overline{AB}=6-0=6$

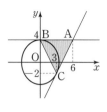

이고 점 C와 직선 AB 사이의 거리는

$4-(-2)=6$

이므로 구하는 삼각형 ABC의 넓이는

$\dfrac{1}{2}\times6\times6=18$

답 18

080

접근

타원 위의 점에서의 접선의 방정식을 이용하여 두 점 A, B의 좌표를 구한 후 삼각형 OAB의 넓이의 최솟값을 산술평균과 기하평균의 관계를 이용하여 구한다.

타원 $\dfrac{x^2}{9}+\dfrac{y^2}{16}=1$ 위의 점 P(x_1, y_1)에서의 접선의 방정식은

$\dfrac{x_1x}{9}+\dfrac{y_1y}{16}=1$

이 직선의 x절편은 $\dfrac{9}{x_1}$, y절편은 $\dfrac{16}{y_1}$이므로

A$\left(\dfrac{9}{x_1}, 0\right)$, B$\left(0, \dfrac{16}{y_1}\right)$

$\therefore \triangle\text{OAB}=\dfrac{1}{2}\times\overline{OA}\times\overline{OB}=\dfrac{1}{2}\times\dfrac{9}{|x_1|}\times\dfrac{16}{|y_1|}$

$\qquad =\dfrac{72}{x_1y_1}$ ($\because x_1>0, y_1>0$) ┌ 점 P가 제1사분면 위의 점이므로 $x_1>0, y_1>0$

한편 점 P(x_1, y_1)이 타원 $\dfrac{x^2}{9}+\dfrac{y^2}{16}=1$ 위의 점이므로

$\dfrac{x_1^2}{9}+\dfrac{y_1^2}{16}=1$

$\dfrac{x_1^2}{9}>0$, $\dfrac{y_1^2}{16}>0$이므로 산술평균과 기하평균의 관계에 의하여

$\dfrac{x_1^2}{9}+\dfrac{y_1^2}{16}\geq2\sqrt{\dfrac{x_1^2}{9}\times\dfrac{y_1^2}{16}}$

$\left(\text{단, 등호는 }\dfrac{x_1^2}{9}=\dfrac{y_1^2}{16}, \text{ 즉 }4x_1=3y_1\text{일 때 성립한다.}\right)$

$1\geq2\times\dfrac{|x_1|}{3}\times\dfrac{|y_1|}{4}$, $\dfrac{x_1y_1}{6}\leq1$ ($\because x_1>0, y_1>0$)

$\therefore x_1y_1\leq6$

$\therefore \triangle\text{OAB}=\dfrac{72}{x_1y_1}\geq\dfrac{72}{6}=12$

즉, 삼각형 OAB의 넓이는 $4x_1=3y_1$일 때 최솟값 12를 갖는다.

$\dfrac{x_1^2}{9}+\dfrac{y_1^2}{16}=1$과 $4x_1=3y_1$을 연립하여 풀면

$x_1=\dfrac{3\sqrt{2}}{2}, y_1=2\sqrt{2}$ ($\because x_1>0, y_1>0$)

따라서 구하는 점 P의 좌표는 $\left(\dfrac{3\sqrt{2}}{2}, 2\sqrt{2}\right)$

답 $\left(\dfrac{3\sqrt{2}}{2}, 2\sqrt{2}\right)$

참고

산술평균과 기하평균의 관계

$a>0, b>0$일 때,

$\dfrac{a+b}{2}\geq\sqrt{ab}$ (단, 등호는 $a=b$일 때 성립한다.)

081

쌍곡선 $3x^2-ay^2=-12$ 위의 점 $(1, b)$에서의 접선의 방정식은

$3x-aby=-12$

이 직선이 점 $(0, -4)$를 지나므로

$4ab=-12$ $\therefore ab=-3$ ...... ◯

점 $(1, b)$가 쌍곡선 $3x^2-ay^2=-12$ 위의 점이므로

$3-ab^2=-12$ $\therefore ab^2=15$ ...... ◯

◯, ◯을 연립하여 풀면 $a=\dfrac{3}{5}, b=-5$

$\therefore 5a+b=5\times\dfrac{3}{5}-5=-2$

답 ①

082

쌍곡선 $\dfrac{x^2}{16}-\dfrac{y^2}{9}=1$ 위의 점 A$(8, 3\sqrt{3})$에서의 접선의 방정식은

$\dfrac{8x}{16}-\dfrac{3\sqrt{3}y}{9}=1$ $\therefore y=\dfrac{\sqrt{3}}{2}(x-2)$

이 식에 $y=0$을 대입하면

$\dfrac{\sqrt{3}}{2}(x-2)=0$ $\therefore x=2$ $\therefore$ B$(2, 0)$

쌍곡선 $\dfrac{x^2}{16}-\dfrac{y^2}{9}=1$에서 $\sqrt{16+9}=5$

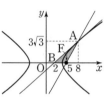

이므로 두 초점의 좌표는

$(5, 0), (-5, 0)$ $\therefore$ F$(5, 0)$

따라서 삼각형 FAB의 넓이는

$\dfrac{1}{2}\times(5-2)\times3\sqrt{3}=\dfrac{9\sqrt{3}}{2}$

답 $\dfrac{9\sqrt{3}}{2}$

083

직선 $y=2x-5$의 기울기가 2이므로 쌍곡선 $\dfrac{x^2}{a}-\dfrac{y^2}{3}=1$에 접하고 기울기가 2인 직선의 방정식은

$y=2x\pm\sqrt{4a-3}$

즉, 직선 $y=2x-\sqrt{4a-3}$이 직선 $y=2x-5$와 일치하므로

$\sqrt{4a-3}=5$, $4a-3=25$, $4a=28$ $\therefore a=7$

쌍곡선 $\dfrac{x^2}{7}-\dfrac{y^2}{3}=1$에서 $\sqrt{7+3}=\sqrt{10}$이므로 두 초점의 좌표는

$(\sqrt{10}, 0), (-\sqrt{10}, 0)$

따라서 두 초점 사이의 거리는 $2\sqrt{10}$

답 ④

084

쌍곡선 $\dfrac{x^2}{a^2}-\dfrac{y^2}{b^2}=1$의 두 초점이 F$(3, 0)$, F$'(-3, 0)$이므로

$a^2+b^2=3^2$ ...... ◯

쌍곡선 $\dfrac{x^2}{a^2}-\dfrac{y^2}{b^2}=1$ 위의 점 P$(4, k)$에서의 접선의 방정식은

$\dfrac{4x}{a^2}-\dfrac{ky}{b^2}=1$

이 식에 $y=0$을 대입하면

$\dfrac{4x}{a^2}=1$ $\therefore x=\dfrac{a^2}{4}$

따라서 선분 F'F를 $2:1$로 내분하는 점이 $\left(\dfrac{a^2}{4},\ 0\right)$이므로

$$\dfrac{2\times 3+1\times(-3)}{2+1}=\dfrac{a^2}{4},\ \dfrac{a^2}{4}=1 \quad \therefore a^2=4$$

이것을 ㉠에 대입하면

$$4+b^2=9 \quad \therefore b^2=5$$

한편 점 $P(4,\ k)$가 쌍곡선 $\dfrac{x^2}{4}-\dfrac{y^2}{5}=1$ 위의 점이므로

$$\dfrac{4^2}{4}-\dfrac{k^2}{5}=1,\ \dfrac{k^2}{5}=3 \quad \therefore k^2=15$$

답 15

참고

선분의 내분점과 외분점

좌표평면 위의 두 점 $A(x_1,\ y_1)$, $B(x_2,\ y_2)$에 대하여

(1) 선분 AB를 $m:n(m>0,\ n>0)$으로 내분하는 점의 좌표는

➡ $\left(\dfrac{mx_2+nx_1}{m+n},\ \dfrac{my_2+ny_1}{m+n}\right)$

(2) 선분 AB의 중점의 좌표는 ➡ $\left(\dfrac{x_1+x_2}{2},\ \dfrac{y_1+y_2}{2}\right)$

(3) 선분 AB를 $m:n(m>0,\ n>0)$으로 외분하는 점의 좌표는

➡ $\left(\dfrac{mx_2-nx_1}{m-n},\ \dfrac{my_2-ny_1}{m-n}\right)$ (단, $m\neq n$)

085

점 P의 좌표를 $(a,\ b)\ (a>0,\ b>0)$라고 하면 쌍곡선 $x^2-y^2=4$ 위의 점 $P(a,\ b)$에서의 접선의 방정식은

$$ax-by=4 \qquad \cdots\cdots ㉠$$

쌍곡선 $x^2-y^2=4$의 점근선의 방정식은 $y=\pm x$이므로

직선 $y=x$와 직선 ㉠의 교점의 좌표는 $\left(\dfrac{4}{a-b},\ \dfrac{4}{a-b}\right)$

직선 $y=-x$와 직선 ㉠의 교점의 좌표는 $\left(\dfrac{4}{a+b},\ -\dfrac{4}{a+b}\right)$

따라서 $A\left(\dfrac{4}{a-b},\ \dfrac{4}{a-b}\right)$, $B\left(\dfrac{4}{a+b},\ -\dfrac{4}{a+b}\right)$라고 하면

$$\overline{OA}=\sqrt{\left(\dfrac{4}{a-b}\right)^2+\left(\dfrac{4}{a-b}\right)^2}=\dfrac{4\sqrt{2}}{|a-b|}$$

$$\overline{OB}=\sqrt{\left(\dfrac{4}{a+b}\right)^2+\left(-\dfrac{4}{a+b}\right)^2}=\dfrac{4\sqrt{2}}{|a+b|}$$

한편 점 $P(a,\ b)$가 쌍곡선 $x^2-y^2=4$ 위의 점이므로

$$a^2-b^2=4 \qquad \cdots\cdots ㉡$$

$$\therefore \overline{OA}\times\overline{OB}=\dfrac{4\sqrt{2}}{|a-b|}\times\dfrac{4\sqrt{2}}{|a+b|}=\dfrac{32}{|a^2-b^2|}$$

$$=\dfrac{32}{4}=8\ (\because ㉡)$$

답 ④

다른 풀이

두 점 A, B는 각각 점근선 $y=x$, $y=-x$ 위의 점이므로 $A(a,\ a)$, $B(b,\ -b)\ (a>0,\ b>0)$라고 하면

$$P\left(\dfrac{a+b}{2},\ \dfrac{a-b}{2}\right)$$

점 P는 $\overline{AB}$의 중점이다.

점 P가 쌍곡선 $x^2-y^2=4$ 위의 점이므로

$$\left(\dfrac{a+b}{2}\right)^2-\left(\dfrac{a-b}{2}\right)^2=4 \quad \therefore ab=4 \qquad \cdots\cdots ㉠$$

$$\therefore \overline{OA}\times\overline{OB}=\sqrt{a^2+a^2}\times\sqrt{b^2+(-b)^2}$$

$$=\sqrt{2}a\times\sqrt{2}b\ (\because a>0,\ b>0)$$

$$=2ab=2\times 4=8\ (\because ㉠)$$

간단 풀이

$x^2-y^2=4$에서 $\dfrac{x^2}{4}-\dfrac{y^2}{4}=1$

이때 삼각형 OAB의 넓이는 $|2\times 2|=4$로 일정하고 두 점근선 $y=x$, $y=-x$는 서로 수직이므로

$$\triangle OAB=\dfrac{1}{2}\times\overline{OA}\times\overline{OB}$$

따라서 $\dfrac{1}{2}\times\overline{OA}\times\overline{OB}=4$이므로

$$\overline{OA}\times\overline{OB}=8$$

풍쌤 비법

쌍곡선 $\dfrac{x^2}{a^2}-\dfrac{y^2}{b^2}=\pm 1$ 위의 점 P에서의 접선이 두 점근선과 만나는 점을 각각 A, B라고 할 때,

(1) $\overline{PA}=\overline{PB}$, 즉 점 P는 $\overline{AB}$의 중점이다.

(2) 원점 O에 대하여 삼각형 OAB의 넓이는 $|ab|$로 일정하다.

086

$y=k(x+1)-2$를 $y^2=8x$에 대입하면

$$\{k(x+1)-2\}^2=8x$$

$$\therefore k^2x^2+2(k^2-2k-4)x+(k^2-4k+4)=0 \qquad \cdots\cdots ㉠$$

(i) $k=0$일 때

㉠에서 $-8x+4=0 \quad \therefore x=\dfrac{1}{2}$

즉, 방정식 ㉠이 실근을 가지므로 주어진 직선과 포물선은 만난다.

(ii) $k\neq 0$일 때

이차방정식 ㉠의 판별식을 D라고 하면 ㉠이 실근을 가져야 하므로

$$\dfrac{D}{4}=(k^2-2k-4)^2-k^2(k^2-4k+4)\geq 0$$

$$-8k^2+16k+16\geq 0,\ k^2-2k-2\leq 0$$

$$\{k-(1-\sqrt{3})\}\{k-(1+\sqrt{3})\}\leq 0$$

$$\therefore 1-\sqrt{3}\leq k<0\ \text{또는}\ 0<k\leq 1+\sqrt{3}\ (\because k\neq 0)$$

(i), (ii)에서 $1-\sqrt{3}\leq k\leq 1+\sqrt{3}$

따라서 $M=1+\sqrt{3}$, $m=1-\sqrt{3}$이므로

$$Mm=(1+\sqrt{3})(1-\sqrt{3})=1-3=-2$$

답 ①

다른 풀이

직선 $y=k(x+1)-2$는 k의 값에 상관없이 항상 점 $(-1,\ -2)$를 지나는 직선이다.

따라서 직선 $y=k(x+1)-2$가 포물선 $y^2=8x$와 만나려면 오른쪽 그림과 같이 직선이 포물선에 접하거나 두 접선 사이에 위치해야 한다.

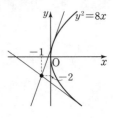

이때 포물선에 접하는 직선의 기울기를 m이라고 하면 포물선 $y^2=8x=4\times 2\times x$에 접하고 기울기가 m인 직선의 방정식은

$$y=mx+\dfrac{2}{m}$$

이 직선이 점 $(-1,\ -2)$를 지나므로

$$-2=-m+\dfrac{2}{m},\ m^2-2m-2=0$$

$\therefore m=1\pm\sqrt{3}$

따라서 직선 $y=k(x+1)-2$와 포물선 $y^2=8x$가 만나려면

$1-\sqrt{3}\leq k\leq 1+\sqrt{3}$

087

$n(A\cap B)=2$이므로 포물선 $(y-2)^2=4x$와 직선

$x-3y+3a=0$은 서로 다른 두 점에서 만난다.

$x-3y+3a=0$에서 $x=3y-3a$이므로 이것을 $(y-2)^2=4x$에 대입하면

$(y-2)^2=4(3y-3a)$ $\therefore y^2-16y+12a+4=0$

이 이차방정식의 판별식을 D라고 하면

$\dfrac{D}{4}=(-8)^2-(12a+4)>0$

$-12a+60>0$ $\therefore a<5$

따라서 자연수 a는 1, 2, 3, 4의 4개이다.

답 4

088

$y=mx+k$를 $y^2=2x+10$에 대입하면

$(mx+k)^2=2x+10$

$\therefore m^2x^2+2(mk-1)x+k^2-10=0$

m의 값에 관계없이 이 방정식이 실근을 가져야 하므로 $m\neq0$일 때

이 이차방정식의 판별식을 D라고 하면

$\dfrac{D}{4}=(mk-1)^2-m^2(k^2-10)\geq0$

$10m^2-2mk+1\geq0$ ...... (*)

$\therefore 10\left(m-\dfrac{k}{10}\right)^2+1-\dfrac{k^2}{10}\geq0$

위의 부등식이 m의 값에 관계없이 항상 성립해야 하므로

$1-\dfrac{k^2}{10}\geq0$, $k^2-10\leq0$

$(k+\sqrt{10})(k-\sqrt{10})\leq0$

$\therefore -\sqrt{10}\leq k\leq\sqrt{10}$ ⎯ $3<\sqrt{10}<4$이므로 자연수 k는 1, 2, 3이다.

따라서 모든 자연수 k의 값의 합은

$1+2+3=6$

답 ③

참고 ❶

$m=0$이면 직선 $y=k$는 포물선 $y^2=2x+10$과 k의 값에 관계없이 항상 만난다.

다른 풀이

m에 대한 이차부등식 (*)가 m의 값에 관계없이 항상 성립해야 하므로 이차방정식 $10m^2-2mk+1=0$의 판별식을 D라고 하면

$\dfrac{D}{4}=(-k)^2-10\leq0$, $k^2-10\leq0$

$(k+\sqrt{10})(k-\sqrt{10})\leq0$ $\therefore -\sqrt{10}\leq k\leq\sqrt{10}$

참고 ❷

이차부등식이 항상 성립할 조건 (단, $a\neq0$, $D=b^2-4ac$)

(1) 모든 실수 x에 대하여 $ax^2+bx+c>0\iff a>0$, $D<0$

(2) 모든 실수 x에 대하여 $ax^2+bx+c\geq0\iff a>0$, $D\leq0$

(3) 모든 실수 x에 대하여 $ax^2+bx+c<0\iff a<0$, $D<0$

(4) 모든 실수 x에 대하여 $ax^2+bx+c\leq0\iff a<0$, $D\leq0$

089

$y=3x+k$를 $y^2=4x$에 대입하면

$(3x+k)^2=4x$ $\therefore 9x^2+2(3k-2)x+k^2=0$

이 이차방정식의 판별식을 D라고 하면 직선 $y=3x+k$와 포물선 $y^2=4x$가 만나지 않으므로

$\dfrac{D}{4}=(3k-2)^2-9k^2<0$

$-12k+4<0$ $\therefore k>\dfrac{1}{3}$ ...... ㉠

$y=3x+k$를 $y^2=4(x+2)$에 대입하면

$(3x+k)^2=4(x+2)$ $\therefore 9x^2+2(3k-2)x+k^2-8=0$

이 이차방정식의 판별식을 D'이라고 하면 직선 $y=3x+k$와 포물선 $y^2=4(x+2)$가 서로 다른 두 점에서 만나므로

$\dfrac{D'}{4}=(3k-2)^2-9(k^2-8)>0$

$-12k+76>0$ $\therefore k<\dfrac{19}{3}$ ...... ㉡

㉠, ㉡에서 $\dfrac{1}{3}<k<\dfrac{19}{3}$

따라서 정수 k는 1, 2, 3, 4, 5, 6의 6개이다.

답 ⑤

090

$\dfrac{x^2}{4}+\dfrac{y^2}{5}=1$에서 $5x^2+4y^2=20$ ...... ㉠

㉠에 $y=3x+k$를 대입하면

$5x^2+4(3x+k)^2=20$ $\therefore 41x^2+24kx+4k^2-20=0$

이 이차방정식의 판별식을 D라고 하면 타원 ㉠과 직선 $y=3x+k$가 서로 다른 두 점에서 만나므로

$\dfrac{D}{4}=(12k)^2-41(4k^2-20)>0$

$-20k^2+820>0$, $k^2-41<0$

$(k+\sqrt{41})(k-\sqrt{41})<0$

$\therefore -\sqrt{41}<k<\sqrt{41}$ ...... ㉡

㉠에 $y=-x+k$를 대입하면

$5x^2+4(-x+k)^2=20$ $\therefore 9x^2-8kx+4k^2-20=0$

이 이차방정식의 판별식을 D'이라고 하면 타원 ㉠과 직선 $y=-x+k$가 만나지 않으므로

$\dfrac{D'}{4}=(-4k)^2-9(4k^2-20)<0$

$-20k^2+180<0$, $k^2-9>0$

$(k+3)(k-3)>0$ $\therefore k<-3$ 또는 $k>3$ ...... ㉢

㉡, ㉢에서

$-\sqrt{41}<k<-3$ 또는 $3<k<\sqrt{41}$ ⎯ $6<\sqrt{41}<7$이므로 자연수 k는 4, 5, 6이다.

따라서 모든 자연수 k의 값의 합은

$4+5+6=15$

답 ⑤

091

$x+y-1=0$에서 $y=1-x$ ...... ㉠

㉠을 $\dfrac{x^2}{4}+y^2=1$, 즉 $x^2+4y^2=4$에 대입하면

$x^2+4(1-x)^2=4$, $5x^2-8x=0$

$x(5x-8)=0$ $\therefore x=0$ 또는 $x=\dfrac{8}{5}$

㉠에 $x=0$을 대입하면 $y=1$

㉠에 $x=\dfrac{8}{5}$을 대입하면 $y=-\dfrac{3}{5}$

따라서 타원 $\dfrac{x^2}{4}+y^2=1$과 직선 $x+y-1=0$의 두 교점이 $(0,\,1)$,

$\left(\dfrac{8}{5},\,-\dfrac{3}{5}\right)$이므로 구하는 선분의 길이는

$$\sqrt{\left(\dfrac{8}{5}-0\right)^2+\left(-\dfrac{3}{5}-1\right)^2}=\dfrac{8\sqrt{2}}{5}$$

답 ③

092

$y=x+k$를 $\dfrac{x^2}{8}+\dfrac{y^2}{4}=1$, 즉 $x^2+2y^2=8$에 대입하면

$x^2+2(x+k)^2=8$ $\therefore 3x^2+4kx+2k^2-8=0$ ······ ㉠

㉠의 판별식을 D라고 하면 직선과 타원이 서로 다른 두 점에서 만나므로

$\dfrac{D}{4}=(2k)^2-3(2k^2-8)>0$

$-2k^2+24>0,\ k^2-12<0$

$(k+2\sqrt{3})(k-2\sqrt{3})<0$

$\therefore -2\sqrt{3}<k<2\sqrt{3}$ ······ ㉡

두 점 A, B의 좌표를 각각 $(\alpha,\ \alpha+k)$, $(\beta,\ \beta+k)$라고 하면 α, β는 이차방정식 ㉠의 두 근이므로 이차방정식의 근과 계수의 관계에 의하여

$\alpha+\beta=-\dfrac{4k}{3},\ \alpha\beta=\dfrac{2k^2-8}{3}$ ······ ㉢

또, $\overline{\mathrm{OA}}\perp\overline{\mathrm{OB}}$이므로

$\dfrac{\alpha+k}{\alpha}\times\dfrac{\beta+k}{\beta}=-1$ ← 직선 OA, OB의 기울기의 곱이 -1이다.

$\alpha\beta+(\alpha+\beta)k+k^2=-\alpha\beta$

이 식에 ㉢을 대입하면

$\dfrac{2k^2-8}{3}+\left(-\dfrac{4k}{3}\right)k+k^2=-\dfrac{2k^2-8}{3}$

$3k^2=16,\ k^2=\dfrac{16}{3}$ $\therefore k=\pm\dfrac{4\sqrt{3}}{3}$

이것은 ㉡을 만족시킨다.

따라서 구하는 모든 실수 k의 값의 곱은

$\left(-\dfrac{4\sqrt{3}}{3}\right)\times\dfrac{4\sqrt{3}}{3}=-\dfrac{16}{3}$

답 ④

093

▶ 접근

두 점 A, B의 좌표를 각각 $(\alpha,\ 1-\alpha)$, $(\beta,\ 1-\beta)$로 놓고 이차방정식의 근과 계수의 관계와 $\overline{\mathrm{AB}}=2\sqrt{2}$를 이용하여 $\alpha+\beta$, $\alpha\beta$의 값을 구한다.

$x+y=1$에서 $y=1-x$

이것을 $ax^2+by^2=1$에 대입하면

$ax^2+b(1-x)^2=1$

$\therefore (a+b)x^2-2bx+b-1=0$ ······ ㉠

㉠의 판별식을 D라고 하면 직선과 타원이 서로 다른 두 점에서 만나므로

$\dfrac{D}{4}=(-b)^2-(a+b)(b-1)>0$

$-ab+a+b>0$ $\therefore a+b>ab$ ······ ㉡

두 점 A, B의 좌표를 각각 $(\alpha,\ 1-\alpha)$, $(\beta,\ 1-\beta)$라고 하면 α, β는 이차방정식 ㉠의 두 근이므로 이차방정식의 근과 계수의 관계에 의하여

$\alpha+\beta=\dfrac{2b}{a+b},\ \alpha\beta=\dfrac{b-1}{a+b}$ ······ ㉢

$\overline{\mathrm{AB}}=2\sqrt{2}$이므로 $\overline{\mathrm{AB}}^2=8$

$(\alpha-\beta)^2+\{1-\alpha-(1-\beta)\}^2=8$

$2(\alpha-\beta)^2=8,\ (\alpha-\beta)^2=4$

$(\alpha+\beta)^2-4\alpha\beta=4$ ······ ㉣

한편 $\mathrm{C}\left(\dfrac{\alpha+\beta}{2},\ 1-\dfrac{\alpha+\beta}{2}\right)$이고 직선 OC의 기울기가 $\dfrac{\sqrt{2}}{2}$이므로

$\dfrac{1-\dfrac{\alpha+\beta}{2}}{\dfrac{\alpha+\beta}{2}}=\dfrac{\sqrt{2}}{2}$

$1-\dfrac{\alpha+\beta}{2}=\dfrac{\sqrt{2}}{2}\times\dfrac{\alpha+\beta}{2}$

$\dfrac{2+\sqrt{2}}{4}(\alpha+\beta)=1$

$\therefore \alpha+\beta=\dfrac{4}{2+\sqrt{2}}=4-2\sqrt{2}$ ······ ㉤

이것을 ㉣에 대입하면

$(4-2\sqrt{2})^2-4\alpha\beta=4,\ 4\alpha\beta=20-16\sqrt{2}$

$\therefore \alpha\beta=5-4\sqrt{2}$ ······ ㉥

㉤, ㉥을 ㉢에 대입하면

$4-2\sqrt{2}=\dfrac{2b}{a+b},\ 5-4\sqrt{2}=\dfrac{b-1}{a+b}$

위의 두 식을 연립하여 풀면

$a=\dfrac{1}{3},\ b=\dfrac{\sqrt{2}}{3}$

이것은 ㉡을 만족시킨다.

답 $a=\dfrac{1}{3},\ b=\dfrac{\sqrt{2}}{3}$

094

ㄱ은 옳지 않다.

쌍곡선 $\dfrac{x^2}{16}-\dfrac{y^2}{9}=1$의 점근선의 방정식은 $y=\pm\dfrac{3}{4}x$

이므로 $m=\pm\dfrac{3}{4}$이면 직선 $y=mx$는 점근선이 되어 쌍곡선

$\dfrac{x^2}{16}-\dfrac{y^2}{9}=1$과 만나지 않는다.

$\therefore f(m)=0$

ㄴ은 옳다.

$-\dfrac{3}{4}<m<\dfrac{3}{4}$이면 직선

$y=mx$는 오른쪽 그림의

㉠과 같으므로 쌍곡선과

서로 다른 두 점에서 만

난다.

$\therefore f(m)=2$

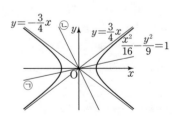

ㄷ은 옳지 않다.

$m<-\dfrac{3}{4}$이면 직선 $y=mx$는 위의 그림의 ㉡과 같으므로 쌍곡

선과 만나지 않는다.

$\therefore f(m)=0$

ㄹ은 옳다.

$$f(m) = \begin{cases} 0 & \left(m \leq -\dfrac{3}{4} \text{ 또는 } m \geq \dfrac{3}{4}\right) \\ 2 & \left(-\dfrac{3}{4} < m < \dfrac{3}{4}\right) \end{cases} \text{이므로}$$

$$\lim_{m \to -\frac{3}{4}+} f(m) + \lim_{m \to \frac{3}{4}-} f(m) = 2 + 2 = 4$$

따라서 옳은 것은 ㄴ, ㄹ이다.

답 ④

참고

좌극한과 우극한 (수학Ⅱ)

(1) 좌극한: x가 a보다 작은 값을 가지면서 a에 한없이 가까워지는 것을 $x \to a-$로 나타낸다. 이때 $f(x)$가 일정한 값 a에 한없이 가까워지면 $\lim\limits_{x \to a-} f(x) = a$로 나타내고, a를 $x = a$에서의 함수 $f(x)$의 좌극한이라고 한다.

(2) 우극한: x가 a보다 큰 값을 가지면서 a에 한없이 가까워지는 것을 $x \to a+$로 나타낸다. 이때 $f(x)$가 일정한 값 a에 한없이 가까워지면 $\lim\limits_{x \to a+} f(x) = a$로 나타내고, a를 $x = a$에서의 함수 $f(x)$의 우극한이라고 한다.

095

직선 AB가 점 $P\left(\dfrac{4}{3}, \dfrac{4}{3}\right)$를 지나므로 직선 AB의 기울기를 m이라고 하면 그 방정식은

$$y = m\left(x - \dfrac{4}{3}\right) + \dfrac{4}{3} \quad \cdots\cdots \text{㉠}$$

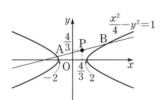

이것을 $\dfrac{x^2}{4} - y^2 = 1$에 대입하면

$$\dfrac{x^2}{4} - \left\{m\left(x - \dfrac{4}{3}\right) + \dfrac{4}{3}\right\}^2 = 1, \ \dfrac{x^2}{4} - \left(\dfrac{3mx - 4m + 4}{3}\right)^2 = 1$$

$$9x^2 - 4(3mx - 4m + 4)^2 = 36$$

$$\therefore (9 - 36m^2)x^2 + 96m(m-1)x - (64m^2 - 128m + 100) = 0$$

$$\cdots\cdots \text{㉡}$$

두 점 A, B의 좌표를 각각 (x_1, y_1), (x_2, y_2)라고 하면 x_1, x_2는 x에 대한 이차방정식 ㉡의 두 근이므로 이차방정식의 근과 계수의 관계에 의하여

$$x_1 + x_2 = -\dfrac{96m(m-1)}{9 - 36m^2} = -\dfrac{32m(m-1)}{3 - 12m^2} \quad \cdots\cdots \text{㉢}$$

한편 점 $P\left(\dfrac{4}{3}, \dfrac{4}{3}\right)$가 선분 AB의 중점이므로

$$\dfrac{x_1 + x_2}{2} = \dfrac{4}{3} \quad \therefore x_1 + x_2 = \dfrac{8}{3} \quad \cdots\cdots \text{㉣}$$

㉢, ㉣에서

$$-\dfrac{32m(m-1)}{3 - 12m^2} = \dfrac{8}{3}, \ -\dfrac{4m(m-1)}{1 - 4m^2} = 1$$

$$-4m^2 + 4m = 1 - 4m^2, \ 4m = 1$$

$$\therefore m = \dfrac{1}{4}$$

이것을 ㉠에 대입하면 구하는 직선의 방정식은

$$y = \dfrac{1}{4}\left(x - \dfrac{4}{3}\right) + \dfrac{4}{3} \quad \therefore y = \dfrac{1}{4}x + 1$$

답 ②

다른 풀이

두 점 A, B의 좌표를 각각 (x_1, y_1), (x_2, y_2)라고 하면 두 점 A, B는 쌍곡선 $\dfrac{x^2}{4} - y^2 = 1$, 즉 $x^2 - 4y^2 = 4$ 위의 점이므로

$$x_1^2 - 4y_1^2 = 4 \quad \cdots\cdots \text{㉠}$$

$$x_2^2 - 4y_2^2 = 4 \quad \cdots\cdots \text{㉡}$$

㉠$-$㉡을 하면

$$x_1^2 - 4y_1^2 - (x_2^2 - 4y_2^2) = 0, \ (x_1^2 - x_2^2) - 4(y_1^2 - y_2^2) = 0$$

$$\therefore (x_1 + x_2)(x_1 - x_2) - 4(y_1 + y_2)(y_1 - y_2) = 0 \quad \cdots\cdots \text{㉢}$$

한편 점 $P\left(\dfrac{4}{3}, \dfrac{4}{3}\right)$가 선분 AB의 중점이므로

$$\dfrac{x_1 + x_2}{2} = \dfrac{4}{3}, \ \dfrac{y_1 + y_2}{2} = \dfrac{4}{3}$$

$$\therefore x_1 + x_2 = \dfrac{8}{3}, \ y_1 + y_2 = \dfrac{8}{3} \quad \cdots\cdots \text{㉣}$$

㉣을 ㉢에 대입하면

$$\dfrac{8}{3}(x_1 - x_2) - 4 \times \dfrac{8}{3}(y_1 - y_2) = 0$$

$$(x_1 - x_2) - 4(y_1 - y_2) = 0, \ (x_1 - x_2) = 4(y_1 - y_2)$$

$$\therefore \dfrac{y_1 - y_2}{x_1 - x_2} = \dfrac{1}{4}$$

즉, 직선 AB의 기울기가 $\dfrac{1}{4}$이므로 직선 AB의 방정식은

$$y = \dfrac{1}{4}\left(x - \dfrac{4}{3}\right) + \dfrac{4}{3} \quad \therefore y = \dfrac{1}{4}x + 1$$

096

접근

집합 A는 타원과 쌍곡선을 나타내고 집합 B_m은 점 $(0, \sqrt{3})$을 지나는 직선이므로 $n(A \cap B_m) = 3$이 되려면 직선과 타원, 쌍곡선의 교점이 3개가 되어야 함을 이용한다.

집합 A에서 $(2x^2 + y^2 - 2)(4x^2 - y^2 + 4) = 0$

$$2x^2 + y^2 - 2 = 0 \text{ 또는 } 4x^2 - y^2 + 4 = 0$$

$$2x^2 + y^2 = 2 \text{ 또는 } 4x^2 - y^2 = -4$$

$$\therefore x^2 + \dfrac{y^2}{2} = 1 \text{ 또는 } x^2 - \dfrac{y^2}{4} = -1$$

즉, 집합 A는 타원 $x^2 + \dfrac{y^2}{2} = 1$과 쌍곡선 $x^2 - \dfrac{y^2}{4} = -1$을 나타낸다.

집합 B_m은 기울기가 m이고 점 $(0, \sqrt{3})$을 지나는 직선이다.

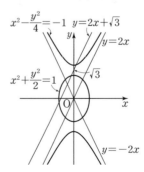

쌍곡선 $x^2 - \dfrac{y^2}{4} = -1$의 점근선이

$$y = \pm 2x$$

이므로 $m = 2$이면 위의 그림과 같이 직선 $y = mx + \sqrt{3}$은 타원 $x^2 + \dfrac{y^2}{2} = 1$과 서로 다른 두 점에서 만나고 쌍곡선 $x^2 - \dfrac{y^2}{4} = -1$과 한 점에서 만난다. 즉, $n(A \cap B_m) = 3$이 된다.

따라서 구하는 m의 값은 2이다.

답 ④

참고

$y=mx+\sqrt{3}$을 $x^2+\dfrac{y^2}{2}=1$에 대입하여 정리하면

$(2+m^2)x^2+2\sqrt{3}mx+1=0$

이 이차방정식의 판별식을 D라고 하면 타원과 직선이 접할 때

$\dfrac{D}{4}=(\sqrt{3}m)^2-(2+m^2)=0$

$2m^2-2=0,\ m^2=1$

$\therefore m=1\ (\because m>0)$

같은 방법으로 $y=mx+\sqrt{3}$을 $x^2-\dfrac{y^2}{4}=-1$에 대입하여 직선이 쌍곡선에 접할 때의 m의 값을 구하면 $m=1$이다.

따라서 $n(A\cap B_m)=f(m)$이라고 하면

$$f(m)=\begin{cases} 4 & (m>2\ 또는\ 1<m<2) \\ 3 & (m=2) \\ 2 & (m=1) \\ 0 & (0<m<1) \end{cases}$$

097

삼각형 PFA에서 밑변을 $\overline{FA}$라고 하면 밑변의 길이는 일정하므로 높이가 최대일 때 넓이가 최대가 된다.

따라서 점 P가 직선 FA와 평행한 접선 위의 점일 때 넓이가 최대가 된다.

포물선 $y^2=12x=4\times3\times x$에서 F$(3,\ 0)$

직선 FA의 기울기는 $\dfrac{2-0}{5-3}=1$이므로 기울기가 1인 포물선 $y^2=12x$의 접선의 방정식은

$y=x+\dfrac{3}{1}$

$\therefore x-y+3=0$

삼각형 PFA에서

$\overline{FA}=\sqrt{(5-3)^2+(2-0)^2}=2\sqrt{2}$

높이는 점 F$(3,\ 0)$과 직선 $x-y+3=0$ 사이의 거리와 같으므로

$\dfrac{|3+0+3|}{\sqrt{1^2+(-1)^2}}=3\sqrt{2}$

따라서 삼각형 PFA의 넓이의 최댓값은

$\dfrac{1}{2}\times2\sqrt{2}\times3\sqrt{2}=6$

답 ③

098

포물선 $y^2=4x=4\times1\times x$에서 F$(1,\ 0)$

포물선 $y^2=4x$ 위의 점 P$(3,\ 2\sqrt{3})$에서의 접선 l의 방정식은

$2\sqrt{3}y=2\times1\times(x+3)$

$\therefore y=\dfrac{\sqrt{3}}{3}x+\sqrt{3}$

$\underline{\qquad}$ $\tan 30°=\dfrac{\sqrt{3}}{3}$

즉, 직선 l이 x축의 양의 방향과 이루는 각의 크기는 30°이다.

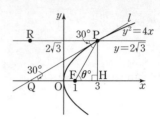

위의 그림과 같이 점 P에서 x축에 내린 수선의 발을 H라 하고 점 P를 지나면서 x축에 평행한 직선을 긋고 이 직선 위의 한 점 R를 잡자. (단, 점 R의 x좌표는 점 P의 x좌표보다 작다.)

직각삼각형 PFH에서 $\angle$PFH$=\theta°$라고 하면

$\tan\theta°=\dfrac{\overline{PH}}{\overline{FH}}=\dfrac{2\sqrt{3}}{2}=\sqrt{3}$

$\underline{\qquad}$ F$(1,\ 0)$, H$(3,\ 0)$이므로 $\overline{FH}=3-1=2$

$\therefore \theta°=60°\ (\because 0<\theta°<90°)$

이때 $\angle$RPF$=\angle$HFP$=60°$ (엇각), $\angle$RPQ$=\angle$FQP$=30°$ (엇각)

이므로

$\angle$QPF$=\angle$RPF$-\angle$RPQ$=60°-30°=30°$

답 ②

다른 풀이 ①

삼각형 PQF에서

$\angle$QPF$=\angle$PFH$-\angle$PQF$=60°-30°=30°$

다른 풀이 ②

P$(3,\ 2\sqrt{3})$, Q$(-3,\ 0)$, F$(1,\ 0)$이므로

$\overline{PF}=\sqrt{(3-1)^2+(2\sqrt{3}-0)^2}=4$

$\overline{QF}=|1-(-3)|=4$

즉, $\overline{PF}=\overline{QF}$이므로

$\angle$QPF$=\angle$PQF$=30°$

참고

(1) 삼각형의 내각과 외각의 관계

삼각형의 한 외각의 크기는 그와 이웃하지 않은 두 내각의 크기의 합과 같다.

(2) 이등변삼각형의 성질

① 이등변삼각형의 두 밑각의 크기는 같다.

② 이등변삼각형의 꼭지각의 이등분선은 밑변을 수직이등분한다.

099

포물선 $y^2=8x=4\times2\times x$에서 F$(2,\ 0)$

접점의 좌표를 $(x_1,\ y_1)$이라고 하면 포물선 $y^2=8x$ 위의 점 $(x_1,\ y_1)$에서의 접선의 방정식은

$y_1y=2\times2\times(x+x_1)$

이 직선이 점 P$(-1,\ 2)$를 지나므로

$2y_1=2\times2\times(-1+x_1)$

$\therefore x_1=\dfrac{y_1+2}{2}$ $\qquad\qquad$ …… ㉠

또, 점 $(x_1,\ y_1)$은 포물선 $y^2=8x$ 위의 점이므로

$y_1^2=8x_1$

이 식에 ㉠을 대입하면
$$y_1^2 = 8 \times \frac{y_1+2}{2}, \ y_1^2 - 4y_1 - 8 = 0$$
$$\therefore \ y_1 = 2 \pm 2\sqrt{3}$$
이것을 ㉠에 대입하면
$y_1 = 2 + 2\sqrt{3}$이면 $x_1 = 2 + \sqrt{3}$
$y_1 = 2 - 2\sqrt{3}$이면 $x_1 = 2 - \sqrt{3}$
$\therefore$ A$(2+\sqrt{3}, \ 2+2\sqrt{3})$, B$(2-\sqrt{3}, \ 2-2\sqrt{3})$
또는 A$(2-\sqrt{3}, \ 2-2\sqrt{3})$, B$(2+\sqrt{3}, \ 2+2\sqrt{3})$
따라서 삼각형 APB의 무게중심 G의 좌표는
$$\left(\frac{2+\sqrt{3}+(-1)+2-\sqrt{3}}{3}, \ \frac{2+2\sqrt{3}+2+2-2\sqrt{3}}{3} \right)$$
$$\therefore \ \text{G}(1, \ 2)$$
$$\therefore \ \overline{\text{GF}} = \sqrt{(2-1)^2 + (0-2)^2} = \sqrt{5}$$

답 ④

100

직선 $y = p(x-3)$은 p의 값에 관계없이 점 $(3, 0)$을 지난다.

(i) $p > 0$일 때

포물선 $y^2 = 4px$와 직선
$y = p(x-3)$은 오른쪽 그림과 같
이 항상 서로 다른 두 점에서 만나
므로 포물선 위의 점과 직선 사이
의 거리의 최솟값은 0이다.

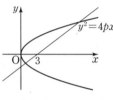

그런데 포물선 위의 점과 직선 사
이의 거리의 최솟값이 1이므로 이것은 조건을 만족시키지 않는
다.

(ii) $p < 0$일 때

포물선 $y^2 = 4px$와 직선
$y = p(x-3)$은 오른쪽 그림과 같
다.

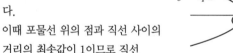

이때 포물선 위의 점과 직선 사이의
거리의 최솟값이 1이므로 직선
$y = p(x-3)$과 이 직선과 평행한 접선 사이의 거리가 1이 되어
야 한다.

직선 $y = p(x-3)$의 기울기가 p이므로 기울기가 p인 포물선
$y^2 = 4px$의 접선의 방정식은
$$y = px + \frac{p}{p} \qquad \therefore \ y = px + 1$$
이 직선 위의 점 $(0, 1)$과 직선 $y = p(x-3)$, 즉
$px - y - 3p = 0$ 사이의 거리가 1이므로
$$\frac{|0-1-3p|}{\sqrt{p^2+(-1)^2}} = 1, \ |-1-3p| = \sqrt{p^2+1}$$
이 식의 양변을 제곱하면
$$1 + 6p + 9p^2 = p^2 + 1, \ 8p^2 + 6p = 0$$
$$2p(4p+3) = 0 \qquad \therefore \ p = -\frac{3}{4} \ (\because \ p < 0)$$

(i), (ii)에서 $p = -\frac{3}{4}$

$$\therefore \ 4p = -3$$

답 -3

101

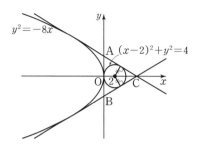

위의 그림과 같이 원 $(x-2)^2 + y^2 = 4$와 포물선 $y^2 = -8x$에 동시
에 접하는 세 개의 직선 중 하나는 y축이다. 이때 세 접선의 교점을
각각 A, B, C라고 하자.
포물선 $y^2 = -8x = 4 \times (-2) \times x$의 접선의 기울기를 $m \ (m \neq 0)$
이라고 하면 접선의 방정식은
$$y = mx - \frac{2}{m} \qquad \therefore \ m^2 x - my - 2 = 0 \qquad \cdots\cdots \ ㉠$$
원 $(x-2)^2 + y^2 = 4$가 직선 ㉠에 접하므로 원의 중심 $(2, 0)$에서
직선 ㉠에 이르는 거리는 원의 반지름의 길이 2와 같다.
즉, $\dfrac{|2m^2 + 0 - 2|}{\sqrt{(m^2)^2 + (-m)^2}} = 2$이므로
$$|2m^2 - 2| = 2\sqrt{m^4 + m^2}$$
$$|m^2 - 1| = \sqrt{m^4 + m^2}$$
위 식의 양변을 제곱하면
$$m^4 - 2m^2 + 1 = m^4 + m^2$$
$$m^2 = \frac{1}{3} \qquad \therefore \ m = \pm\frac{\sqrt{3}}{3}$$
따라서 세 접선의 방정식은
$$x - \sqrt{3}y - 6 = 0, \ x + \sqrt{3}y - 6 = 0, \ x = 0$$
이므로
A$(0, 2\sqrt{3})$, B$(0, -2\sqrt{3})$, C$(6, 0)$
따라서 구하는 삼각형의 넓이는
$$\frac{1}{2} \times \overline{\text{AB}} \times \overline{\text{OC}} = \frac{1}{2} \times 4\sqrt{3} \times 6 = 12\sqrt{3}$$

답 ③

102

두 점 P, Q의 좌표를 각각 (x_1, y_1), (x_2, y_2) $(x_1 < x_2)$라고 하자.
포물선 $y^2 = 12x = 4 \times 3 \times x$ 위의 점 P(x_1, y_1)에서의 접선의 방정
식은
$$y_1 y = 2 \times 3 \times (x + x_1) \qquad \therefore \ y = \frac{6}{y_1}x + \frac{6x_1}{y_1} \qquad \cdots\cdots \ ㉠$$
포물선 $x^2 = 16y = 4 \times 4 \times y$ 위의 점 Q(x_2, y_2)에서의 접선의 방정
식은
$$x_2 x = 2 \times 4 \times (y + y_2) \qquad \therefore \ y = \frac{x_2}{8}x - y_2 \qquad \cdots\cdots \ ㉡$$
두 직선 ㉠, ㉡이 서로 평행하므로
$$\frac{6}{y_1} = \frac{x_2}{8} \qquad \therefore \ x_2 y_1 = 48 \qquad \cdots\cdots \ ㉢$$
한편 두 점 P(x_1, y_1), Q(x_2, y_2)는 각각 포물선 $y^2 = 12x$, $x^2 = 16y$
위의 점이므로
$$y_1^2 = 12x_1, \ x_2^2 = 16y_2$$
위의 두 식을 변끼리 곱하면
$$y_1^2 x_2^2 = 12x_1 \times 16y_2, \ (x_2 y_1)^2 = 192x_1 y_2$$
$$48^2 = 192x_1 y_2 \ (\because \ ㉢) \qquad \therefore \ x_1 y_2 = 12 \qquad \cdots\cdots \ ㉣$$

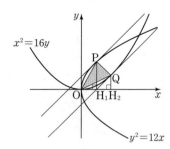

위의 그림과 같이 두 점 P, Q에서 x축에 내린 수선의 발을 각각 H_1, H_2라고 하면

$H_1(x_1, 0)$, $H_2(x_2, 0)$

이므로

$\triangle POQ$

$= \triangle POH_1 + \square PH_1H_2Q - \triangle QOH_2$

$= \dfrac{1}{2} \times x_1 \times y_1 + \dfrac{1}{2}(y_1+y_2)(x_2-x_1) - \dfrac{1}{2} \times x_2 \times y_2$

$= \dfrac{1}{2}x_1y_1 + \dfrac{1}{2}(x_2y_1 - x_1y_1 + x_2y_2 - x_1y_2) - \dfrac{1}{2}x_2y_2$

$= \dfrac{1}{2}(x_2y_1 - x_1y_2)$

$= \dfrac{1}{2}(48-12) = 18$ ($\because$ ㉢, ㉣)

답 18

103

다음 그림과 같이 원 $\left(x+\dfrac{5}{2}\right)^2 + \left(y-\dfrac{7}{2}\right)^2 = 5$의 중심을 C라고 하면 $C\left(-\dfrac{5}{2}, \dfrac{7}{2}\right)$

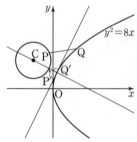

또, 점 Q에서의 포물선의 접선이 직선 CQ와 수직이 될 때의 점 Q를 Q′이라 하고, 직선 CQ′과 원의 교점을 P′이라고 하면

$\overline{PQ} \geq \overline{P'Q'}$

즉, 선분 PQ의 길이의 최솟값은 선분 P′Q′의 길이와 같다.

점 Q′의 좌표를 (x_1, y_1)이라고 하면 포물선 $y^2=8x=4\times2\times x$ 위의 점 $Q'(x_1, y_1)$에서의 접선의 방정식은

$y_1y = 2\times2(x+x_1)$

$\therefore y = \dfrac{4}{y_1}x + \dfrac{4x_1}{y_1}$ ...... ㉠

직선 CQ′이 직선 ㉠에 수직이므로

$\dfrac{y_1-\dfrac{7}{2}}{x_1-\left(-\dfrac{5}{2}\right)} \times \dfrac{4}{y_1} = -1$, $4y_1 - 14 = -x_1y_1 - \dfrac{5}{2}y_1$

$\therefore x_1y_1 + \dfrac{13}{2}y_1 - 14 = 0$ ← 서로 수직인 두 직선의 기울기의 곱은 -1이다. ...... ㉡

한편 점 $Q'(x_1, y_1)$은 포물선 $y^2=8x$ 위의 점이므로

$y_1^2 = 8x_1$ $\therefore x_1 = \dfrac{y_1^2}{8}$ ...... ㉢

㉢을 ㉡에 대입하면

$\dfrac{y_1^2}{8} \times y_1 + \dfrac{13}{2}y_1 - 14 = 0$

$y_1^3 + 52y_1 - 112 = 0$, $(y_1-2)(y_1^2+2y_1+56) = 0$

$\therefore y_1 = 2$ ($\because y_1^2+2y_1+56 > 0$)

이것을 ㉢에 대입하면 $x_1 = \dfrac{1}{2}$

$\therefore Q'\left(\dfrac{1}{2}, 2\right)$

따라서 선분 PQ의 길이의 최솟값은

$\overline{P'Q'} = \overline{CQ'} - \overline{CP'}$

$= \sqrt{\left\{\dfrac{1}{2}-\left(-\dfrac{5}{2}\right)\right\}^2 + \left(2-\dfrac{7}{2}\right)^2} - \sqrt{5}$

$= \dfrac{3\sqrt{5}}{2} - \sqrt{5} = \dfrac{\sqrt{5}}{2}$

답 ④

104

접근

> 주어진 두 원이 접하는 두 직선을 구하고 두 원의 중심이 지나는 직선의 방정식을 구하여 두 원의 중심의 좌표를 구한다.

포물선 $x^2=4y=4\times1\times y$에서 $F(0, 1)$이고, 준선의 방정식은 $y=-1$이다.

기울기가 $\sqrt{3}$인 포물선의 접선 l의 방정식은

$y = \sqrt{3}x - 1\times(\sqrt{3})^2$ $\therefore y = \sqrt{3}x - 3$

중심이 포물선 $x^2=4y$ 위에 있으면서 점 F를 지나고 직선 $y=\sqrt{3}x-3$에 접하는 두 원의 중심을 각각 A, B라고 하면 두 원의 반지름의 길이는 각각 $\overline{AF}$, $\overline{BF}$이다. ...... (*)

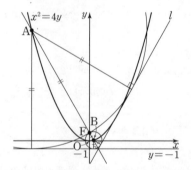

두 점 A, B가 포물선 $x^2=4y$ 위의 점이므로 포물선의 정의와 원의 접선의 성질에 의하여 주어진 두 원은 위의 그림과 같이 모두 두 직선 $y=\sqrt{3}x-3$, $y=-1$에 접한다.

따라서 두 점 A, B는 점 F와 두 직선 $y=\sqrt{3}x-3$, $y=-1$의 교점을 지나는 직선 위에 있다.

이때 두 직선 $y=\sqrt{3}x-3$, $y=-1$의 교점의 좌표는 $\left(\dfrac{2\sqrt{3}}{3}, -1\right)$이므로 직선 AB의 방정식은

$y - 1 = \dfrac{-1-1}{\dfrac{2\sqrt{3}}{3}-0}(x-0)$ $\therefore y = -\sqrt{3}x + 1$ ...... ㉠

$y = -\sqrt{3}x+1$을 $x^2=4y$에 대입하면

$x^2 = 4(-\sqrt{3}x+1)$, $x^2 + 4\sqrt{3}x - 4 = 0$

$\therefore x = -2\sqrt{3} \pm 4$

이것을 ㉠에 대입하면

$x = -2\sqrt{3}+4$일 때 $y = 7 - 4\sqrt{3}$

$x = -2\sqrt{3}-4$일 때 $y = 7 + 4\sqrt{3}$

따라서 $A(-2\sqrt{3}-4,\ 7+4\sqrt{3})$, $B(-2\sqrt{3}+4,\ 7-4\sqrt{3})$이므로 구하는 두 원의 반지름의 길이의 합은

$\{(7+4\sqrt{3})-(-1)\}$ ─── 점 A에서 준선 $y=-1$에 이르는 거리

$+\{(7-4\sqrt{3})-(-1)\}$

$=8+4\sqrt{3}+8-4\sqrt{3}=16$ ─── 점 B에서 준선 $y=-1$에 이르는 거리

답 ④

참고

$(*)$에서 구하는 두 원의 반지름의 길이의 합은

$\overline{AF}+\overline{BF}$

이때 세 점 A, F, B가 이 순서대로 한 직선 위에 있으므로

$\overline{AF}+\overline{BF}=\overline{AB}$

와 같다. 즉, 구하는 두 원의 반지름의 길이의 합은 두 점 A, B 사이의 거리로 구할 수도 있다.

105

점 P의 좌표를 $(x_1,\ y_1)$이라고 하면 포물선 $y^2=4px$ 위의 점 P에서의 접선의 방정식은

$y_1 y=2p(x+x_1)$

점 $A(-k,\ 0)$이 이 직선 위의 점이므로

$0=2p(-k+x_1)$ $\therefore x_1=k\ (\because p>0)$

오른쪽 그림과 같이 점 $P(k,\ y_1)$에서 x축에 내린 수선의 발을 H라고 하면 $H(k,\ 0)$

또,

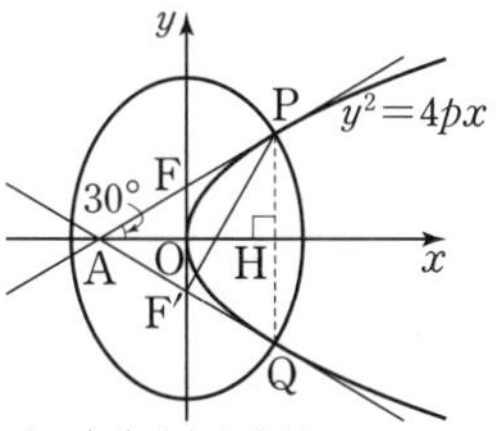

$\angle PAH=\dfrac{1}{2}\angle PAQ$

$=\dfrac{1}{2}\times 60°=30°$ ─── 포물선 $y^2=4px$가 x축에 대하여 대칭이므로 $\angle PAH=\angle QAH$

이므로

$\overline{FO}=\overline{AO}\tan 30°=\dfrac{\sqrt{3}}{3}k$,

$\overline{PH}=\overline{AH}\tan 30°=\dfrac{2\sqrt{3}}{3}k\ (\because k>0)$

$\therefore F\Big(0,\ \dfrac{\sqrt{3}}{3}k\Big)$, $F'\Big(0,\ -\dfrac{\sqrt{3}}{3}k\Big)$, $P\Big(k,\ \dfrac{2\sqrt{3}}{3}k\Big)$

이때 타원의 정의에 의하여 $\overline{PF}+\overline{PF'}=4\sqrt{3}+12$이고

$\overline{PF}=\sqrt{k^2+\Big(\dfrac{2\sqrt{3}}{3}k-\dfrac{\sqrt{3}}{3}k\Big)^2}=\sqrt{\dfrac{12k^2}{3}}=\dfrac{2\sqrt{3}}{3}k$,

$\overline{PF'}=\sqrt{k^2+\Big(\dfrac{2\sqrt{3}}{3}k+\dfrac{\sqrt{3}}{3}k\Big)^2}=\sqrt{4k^2}=2k\ (\because k>0)$

이므로

$\dfrac{2\sqrt{3}}{3}k+2k=4\sqrt{3}+12$

$(3+\sqrt{3})k=18+6\sqrt{3}$

$\therefore k=\dfrac{18+6\sqrt{3}}{3+\sqrt{3}}=\dfrac{6(3+\sqrt{3})}{3+\sqrt{3}}=6$

즉, 점 P의 좌표는 $(6,\ 4\sqrt{3})$이고 이 점이 포물선 $y^2=4px$ 위의 점이므로

$(4\sqrt{3})^2=4p\times 6$, $24p=48$ $\therefore p=2$

$\therefore k+p=6+2=8$

답 ①

다른 풀이

삼각형 APQ가 정삼각형임을 이용하여 $\overline{PF}$, $\overline{PF'}$의 길이를 k로 나타낸다.

포물선 $y^2=4px$는 x축에 대하여 대칭이므로 점 A에서 두 점 P, Q에 이르는 거리는 같다.

또, $\angle PAQ=60°$이므로 삼각형 APQ는 정삼각형이다.

이때 $\overline{AH}=2k$이고 이것은 정삼각형 APQ의 높이이므로

$\dfrac{\sqrt{3}}{2}\overline{AP}=2k$ $\therefore \overline{AP}=\dfrac{4\sqrt{3}}{3}k$ ─── $\overline{AP}=\overline{AQ}$이므로 $\angle APQ=\angle AQP$ $=\dfrac{1}{2}(180°-60°)$ $=60°$ $\therefore \overline{AP}=\overline{AQ}=\overline{PQ}$

$\overline{PF'}$도 정삼각형 APQ의 높이이므로

$\overline{PF'}=\overline{AH}=2k$

$\overline{AO}=\overline{OH}$이고 $\overline{FO}/\!/\overline{PH}$이므로

$\overline{PF}=\overline{AF}=\dfrac{1}{2}\overline{AP}=\dfrac{1}{2}\times\dfrac{4\sqrt{3}}{3}k=\dfrac{2\sqrt{3}}{3}k$

106

타원 $\dfrac{x^2}{4}+\dfrac{y^2}{16}=1$ 위의 점 $(-1,\ 2\sqrt{3})$에서의 접선의 방정식은

$-\dfrac{x}{4}+\dfrac{2\sqrt{3}y}{16}=1$

$\therefore y=\dfrac{2\sqrt{3}}{3}x+\dfrac{8\sqrt{3}}{3}$ ……㉠

포물선 $y^2=ax=4\times\dfrac{a}{4}\times x$에 접하고 기울기가 $\dfrac{2\sqrt{3}}{3}$인 직선의 방정식은

$y=\dfrac{2\sqrt{3}}{3}x+\dfrac{\dfrac{a}{4}}{\dfrac{2\sqrt{3}}{3}}$

$\therefore y=\dfrac{2\sqrt{3}}{3}x+\dfrac{a\sqrt{3}}{8}$ ……㉡

㉠, ㉡이 일치하므로

$\dfrac{8\sqrt{3}}{3}=\dfrac{a\sqrt{3}}{8}$ $\therefore a=\dfrac{64}{3}$

답 ⑤

107

점 P의 좌표를 $(x_1,\ y_1)$이라고 하면 타원 $\dfrac{x^2}{9}+\dfrac{y^2}{4}=1$ 위의 점 $P(x_1,\ y_1)$에서의 접선의 방정식은

$\dfrac{x_1 x}{9}+\dfrac{y_1 y}{4}=1$

이 직선이 점 $A(a,\ 0)$을 지나므로

$\dfrac{ax_1}{9}=1$

$\therefore x_1=\dfrac{9}{a}$ ……㉠

한편 점 $P(x_1,\ y_1)$은 타원 $\dfrac{x^2}{9}+\dfrac{y^2}{4}=1$ 위의 점이므로

$\dfrac{x_1{}^2}{9}+\dfrac{y_1{}^2}{4}=1$

이 식에 ㉠을 대입하면

$\dfrac{1}{9}\times\Big(\dfrac{9}{a}\Big)^2+\dfrac{y_1{}^2}{4}=1$, $\dfrac{y_1{}^2}{4}=1-\dfrac{9}{a^2}$

$\therefore y_1{}^2=4-\dfrac{36}{a^2}$ ……㉡

$\overline{OA}=\overline{AP}$에서 $\overline{OA}^2=\overline{AP}^2$이므로

$a^2=(x_1-a)^2+y_1{}^2$, $a^2=\Big(\dfrac{9}{a}-a\Big)^2+4-\dfrac{36}{a^2}\ (\because ㉠, ㉡)$

$\dfrac{45}{a^2}=14$ $\therefore 14a^2=45$

답 45

108

점 (a, b)가 타원 $\dfrac{x^2}{9}+ky^2=1$ 위의 점이므로

$$\dfrac{a^2}{9}+kb^2=1 \qquad \cdots\cdots \,\text{㉠}$$

타원 $\dfrac{x^2}{9}+ky^2=1$ 위의 점 (a, b)에서의 접선의 방정식은

$$\dfrac{ax}{9}+kby=1 \qquad \therefore y=-\dfrac{a}{9kb}x+\dfrac{1}{kb} \qquad \cdots\cdots \,\text{㉡}$$

타원 $\dfrac{x^2}{9}+ky^2=1$에서 $\dfrac{x^2}{9}+\dfrac{y^2}{\frac{1}{k}}=1$이고 $\dfrac{1}{k}<9$이므로 초점의 좌표는

$$\left(\sqrt{9-\dfrac{1}{k}},\,0\right),\ \left(-\sqrt{9-\dfrac{1}{k}},\,0\right)$$

직선 $y=3x+3\sqrt{3}$에서

$y=0$일 때 $x=-\sqrt{3}$이고 $(-\sqrt{3},\,0)\neq\left(\sqrt{9-\dfrac{1}{k}},\,0\right)$이므로

$$(-\sqrt{3},\,0)=\left(-\sqrt{9-\dfrac{1}{k}},\,0\right) \qquad \therefore k=\dfrac{1}{6}$$

㉡에서 접선의 기울기는 $-\dfrac{2a}{3b}$이므로 접선에 수직이고 초점 $(-\sqrt{3},\,0)$을 지나는 직선의 방정식은

$$y=\dfrac{3b}{2a}(x+\sqrt{3})$$

$$\therefore y=\dfrac{3b}{2a}x+\dfrac{3b}{2a}\sqrt{3}$$

이 직선이 $y=3x+3\sqrt{3}$과 일치하므로

$$\dfrac{3b}{2a}=3 \qquad \therefore b=2a$$

$k=\dfrac{1}{6}$, $b=2a$이므로 ㉠에서

$$\dfrac{a^2}{9}+kb^2=1,\ \dfrac{7}{9}a^2=1 \qquad \therefore a=\dfrac{3\sqrt{7}}{7}\ (\because a>0)$$

$$\therefore b=\dfrac{6\sqrt{7}}{7}$$

$$\therefore abk=\dfrac{3\sqrt{7}}{7}\times\dfrac{6\sqrt{7}}{7}\times\dfrac{1}{6}=\dfrac{3}{7}$$

답 $\dfrac{3}{7}$

109

타원 $\dfrac{x^2}{4}+\dfrac{y^2}{20}=1$에서 $\sqrt{20-4}=4$이므로

$\text{F}(0, 4)$

타원의 꼭짓점 중 x좌표가 양수인 점이 A이므로

$\text{A}(2, 0)$

점 P의 좌표를 (x_1, y_1) $(x_1>0, y_1<0)$

이라고 하면 타원 $\dfrac{x^2}{4}+\dfrac{y^2}{20}=1$ 위의 점

$\text{P}(x_1, y_1)$에서의 접선의 방정식은

$$\dfrac{x_1 x}{4}+\dfrac{y_1 y}{20}=1$$

$$\therefore y=-\dfrac{5x_1}{y_1}x+\dfrac{20}{y_1} \qquad \cdots\cdots \,\text{㉠}$$

이 직선이 직선 FA에 수직이고, 직선 FA의 기울기가

$$\dfrac{0-4}{2-0}=-2$$

이므로 직선 ㉠의 기울기는 $\dfrac{1}{2}$이다.

즉, $-\dfrac{5x_1}{y_1}=\dfrac{1}{2}$이므로

$$y_1=-10x_1 \qquad \cdots\cdots \,\text{㉡}$$

한편 점 $\text{P}(x_1, y_1)$은 타원 $\dfrac{x^2}{4}+\dfrac{y^2}{20}=1$ 위의 점이므로

$$\dfrac{x_1^2}{4}+\dfrac{y_1^2}{20}=1 \qquad \cdots\cdots \,\text{㉢}$$

㉡, ㉢을 연립하여 풀면

$$x_1=\dfrac{2\sqrt{21}}{21},\ y_1=-\dfrac{20\sqrt{21}}{21}\ (\because x_1>0,\ y_1<0)$$

따라서 점 P의 x좌표와 y좌표의 곱은

$$\dfrac{2\sqrt{21}}{21}\times\left(-\dfrac{20\sqrt{21}}{21}\right)=-\dfrac{40}{21}$$

답 $-\dfrac{40}{21}$

다른 풀이

접선의 기울기가 $\dfrac{1}{2}$임을 이용하여 구할 수도 있다.

직선 FA의 기울기가 -2이므로 점 P에서의 접선의 기울기는 $\dfrac{1}{2}$이다.

제4사분면 위의 점 P에서 타원 $\dfrac{x^2}{4}+\dfrac{y^2}{20}=1$에 접하고 기울기가 $\dfrac{1}{2}$인 직선의 방정식은

$$y=\dfrac{1}{2}x-\sqrt{4\times\left(\dfrac{1}{2}\right)^2+20}$$

$$\therefore y=\dfrac{1}{2}x-\sqrt{21}$$

두 식 $\dfrac{x^2}{4}+\dfrac{y^2}{20}=1$, $y=\dfrac{1}{2}x-\sqrt{21}$을 연립하여 풀면

$$x=\dfrac{2\sqrt{21}}{21},\ y=-\dfrac{20\sqrt{21}}{21}$$

110

삼각형 ABP의 넓이가 최대가 될 때는 오른쪽 그림과 같이 직선 AB에 평행한 직선과 타원이 접할 때 그 접점이 점 P가 되는 경우이다.

직선 AB의 기울기는

$$\dfrac{0-(-3)}{2-0}=\dfrac{3}{2}$$

이므로 기울기가 $\dfrac{3}{2}$인 타원 $\dfrac{x^2}{4}+\dfrac{y^2}{9}=1$의 접선의 방정식은

$$y=\dfrac{3}{2}x\pm\sqrt{4\times\left(\dfrac{3}{2}\right)^2+9} \qquad \therefore y=\dfrac{3}{2}x\pm3\sqrt{2}$$

이때 삼각형 ABP의 넓이가 최대가 되는 경우는 점 P가 직선 $y=\dfrac{3}{2}x+3\sqrt{2}$, 즉 $3x-2y+6\sqrt{2}=0$ 위의 점일 때이다.

즉, 삼각형 ABP의 밑변의 길이는

$$\overline{\text{AB}}=\sqrt{(2-0)^2+\{0-(-3)\}^2}=\sqrt{13}$$

이고 높이는 점 $\text{A}(0, -3)$과 직선 $3x-2y+6\sqrt{2}=0$ 사이의 거리와 같으므로

$$\dfrac{|6+6\sqrt{2}|}{\sqrt{3^2+(-2)^2}}=\dfrac{6+6\sqrt{2}}{\sqrt{13}}$$

따라서 구하는 삼각형 ABP의 넓이의 최댓값은

$$\dfrac{1}{2}\times\sqrt{13}\times\dfrac{6+6\sqrt{2}}{\sqrt{13}}=3+3\sqrt{2}$$

답 ③

직선 AB에 평행한 타원의 접선은 오른쪽 그림과 같이 두 개가 존재한다. 이때 삼각형 ABP의 밑변의 길이 $\overline{AB}$는 일정하므로 높이가 최대가 될 때 삼각형 ABP의 넓이는 최대가 된다.

따라서 점 P가 점 P_1의 위치에 있을 때 삼각형 ABP의 넓이가 최대이다.

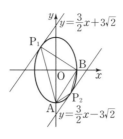

111

접선의 기울기를 m이라고 하면 타원 $x^2+4y^2=16$, 즉

$\dfrac{x^2}{16}+\dfrac{y^2}{4}=1$에 접하고 기울기가 m인 접선의 방정식은

$y=mx\pm\sqrt{16m^2+4}$

이 직선이 점 P$(a, 2b)$를 지나므로

$2b=am\pm\sqrt{16m^2+4}$

$2b-am=\pm\sqrt{16m^2+4}$

위 식의 양변을 제곱하면

$(2b-am)^2=16m^2+4$

$\therefore (a^2-16)m^2-4abm+4b^2-4=0$

m에 대한 이차방정식의 두 근이 접선의 기울기이고, 두 접선이 서로 수직이므로 이차방정식의 근과 계수의 관계에 의하여

$\dfrac{4b^2-4}{a^2-16}=-1$, $4b^2-4=-a^2+16$

$\therefore a^2+4b^2=20$

답 ④

$x=a$, $y=2b$라고 하면 $a^2+4b^2=20$에서

$a^2+(2b)^2=20$ $\therefore x^2+y^2=20$

즉, 점 P$(a, 2b)$의 자취는 중심이 원점이고 반지름의 길이가 $\sqrt{20}=2\sqrt{5}$인 원이다.

이때 $a^2+4b^2=20$에서 점 P의 자취를 타원으로 오해할 수 있는데, 점 (a, b)의 자취가 타원이고 점 P$(a, 2b)$의 자취는 원임에 주의한다.

풍쌤 비법

타원 $\dfrac{x^2}{a^2}+\dfrac{y^2}{b^2}=1$ 밖의 점 P에서 타원에 그은 두 접선이 서로 수직일 때, 점 P가 나타내는 도형은 중심이 원점이고 반지름의 길이가 $\sqrt{a^2+b^2}$인 원이다.

112

접선의 기울기를 m이라고 하면 접선의 방정식은

$y=mx\pm\sqrt{m^2+4}$

이 직선이 점 P$(k, 4)$를 지나므로 $4=km\pm\sqrt{m^2+4}$

$4-km=\pm\sqrt{m^2+4}$

이 식의 양변을 제곱하면 $16-8km+k^2m^2=m^2+4$

$\therefore (k^2-1)m^2-8km+12=0$

m에 대한 이차방정식의 두 근이 두 접선의 기울기이고, 두 접선의 기울기의 곱이 $\dfrac{1}{2}$이므로 이차방정식의 근과 계수의 관계에 의하여

$\dfrac{12}{k^2-1}=\dfrac{1}{2}$, $k^2-1=24$ $\therefore k^2=25$

답 ⑤

다른 풀이

기울기가 m이고 점 P$(k, 4)$를 지나는 접선의 방정식을

$y=m(x-k)+4$

로 놓고 이것을 $x^2+\dfrac{y^2}{4}=1$에 대입하여 정리하면

$(m^2+4)x^2-2m(mk-4)x+m^2k^2-8mk+12=0$

이 이차방정식의 판별식을 D라고 하면

$\dfrac{D}{4}=\{-m(mk-4)\}^2-(m^2+4)(m^2k^2-8mk+12)=0$

$\therefore (k^2-1)m^2-8km+12=0$

113

타원 C_1: $\dfrac{x^2}{3}+\dfrac{y^2}{7}=1$에서 $\sqrt{7-3}=2$이므로 두 초점의 좌표는

$F_1(0, 2)$, $F_2(0, -2)$

또, 타원 C_1의 장축의 길이가 $2\sqrt{7}$이므로 타원의 정의에 의하여

$\overline{PF_1}+\overline{PF_2}=2\sqrt{7}$

이때 $\overline{PF_1}+\overline{QF_1}=2\sqrt{7}$이므로 $\overline{PF_2}=\overline{QF_1}$

즉, 제1사분면 위의 점 Q는 점 P를 x축에 대하여 대칭이동한 점이므로 두 점 P, Q의 x좌표는 일치한다.

한편 타원 C_2: $\dfrac{x^2}{2}+y^2=1$과 직선 PF_1의 접점을 R(x_1, y_1)

$(x_1>0, y_1>0)$이라고 하면 접선의 방정식은

$\dfrac{x_1x}{2}+y_1y=1$ ...... ㉠

㉠은 점 $F_1(0, 2)$를 지나므로

$2y_1=1$ $\therefore y_1=\dfrac{1}{2}$

점 R(x_1, y_1)은 타원 C_2 위의 점이므로

$\dfrac{x_1^2}{2}+y_1^2=1$ ...... ㉡

$y_1=\dfrac{1}{2}$을 ㉡에 대입하면 $\dfrac{x_1^2}{2}+\dfrac{1}{4}=1$

$x_1^2=\dfrac{3}{2}$ $\therefore x_1=\dfrac{\sqrt{6}}{2}$ $(\because x_1>0)$

따라서 접선의 방정식은 $\dfrac{\sqrt{6}}{4}x+\dfrac{y}{2}=1$, 즉 $y=-\dfrac{\sqrt{6}}{2}x+2$이다.

이때 직선 $y=-\dfrac{\sqrt{6}}{2}x+2$를 x축에 대하여 대칭이동한 직선

$y=\dfrac{\sqrt{6}}{2}x-2$가 두 점 Q, F_2를 지나는 직선 l이다. ← y 대신 $-y$를 대입한다.

즉, 직선 l의 방정식은 $\sqrt{6}x-2y-4=0$이므로

$a=\sqrt{6}$, $b=-2$

$\therefore a^2+b^2=6+4=10$

답 10

도형의 대칭이동

방정식 $f(x, y)=0$이 나타내는 도형을 x축, y축, 원점 및 직선 $y=x$에 대하여 대칭이동한 도형의 방정식은 다음과 같다.

(1) x축: $f(x, -y)=0$ ← y 대신 $-y$를 대입

(2) y축: $f(-x, y)=0$ ← x 대신 $-x$를 대입

(3) 원점: $f(-x, -y)=0$ ← x 대신 $-x$, y 대신 $-y$를 대입

(4) 직선 $y=x$: $f(y, x)=0$ ← x 대신 y, y 대신 x를 대입

114

→ 접근

먼저 포물선과 타원의 교점 P의 좌표를 구하고 점 P에서의 포물선과 타원의 접선의 방정식을 각각 구하여 두 점 Q, R의 좌표를 구한다.

두 식 $y^2=8x$, $\dfrac{x^2}{12}+\dfrac{y^2}{24}=1$을 연립하여 풀면

$x=2,\ y=\pm4$ ── $y^2=8x$에서 $x\geq0$

이때 점 P는 제1사분면 위의 점이므로

$P(2, 4)$

포물선 $y^2=8x=4\times2\times x$ 위의 점 $P(2, 4)$에서의 접선의 방정식은

$4y=2\times2(x+2)$ ∴ $y=x+2$ ∴ $Q(-2, 0)$

타원 $\dfrac{x^2}{12}+\dfrac{y^2}{24}=1$ 위의 점 $P(2, 4)$에서의 접선의 방정식은

$\dfrac{2x}{12}+\dfrac{4y}{24}=1$ ∴ $\dfrac{x}{6}+\dfrac{y}{6}=1$ ∴ $R(6, 0)$

삼각형 PQR에서

$\overline{PQ}=\sqrt{\{2-(-2)\}^2+(4-0)^2}=4\sqrt2$

$\overline{PR}=\sqrt{(2-6)^2+(4-0)^2}=4\sqrt2$

$\overline{QR}=|6-(-2)|=8$

삼각형 PQR의 내접원의 반지름의 길이를 r라고 하면

$\triangle PQR=\dfrac{1}{2}(\overline{PQ}+\overline{QR}+\overline{PR})r$

$\dfrac{1}{2}\times8\times4=\dfrac{1}{2}(4\sqrt2+8+4\sqrt2)r$

$8(\sqrt2+1)r=32$ ∴ $r=\dfrac{4}{\sqrt2+1}=4(\sqrt2-1)$

따라서 구하는 내접원의 넓이는

$\{4(\sqrt2-1)\}^2\pi=16(3-2\sqrt2)\pi$

답 $16(3-2\sqrt2)\pi$

참고

삼각형 ABC의 내접원의 반지름의 길이를 r라고 하면

$\triangle ABC=\dfrac{1}{2}r(a+b+c)$

115

쌍곡선 $\dfrac{x^2}{4a^2}-\dfrac{y^2}{b^2}=1$의 점근선의 방정식은

$y=\pm\dfrac{b}{2a}x$

(ⅰ) 직선 l이 점근선 $y=\dfrac{b}{2a}x$에 평행할 때

기울기가 $\dfrac{b}{2a}$이고 타원 $\dfrac{x^2}{a^2}+\dfrac{y^2}{b^2}=1$에 접하는 직선의 방정식은

$y=\dfrac{b}{2a}x\pm\sqrt{a^2\times\left(\dfrac{b}{2a}\right)^2+b^2}$, $y=\dfrac{b}{2a}x\pm\dfrac{b\sqrt5}{2}$

∴ $bx-2ay\pm ab\sqrt5=0$

원점과 이 직선 사이의 거리가 2이므로

$\dfrac{|\pm ab\sqrt5|}{\sqrt{b^2+(-2a)^2}}=2$

양변을 제곱하면

$\dfrac{5a^2b^2}{4a^2+b^2}=4$, $5a^2b^2=16a^2+4b^2$

양변을 a^2b^2으로 나누면

$\dfrac{4}{a^2}+\dfrac{16}{b^2}=5$ ∴ $\dfrac{1}{a^2}+\dfrac{4}{b^2}=\dfrac{5}{4}$

(ⅱ) 직선 l이 점근선 $y=-\dfrac{b}{2a}x$에 평행할 때

기울기가 $-\dfrac{b}{2a}$이고 타원 $\dfrac{x^2}{a^2}+\dfrac{y^2}{b^2}=1$에 접하는 직선의 방정식은

$y=-\dfrac{b}{2a}x\pm\sqrt{a^2\times\left(-\dfrac{b}{2a}\right)^2+b^2}$, $y=-\dfrac{b}{2a}x\pm\dfrac{b\sqrt5}{2}$

∴ $bx+2ay\pm ab\sqrt5=0$

원점과 이 직선 사이의 거리가 2이므로

$\dfrac{|\pm ab\sqrt5|}{\sqrt{b^2+(2a)^2}}=2$

양변을 제곱하면

$\dfrac{5a^2b^2}{4a^2+b^2}=4$, $5a^2b^2=16a^2+4b^2$

양변을 a^2b^2으로 나누면

$\dfrac{4}{a^2}+\dfrac{16}{b^2}=5$ ∴ $\dfrac{1}{a^2}+\dfrac{4}{b^2}=\dfrac{5}{4}$

(ⅰ), (ⅱ)에서 $\dfrac{1}{a^2}+\dfrac{4}{b^2}=\dfrac{5}{4}$

답 ④

116

타원 $6x^2+9y^2=54$, 즉 $\dfrac{x^2}{9}+\dfrac{y^2}{6}=1$에서 $\sqrt{9-6}=\sqrt3$이므로

$F(\sqrt3, 0)$, $F'(-\sqrt3, 0)$

점 P의 좌표를 (x_1, y_1) $(x_1>0, y_1>0)$이라고 하면 타원 $6x^2+9y^2=54$ 위의 점 $P(x_1, y_1)$에서의 접선 l의 방정식은

$6x_1x+9y_1y=54$ ∴ $Q\left(\dfrac{9}{x_1}, 0\right)$

접선 l의 기울기가 $-\dfrac{2x_1}{3y_1}$이므로 직선 PR는 기울기가 $\dfrac{3y_1}{2x_1}$이고 점 $P(x_1, y_1)$을 지나므로 직선 PR의 방정식은

$y=\dfrac{3y_1}{2x_1}(x-x_1)+y_1$ ∴ $y=\dfrac{3y_1}{2x_1}x-\dfrac{y_1}{2}$

∴ $R\left(\dfrac{x_1}{3}, 0\right)$

한편 세 삼각형 PRF, PF'R, PFQ의 넓이가 이 순서대로 등차수열을 이루므로 ── $\triangle PF'R$는 $\triangle PRF$, $\triangle PFQ$의 등차중항이다.

$2\triangle PF'R=\triangle PRF+\triangle PFQ$

$2\left\{\dfrac{1}{2}\times\left|\dfrac{x_1}{3}-(-\sqrt3)\right|\times y_1\right\}=\dfrac{1}{2}\times\left|\sqrt3-\dfrac{x_1}{3}\right|\times y_1$
$\qquad\qquad\qquad\qquad +\dfrac{1}{2}\times\left|\dfrac{9}{x_1}-\sqrt3\right|\times y_1$

$\dfrac{2x_1}{3}+2\sqrt3=\dfrac{9}{x_1}-\dfrac{x_1}{3}$, $x_1-\dfrac{9}{x_1}+2\sqrt3=0$

$x_1^2+2\sqrt3 x_1-9=0$, $(x_1+3\sqrt3)(x_1-\sqrt3)=0$

∴ $x_1=\sqrt3$ $(\because x_1>0)$

한편 점 $P(\sqrt3, y_1)$은 타원 $6x^2+9y^2=54$ 위의 점이므로

$6\times(\sqrt3)^2+9y_1^2=54$, $y_1^2=4$

∴ $y_1=2$ $(\because y_1>0)$

따라서 $P(\sqrt3, 2)$, $Q(3\sqrt3, 0)$이므로

$\triangle PF'Q=\dfrac{1}{2}\times|3\sqrt3-(-\sqrt3)|\times2=4\sqrt3$

답 $4\sqrt3$

117

▶ 접근

먼저 타원의 방정식을 구하고 점 P의 좌표를 (x_1, y_1)로 놓고 접선의 방정식을 구한 후 마름모의 둘레의 길이가 최소가 되는 경우를 찾는다.

주어진 타원의 방정식을 $\dfrac{x^2}{a^2}+\dfrac{y^2}{b^2}=1$ $(a>b>0)$로 놓으면 장축의 길이가 8이므로

$2a=8$ $\quad\therefore a=4$

타원의 초점이 $F(\sqrt{7}, 0)$, $F'(-\sqrt{7}, 0)$이므로

$a^2-b^2=(\sqrt{7})^2$

$\therefore b^2=a^2-(\sqrt{7})^2=4^2-(\sqrt{7})^2=9$

따라서 타원의 방정식은

$\dfrac{x^2}{16}+\dfrac{y^2}{9}=1$

점 P의 좌표를 (x_1, y_1) $(x_1>0, y_1>0)$로 놓으면 타원 $\dfrac{x^2}{16}+\dfrac{y^2}{9}=1$ 위의 점 $P(x_1, y_1)$에서의 접선의 방정식은

$\dfrac{x_1 x}{16}+\dfrac{y_1 y}{9}=1$

또, 점 $P(x_1, y_1)$이 타원 $\dfrac{x^2}{16}+\dfrac{y^2}{9}=1$ 위의 점이므로

$\dfrac{x_1^2}{16}+\dfrac{y_1^2}{9}=1$ ...... ㉠

오른쪽 그림과 같이 점 P에서의 접선이 y축, x축과 만나는 점을 각각 A, B라고 하면

$A\left(0, \dfrac{9}{y_1}\right)$, $B\left(\dfrac{16}{x_1}, 0\right)$

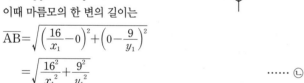

이때 마름모의 한 변의 길이는

$\overline{AB}=\sqrt{\left(\dfrac{16}{x_1}-0\right)^2+\left(0-\dfrac{9}{y_1}\right)^2}$

$=\sqrt{\dfrac{16^2}{x_1^2}+\dfrac{9^2}{y_1^2}}$ ...... ㉡

이고 $\overline{AB}$의 길이가 최소일 때 마름모의 둘레의 길이도 최소가 된다.

코시─슈바르츠 부등식에 의하여

$\left(\dfrac{16^2}{x_1^2}+\dfrac{9^2}{y_1^2}\right)\left(\dfrac{x_1^2}{16}+\dfrac{y_1^2}{9}\right)\geq(4+3)^2$

$\therefore \dfrac{16^2}{x_1^2}+\dfrac{9^2}{y_1^2}\geq 49$ (∵ ㉠) ...... ㉢

$\left(\text{단, 등호는 } \dfrac{y_1}{x_1}=\dfrac{3\sqrt{3}}{8}\text{일 때 성립한다.}\right)$

㉡, ㉢에 의하여

$\overline{AB}=\sqrt{\dfrac{16^2}{x_1^2}+\dfrac{9^2}{y_1^2}}\geq\sqrt{49}=7$

$\left(\text{단, 등호는 } \dfrac{y_1}{x_1}=\dfrac{3\sqrt{3}}{8}\text{일 때 성립한다.}\right)$

즉, $\overline{AB}$의 길이의 최솟값은 7이므로 마름모의 둘레의 길이의 최솟값은

$m=4\times 7=28$

점 P에서 x축에 내린 수선의 발을 H라고 하면 마름모의 둘레의 길이가 최소가 될 때 $\dfrac{y_1}{x_1}=\dfrac{3\sqrt{3}}{8}$이므로 직각삼각형 POH에서

$\tan\theta=\dfrac{\overline{PH}}{\overline{OH}}=\dfrac{y_1}{x_1}=\dfrac{3\sqrt{3}}{8}$

$\therefore n=\dfrac{3\sqrt{3}}{8}$

$\therefore m\times n=28\times\dfrac{3\sqrt{3}}{8}=\dfrac{21\sqrt{3}}{2}$

답 ④

참고

코시─슈바르츠 부등식

a, b, x, y가 실수일 때, $(a^2+b^2)(x^2+y^2)\geq(ax+by)^2$

$\left(\text{단, 등호는 } \dfrac{x}{a}=\dfrac{y}{b}\text{일 때 성립한다.}\right)$

다른 풀이

타원 $\dfrac{x^2}{16}+\dfrac{y^2}{9}=1$ 위의 점 P에서의 접선의 기울기를 k $(k<0)$라고 하면 접선의 방정식은

$y=kx+\sqrt{16k^2+9}$

점 P에서의 y절편은 양수이다.

$\therefore A(0, \sqrt{16k^2+9})$, $B\left(-\dfrac{\sqrt{16k^2+9}}{k}, 0\right)$

$\therefore \overline{AB}=\sqrt{\left(-\dfrac{\sqrt{16k^2+9}}{k}-0\right)^2+(0-\sqrt{16k^2+9})^2}$

$=\sqrt{\dfrac{16k^2+9}{k^2}+16k^2+9}$

$=\sqrt{16k^2+\dfrac{9}{k^2}+25}$

이때 $16k^2>0$, $\dfrac{9}{k^2}>0$이므로 산술평균과 기하평균의 관계에 의하여

$16k^2+\dfrac{9}{k^2}\geq 2\sqrt{16k^2\times\dfrac{9}{k^2}}=24$

$\left(\text{단, 등호는 } k=-\dfrac{\sqrt{3}}{2}\text{일 때 성립한다.}\right)$

$\therefore \overline{AB}=\sqrt{16k^2+\dfrac{9}{k^2}+25}\geq\sqrt{24+25}=7$

$\left(\text{단, 등호는 } k=-\dfrac{\sqrt{3}}{2}\text{일 때 성립한다.}\right)$

즉, $\overline{AB}$의 길이의 최솟값은 7이므로 마름모의 둘레의 길이의 최솟값은 $m=4\times 7=28$

마름모의 둘레의 길이가 최소가 될 때 접선의 방정식은

$y=-\dfrac{\sqrt{3}}{2}x+\sqrt{21}$

타원의 방정식 $\dfrac{x^2}{16}+\dfrac{y^2}{9}=1$과 접선의 방정식 $y=-\dfrac{\sqrt{3}}{2}x+\sqrt{21}$을 연립하여 풀면 $x=\dfrac{8\sqrt{7}}{7}$, $y=\dfrac{3\sqrt{21}}{7}$

$\therefore P\left(\dfrac{8\sqrt{7}}{7}, \dfrac{3\sqrt{21}}{7}\right)$

$\therefore n=\tan\theta°=\dfrac{\dfrac{3\sqrt{21}}{7}}{\dfrac{8\sqrt{7}}{7}}=\dfrac{3\sqrt{3}}{8}$

$\therefore m\times n=28\times\dfrac{3\sqrt{3}}{8}=\dfrac{21\sqrt{3}}{2}$

118

점 $P(0, a)$에서 쌍곡선 $x^2-8y^2=8$, 즉 $\dfrac{x^2}{8}-y^2=1$에 그은 접선의 기울기를 m이라고 하면 접선의 방정식은

$y=mx\pm\sqrt{8m^2-1}$

이 직선이 점 $P(0, a)$를 지나므로

$a=\pm\sqrt{8m^2-1}$

위 식의 양변을 제곱하여 정리하면

$8m^2-a^2-1=0$

m에 대한 이차방정식의 두 근이 m_1, m_2이므로 이차방정식의 근과

계수의 관계에 의하여

$m_1m_2=-\dfrac{a^2+1}{8}$

$m_1m_2>-3$이므로

$-\dfrac{a^2+1}{8}>-3$, $a^2+1<24$

$a^2-23<0$, $(a+\sqrt{23})(a-\sqrt{23})<0$

$\therefore -\sqrt{23}<a<0$ 또는 $0<a<\sqrt{23}$ $(\because a\neq 0)$

따라서 $\alpha=-\sqrt{23}$, $\beta=\sqrt{23}$이므로

$\alpha^2+\beta^2=(-\sqrt{23})^2+(\sqrt{23})^2=46$

답 46

119

쌍곡선 $x^2-\dfrac{y^2}{8}=1$ 위의 점 $(n, \sqrt{8n^2-8})$에서의 접선의 방정식은

└ $8n^2-8\geq 0$이어야 하므로
$n\geq 1$ $(\because n$은 자연수$)$

$nx-\dfrac{\sqrt{8n^2-8}}{8}y=1$

$\therefore 8nx-\sqrt{8n^2-8}\,y-8=0$ ······ ㉠

쌍곡선 $x^2-\dfrac{y^2}{8}=1$에서 $\sqrt{1+8}=3$이므로

F$(3, 0)$

직선 ㉠과 점 F$(3, 0)$ 사이의 거리가 $\sqrt{7}$보다 작으므로

$\dfrac{|24n-8|}{\sqrt{(8n)^2+(-\sqrt{8n^2-8})^2}}<\sqrt{7}$

$\dfrac{24n-8}{2\sqrt{18n^2-2}}<\sqrt{7}$ $(\because 24n-8>0)$

$12n-4<\sqrt{126n^2-14}$

n이 자연수이므로
$24n\geq 24$ $\therefore 24n-8>0$

양변을 제곱하면

$144n^2-96n+16<126n^2-14$

$12n-4>0$, $\sqrt{126n^2-14}>0$이므로
양변을 제곱하여도 부등호의 방향은
바뀌지 않는다.

$18n^2-96n+30<0$, $3n^2-16n+5<0$

$(3n-1)(n-5)<0$ $\therefore \dfrac{1}{3}<n<5$

따라서 모든 자연수 n의 값의 합은

$1+2+3+4=10$

답 10

120

점 P$(2\sqrt{3}, -\sqrt{3})$이 쌍곡선 $\dfrac{x^2}{a^2}-\dfrac{y^2}{b^2}=1$ 위의 점이므로

$\dfrac{(2\sqrt{3})^2}{a^2}-\dfrac{(-\sqrt{3})^2}{b^2}=1$

$\therefore \dfrac{12}{a^2}-\dfrac{3}{b^2}=1$ ······ ㉠

타원 $\dfrac{x^2}{18}+\dfrac{y^2}{9}=1$ 위의 점 P$(2\sqrt{3}, -\sqrt{3})$에서의 접선의 방정식은

$\dfrac{2\sqrt{3}}{18}x-\dfrac{\sqrt{3}}{9}y=1$

$\therefore \dfrac{\sqrt{3}}{9}x-\dfrac{\sqrt{3}}{9}y=1$ ······ ㉡

쌍곡선 $\dfrac{x^2}{a^2}-\dfrac{y^2}{b^2}=1$ 위의 점 P$(2\sqrt{3}, -\sqrt{3})$에서의 접선의 방정식은

$\dfrac{2\sqrt{3}}{a^2}x+\dfrac{\sqrt{3}}{b^2}y=1$ ······ ㉢

두 직선 ㉡, ㉢이 서로 수직이므로

$\dfrac{\sqrt{3}}{9}\times\dfrac{2\sqrt{3}}{a^2}+\left(-\dfrac{\sqrt{3}}{9}\right)\times\dfrac{\sqrt{3}}{b^2}=0$

$\dfrac{2}{3a^2}-\dfrac{1}{3b^2}=0$

$\therefore a^2=2b^2$ ······ ㉣

㉠, ㉣을 연립하여 풀면

$a=\sqrt{6}$, $b=\sqrt{3}$ $(\because a>0, b>0)$

$\therefore ab=\sqrt{6}\times\sqrt{3}=3\sqrt{2}$

답 $3\sqrt{2}$

참고

두 직선이 수직일 조건

(1) 두 직선 $y=mx+n$, $y=m'x+n'$이 서로 수직이면

➡ $mm'=-1$

(2) 두 직선 $ax+by+c=0$, $a'x+b'y+c'=0$이 서로 수직이면

➡ $aa'+bb'=0$

121

쌍곡선 $x^2-2y^2=-2$ 위의 점 $(-2, \sqrt{3})$에서의 접선의 방정식은

$-2x-2\sqrt{3}y=-2$ $\therefore y=-\dfrac{\sqrt{3}}{3}x+\dfrac{\sqrt{3}}{3}$

이 직선에 수직인 직선의 기울기는 $\sqrt{3}$이므로 기울기가 $\sqrt{3}$이고 점 $(-3, -\sqrt{3})$을 지나는 직선의 방정식은

$y=\sqrt{3}(x+3)-\sqrt{3}$ $\therefore y=\sqrt{3}x+2\sqrt{3}$

점 (a, b)가 이 직선 위의 점이므로

$b=\sqrt{3}a+2\sqrt{3}$

$\therefore a^2+b^2=a^2+(\sqrt{3}a+2\sqrt{3})^2$

$=4a^2+12a+12$

$=4\left(a+\dfrac{3}{2}\right)^2+3$

따라서 a^2+b^2은 $a=-\dfrac{3}{2}$일 때 최솟값 3을 갖는다.

답 ③

122

쌍곡선 $x^2-y^2=32$ 위의 점 P$(-6, 2)$에서의 접선 l의 방정식은

$-6x-2y=32$ $\therefore y=-3x-16$

직선 OH는 직선 l에 수직이므로 기울기가 $\dfrac{1}{3}$이고 원점을 지나므로 직선 OH의 방정식은

$y=\dfrac{1}{3}x$

두 식 $x^2-y^2=32$, $y=\dfrac{1}{3}x$를 연립하여 풀면

$x=-6, y=-2$ 또는 $x=6, y=2$

이때 점 Q는 제1사분면 위의 점이므로 Q$(6, 2)$

한편 $\overline{\text{OH}}$는 직선 $l: y=-3x-16$, 즉 $3x+y+16=0$과 원점 사이의 거리와 같으므로

$\overline{\text{OH}}=\dfrac{|16|}{\sqrt{3^2+1^2}}=\dfrac{8\sqrt{10}}{5}$

또, $\overline{\text{OQ}}=\sqrt{6^2+2^2}=2\sqrt{10}$이므로

$\overline{\text{OH}}\times\overline{\text{OQ}}=\dfrac{8\sqrt{10}}{5}\times 2\sqrt{10}=32$

답 32

123

다음 그림과 같이 직선 l과 평행하고 점 F를 지나는 직선을 l'이라 하고, 직선 l과 x축이 만나는 점을 C, 직선 l'과 직선 F′B가 만나는 점을 D라고 하자.

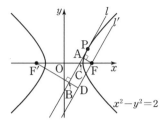

쌍곡선 $x^2-y^2=2$, 즉 $\dfrac{x^2}{2}-\dfrac{y^2}{2}=1$에서 $\sqrt{2+2}=4$이므로

F$(2, 0)$, F′$(-2, 0)$

$\therefore \overline{\text{F′F}}=4$

$\overline{\text{AB}}=\overline{\text{DF}}=2$이므로 직각삼각형 F′FD에서 $\angle$F′FD$=60°$

이때 $\angle$FCA$=\angle$F′CB$=\angle$F′FD$=60°$이므로 직선 l의 기울기는 $\tan 60°=\sqrt{3}$

쌍곡선 $x^2-y^2=2$ 위의 점 P(a, b)에서의 접선의 방정식 l은

$ax-by=2$

즉, $y=\dfrac{a}{b}x-\dfrac{2}{b}$이므로

$\dfrac{a}{b}=\sqrt{3}$ $\quad \therefore a=b\sqrt{3}$ $\qquad$ …… ㉠

또, 점 P(a, b)가 쌍곡선 위의 점이므로

$a^2-b^2=2$ $\qquad$ …… ㉡

㉠, ㉡을 연립하여 풀면 $a=\sqrt{3}$, $b=1$ ($\because a>0, b>0$)

$\therefore a^2+b^2=4$

답 4

124

쌍곡선 $\dfrac{x^2}{16}-\dfrac{y^2}{4}=1$ 위의 점 (a, b)에서의 접선의 방정식은

$\dfrac{ax}{16}-\dfrac{by}{4}=1$ $\qquad$ …… ㉠

직선 ㉠이 타원 $\dfrac{(x+2)^2}{8}+y^2=1$의 넓이를 이등분하므로 직선 ㉠은 타원의 중심을 지난다.

타원 $\dfrac{(x+2)^2}{8}+y^2=1$은 타원 $\dfrac{x^2}{8}+y^2=1$을 x축의 방향으로 -2만큼 평행이동한 것이므로 타원 $\dfrac{(x+2)^2}{8}+y^2=1$의 중심은 점 $(-2, 0)$이다.

┌ 타원 $\dfrac{x^2}{8}+y^2=1$의 중심 $(0, 0)$
을 x축의 방향으로 -2만큼 평행이동한 점이다.

즉, 직선 ㉠이 점 $(-2, 0)$을 지나므로

$\dfrac{-2a}{16}=1$ $\quad \therefore a=-8$

한편 점 (a, b), 즉 $(-8, b)$는 쌍곡선 $\dfrac{x^2}{16}-\dfrac{y^2}{4}=1$ 위의 점이므로

$\dfrac{(-8)^2}{16}-\dfrac{b^2}{4}=1$, $\dfrac{b^2}{4}=3$ $\quad \therefore b^2=12$

$\therefore a^2+b^2=(-8)^2+12=76$

답 76

풍쌤 비법

원 또는 타원의 넓이를 이등분하는 직선은 그 원 또는 타원의 중심을 지난다.

125

쌍곡선 $\dfrac{x^2}{a^2}-\dfrac{y^2}{b^2}=1$의 점근선의 방정식이 $y=\pm\dfrac{\sqrt{3}}{3}x$이므로

$\dfrac{b^2}{a^2}=\left(\pm\dfrac{\sqrt{3}}{3}\right)^2=\dfrac{1}{3}$ $\quad \therefore a^2=3b^2$ $\qquad$ …… ㉠

쌍곡선 $\dfrac{x^2}{a^2}-\dfrac{y^2}{b^2}=1$의 한 초점이 F$(4\sqrt{3}, 0)$이므로

$a^2+b^2=(4\sqrt{3})^2=48$ $\qquad$ …… ㉡

㉠, ㉡을 연립하여 풀면

$a^2=36$, $b^2=12$

따라서 쌍곡선의 방정식은

$\dfrac{x^2}{36}-\dfrac{y^2}{12}=1$

초점 F$(4\sqrt{3}, 0)$을 지나고 x축에 수직인 직선의 방정식은

$x=4\sqrt{3}$

이 직선과 쌍곡선 $\dfrac{x^2}{36}-\dfrac{y^2}{12}=1$의 교점 중 제1사분면 위의 점이 P이므로

P$(4\sqrt{3}, 2)$

쌍곡선 $\dfrac{x^2}{36}-\dfrac{y^2}{12}=1$ 위의 점 P$(4\sqrt{3}, 2)$에서의 접선의 방정식은

$\dfrac{4\sqrt{3}x}{36}-\dfrac{2y}{12}=1$

$\therefore y=\dfrac{2\sqrt{3}}{3}x-6$

따라서 점 P에서의 접선의 기울기는 $\dfrac{2\sqrt{3}}{3}$

답 ①

126

점 P가 x축 위에 있고 주어진 쌍곡선과 원이 모두 x축에 대하여 대칭이므로 y좌표가 양수인 점 Q와 y좌표가 음수인 점 Q에 대하여 점 X의 자취의 길이는 같다.

따라서 y좌표가 양수인 점 Q에 대하여 점 X의 자취의 길이를 구해 보자.

쌍곡선 $\dfrac{x^2}{3}-\dfrac{y^2}{9}=-1$의 기울기가 양수인 점근선의 방정식은

$y=\sqrt{3}x$

이때 $\sqrt{3}=\tan 60°$이므로 이 점근선이 x축의 양의 방향과 이루는 각의 크기는 $60°$이다.

따라서 기울기가 $\sqrt{3}$이고 점 P$(\sqrt{6}, 0)$을 지나는 직선, 즉 $y=\sqrt{3}(x-\sqrt{6})$과 x축의 양의 방향이 이루는 각의 크기는 $60°$이다.

점 P$(\sqrt{6}, 0)$에서 쌍곡선 $\dfrac{x^2}{3}-\dfrac{y^2}{9}=-1$ $(y>0)$에 그은 접선의 기울기를 m이라고 하면 접선의 방정식은

$y=mx+\sqrt{9-3m^2}$

이 직선이 점 P$(\sqrt{6}, 0)$을 지나므로

$0=\sqrt{6}m+\sqrt{9-3m^2}$

┌ $y>0$인 쌍곡선에 그은 접선의 y절편은 양수이다.

$-\sqrt{6}m=\sqrt{9-3m^2}$

이 식의 양변을 제곱하면

$6m^2=9-3m^2$, $m^2=1$ $\quad \therefore m=\pm1$

점 P에서 쌍곡선 $\dfrac{x^2}{3}-\dfrac{y^2}{9}=-1$ $(y>0)$에 그은 접선의 기울기는 음수이므로 $m=-1$

이때 $\tan 135°=-1$이므로 이 접선과 x축의 양의 방향이 이루는

┌ $\tan 135°=\tan(180°-45°)=-\tan 45°=-1$

각의 크기는 135°이다.

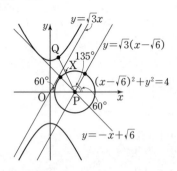

즉, 점 Q가 $y>0$에서 쌍곡선 위를 움직일 때, 점 X는 위의 그림과 같이 반지름의 길이가 2이고 중심각의 크기가

$$135°-60°=75°$$

인 부채꼴의 호 위를 움직이므로 점 X의 자취의 길이는

$$2\pi\times2\times\frac{75}{360}=\frac{5}{6}\pi$$

따라서 구하는 자취의 길이는

$$\frac{5}{6}\pi\times2=\frac{5}{3}\pi$$

탭 $\dfrac{5}{3}\pi$

참고

$\pi\pm x$의 삼각함수 (수학 I)

$\sin(\pi+x)=-\sin x$, $\cos(\pi+x)=-\cos x$,

$\tan(\pi+x)=\tan x$

$\sin(\pi-x)=\sin x$, $\cos(\pi-x)=-\cos x$,

$\tan(\pi-x)=-\tan x$

127

접근

사각형 ABCD가 마름모임을 알고, $\overline{OA}=\overline{OC}$, $\overline{OB}=\overline{OD}$임을 이용한다.

쌍곡선의 접선의 기울기를 m이라고 하면 두 접선 $y=mx\pm\sqrt{6m^2-6}$은 원점에 대하여 대칭이고 사각형의 각 꼭짓점은 원점을 지나는 점근선과 접선의 교점이므로

$$\overline{OA}=\overline{OC},\ \overline{OB}=\overline{OD}$$

한편 쌍곡선 $x^2-y^2=6$의 점근선의 방정식은

$$y=\pm x$$

이므로 두 점근선은 서로 수직이다.

즉, 두 대각선이 서로 다른 것을 수직이등분하므로 사각형 ABCD는 마름모이다.

직선 l_1과 쌍곡선 $x^2-y^2=6$의 접점의 좌표를 (a, b) $(a\geq\sqrt{6}, a>b)$라고 하면 직선 l_1의 방정식은

$$ax-by=6$$

또, 점 (a, b)는 쌍곡선 $x^2-y^2=6$ 위의 점이므로

$$a^2-b^2=6 \quad\cdots\cdots\ \bigcirc$$

점 A는 직선 $y=x$와 직선 $ax-by=6$의 교점이므로

$$A\left(\frac{6}{a-b},\ \frac{6}{a-b}\right)$$

점 D는 직선 $y=-x$와 직선 $ax-by=6$의 교점이므로

$$D\left(\frac{6}{a+b},\ -\frac{6}{a+b}\right)$$

따라서

$$\overline{OA}=\sqrt{\left(\frac{6}{a-b}\right)^2+\left(\frac{6}{a-b}\right)^2}=\frac{6\sqrt{2}}{a-b}\ (\because a>b),$$

$$\overline{OD}=\sqrt{\left(\frac{6}{a+b}\right)^2+\left(-\frac{6}{a+b}\right)^2}=\frac{6\sqrt{2}}{a+b}\ (\because a+b>0)$$

이므로 사각형 ABCD의 넓이는

$$\frac{1}{2}\times\overline{AC}\times\overline{BD}=\frac{1}{2}\times2\overline{OA}\times2\overline{OD}$$

$$=\frac{1}{2}\times\left(2\times\frac{6\sqrt{2}}{a-b}\right)\times\left(2\times\frac{6\sqrt{2}}{a+b}\right)$$

$$=\frac{144}{a^2-b^2}=\frac{144}{6}=24\ (\because \bigcirc)$$

탭 24

참고

마름모의 정의와 성질

(1) 마름모의 정의 ➡ 네 변의 길이가 모두 같은 사각형이다.

(2) 마름모의 성질 ➡ 마름모의 두 대각선은 서로를 수직이등분한다.

상위 1% 도전 문제

128

포물선 $y^2=8x=4\times2\times x$의 초점은 $F(2, 0)$이고 준선의 방정식은 $x=-2$이다.

오른쪽 그림과 같이 세 점 A, B, M 에서 준선에 내린 수선의 발을 각각 A′, B′, M′이라고 하면 포물선의 정의에 의하여

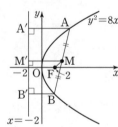

$$\overline{AF}=\overline{AA'},\ \overline{BF}=\overline{BB'}$$

점 M이 선분 AB의 중점이고 $\overline{AB}=10$이므로

$$\overline{AM}=\overline{BM}=\frac{1}{2}\overline{AB}=5$$

$$\therefore \overline{MM'}=\frac{\overline{AA'}+\overline{BB'}}{2}=\frac{\overline{AF}+\overline{BF}}{2}$$

$$\geq\frac{\overline{AB}}{2}=\frac{10}{2}=5$$

따라서 $\overline{MM'}$의 길이의 최솟값은 5이므로 점 M의 x좌표의 최솟값은 $5-2=3$이다. 이때 직선 AB는 점 $F(2, 0)$을 지나므로 기울기를 m이라고 하면 직선 AB의 방정식은

$$y=m(x-2)$$

두 점 A, B의 x좌표를 각각 x_1, x_2라고 하면 x_1, x_2는 이차방정식 $\{m(x-2)\}^2=8x$, 즉 $m^2x^2-4(m^2+2)x+4m^2=0$ 의 두 근이다.

이차방정식의 근과 계수의 관계에 의하여
$$x_1+x_2=\frac{4(m^2+2)}{m^2} \qquad \cdots\cdots \text{㉠}$$
이때 점 M의 x좌표가 3이므로
$$\frac{x_1+x_2}{2}=3 \qquad \therefore x_1+x_2=6$$
이것을 ㉠에 대입하면
$$\frac{4(m^2+2)}{m^2}=6, \ 2m^2+4=3m^2$$
$$m^2=4 \qquad \therefore m=\pm2$$
따라서 직선 AB의 방정식은
$$y=\pm2(x-2)$$
점 M이 이 직선 위에 있고 점 M의 x좌표가 3이므로 y좌표는
$$y=\pm2(3-2)=\pm2$$
즉, M(3, ±2)이므로
$$\overline{MF}=\sqrt{(3-2)^2+(\pm2-0)^2}=\sqrt{5}$$

답 ⑤

참고

사다리꼴에서 두 변의 중점을 연결한 선분의 성질
오른쪽 그림과 같이 $\overline{AD}/\!/\overline{BC}$인 사다리
꼴 ABCD에서 $\overline{AB}$, $\overline{CD}$의 중점을 각각
M, N이라고 하면

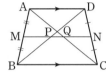

(1) $\overline{AD}/\!/\overline{MN}/\!/\overline{BC}$

(2) $\overline{MP}=\overline{NQ}=\frac{1}{2}\overline{AD}, \ \overline{MQ}=\overline{NP}=\frac{1}{2}\overline{BC}$

(3) $\overline{MN}=\frac{1}{2}(\overline{AD}+\overline{BC})$

129

포물선 $y^2=10x=4\times\frac{5}{2}\times x$의 초점 F의 좌표는 $\left(\frac{5}{2}, 0\right)$이다.

점 $F\left(\frac{5}{2}, 0\right)$을 지나는 직선의 기울기를 m이라고 하면 직선의 방정식은

$$y=m\left(x-\frac{5}{2}\right)$$

이 식을 $y^2=10x$에 대입하면

$$\left\{m\left(x-\frac{5}{2}\right)\right\}^2=10x$$

$$\therefore 4m^2x^2-20(m^2+2)x+25m^2=0 \qquad \cdots\cdots \text{㉠}$$

두 점 P, Q의 좌표를 각각 (x_1, y_1), (x_2, y_2)라고 하면 x_1, x_2는 이차방정식 ㉠의 두 근이다.

이차방정식의 근과 계수의 관계에 의하여

$$x_1x_2=\frac{25m^2}{4m^2}=\frac{25}{4} \ (\because m\neq0) \qquad \cdots\cdots \text{㉡}$$

포물선 $y^2=10x$ 위의 점 $P(x_1, y_1)$에서의 접선의 방정식은

$$y_1y=2\times\frac{5}{2}(x+x_1) \qquad \therefore y=\frac{5}{y_1}(x+x_1)$$

이 접선에 수직이면서 점 $P(x_1, y_1)$을 지나는 직선의 방정식은

$$y=-\frac{y_1}{5}(x-x_1)+y_1$$

위의 식에 $y=0$을 대입하면 $x=x_1+5$

$$\therefore A(x_1+5, 0)$$

같은 방법으로 점 B의 좌표를 구하면 $B(x_2+5, 0)$

한편 두 점 $P(x_1, y_1)$, $Q(x_2, y_2)$가 모두 포물선 $y^2=10x$ 위의 점이므로

$$y_1{}^2=10x_1, \ y_2{}^2=10x_2 \qquad \cdots\cdots \text{㉢}$$

$$\therefore \frac{1}{\overline{AP}^2}+\frac{1}{\overline{BQ}^2}$$

$$=\frac{1}{\{x_1-(x_1+5)\}^2+y_1{}^2}+\frac{1}{\{x_2-(x_2+5)\}^2+y_2{}^2}$$

$$=\frac{1}{25+y_1{}^2}+\frac{1}{25+y_2{}^2}$$

$$=\frac{1}{25+10x_1}+\frac{1}{25+10x_2} \ (\because \text{㉢})$$

$$=\frac{25+10x_2+25+10x_1}{(25+10x_1)(25+10x_2)}$$

$$=\frac{50+10(x_1+x_2)}{625+250(x_1+x_2)+100x_1x_2}$$

$$=\frac{50+10(x_1+x_2)}{625+250(x_1+x_2)+100\times\frac{25}{4}} \ (\because \text{㉡})$$

$$=\frac{50+10(x_1+x_2)}{1250+250(x_1+x_2)}$$

$$=\frac{50+10(x_1+x_2)}{25\{50+10(x_1+x_2)\}}=\frac{1}{25}$$

답 $\frac{1}{25}$

130

타원 $\frac{x^2}{64}+\frac{y^2}{36}=1$에서 $\sqrt{64-36}=2\sqrt{7}$이므로

$F(2\sqrt{7}, 0), F'(-2\sqrt{7}, 0)$

또, A(8, 0), B(−8, 0)이고 타원의 정의에 의하여

$$\overline{PF}+\overline{PF'}=2\times8=16$$

이므로 $\overline{PF}=a$라고 하면

$$\overline{PF'}=16-a$$

$\overline{PF}\times\overline{PF'}=48$이므로

$$a(16-a)=48, \ a^2-16a+48=0$$

$$(a-4)(a-12)=0$$

$$\therefore a=4 \ \text{또는} \ a=12$$

이때 $\overline{PF}<\overline{PF'}$이므로

$$\overline{PF}=4, \ \overline{PF'}=12$$

삼각형 PF'F에서 원점 O는 $\overline{F'F}$의 중점이므로

$$\overline{PF'}^2+\overline{PF}^2=2(\overline{PO}^2+\overline{OF}^2)$$

$$12^2+4^2=2\{\overline{PO}^2+(2\sqrt{7})^2\}$$

$$160=2(\overline{PO}^2+28)$$

$$\therefore \overline{PO}^2=52$$

마찬가지로 삼각형 PBA에서 원점 O는 $\overline{BA}$의 중점이므로

$$\overline{PA}^2+\overline{PB}^2=2(\overline{PO}^2+\overline{OA}^2)$$

$$=2(52+8^2)=232$$

답 232

참고

삼각형 ABC에서 변 BC의 중점을 M이라고 하면

➡ $\overline{AB}^2+\overline{AC}^2=2(\overline{AM}^2+\overline{BM}^2)$

131

$\dfrac{x+2y+2}{-x+3y-12}=k$라고 하면

$x+2y+2=k(-x+3y-12)$

$\therefore (x+2y+2)+k(x-3y+12)=0$ ····· ㉠

이때 직선 ㉠은 k의 값에 관계없이 두 직선 $x+2y+2=0$과

$x-3y+12=0$의 교점 $(-6, 2)$를 지난다.

한편 점 (x, y)가 타원 $\dfrac{x^2}{16}+\dfrac{y^2}{4}=1$ 위의 점이므로 다음 그림과

같이 직선 ㉠은 타원에 접하거나 두 접선 사이에 위치해야 한다.

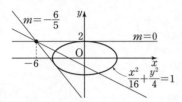

점 $(-6, 2)$에서 타원 $\dfrac{x^2}{16}+\dfrac{y^2}{4}=1$에 그은 접선의 기울기를 m이

라고 하면 접선의 방정식은

$y=mx\pm\sqrt{16m^2+4}$

이 직선이 점 $(-6, 2)$를 지나므로

$2=-6m\pm\sqrt{16m^2+4}$

$2+6m=\pm\sqrt{16m^2+4}$

이 식의 양변을 제곱하여 정리하면

$20m^2+24m=0,\ 5m^2+6m=0$

$m(5m+6)=0$

$\therefore m=0$ 또는 $m=-\dfrac{6}{5}$

㉠에서

$y=\dfrac{k+1}{3k-2}x+\dfrac{12k+2}{3k-2}$

즉, 직선 ㉠의 기울기가 $\dfrac{k+1}{3k-2}$이므로

$-\dfrac{6}{5}\le\dfrac{k+1}{3k-2}\le 0$ ····· ㉡

이때

$y=\dfrac{k+1}{3k-2}=\dfrac{1}{3}+\dfrac{\frac{5}{3}}{3k-2}=\dfrac{1}{3}+\dfrac{5}{9k-6}$

로 놓으면 그 그래프는 다음 그림과 같다.

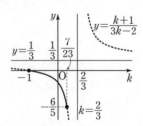

㉡에 의하여

$-1\le k\le\dfrac{7}{23}$

이므로 $\dfrac{x+2y+2}{-x+3y-12}$의 최댓값과 최솟값의 차는

$\dfrac{7}{23}-(-1)=\dfrac{30}{23}$

답 $\dfrac{30}{23}$

132

두 점 P, Q가 쌍곡선 $\dfrac{x^2}{a^2}-\dfrac{y^2}{b^2}=1$ 위의 점이고 이 쌍곡선의 주축

의 길이가 $2a$이므로 쌍곡선의 정의에 의하여

$\overline{PF'}-\overline{PF}=2a,\ \overline{QF}-\overline{QF'}=2a$

$\overline{PF'}=\overline{PQ}+\overline{QF'}$이므로 $\overline{PF'}-\overline{PF}=2a$에서

$\overline{PQ}+\overline{QF'}-\overline{PF}=2a$

$\therefore \overline{QF'}=2a$ ($\because \overline{PQ}=\overline{PF}$) [삼각형 PQF가 정삼각형이므로 $\overline{PQ}=\overline{QF}=\overline{PF}$]

따라서 $\overline{QF}=\overline{PQ}=\overline{PF}=4a$이므로

$\overline{PF'}=\overline{PF}+2a=4a+2a=6a$ [$\overline{QF}-\overline{QF'}=2a$에서 $\overline{QF}=\overline{QF'}+2a=2a+2a=4a$]

한편 점 P는 타원 $\dfrac{x^2}{c^2}+\dfrac{y^2}{d^2}=1$ 위의 점이고 이 타원의 장축의 길

이가 $2c$이므로 타원의 정의에 의하여

$\overline{PF}+\overline{PF'}=2c$

이때 $\overline{PF}=4a,\ \overline{PF'}=6a$이므로

$4a+6a=2c$

$\therefore c=5a$ ····· ㉠

오른쪽 그림과 같이 점 F에서 $\overline{PF'}$에

내린 수선의 발을 H라고 하면

$\overline{PH}=\overline{QH}=2a$이므로 직각삼각형

PHF에서 피타고라스 정리에 의하여

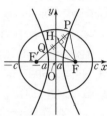

$\overline{FH}=\sqrt{\overline{PF}^2-\overline{PH}^2}=\sqrt{(4a)^2-(2a)^2}$
$=2\sqrt{3}a$

또, 직각삼각형 HF'F에서 피타고라스 정리에 의하여

$\overline{F'F}=\sqrt{\overline{HF'}^2+\overline{FH}^2}$
$=\sqrt{(2a+2a)^2+(2\sqrt{3}a)^2}$
$=2\sqrt{7}a$

따라서 $\overline{OF}=\dfrac{1}{2}\overline{F'F}=\dfrac{1}{2}\times 2\sqrt{7}a=\sqrt{7}a$이므로

$F(\sqrt{7}a, 0),\ F'(-\sqrt{7}a, 0)$

쌍곡선 $\dfrac{x^2}{a^2}-\dfrac{y^2}{b^2}=1$에서 $a^2+b^2=(\sqrt{7}a)^2$이므로

$b^2=6a^2$

$\therefore b=\sqrt{6}a$ ($\because a>0, b>0$) ····· ㉡

타원 $\dfrac{x^2}{c^2}+\dfrac{y^2}{d^2}=1$에서 $c^2-d^2=(\sqrt{7}a)^2$이므로

$d^2=c^2-(\sqrt{7}a)^2=(5a)^2-(\sqrt{7}a)^2=18a^2$ ($\because$ ㉠)

$\therefore d=3\sqrt{2}a$ ($\because a>0, d>0$) ····· ㉢

$\therefore \dfrac{bd}{ac}=\dfrac{\sqrt{6}a\times 3\sqrt{2}a}{a\times 5a}$ ($\because$ ㉠, ㉡, ㉢)

$=\dfrac{6\sqrt{3}a^2}{5a^2}=\dfrac{6\sqrt{3}}{5}$

답 $\dfrac{6\sqrt{3}}{5}$

133

쌍곡선 $\dfrac{x^2}{28}-\dfrac{y^2}{36}=-1$에서 $\sqrt{28+36}=8$이므로

$F(0, 8),\ F'(0, -8)$

점 P가 쌍곡선 $\dfrac{x^2}{28}-\dfrac{y^2}{36}=-1$ 위의 점이므로 쌍곡선의 정의에 의

하여

$$\overline{PF'} - \overline{PF} = 12$$
이때 $\overline{PF'} = \overline{PR} + \overline{RF'}$이고 $\overline{RF'} = 12$이므로
$$\overline{PR} + 12 - \overline{PF} = 12 \qquad \therefore \overline{PR} = \overline{PF}$$

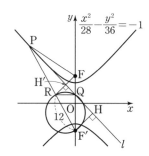

위의 그림과 같이 직선 l과 $\overline{RF}$의 교점을 H'이라고 하면 직선 l은 $\angle FPF'$을 이등분하므로
$$\angle FPH' = \angle RPH'$$
따라서 직선 l은 이등변삼각형 PRF의 꼭지각의 이등분선이므로 직선 l은 선분 RF의 수직이등분선이다.
두 삼각형 QRH′, QFH′에서
$\overline{QH'}$은 공통, $\overline{RH'} = \overline{FH'}$, $\angle QH'R = \angle QH'F = 90°$
이므로
$\triangle QRH' \equiv \triangle QFH'$ (SAS 합동)
$$\therefore \overline{QR} = \overline{QF} \qquad\qquad \cdots\cdots\ \text{㉠}$$
점 Q의 y좌표를 $a\,(a>0)$라고 하면
$$\overline{FQ} = 8 - a, \quad \overline{F'Q} = 8 + a$$
$$\therefore \overline{QR} = 8 - a\ (\because \text{㉠})$$
한편 점 Q는 $\overline{RF'}$을 지름으로 하는 원 위의 점이므로 원주각의 성질에 의하여
$$\angle RQF' = 90°$$
직각삼각형 RQF′에서 피타고라스 정리에 의하여
$$\overline{RF'}^2 = \overline{RQ}^2 + \overline{F'Q}^2$$
$$12^2 = (8-a)^2 + (8+a)^2$$
$$2a^2 = 16,\ a^2 = 8 \qquad \therefore a = 2\sqrt{2}\ (\because a>0)$$
$$\therefore \overline{FQ} = \overline{QR} = 8 - 2\sqrt{2},\quad \overline{F'Q} = 8 + 2\sqrt{2}$$
삼각형 RQF는 직각이등변삼각형이므로
$$\overline{RF} = \sqrt{2}\,\overline{QR} = \sqrt{2}(8 - 2\sqrt{2}) = 8\sqrt{2} - 4$$
$$\therefore \overline{RH'} = \frac{1}{2}\overline{RF} = 4\sqrt{2} - 2 = 2(2\sqrt{2} - 1)$$
삼각형 PF′F에서 $\overline{PQ}$가 $\angle FPF'$의 이등분선이므로
$$\overline{PF} : \overline{PF'} = \overline{FQ} : \overline{F'Q}$$
$$\overline{PF} : (\overline{PF} + 12) = (8 - 2\sqrt{2}) : (8 + 2\sqrt{2})$$
$$\overline{PF}(8 + 2\sqrt{2}) = (\overline{PF} + 12)(8 - 2\sqrt{2})$$
$$4\sqrt{2}\,\overline{PF} = 96 - 24\sqrt{2}$$
$$\therefore \overline{PF} = \frac{96 - 24\sqrt{2}}{4\sqrt{2}} = 12\sqrt{2} - 6 = 6(2\sqrt{2} - 1)$$
한편 $\triangle PRH' \sim \triangle PF'H$ (AA 닮음)이므로
$$\overline{PR} : \overline{PF'} = \overline{RH'} : \overline{F'H}$$
$$\underset{\overline{PR} = \overline{PF} = 6(2\sqrt{2}-1),\ \overline{PF'} = \overline{PF} + 12 = 6(2\sqrt{2}+1)}{\big\lfloor}$$
$$6(2\sqrt{2}-1) : 6(2\sqrt{2}+1) = 2(2\sqrt{2}-1) : \overline{F'H}$$
$$\therefore \overline{F'H} = \frac{6(2\sqrt{2}+1) \times 2(2\sqrt{2}-1)}{6(2\sqrt{2}-1)} = 2(2\sqrt{2}+1)$$
$$\therefore \overline{PF} \times \overline{F'H} = 6(2\sqrt{2}-1) \times 2(2\sqrt{2}+1)$$
$$= 12\{(2\sqrt{2})^2 - 1\} = 84$$

달 ②

참고

삼각형의 내각의 이등분선의 성질

$\triangle ABC$에서

$\angle BAD = \angle CAD$이면

$a : b = c : d$

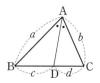

미니 모의고사 - 1회

01

점 $(2, 0)$은 원점을 x축의 방향으로 2만큼 평행이동한 점이므로 거꾸로 점 $(2, 0)$을 x축의 방향으로 -2만큼 평행이동하여 생각해 보자.
이 평행이동에 의하여 점 $F(-2, 0)$은 점 $(-4, 0)$으로 이동되므로 초점이 $(-4, 0)$이고 꼭짓점이 $(0, 0)$인 포물선의 방정식을 구하면
$$y^2 = 4 \times (-4) \times x \qquad \therefore y^2 = -16x$$
주어진 포물선은 이 포물선을 x축의 방향으로 2만큼 평행이동한 것이므로 주어진 포물선의 방정식은
$$y^2 = -16(x - 2)$$
이 포물선이 점 $(a, 8)$을 지나므로
$$8^2 = -16(a - 2),\ a - 2 = -4 \qquad \therefore a = -2$$

달 -2

02

두 점 A, B가 타원 $\dfrac{x^2}{a^2} + \dfrac{y^2}{16} = 1$ 위의 점이므로 타원의 정의에 의하여
$$\overline{AF} + \overline{AF'} = 2a,\quad \overline{BF} + \overline{BF'} = 2a$$
위의 두 식을 변끼리 더하면
$$(\overline{AF} + \overline{AF'}) + (\overline{BF} + \overline{BF'}) = 4a$$
$$(\overline{AF} + \overline{BF}) + (\overline{AF'} + \overline{BF'}) = 4a$$
이때 $\overline{AF} + \overline{BF} = 12$, $\overline{AF'} + \overline{BF'} = 16$이므로
$$4a = 12 + 16 = 28 \qquad \therefore a = 7$$

달 ⑤

참고

$0 < a < 4$라고 하면 타원 $\dfrac{x^2}{a^2} + \dfrac{y^2}{16} = 1$에서 장축의 길이는 $2 \times 4 = 8$이다.
그러면 타원의 정의에 의하여
$$\overline{AF} + \overline{AF'} = 8,\quad \overline{BF} + \overline{BF'} = 8$$
이므로
$$\overline{AF} + \overline{AF'} + \overline{BF} + \overline{BF'} = 16 \qquad\qquad \cdots\cdots\ \text{㉠}$$
이 되어야 한다.
그런데 주어진 조건에 의하여
$$\overline{AF} + \overline{AF'} + \overline{BF} + \overline{BF'} = (\overline{AF} + \overline{BF}) + (\overline{AF'} + \overline{BF'}) = 28$$
이므로 ㉠을 만족시키지 않는다.
따라서 $a > 4$이므로 장축의 길이는 $2a$이다.

03

$2x^2-y^2=-4$에서 $\dfrac{x^2}{2}-\dfrac{y^2}{4}=-1$이고 $\sqrt{2+4}=\sqrt{6}$이므로

초점의 좌표는 $(0, \sqrt{6}), (0, -\sqrt{6})$

또, 쌍곡선 $\dfrac{x^2}{2}-\dfrac{y^2}{4}=-1$의 점근선의 방정식은

$y=\pm\sqrt{2}x$

이므로 초점을 지나고 두 점근선에 평행한 네 개의 직선의 방정식은

$y=\sqrt{2}x+\sqrt{6},\ y=\sqrt{2}x-\sqrt{6},$

$y=-\sqrt{2}x+\sqrt{6},\ y=-\sqrt{2}x-\sqrt{6}$

이 네 직선으로 둘러싸인 도형은 다음 그림과 같은 마름모이다.

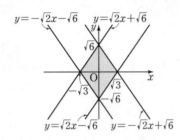

마름모의 두 대각선의 길이가 각각 $2\sqrt{3}, 2\sqrt{6}$이므로 구하는 넓이는

$\dfrac{1}{2}\times2\sqrt{3}\times2\sqrt{6}=6\sqrt{2}$

답 $6\sqrt{2}$

04

직선 $y=2x+6$을 x축의 방향으로 k만큼 평행이동하면

$y=2(x-k)+6$　∴ $y=2x-2k+6$

이것을 $x^2=4y$에 대입하면

$x^2=4(2x-2k+6)$

∴ $x^2-8x+8k-24=0$

이 이차방정식의 판별식을 D라고 하면 직선과 포물선이 만나지 않으므로

$\dfrac{D}{4}=(-4)^2-8k+24<0$

$8k>40$　∴ $k>5$

답 ⑤

05

쌍곡선 $x^2-y^2=5$ 위의 점 $(3, 2)$에서의 접선의 방정식은

$3x-2y=5$

쌍곡선 $x^2-y^2=5$의 점근선의 방정식은

$y=\pm x$

오른쪽 그림과 같이 두 점근선과 접선의 교점을 각각 A, B라고 하자.

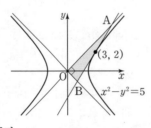

$3x-2y=5$와 $y=x$를 연립하여 풀면

$x=5, y=5$　∴ A$(5, 5)$

$3x-2y=5$와 $y=-x$를 연립하여 풀면

$x=1, y=-1$　∴ B$(1, -1)$

이때 두 점근선은 서로 수직이고

$\overline{OA}=\sqrt{5^2+5^2}=5\sqrt{2},\ \overline{OB}=\sqrt{1^2+(-1)^2}=\sqrt{2}$

이므로 구하는 넓이는

$\dfrac{1}{2}\times5\sqrt{2}\times\sqrt{2}=5$

답 ④

간단 풀이

085번의 풍쌤 비법 (2)를 이용하면 다음과 같이 간단히 구할 수 있다.

$x^2-y^2=5$에서 $\dfrac{x^2}{5}-\dfrac{y^2}{5}=1$이므로 구하는 넓이는

$|\sqrt{5}\times\sqrt{5}|=5$

06

포물선 p_1은 꼭짓점이 A$(3, 0)$, 초점이 $(0, 0)$이므로 꼭짓점이 원점이 되도록 x축의 방향으로 -3만큼 평행이동하면 이 평행이동에 의하여 초점은 $(-3, 0)$으로 이동된다.

꼭짓점이 원점이고 초점이 $(-3, 0)$인 포물선의 방정식이

$y^2=4\times(-3)\times x$, 즉 $y^2=-12x$

이므로 포물선 p_1의 방정식은

$y^2=-12(x-3)$ └포물선 $y^2=-12x$를 x축의 방향으로 3만큼 평행이동한 것 ……㉠

포물선 p_2는 꼭짓점이 B$(-1, 0)$, 초점이 $(0, 0)$이므로 꼭짓점이 원점이 되도록 x축의 방향으로 1만큼 평행이동하면 이 평행이동에 의하여 초점은 $(1, 0)$으로 이동된다.

꼭짓점이 원점이고 초점이 $(1, 0)$인 포물선의 방정식이

$y^2=4\times1\times x$, 즉 $y^2=4x$

이므로 포물선 p_2의 방정식은

$y^2=4(x+1)$ └포물선 $y^2=4x$를 x축의 방향으로 -1만큼 평행이동한 것 ……㉡

㉠, ㉡을 연립하여 풀면

$x=2, y=\pm2\sqrt{3}$

∴ C$(2, 2\sqrt{3})$, D$(2, -2\sqrt{3})$

따라서 구하는 사각형 ACBD의 넓이는

$\triangle$ACB$+\triangle$ADB$=2\left(\dfrac{1}{2}\times|3-(-1)|\times2\sqrt{3}\right)$

$=2\left(\dfrac{1}{2}\times4\times2\sqrt{3}\right)=8\sqrt{3}$

답 $8\sqrt{3}$

07

오른쪽 그림과 같이 점 P의 좌표를 (x, y)라 하고 점 P에서 직선 $x=2$에 내린 수선의 발을 H라고 하면 $\overline{PA}:\overline{PH}=2:1$이므로

$\overline{PA}=2\overline{PH}$

즉, $\overline{PA}^2=4\overline{PH}^2$이므로

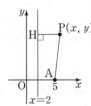

$(x-5)^2+y^2=4|x-2|^2$, $3x^2-6x-y^2=9$

$3(x-1)^2-y^2=12$　∴ $\dfrac{(x-1)^2}{4}-\dfrac{y^2}{12}=1$

따라서 점 P의 집합은 쌍곡선 $\dfrac{x^2}{4}-\dfrac{y^2}{12}=1$을 x축의 방향으로 1만큼 평행이동한 쌍곡선을 나타낸다.

쌍곡선 $\dfrac{x^2}{4}-\dfrac{y^2}{12}=1$에서 $\sqrt{4+12}=4$이므로 두 초점의 좌표는

$(4, 0), (-4, 0)$이다.

따라서 쌍곡선 $\dfrac{(x-1)^2}{4}-\dfrac{y^2}{12}=1$의 두 초점의 좌표는 $(4+1,\,0)$,
$(-4+1,\,0)$, 즉 $(5,\,0)$, $(-3,\,0)$이므로 a의 최솟값은 -3이다.

답 ③

08

점 P의 좌표를 $(a,\,b)$ $(a>0,\,b>0)$라고 하면 포물선
$y^2=6x=4\times\dfrac{3}{2}\times x$ 위의 점 $\mathrm{P}(a,\,b)$에서의 접선의 방정식은

$$by=2\times\frac{3}{2}(x+a)\qquad\therefore y=\frac{3}{b}x+\frac{3a}{b}$$

따라서 점 P에서의 접선과 x축, y축 및 직선 $x=9$로 둘러싸인 도형은 다음 그림과 같으므로 구하는 넓이를 S라고 하면

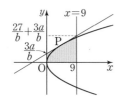

$$S=\frac{1}{2}\times\left\{\frac{3a}{b}+\left(\frac{27}{b}+\frac{3a}{b}\right)\right\}\times 9=\frac{9}{2}\left(\frac{6a}{b}+\frac{27}{b}\right)\qquad\cdots\cdots\ \bigcirc$$

한편 점 $\mathrm{P}(a,\,b)$는 포물선 $y^2=6x$ 위의 점이므로

$$b^2=6a\qquad\therefore a=\frac{b^2}{6}\qquad\cdots\cdots\ \bigcirc$$

$\bigcirc$을 $\bigcirc$에 대입하면

$$S=\frac{9}{2}\left(\frac{6a}{b}+\frac{27}{b}\right)=\frac{9}{2}\left(\frac{6}{b}\times\frac{b^2}{6}+\frac{27}{b}\right)$$
$$=\frac{9}{2}\left(b+\frac{27}{b}\right)$$

이때 $b>0$, $\dfrac{27}{b}>0$이므로 산술평균과 기하평균의 관계에서

$$S=\frac{9}{2}\left(b+\frac{27}{b}\right)\geq\frac{9}{2}\times 2\sqrt{b\times\frac{27}{b}}=27\sqrt{3}$$

（단, 등호는 $b=3\sqrt{3}$일 때 성립한다.）

따라서 구하는 넓이의 최솟값은 $27\sqrt{3}$이다.

답 $27\sqrt{3}$

09

접선의 기울기를 $m(m<0)$이라고 하면 타원 $9x^2+16y^2=144$, 즉
$\dfrac{x^2}{16}+\dfrac{y^2}{9}=1$ 위의 점 P에서의 접선의 방정식은

$$y=mx+\sqrt{16m^2+9}$$ ← 점 P에서의 접선은 y절편이 양수이다.

따라서 $\mathrm{A}\left(-\dfrac{\sqrt{16m^2+9}}{m},\,0\right)$, $\mathrm{B}\left(0,\,\sqrt{16m^2+9}\right)$이므로

$$\overline{\mathrm{AB}}=\sqrt{\left(-\frac{\sqrt{16m^2+9}}{m}\right)^2+\left(-\sqrt{16m^2+9}\right)^2}$$
$$=\sqrt{\frac{16m^2+9}{m^2}+16m^2+9}$$
$$=\sqrt{16m^2+\frac{9}{m^2}+25}$$

이때 $16m^2>0$, $\dfrac{9}{m^2}>0$이므로 산술평균과 기하평균의 관계에 의하여

$$16m^2+\frac{9}{m^2}\geq 2\sqrt{16m^2\times\frac{9}{m^2}}=24$$

（단, 등호는 $m=-\dfrac{\sqrt{3}}{2}$일 때 성립한다.）

$$\therefore \overline{\mathrm{AB}}=\sqrt{16m^2+\frac{9}{m^2}+25}\geq\sqrt{24+25}=7$$

（단, 등호는 $m=-\dfrac{\sqrt{3}}{2}$일 때 성립한다.）

따라서 선분 AB의 길이의 최솟값이 7이므로 구하는 정사각형의 넓이의 최솟값은

$$7^2=49$$

답 ⑤

10

점 P의 좌표를 $(a,\,b)$라 하고 접선의 기울기를 m이라고 하면 접선의 방정식은

$$y=mx\pm\sqrt{9-m^2}$$

이 직선이 점 $(a,\,b)$를 지나므로

$$b=am\pm\sqrt{9-m^2}$$
$$b-am=\pm\sqrt{9-m^2}$$

위 식의 양변을 각각 제곱하면

$$b^2-2abm+a^2m^2=9-m^2$$
$$\therefore (a^2+1)m^2-2abm+b^2-9=0$$

두 접선의 기울기는 이 이차방정식의 두 근이고 두 접선이 서로 수직이므로 이차방정식의 근과 계수의 관계에 의하여

$$\frac{b^2-9}{a^2+1}=-1,\ b^2-9=-a^2-1$$
$$\therefore a^2+b^2=8$$

즉, 점 P의 자취는 중심이 원점이고 반지름의 길이가 $2\sqrt{2}$인 원이므로 구하는 자취의 길이는

$$2\pi\times 2\sqrt{2}=4\sqrt{2}\pi$$

답 ⑤

미니 모의고사 - 2회

01

포물선 $y^2=12x=4\times 3\times x$의 초점은 $\mathrm{F}(3,\,0)$이고 준선의 방정식은 $x=-3$이다.

오른쪽 그림과 같이 준선과 x축의 교점을 Q라고 하면

$$\angle\mathrm{QHF}=90°-\angle\mathrm{PHF}$$
$$=90°-60°=30°$$

이므로

$$\angle\mathrm{HFQ}=180°-(90°+30°)$$
$$=60°$$

직각삼각형 HQF에서

$$\overline{\mathrm{HF}}=\frac{\overline{\mathrm{QF}}}{\cos 60°}=\frac{|3-(-3)|}{\dfrac{1}{2}}=12$$

따라서 정삼각형 PHF의 한 변의 길이는 12이므로 구하는 둘레의 길이는

$$3\times 12=36$$

답 ③

02

두 초점이 y축 위에 있으므로 타원의 방정식을
$$\frac{x^2}{a^2}+\frac{y^2}{b^2}=1\ (b>a>0)$$
로 놓자.

이때 타원의 장축의 길이는 $2b$, 단축의 길이는 $2a$이므로
$$2b-2a=8 \qquad \therefore b-a=4 \qquad \cdots\cdots \text{㉠}$$
또, 두 초점이 $F(0, 8)$, $F'(0, -8)$이므로
$$b^2-a^2=8^2 \qquad \cdots\cdots \text{㉡}$$
㉠, ㉡을 연립하여 풀면
$$a=6,\ b=10$$
즉, 타원의 방정식은 $\dfrac{x^2}{36}+\dfrac{y^2}{100}=1$이므로 타원 위의 점 P에 대하여 타원의 정의에 의하여
$$\overline{PF}+\overline{PF'}=2\times 10=20$$

답 ⑤

03

$\overline{BC}=4\sqrt{5}$이므로 오른쪽 그림과 같이 두 점 B, C를 각각 점 $(-2\sqrt{5}, 0)$, $(2\sqrt{5}, 0)$에 놓으면 주어진 타원의 방정식을
$$\frac{x^2}{a^2}+\frac{y^2}{b^2}=1\ (a>b>0)$$
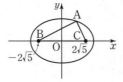
로 놓을 수 있다.

이때 장축의 길이가 $\overline{AB}+\overline{CA}=8+4=12$이므로
$$2a=12 \qquad \therefore a=6$$
또, $a^2-b^2=(2\sqrt{5})^2$이므로
$$b^2=a^2-(2\sqrt{5})^2=6^2-(2\sqrt{5})^2=16$$
따라서 타원의 방정식은
$$\frac{x^2}{36}+\frac{y^2}{16}=1$$
이므로 구하는 단축의 길이는
$$2b=2\times 4=8$$

답 8

04

쌍곡선 $x^2-8y^2=-64$, 즉 $\dfrac{x^2}{64}-\dfrac{y^2}{8}=-1$의 점근선의 방정식은
$$y=\pm\frac{\sqrt{2}}{4}x$$
쌍곡선 $x^2-8y^2=-64$와 그 점근선 $y=\pm\dfrac{\sqrt{2}}{4}x$는 다음 그림과 같다.

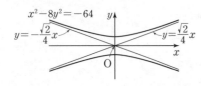

이때 직선 $y=mx$는 원점을 지나는 직선이므로 쌍곡선 $x^2-8y^2=-64$와 만나지 않으려면
$$-\frac{\sqrt{2}}{4}\le m\le\frac{\sqrt{2}}{4}$$

따라서 m의 최댓값은 $\dfrac{\sqrt{2}}{4}$이다.

답 ②

05

두 식 $3x^2+4y^2=36$, $2x^2-y^2=2$를 연립하여 풀면
$$x^2=4,\ y^2=6$$
이때 점 P는 제1사분면 위의 점이므로
$$P(2, \sqrt{6})$$
타원 $3x^2+4y^2=36$ 위의 점 $P(2, \sqrt{6})$에서의 접선의 방정식은
$$6x+4\sqrt{6}y=36 \qquad \therefore Q(6, 0)$$
쌍곡선 $2x^2-y^2=2$ 위의 점 $P(2, \sqrt{6})$에서의 접선의 방정식은
$$4x-\sqrt{6}y=2 \qquad \therefore R\left(\frac{1}{2}, 0\right)$$
따라서 삼각형 PQR의 넓이는
$$\frac{1}{2}\times\left|6-\frac{1}{2}\right|\times\sqrt{6}=\frac{1}{2}\times\frac{11}{2}\times\sqrt{6}=\frac{11\sqrt{6}}{4}$$

답 $\dfrac{11\sqrt{6}}{4}$

06

$x^2-y^2=4$에서 $\dfrac{x^2}{4}-\dfrac{y^2}{4}=1$이므로 꼭짓점의 좌표는
$$(-2, 0), (2, 0)$$
원 $(x-5)^2+y^2=r^2$은 중심이 점 $(5, 0)$이고 반지름의 길이가 r이므로 쌍곡선 $x^2-y^2=4$와 서로 다른 세 점에서 만나려면 다음 그림과 같이 원이 쌍곡선의 꼭짓점을 지나야 한다.

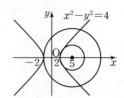

(i) 원 $(x-5)^2+y^2=r^2$이 점 $(-2, 0)$을 지날 때
$$r^2=(-2-5)^2=49 \qquad \therefore r=7\ (\because r>0)$$
(ii) 원 $(x-5)^2+y^2=r^2$이 점 $(2, 0)$을 지날 때
$$r^2=(2-5)^2=9 \qquad \therefore r=3\ (\because r>0)$$
(i), (ii)에서 구하는 양수 r의 최댓값은 7이다.

답 ③

07

포물선 $y^2=4px$의 초점 F의 좌표는
$$(p, 0)$$
점 A의 좌표를 (a, b)라고 하면
$$H(a, 0)$$
점 A에서의 접선의 방정식은
$$by=2p(x+a)$$
$$\therefore B(-a, 0), C\left(0, \frac{2ap}{b}\right)$$
ㄱ은 옳다.

$\overline{OB}=|-a|=|a|$, $\overline{OH}=|a|$이므로
$$\overline{OB}=\overline{OH}$$

ㄴ은 옳지 않다.

$\overline{OB}=|a|$, $\overline{OC}=\left|\dfrac{2ap}{b}\right|$이므로

$\overline{OB}\neq\overline{OC}$

ㄷ은 옳다.

점 $A(a,\ b)$가 포물선 $y^2=4px$ 위의 점이므로

$b^2=4pa$ ...... ㉠

이때

$\overline{AF}=\sqrt{(a-p)^2+b^2}=\sqrt{(a-p)^2+4pa}\ (\because ㉠)$

$\qquad =\sqrt{(a+p)^2}=|a+p|$

$\overline{BF}=|p-(-a)|=|p+a|$

이므로 $\overline{AF}=\overline{BF}$

ㄹ도 옳다.

㉠에서 $2ap=\dfrac{b^2}{2}$이므로

$\overline{AC}=\sqrt{a^2+\left(b-\dfrac{2ap}{b}\right)^2}=\sqrt{a^2+\left(b-\dfrac{1}{b}\times\dfrac{b^2}{2}\right)^2}$

$\qquad =\sqrt{a^2+\dfrac{b^2}{4}}$

$\overline{BC}=\sqrt{a^2+\left(\dfrac{2ap}{b}\right)^2}=\sqrt{a^2+\left(\dfrac{1}{b}\times\dfrac{b^2}{2}\right)^2}=\sqrt{a^2+\dfrac{b^2}{4}}$

$\therefore \overline{AC}=\overline{BC}$

따라서 옳은 것은 ㄱ, ㄷ, ㄹ이다.

답 ⑤

08

점 A의 좌표를 $(a,\ b)\ (a>0,\ b>0)$라고 하면 점 A가 포물선 $y^2=4x$와 타원 $\dfrac{x^2}{8}+\dfrac{y^2}{k}=1$ 위의 점이므로

$b^2=4a$, $\dfrac{a^2}{8}+\dfrac{b^2}{k}=1$

포물선 $y^2=4x$ 위의 점 $A(a,\ b)$에서의 접선의 방정식은

$by=2(x+a)$ $\therefore y=\dfrac{2}{b}x+\dfrac{2a}{b}$ ...... ㉠

타원 $\dfrac{x^2}{8}+\dfrac{y^2}{k}=1$ 위의 점 $A(a,\ b)$에서의 접선의 방정식은

$\dfrac{ax}{8}+\dfrac{by}{k}=1$ $\therefore y=-\dfrac{ak}{8b}x+\dfrac{k}{b}$ ...... ㉡

두 직선 ㉠, ㉡이 서로 수직이므로

$\dfrac{2}{b}\times\left(-\dfrac{ak}{8b}\right)=-1$, $2ak=8b^2$

$2ak=8\times 4a\ (\because b^2=4a)$

$ak=16a$, $a(k-16)=0$ $\therefore k=16\ (\because a>0)$

답 16

09

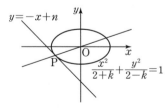

기울기가 -1인 직선이 제3사분면에서 타원 $\dfrac{x^2}{2+k}+\dfrac{y^2}{2-k}=1$에 접하므로 접선의 y절편은 음수이다.

이때 기울기가 -1인 타원의 접선의 방정식은

$y=-x-\sqrt{(2+k)\times(-1)^2+2-k}$

$\therefore y=-x-2$

이 직선이 $y=-x+n$과 일치하므로

$n=-2$

$y=-x-2$를 $\dfrac{x^2}{2+k}+\dfrac{y^2}{2-k}=1$에 대입하면

$\dfrac{x^2}{2+k}+\dfrac{(-x-2)^2}{2-k}=1$

$(2-k)x^2+(2+k)(x+2)^2=(2+k)(2-k)$

$4x^2+4(2+k)x+(k^2+4k+4)=0$

$4x^2+4(2+k)x+(k+2)^2=0$

$(2x+k+2)^2=0$ $\therefore x=-\dfrac{k+2}{2}$

이것을 $y=-x-2$에 대입하면 $y=\dfrac{k-2}{2}$

즉, $P\left(-\dfrac{k+2}{2},\ \dfrac{k-2}{2}\right)$이고, 점 P와 원점을 지나는 직선의 기울기가 $\dfrac{1}{3}$이므로

$\dfrac{\dfrac{k-2}{2}}{-\dfrac{k+2}{2}}=\dfrac{1}{3}$, $-\dfrac{k-2}{k+2}=\dfrac{1}{3}$

$-3k+6=k+2$, $4k=4$ $\therefore k=1$

$\therefore k+n=1+(-2)=-1$

답 ②

10

쌍곡선 $6x^2-y^2=12$ 위의 점 $A(2,\ 2\sqrt{3})$에서의 접선 l의 방정식은

$12x-2\sqrt{3}y=12$ $\therefore 6x-\sqrt{3}y=6$

쌍곡선 $6x^2-y^2=12$, 즉 $\dfrac{x^2}{2}-\dfrac{y^2}{12}=1$의 점근선의 방정식은

$y=\pm\sqrt{6}x$

따라서 직선 m의 방정식은 $y=\sqrt{6}x$,

직선 n의 방정식은 $y=-\sqrt{6}x$

두 식 $6x-\sqrt{3}y=6$, $y=\sqrt{6}x$를 연립하여 풀면

$x=2+\sqrt{2}$, $y=2\sqrt{6}+2\sqrt{3}$

즉, 두 직선 l, m의 교점 B의 좌표는

$(2+\sqrt{2},\ 2\sqrt{6}+2\sqrt{3})$

두 식 $6x-\sqrt{3}y=6$, $y=-\sqrt{6}x$를 연립하여 풀면

$x=2-\sqrt{2}$, $y=-2\sqrt{6}+2\sqrt{3}$

즉, 두 직선 l, n의 교점 C의 좌표는

$(2-\sqrt{2},\ -2\sqrt{6}+2\sqrt{3})$

따라서

$\overline{AB}=\sqrt{(2+\sqrt{2}-2)^2+(2\sqrt{6}+2\sqrt{3}-2\sqrt{3})^2}$

$\qquad =\sqrt{2+24}=\sqrt{26}$

$\overline{BC}=\sqrt{\{2-\sqrt{2}-(2+\sqrt{2})\}^2+\{-2\sqrt{6}+2\sqrt{3}-(2\sqrt{6}+2\sqrt{3})\}^2}$

$\qquad =\sqrt{8+96}=2\sqrt{26}$

이므로 $\overline{BC}=k\overline{AB}$에서

$k=\dfrac{\overline{BC}}{\overline{AB}}=\dfrac{2\sqrt{26}}{\sqrt{26}}=2$

답 ④

II. 평면벡터

03 벡터의 연산

001

오른쪽 그림과 같이 $\overline{BF}$와 $\overline{AD}$의 교점을 G라고 하면
$\overline{BG}=\overline{GF}=\overline{AB}\times\sin 60°$
$\qquad =1\times\dfrac{\sqrt{3}}{2}=\dfrac{\sqrt{3}}{2}$
$\therefore \overline{BF}=\overline{BG}+\overline{GF}$
$\qquad =\dfrac{\sqrt{3}}{2}+\dfrac{\sqrt{3}}{2}=\sqrt{3}$

이때 $\overline{BF}=\overline{AC}=\overline{BD}=\overline{CE}=\overline{DF}=\overline{EA}$이므로 크기가 $\sqrt{3}$인 벡터는 $\overrightarrow{BF}$, $\overrightarrow{FB}$, $\overrightarrow{AC}$, $\overrightarrow{CA}$, $\overrightarrow{BD}$, $\overrightarrow{DB}$, $\overrightarrow{CE}$, $\overrightarrow{EC}$, $\overrightarrow{DF}$, $\overrightarrow{FD}$, $\overrightarrow{EA}$, $\overrightarrow{AE}$의 12개이다.

답 ⑤

002

$\overrightarrow{BA}$와 크기와 방향이 모두 같은 벡터는 $\overrightarrow{OF}$, $\overrightarrow{CO}$, $\overrightarrow{DE}$이므로
$a=3$
$\overrightarrow{CD}$와 방향이 반대인 단위벡터는 방향이 반대이고 크기가 1인 벡터이다.
즉, $\overrightarrow{DC}$, $\overrightarrow{OB}$, $\overrightarrow{EO}$, $\overrightarrow{FA}$이므로
$b=4$
$\therefore a+b=3+4=7$

답 ②

003

삼각형 ABC의 넓이는
$\dfrac{1}{2}\times\overline{AB}\times\overline{AC}\times\sin A=\dfrac{1}{2}\times\overline{AB}\times|\overrightarrow{AC}|\times\sin 60°$
$\qquad\qquad\qquad\qquad =\dfrac{1}{2}\times\overline{AB}\times2\times\dfrac{\sqrt{3}}{2}=6$
이므로
$\overline{AB}=6\times\dfrac{2}{\sqrt{3}}=4\sqrt{3}$
$\therefore |\overrightarrow{AB}|=\overline{AB}=4\sqrt{3}$

답 $4\sqrt{3}$

참고

삼각형의 넓이
삼각형 ABC의 넓이를 S라고 하면
$S=\dfrac{1}{2}ab\sin C=\dfrac{1}{2}bc\sin A=\dfrac{1}{2}ca\sin B$

004

선분 CG가 원의 지름이므로
$\angle CAG=90°$ ┌ 원의 지름에 대한 원주각은 $90°$
또, $\overline{AC}=\overline{AG}$이므로 삼각형 ACG는 직각이등변삼각형이다.
이때 $\overline{CG}=\sqrt{2}$이므로
$\overline{AC}=\overline{AG}=\overline{CG}\cos 45°=1$

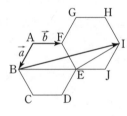

같은 방법으로 삼각형 ECG에서
$\overline{CE}=\overline{EG}=1$
따라서 사각형 ACEG는 한 변의 길이가 1인 정사각형이므로 네 벡터 $\overrightarrow{AC}(=\overrightarrow{GE})$, $\overrightarrow{CE}(=\overrightarrow{AG})$, $\overrightarrow{EG}(=\overrightarrow{CA})$, $\overrightarrow{GA}(=\overrightarrow{EC})$는 단위벡터이다.
마찬가지로 사각형 BDFH도 한 변의 길이가 1인 정사각형이므로 네 벡터 $\overrightarrow{BD}(=\overrightarrow{HF})$, $\overrightarrow{DF}(=\overrightarrow{BH})$, $\overrightarrow{FH}(=\overrightarrow{DB})$, $\overrightarrow{HB}(=\overrightarrow{FD})$는 단위벡터이다.
따라서 서로 다른 단위벡터의 개수는 8이다.

답 8

005

$\overrightarrow{AB}-\overrightarrow{AD}-\overrightarrow{DB}+\overrightarrow{AC}=(\overrightarrow{AB}-\overrightarrow{DB})+(-\overrightarrow{AD}+\overrightarrow{AC})$
$\qquad\qquad\qquad\qquad\quad =(\overrightarrow{AB}+\overrightarrow{BD})+(\overrightarrow{DA}+\overrightarrow{AC})$
$\qquad\qquad\qquad\qquad\quad =\overrightarrow{AD}+\overrightarrow{DC}$
$\qquad\qquad\qquad\qquad\quad =\overrightarrow{AC}$
이때 대각선 AC의 길이가 4이므로
$|\overrightarrow{AB}-\overrightarrow{AD}-\overrightarrow{DB}+\overrightarrow{AC}|=|\overrightarrow{AC}|=4$

답 ③

006

오른쪽 그림과 같이 $\overline{BE}$, $\overline{EI}$를 그으면
$\overrightarrow{BI}=\overrightarrow{BE}+\overrightarrow{EI}$
$\qquad =2\overrightarrow{AF}+(\overrightarrow{EJ}+\overrightarrow{JI})$
$\qquad =2\overrightarrow{AF}+(\overrightarrow{AF}+\overrightarrow{BA})$
$\qquad =3\overrightarrow{AF}-\overrightarrow{AB}$
$\qquad =-\vec{a}+3\vec{b}$

답 $-\vec{a}+3\vec{b}$

다른 풀이

$\overrightarrow{BI}=\overrightarrow{BA}+\overrightarrow{AI}$
$\qquad =-\overrightarrow{AB}+(\overrightarrow{AF}+\overrightarrow{FI})$
$\qquad =-\overrightarrow{AB}+(\overrightarrow{AF}+2\overrightarrow{AF})$
$\qquad =-\overrightarrow{AB}+3\overrightarrow{AF}$
$\qquad =-\vec{a}+3\vec{b}$

007

$2(\vec{a}-\vec{b})-3(\vec{x}+2\vec{b})=-\vec{x}+\vec{a}$에서
$2\vec{a}-2\vec{b}-3\vec{x}-6\vec{b}=-\vec{x}+\vec{a}$

$2\vec{x}=\vec{a}-8\vec{b}$　　$\therefore \vec{x}=\dfrac{1}{2}\vec{a}-4\vec{b}$

따라서 $m=\dfrac{1}{2}$, $n=-4$이므로　$mn=-2$

答 ②

풍쌤 비법

벡터의 실수배에 대한 연산 법칙

두 실수 k, l과 두 벡터 $\vec{a}$, $\vec{b}$에 대하여

(1) 결합법칙: $k(l\vec{a})=(kl)\vec{a}$

(2) 분배법칙: $(k+l)\vec{a}=k\vec{a}+l\vec{a}$, $k(\vec{a}+\vec{b})=k\vec{a}+k\vec{b}$

008

$\overline{CD}=\overline{AF}$, $-\overline{EF}=\overline{FE}$, $\overline{BD}=\overline{AE}$이므로

$\overline{CD}-\overline{EF}+\overline{BD}=\overline{AF}+\overline{FE}+\overline{AE}=2\overline{AE}$

오른쪽 그림과 같이 점 F에서 선분 AE에
내린 수선의 발을 H라고 하면

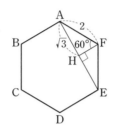

$\overline{AH}=\overline{AF}\sin 60°=2\times\dfrac{\sqrt{3}}{2}=\sqrt{3}$

$\therefore |\overline{AE}|=2\overline{AH}=2\sqrt{3}$

$\therefore |\overline{CD}-\overline{EF}+\overline{BD}|=|2\overline{AE}|=4\sqrt{3}$

答 ③

009

$\overline{PB}+\overline{PC}=\vec{0}$에서 $\overline{PB}=-\overline{PC}$이므로 두 벡터 $\overline{PB}$, $\overline{PC}$는 크기가
같고 방향이 반대이다.

따라서 점 P는 변 BC의 중점이다.

오른쪽 그림과 같이 직각삼각형 ABC에
서

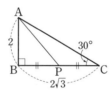

$\overline{BC}=2\sqrt{3}$ [방법1] $\overline{AB}:\overline{BC}=1:\sqrt{3}$이므로 $\overline{BC}=2\sqrt{3}$
이므로
[방법2] $\overline{BC}=\dfrac{2}{\tan 30°}=2\sqrt{3}$

$\overline{BP}=\dfrac{1}{2}\overline{BC}=\sqrt{3}$

$\therefore |\overline{PA}|^2=\overline{PA}^2=\overline{AB}^2+\overline{BP}^2=2^2+(\sqrt{3})^2=7$

答 ③

010

$\overline{AD}+\overline{AB}=2\overline{AC}$에서

$\overline{AD}+\overline{AB}=\overline{AC}+\overline{AC}$

$\overline{AD}-\overline{AC}=\overline{AC}-\overline{AB}$

$\therefore \overline{CD}=\overline{BC}$

따라서 점 D는 선분 BC를 2 : 1로 외분하는 점이다.

$\therefore \overline{BC}:\overline{CD}=1:1$　└─ 점 C는 선분 BD의 중점이다.

즉, 삼각형 ABC와 ACD의 넓이의 비는 밑변인 선분 BC와 CD
의 길이의 비와 같으므로 1:1이다.

└─ 높이가 같은 두 삼각형의 넓이의 비는 밑변의 길이의 비와 같다.

答 ①

011

▶ 접근

모눈종이의 가로 한 칸을 $\vec{a}$, 세로 한 칸을 $\vec{b}$로 정한 후 주어진 벡터
$\overline{AB}$, $\overline{AC}$, $\overline{AD}$를 $\vec{a}$, $\vec{b}$로 나타낸다.

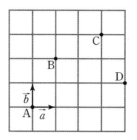

위의 그림과 같이 시점을 점 A로 하는 두 벡터 $\vec{a}$, $\vec{b}$를 정하면

$\overline{AB}=\vec{a}+2\vec{b}$, $\overline{AC}=3\vec{a}+3\vec{b}$

이므로 $9\overline{AB}=7\overline{AC}-3\overline{AD}$에서

$9(\vec{a}+2\vec{b})=7(3\vec{a}+3\vec{b})-3\overline{AD}$

$9\vec{a}+18\vec{b}=21\vec{a}+21\vec{b}-3\overline{AD}$

$\therefore \overline{AD}=4\vec{a}+\vec{b}$

즉, 점 D는 점 A에서 오른쪽으로 4칸, 위쪽으로 1칸 떨어진 곳에
존재한다.

따라서 점 D의 위치로 옳은 것은 ④이다.

答 ④

012

$\overline{OC}=\overline{OA}-\overline{OB}$에서

$\overline{OC}-\overline{OA}=-\overline{OB}$

$\therefore \overline{AC}=\overline{BO}$　　…… ㉠

점 C가 원 위의 점이므로

$\overline{OA}=\overline{OB}=\overline{OC}$

이때 ㉠에서 $|\overline{AC}|=|\overline{BO}|$이므로 삼각
형 OAC는 정삼각형이다.

또, 삼각형 OAB도 정삼각형이므로

$\angle BOC=60°+60°=120°$

따라서 부채꼴 OBC의 넓이는

$\pi\times 3^2\times\dfrac{120}{360}=3\pi$

答 ④

013

$\overline{GP_1}+\overline{GP_3}+\overline{GP_5}+\overline{GP_7}$

$=(\overline{GO}+\overline{OP_1})+(\overline{GO}+\overline{OP_3})+(\overline{GO}+\overline{OP_5})+(\overline{GO}+\overline{OP_7})$

$=4\overline{GO}+(\overline{OP_1}+\overline{OP_3}+\overline{OP_5}+\overline{OP_7})$

$=4\overline{GO}+\{\overline{OP_1}+\overline{OP_3}+(-\overline{OP_1})+(-\overline{OP_3})\}$

$=4\overline{GO}$

答 ②

014

$\dfrac{1}{2}(6\vec{a}+\vec{b}+\vec{c})-4\left(\vec{a}+\dfrac{1}{2}\vec{b}+\dfrac{2}{3}\vec{c}\right)$

$=3\vec{a}+\dfrac{1}{2}\vec{b}+\dfrac{1}{2}\vec{c}-4\vec{a}-2\vec{b}-\dfrac{8}{3}\vec{c}$

$=-\vec{a}-\dfrac{3}{2}\vec{b}-\dfrac{13}{6}\vec{c}$

$=2\vec{a}-\dfrac{13}{6}\vec{c}$　 $2\vec{a}=-\vec{b}$이므로 $\dfrac{3}{2}\vec{b}=-3\vec{a}$

$$=2\vec{a}+k\vec{c}$$

$$\therefore k=-\frac{13}{6}$$

답 $-\dfrac{13}{6}$

015

$$\vec{p}+\vec{r}=(3\vec{a}+\vec{b})+(k\vec{a}-2\vec{b})=(k+3)\vec{a}-\vec{b}$$
$$\vec{q}+2\vec{r}=(\vec{a}-\vec{b})+2(k\vec{a}-2\vec{b})=(2k+1)\vec{a}-5\vec{b}$$
$\vec{p}+\vec{r}$와 $\vec{q}+2\vec{r}$가 서로 평행하려면
$$m(\vec{p}+\vec{r})=\vec{q}+2\vec{r}$$
를 만족시키는 0이 아닌 실수 m이 존재해야 한다.
$$m\{(k+3)\vec{a}-\vec{b}\}=(2k+1)\vec{a}-5\vec{b}$$
$$m(k+3)\vec{a}-m\vec{b}=(2k+1)\vec{a}-5\vec{b}$$
두 벡터 $\vec{a}$, $\vec{b}$가 서로 평행하지 않고 영벡터가 아니므로
$$m(k+3)=2k+1, \ m=5$$
$$5(k+3)=2k+1 \qquad \therefore k=-\frac{14}{3}$$
$$\therefore 3k=-14$$

답 ①

016

$\vec{p}=2\vec{a}-3\vec{b}$를 보기의 각 벡터에 대입하여 간단히 하면 다음과 같다.
ㄱ. $\vec{a}-\vec{p}=-\vec{a}+3\vec{b}$
ㄴ. $\vec{a}+\vec{p}=3\vec{a}-3\vec{b}=3(\vec{a}-\vec{b})$
ㄷ. $\vec{b}-\vec{p}=-2\vec{a}+4\vec{b}=-2(\vec{a}-2\vec{b})$
ㄹ. $\vec{b}+\vec{p}=2\vec{a}-2\vec{b}=2(\vec{a}-\vec{b})$
이때 $\vec{a}+\vec{p}=\dfrac{3}{2}(\vec{b}+\vec{p})$이므로 두 벡터 $\vec{a}+\vec{p}$와 $\vec{b}+\vec{p}$는 서로 평행하다.
따라서 서로 평행한 벡터는 ㄴ, ㄹ이다.

답 ⑤

017

$$\overrightarrow{AB}=\overrightarrow{OB}-\overrightarrow{OA}=\vec{b}-\vec{a},$$
$$\overrightarrow{AC}=\overrightarrow{OC}-\overrightarrow{OA}=-3\vec{a}+k\vec{b}-\vec{a}=-4\vec{a}+k\vec{b}$$
세 점 A, B, C가 한 직선 위에 있으려면 $\overrightarrow{AC}=m\overrightarrow{AB}$를 만족시키는 0이 아닌 실수 m이 존재해야 한다.
$$-4\vec{a}+k\vec{b}=m(\vec{b}-\vec{a})=-m\vec{a}+m\vec{b}$$
두 벡터 $\vec{a}$, $\vec{b}$가 서로 평행하지 않고 영벡터가 아니므로
$$m=4, \ k=m$$
$$\therefore k=4$$

답 ⑤

018

오른쪽 그림과 같이 정사각형 OADB를 그리면 세 점 O, C, D가 한 직선 위에 있으므로 $\overrightarrow{OC}=k\overrightarrow{OD}$를 만족시키는 0이 아닌 실수 k가 존재한다.
이때 $\overrightarrow{OD}=\overrightarrow{OA}+\overrightarrow{OB}$이고, $\overline{OC}=1$, $\overline{OD}=\sqrt{2}$이므로

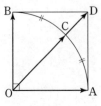

$$\overrightarrow{OC}=\frac{1}{\sqrt{2}}\overrightarrow{OD}=\frac{1}{\sqrt{2}}(\overrightarrow{OA}+\overrightarrow{OB})=\frac{\sqrt{2}}{2}\overrightarrow{OA}+\frac{\sqrt{2}}{2}\overrightarrow{OB}$$
따라서 $m=\dfrac{\sqrt{2}}{2}$, $n=\dfrac{\sqrt{2}}{2}$이므로
$$m^2+n^2=1$$

답 1

다른 풀이

$|\overrightarrow{OA}|=|\overrightarrow{OB}|=|\overrightarrow{OC}|=1$이고 $\overrightarrow{OA}\cdot\overrightarrow{OB}=0$이므로
$$|\overrightarrow{OC}|^2=(m\overrightarrow{OA}+n\overrightarrow{OB})\cdot(m\overrightarrow{OA}+n\overrightarrow{OB})$$
$$=m^2|\overrightarrow{OA}|^2+n^2|\overrightarrow{OB}|^2+2mn\overrightarrow{OA}\cdot\overrightarrow{OB}$$
$$=m^2+n^2$$
$$\therefore m^2+n^2=1$$

019

→ 접근
원의 지름에 대한 원주각의 성질에 의하여 삼각형 APB가 직각삼각형이다. 이때 $\overline{AB}=2$이므로 $\overline{AP}=a$, $\overline{PB}=b$로 놓고 식을 세운다.

선분 AB가 원의 지름이므로
$$\angle APB=90°, \ \angle AQB=90°$$
$|\overrightarrow{AP}|=\overline{AP}=a$, $|\overrightarrow{PB}|=\overline{PB}=b$라고 하면 직각삼각형 APB에서
$$a^2+b^2=4$$
이때 $\overrightarrow{AP}=\overrightarrow{QB}$이므로 두 삼각형 ABP, BAQ는 서로 합동이다.
사각형 AQBP의 넓이가 2이므로
$$2\times\frac{1}{2}\times ab=2 \qquad \therefore ab=2$$
따라서 사각형 AQBP의 둘레의 길이는
$$2(a+b)=2\sqrt{(a+b)^2}$$
$$=2\sqrt{(a^2+b^2)+2ab}$$
$$=2\sqrt{4+4}=2\sqrt{8}=4\sqrt{2}$$

답 ①

020

$2|\overrightarrow{AB}|=|\overrightarrow{AP}|$이므로 점 P는 선분 AB를 2 : 1로 외분하는 점과 같다.
오른쪽 그림과 같이 점 P에서 선분 AC의 연장선에 내린 수선의 발을 H라고 하면 두 삼각형 ABC와 APH는 서로 닮음이고, $\overline{AB}:\overline{AP}=1:2$이므로 삼각형 ABC와 삼각형 APH의 닮음비는 1 : 2이다.
따라서 $\overline{AH}=2\overline{AC}=2\sqrt{7}$에서 $\overline{CH}=\sqrt{7}$이고
$$\overline{PH}=2\overline{BC}=2\sqrt{2}$$
$$\therefore |\overrightarrow{PC}|^2=\overline{PC}^2=\overline{CH}^2+\overline{PH}^2=(\sqrt{7})^2+(2\sqrt{2})^2=15$$

답 ②

다른 풀이

직각삼각형 ABC에서
$$\overline{AB}=\sqrt{(\sqrt{2})^2+(\sqrt{7})^2}=3$$

$2|\overrightarrow{AB}|=|\overrightarrow{AP}|$이므로 오른쪽 그림과 같이
$\overrightarrow{PB}=\overrightarrow{AB}=3$
삼각형 ABC에서 $\angle ABC=\theta°$라고 하면
$\angle PBC=180°-\theta°$
따라서 삼각형 PBC에서

$|\overrightarrow{PC}|^2=\overline{PC}^2$
$\qquad=\overline{PB}^2+\overline{BC}^2$
$\qquad\quad-2\times\overline{PB}\times\overline{BC}\times\cos(180°-\theta°)$ $\underleftarrow{\;\;\;\;\;\cos(180°-\theta°)=-\cos\theta°}$
$\qquad=3^2+(\sqrt2)^2-2\times3\times\sqrt2\times(-\cos\theta°)$
$\qquad=9+2-6\sqrt2\times\left(-\dfrac{\sqrt2}{3}\right)=15$

참고

코사인법칙 (수학 I)
삼각형 ABC의 세 변의 길이 a, b, c와 세 각
의 크기 A, B, C 사이에는 다음의 코사인법
칙이 성립한다.

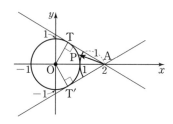

⑴ $a^2=b^2+c^2-2bc\cos A$
⑵ $b^2=c^2+a^2-2ca\cos B$
⑶ $c^2=a^2+b^2-2ab\cos C$

021

$\overrightarrow{AQ}=\dfrac{\overrightarrow{AP}}{|\overrightarrow{AP}|}$에서 벡터 $\overrightarrow{AQ}$는 $\overrightarrow{AP}$와 방향이 같고 크기가 1인 단
위벡터이다.

점 A에서 원 $x^2+y^2=1$에 그은 두 접선의 접점을 각각 T, T′이라
고 하면 삼각형 OTA와 OT′A는 서로 합동인 직각삼각형이다.
이때 $\overline{AO}=2$, $\overline{OT}=1$이므로
$\sin(\angle OAT)=\dfrac{\overline{OT}}{\overline{AO}}=\dfrac12$
따라서 $\angle OAT=30°$, $\angle OAT′=30°$이므로
$\angle TAT′=\angle OAT+\angle OAT′=60°$
즉, 점 Q가 나타내는 도형의 길이는 반지름의 길이가 1이고 중심각
의 크기가 60°인 부채꼴의 호의 길이와 같다.
따라서 구하는 길이는 $2\pi\times1\times\dfrac{60}{360}=\dfrac{\pi}{3}$

답 ④

022

$\overrightarrow{OA}+\overrightarrow{OB}=2\overrightarrow{OC}$에서 $\overrightarrow{OA}+\overrightarrow{OB}-2\overrightarrow{OC}=\vec0$
$(\overrightarrow{OA}-\overrightarrow{OC})+(\overrightarrow{OB}-\overrightarrow{OC})=\vec0$
$\therefore \overrightarrow{CA}+\overrightarrow{CB}=\vec0$
이때 $\overrightarrow{CB}=\overrightarrow{CA}+\overrightarrow{AB}$이므로
$\overrightarrow{CA}+\overrightarrow{CB}=2\overrightarrow{CA}+\overrightarrow{AB}=\vec0$

$\overrightarrow{AC}=\vec a+n\vec b$에서 $\overrightarrow{CA}=-\vec a-n\vec b$이므로
$2(-\vec a-n\vec b)+m\vec a+\vec b=(m-2)\vec a+(1-2n)\vec b=\vec0$
따라서 $m-2=0$, $1-2n=0$이므로 $m=2$, $n=\dfrac12$
$\therefore mn=2\times\dfrac12=1$

답 1

023

$\overrightarrow{AB}+\overrightarrow{AC}+\overrightarrow{AD}+\overrightarrow{AE}$
$=(\overrightarrow{OB}-\overrightarrow{OA})+(\overrightarrow{OC}-\overrightarrow{OA})+(\overrightarrow{OD}-\overrightarrow{OA})+(\overrightarrow{OE}-\overrightarrow{OA})$
$=\overrightarrow{OB}+\overrightarrow{OC}+\overrightarrow{OD}+\overrightarrow{OE}-4\overrightarrow{OA}$
$=(\overrightarrow{OA}+\overrightarrow{OB}+\overrightarrow{OC}+\overrightarrow{OD}+\overrightarrow{OE})-5\overrightarrow{OA}$
$=\vec0-5\overrightarrow{OA}=-5\overrightarrow{OA}$
$\therefore k=-5$

답 -5

풍쌤 비법

정오각형의 외접원(내접원)의 중심과 벡터
정오각형 ABCDE의 외접원(또는 내접원)의 중심을 O라고 하면
$\overrightarrow{OA}+\overrightarrow{OB}+\overrightarrow{OC}+\overrightarrow{OD}+\overrightarrow{OE}=\vec0$
가 성립한다.
이는 정오각형이 아닌 정다각형에서 모두 성립한다.

024

오른쪽 그림과 같이 정육각형의 외접원
의 중심이 O이므로 세 대각선 P_1P_4,
P_2P_5, P_3P_6의 교점은 O이다. 즉,
$\overrightarrow{AP_1}+\overrightarrow{AP_2}+\overrightarrow{AP_3}+\overrightarrow{AP_4}+\overrightarrow{AP_5}+\overrightarrow{AP_6}$
$=(\overrightarrow{OP_1}-\overrightarrow{OA})+(\overrightarrow{OP_2}-\overrightarrow{OA})$
$\quad+(\overrightarrow{OP_3}-\overrightarrow{OA})+(\overrightarrow{OP_4}-\overrightarrow{OA})$
$\quad+(\overrightarrow{OP_5}-\overrightarrow{OA})+(\overrightarrow{OP_6}-\overrightarrow{OA})$
$=(\overrightarrow{OP_1}+\overrightarrow{OP_2}+\overrightarrow{OP_3}+\overrightarrow{OP_4}+\overrightarrow{OP_5}+\overrightarrow{OP_6})-6\overrightarrow{OA}$
$=\vec0-6\overrightarrow{OA}=-6\overrightarrow{OA}$
이때 삼각형 OP_1P_2는 한 변의 길이가 1인 정삼각형이므로
$|\overrightarrow{OA}|=\dfrac{\sqrt3}{2}$ $\underleftarrow{\;\;\angle P_1OP_2=60°,\;\overline{OP_1}=\overline{OP_2}=1$이므로$}$
$\underleftarrow{정삼각형의 높이}$ $\quad$삼각형 OP_1P_2는 정삼각형
$\therefore |\overrightarrow{AP_1}+\overrightarrow{AP_2}+\overrightarrow{AP_3}+\overrightarrow{AP_4}+\overrightarrow{AP_5}+\overrightarrow{AP_6}|$
$\qquad=|-6\overrightarrow{OA}|=6\times\dfrac{\sqrt3}{2}=3\sqrt3$

답 ⑤

025

$\vec{x_k}=\left(1-\dfrac{1}{4^k}\right)\vec a+\dfrac{1}{4^k}\vec b$에서
$\vec{x_k}-\vec a=\dfrac{1}{4^k}(\vec b-\vec a)$
$\overrightarrow{OP_k}-\overrightarrow{OA}=\dfrac{1}{4^k}(\overrightarrow{OB}-\overrightarrow{OA})$

$$\therefore \overrightarrow{AP_k}=\frac{1}{4^k}\overrightarrow{AB}$$

$$\therefore |\overrightarrow{AP_k}|=\frac{1}{4^k}|\overrightarrow{AB}|$$

$$\therefore \sum_{k=1}^{20}|\overrightarrow{AP_k}|=\sum_{k=1}^{20}\frac{1}{4^k}|\overrightarrow{AB}|$$

$|\overrightarrow{AB}|$는 상수이고, $\sum_{k=1}^{20}\frac{1}{4^k}$은 등비수열의 합이다.

$$=\frac{\frac{1}{4}\left\{1-\left(\frac{1}{4}\right)^{20}\right\}}{1-\frac{1}{4}}|\overrightarrow{AB}|$$

$$=\frac{1}{3}\left(1-\frac{1}{2^{40}}\right)\underbrace{|\overrightarrow{AB}|}_{=3}=1-\frac{1}{2^{40}}$$

답 ③

참고

등비수열의 합 (수학 Ⅰ)

첫째항이 a, 공비가 r인 등비수열의 첫째항부터 제n항까지의 합을 S_n이라고 하면

$$S_n=\frac{a(1-r^n)}{1-r}=\frac{a(r^n-1)}{r-1}$$

026

$\overrightarrow{OP}+\overrightarrow{OF}=\overrightarrow{OP}+\overrightarrow{F'O}=\overrightarrow{F'P}$이므로

$|\overrightarrow{OP}+\overrightarrow{OF}|=3$에서 $|\overrightarrow{F'P}|=3$

한편 타원의 정의에 의하여

$\overline{F'P}+\overline{FP}=8$이므로

$\overline{PF}=8-\overline{F'P}=8-3=5$

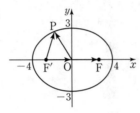

답 5

027

$\overrightarrow{F'P}-\overrightarrow{OF}=\overrightarrow{F'P}+\overrightarrow{OF'}=\overrightarrow{OP}$

$|\overrightarrow{OP}|$의 값이 최소일 때는 쌍곡선 위의 점 P에서 원점 O까지의 거리가 최소일 때이다.

즉, 점 P가 쌍곡선의 꼭짓점일 때이므로 구하는 최솟값은

$|\overrightarrow{OP}|=2$

답 2

028

$\overrightarrow{OP}-\overrightarrow{OQ}=\overrightarrow{QP}$이므로 $\angle POQ=180°$일 때 $|\overrightarrow{QP}|$가 최댓값을 갖고, $\angle POQ=0°$일 때 $|\overrightarrow{QP}|$가 최솟값을 가진다. 즉,

$M=2+1=3$, $m=2-1=1$

$\therefore M^2+m^2=3^2+1^2=10$

답 ⑤

029

오른쪽 그림과 같이 원 C의 중심을 C, 직선 AC가 원과 만나는 점을 각각 D, E라고 하자.

$\overline{AT}=2$, $\overline{CT}=1$, $\angle ATC=90°$이므로

$\overline{AC}=\sqrt{\overline{CT}^2+\overline{AT}^2}=\sqrt{1^2+2^2}=\sqrt{5}$

두 점 P, Q가 모두 점 E의 위치에 있을 때

$|\overrightarrow{AP}+\overrightarrow{AQ}|$가 최댓값을 가지므로

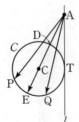

$M=|\overrightarrow{AE}+\overrightarrow{AE}|=2|\overrightarrow{AE}|$

$=2(|\overrightarrow{AC}|+1)=2(\sqrt{5}+1)$

마찬가지로 두 점 P, Q가 모두 점 D의 위치에 있을 때

$|\overrightarrow{AP}+\overrightarrow{AQ}|$가 최솟값을 가지므로

$m=|\overrightarrow{AD}+\overrightarrow{AD}|=2|\overrightarrow{AD}|$

$=2(|\overrightarrow{AC}|-1)=2(\sqrt{5}-1)$

$\therefore Mm=2(\sqrt{5}+1)\times 2(\sqrt{5}-1)$

$=4(5-1)=16$

답 ③

030

선분 AB의 중점이 E, 선분 AD의 중점이 G이므로 삼각형 AEG와 삼각형 ABD는 닮음비가 1 : 2인 닮은 삼각형이다.

따라서 두 선분 EG, BD는 서로 평행하고 길이의 비는 1 : 2이다.

또, 점 H는 선분 BD의 중점이므로 $\overrightarrow{EG}=\overrightarrow{BH}$에서

$\overrightarrow{EG}=\overrightarrow{BH}$

$\therefore |\overrightarrow{EG}+\overrightarrow{HP}|=|\overrightarrow{BH}+\overrightarrow{HP}|$

$=|\overrightarrow{BP}|$

따라서 $|\overrightarrow{EG}+\overrightarrow{HP}|$의 최댓값은 $|\overrightarrow{BP}|$의 최댓값과 같다.

이때 선분 CF를 지름으로 하는 원의 중심을 O라고 하면 오른쪽 그림과 같이 두 벡터 $\overrightarrow{BO}$, $\overrightarrow{OP}$의 방향이 같을 때 $|\overrightarrow{BP}|$가 최댓값을 가진다.

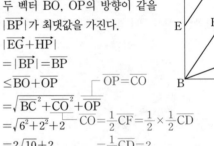

$\therefore |\overrightarrow{EG}+\overrightarrow{HP}|$

$=|\overrightarrow{BP}|=\overline{BP}$

$\leq \overline{BO}+\overline{OP}$

$=\sqrt{\overline{BC}^2+\overline{CO}^2}+\overline{OP}$ ← $\overline{OP}=\overline{CO}$

$=\sqrt{6^2+2^2}+2$ ← $\overline{CO}=\frac{1}{2}\overline{CF}=\frac{1}{2}\times\frac{1}{2}\overline{CD}$

$=2\sqrt{10}+2$ ← $=\frac{1}{4}\overline{CD}=2$

따라서 구하는 최댓값은 $2+2\sqrt{10}$이다.

답 ②

참고

삼각형의 두 변의 중점을 연결한 선분의 성질

두 점 M, N이 각각 $\overline{AB}$, $\overline{AC}$의 중점이면

$\overline{MN}/\!/\overline{BC}$, $\overline{MN}=\frac{1}{2}\overline{BC}$

031

$\overrightarrow{PA}+\overrightarrow{QA}$

$=(\overrightarrow{OA}-\overrightarrow{OP})+(\overrightarrow{OA}-\overrightarrow{OQ})$

$=2\overrightarrow{OA}-(\overrightarrow{OP}+\overrightarrow{OQ})$

$=2\overrightarrow{OA}$ ← $\overrightarrow{OP}$와 $\overrightarrow{OQ}$는 방향이 서로 반대이고 크기가 같은 벡터이다.

이때 점 O는 삼각형 ABC의 무게중심이므로

$\overrightarrow{OA}=\left(3\times\frac{\sqrt{3}}{2}\right)\times\frac{2}{3}=\sqrt{3}$

$\therefore |\overrightarrow{PA}+\overrightarrow{QA}|=2|\overrightarrow{OA}|=2\overline{OA}=2\sqrt{3}$

답 ⑤

032

오른쪽 그림과 같이 직사각형 ABCD와 합동인 직사각형 A′B′BA와 직사각형 DCC′D′을 직사각형 ABCD의 좌우에 놓자.

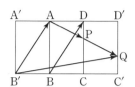

변 D′C′을 $2:1$로 내분하는 점을 Q라고 하면 $\overrightarrow{AP}=\overrightarrow{PQ}$이므로
$$2\overrightarrow{AP}=\overrightarrow{AP}+\overrightarrow{PQ}=\overrightarrow{AQ}$$
또, $\overrightarrow{BD}=\overrightarrow{B'A}$이므로
$$2\overrightarrow{AP}+\overrightarrow{BD}=\overrightarrow{AQ}+\overrightarrow{B'A}=\overrightarrow{B'Q}$$
이때 선분 B′Q는 직각삼각형 B′QC′의 빗변이므로
$$\overrightarrow{B'Q}=\sqrt{\overline{B'C'}^2+\overline{QC'}^2}=\sqrt{(3\times2)^2+\left(3\times\frac{1}{3}\right)^2}=\sqrt{37}$$
$$\therefore |2\overrightarrow{AP}+\overrightarrow{BD}|^2=|\overrightarrow{B'Q}|^2=\overline{B'Q}^2=37$$

답 37

033

점 $B(-2,\ 0)$으로 놓으면
$$\overrightarrow{OP}+\overrightarrow{OA}=\overrightarrow{OP}+\overrightarrow{BO}=\overrightarrow{BP}$$
주어진 원의 중심을 C, 직선 BC가 원과 만나는 두 점 중 원점과 가까운 점을 M, 다른 점을 N이라고 하자.

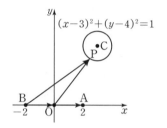

점 P가 점 N의 위치에 있을 때 $|\overrightarrow{BP}|$가 최댓값을 가지므로
$$\begin{aligned}\overline{BN}&=\overline{BC}+\overline{CN}\\&=\sqrt{(3+2)^2+(4-0)^2}+1\\&=\sqrt{41}+1\end{aligned}$$
또, 점 P가 점 M의 위치에 있을 때 $|\overrightarrow{BP}|$가 최솟값을 가지므로
$$\begin{aligned}\overline{BM}&=\overline{BC}-\overline{CM}\\&=\sqrt{(3+2)^2+(4-0)^2}-1\\&=\sqrt{41}-1\end{aligned}$$
따라서 $|\overrightarrow{OP}+\overrightarrow{OA}|=|\overrightarrow{BP}|$의 최댓값과 최솟값의 합은
$$(\sqrt{41}+1)+(\sqrt{41}-1)=2\sqrt{41}$$

답 $2\sqrt{41}$

034

▶ 접근

$|\overrightarrow{AP}|$의 값을 구해야 하므로 벡터 $\overrightarrow{AP}$가 어떤 벡터의 실수배로 나타나도록 등변사다리꼴의 성질을 이용하여 주어진 식을 정리한다.

$2t^2\overrightarrow{AD}-t\overrightarrow{AP}+\overrightarrow{BC}=\vec{0}$에서
$$2t^2\overrightarrow{AD}+\overrightarrow{BC}=t\overrightarrow{AP}$$
이때 등변사다리꼴 ABCD에서 $\overrightarrow{BC}=2\overrightarrow{AD}$이므로
$$2t^2\overrightarrow{AD}+2\overrightarrow{AD}=t\overrightarrow{AP}$$
$$(2t^2+2)\overrightarrow{AD}=t\overrightarrow{AP}$$
$$\therefore \overrightarrow{AP}=\left(2t+\frac{2}{t}\right)\overrightarrow{AD}$$

이때 t는 양수이므로 산술평균과 기하평균의 관계에 의하여
$$2t+\frac{2}{t}\geq2\sqrt{2t\times\frac{2}{t}}=4\left(\text{단, 등호는 }2t=\frac{2}{t}\text{일 때 성립한다.}\right)$$
즉,
$$|\overrightarrow{AP}|\geq4|\overrightarrow{AD}|=4\times2=8$$
이므로 $|\overrightarrow{AP}|$의 최솟값은 8이다.

답 ③

참고

산술평균과 기하평균의 관계

$a>0,\ b>0$일 때, $\dfrac{a+b}{2}\geq\sqrt{ab}$

(단, 등호는 $a=b$일 때 성립한다.)

035

직선 AC 위에 점 X를, 직선 BC 위에 점 Y를 잡으면 이등변삼각형 ABC에서 한 외각의 크기는 이웃하지 않는 두 내각의 크기의 합과 같고 두 내각의 크기가 서로 같으므로

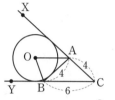

$$\angle XAB=\angle ABC+\angle ACB=2\angle ABC$$
$$\cdots\cdots\ \ominus$$
두 직선 XA, YB와 변 AB가 주어진 원에 접하므로 $\angle XAB$, $\angle YBA$의 이등분선이 점 O를 지난다. 즉,
$$\angle XAB=\angle BAO+\angle XAO=2\angle BAO$$
$$\cdots\cdots\ \bigcirc\llap{L}$$
$$\angle YBO=\angle ABO$$
$$\cdots\cdots\ \bigcirc\llap{C}$$
$\ominus$, $\bigcirc\llap{L}$에서 $\angle ABC=\angle BAO$이므로 두 직선 OA, BC는 평행하다. ($\because$ 엇각)
$$\therefore \angle AOB=\angle YBO$$
$$\cdots\cdots\ \textcircled{=}$$
$\bigcirc\llap{C}$, $\textcircled{=}$에서 $\angle ABO=\angle AOB$
따라서 삼각형 ABO는 $\overline{AO}=\overline{AB}$인 이등변삼각형이므로
$$\overline{OA}=4$$
즉, 벡터 $\overrightarrow{OA}$와 $\overrightarrow{BC}$는 방향이 같고 크기가 다른 벡터이므로
$$\begin{aligned}\overrightarrow{OA}&=\frac{2}{3}\overrightarrow{BC}\\&=\frac{2}{3}(\overrightarrow{AC}-\overrightarrow{AB})\\&=-\frac{2}{3}\overrightarrow{AB}+\frac{2}{3}\overrightarrow{AC}\end{aligned}$$
따라서 $a=-\dfrac{2}{3}$, $b=\dfrac{2}{3}$이므로 $ab=-\dfrac{4}{9}$

답 ②

036

두 벡터 $20\vec{a}+m\vec{b}$와 $n\vec{a}+\vec{b}$의 방향은 서로 반대이고, $|20\vec{a}+m\vec{b}|=4|n\vec{a}+\vec{b}|$가 성립하므로
$$20\vec{a}+m\vec{b}=-4(n\vec{a}+\vec{b})=-4n\vec{a}-4\vec{b}$$
이때 $\vec{a}\neq\vec{0}$, $\vec{b}\neq\vec{0}$이고 $\vec{a}$와 $\vec{b}$는 서로 평행하지 않으므로
$$-4n=20,\ m=-4$$
$$\therefore m=-4,\ n=-5$$
$$\therefore m+n=-9$$

답 ①

037

$\vec{a} /\!/ \vec{b}$이므로 $\vec{b}=m\vec{a}$를 만족시키는 0이 아닌 실수 m이 존재한다.

$k(2\vec{a}-\vec{c})+3\vec{c}-2\vec{b}=\vec{0}$에 $\vec{b}=m\vec{a}$를 대입하면

$k(2\vec{a}-\vec{c})+3\vec{c}-2m\vec{a}=\vec{0}$

$2(k-m)\vec{a}+(3-k)\vec{c}=\vec{0}$

이때 $\vec{a} /\!/ \vec{b}$이고, $\vec{b}$와 $\vec{c}$가 서로 평행하지 않으므로 $\vec{a}$와 $\vec{c}$도 서로 평행하지 않다.

즉, $k-m=0$, $3-k=0$에서 $k=3$, $m=3$

따라서 $\vec{b}=3\vec{a}$이므로

$|\vec{a}| : |\vec{b}| = |\vec{a}| : |3\vec{a}| = 1 : 3 = \dfrac{1}{3} : 1$

$\therefore l=\dfrac{1}{3}$

$\therefore kl=3\times\dfrac{1}{3}=1$

답 ①

┃다른 풀이┃

$\vec{a}=m\vec{b}$ (m은 0이 아닌 실수)라고 하면

$k(2m\vec{b}-\vec{c})+3\vec{c}-2\vec{b}=\vec{0}$

$2(km-1)\vec{b}+(3-k)\vec{c}=\vec{0}$

두 벡터 $\vec{b}$, $\vec{c}$가 서로 평행하지 않으므로

$km-1=0$, $3-k=0$ $\therefore k=3$, $m=\dfrac{1}{3}$

따라서 $\vec{a}=\dfrac{1}{3}\vec{b}$이므로

$|\vec{a}| : |\vec{b}| = \left|\dfrac{1}{3}\vec{b}\right| : |\vec{b}| = \dfrac{1}{3} : 1$ $\therefore l=\dfrac{1}{3}$

038

ㄱ은 옳다.

$\overrightarrow{A_iB_i}=\dfrac{1}{3}\overrightarrow{A_{i+1}B_{i+1}}$에서

$\overrightarrow{A_1B_1}=\dfrac{1}{3}\overrightarrow{A_2B_2}=\dfrac{1}{3^2}\overrightarrow{A_3B_3}$

$\therefore \overrightarrow{A_1B_1} /\!/ \overrightarrow{A_3B_3}$

ㄴ도 옳다.

$|\overrightarrow{A_1B_1}|=k$라고 하면 ㄱ에서

$|\overrightarrow{A_3B_3}|=9|\overrightarrow{A_1B_1}|=9k$

따라서 조건 (나)에서

$|\overrightarrow{A_3B_3}|-|\overrightarrow{A_1B_1}|=9k-k=8k=2^3(3^{10}+1)$

$\therefore |\overrightarrow{A_1B_1}|=k=3^{10}+1$ ├─ $i=1$인 경우이다.

ㄷ도 옳다.

$\displaystyle\sum_{i=1}^{10}\overrightarrow{A_iB_i}=\overrightarrow{A_1B_1}+\overrightarrow{A_2B_2}+\overrightarrow{A_3B_3}+\cdots+\overrightarrow{A_{10}B_{10}}$

$=\overrightarrow{A_1B_1}+3\overrightarrow{A_1B_1}+3^2\overrightarrow{A_1B_1}+\cdots+3^9\overrightarrow{A_1B_1}$

$=(1+3+3^2+\cdots+3^9)\overrightarrow{A_1B_1}$

$=\dfrac{3^{10}-1}{2}\overrightarrow{A_1B_1}$ ├─ 첫째항이 1, 공비가 3인 등비수열의 첫째항부터 제 10 항까지의 합

$\therefore \left|\displaystyle\sum_{i=1}^{10}\overrightarrow{A_iB_i}\right|=\dfrac{3^{10}-1}{2}|\overrightarrow{A_1B_1}|$

$=\dfrac{3^{10}-1}{2}\times(3^{10}+1)$ $(\because ㄴ)$

$=\dfrac{3^{20}-1}{2}$

따라서 옳은 것은 ㄱ, ㄴ, ㄷ이다.

답 ⑤

039

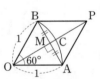

$\overrightarrow{BD} /\!/ \overrightarrow{AE}$, $|\overrightarrow{BD}|=\dfrac{1+\sqrt{5}}{2}|\overrightarrow{AE}|$이므로

$\overrightarrow{BD}=\dfrac{1+\sqrt{5}}{2}\vec{b}$ ┤ 정오각형의 변 5개와 대각선 5개는 각각 평행하다.

같은 방법으로

$\overrightarrow{EC}=\dfrac{1+\sqrt{5}}{2}\vec{a}$

$\therefore \overrightarrow{AD}=\overrightarrow{AB}+\overrightarrow{BD}=\vec{a}+\dfrac{1+\sqrt{5}}{2}\vec{b}$

$\overrightarrow{AC}=\overrightarrow{AE}+\overrightarrow{EC}=\vec{b}+\dfrac{1+\sqrt{5}}{2}\vec{a}$

$\therefore \overrightarrow{CD}=\overrightarrow{AD}-\overrightarrow{AC}$

$=\left(\vec{a}+\dfrac{1+\sqrt{5}}{2}\vec{b}\right)-\left(\vec{b}+\dfrac{1+\sqrt{5}}{2}\vec{a}\right)$

$=\dfrac{1-\sqrt{5}}{2}\vec{a}+\dfrac{\sqrt{5}-1}{2}\vec{b}$

따라서 $m=\dfrac{1-\sqrt{5}}{2}$, $n=\dfrac{\sqrt{5}-1}{2}$이므로

$m^2+n^2=\left(\dfrac{1-\sqrt{5}}{2}\right)^2+\left(\dfrac{\sqrt{5}-1}{2}\right)^2=3-\sqrt{5}$

답 ①

┃간단 풀이┃

$\overrightarrow{BE}=\dfrac{1+\sqrt{5}}{2}\overrightarrow{CD}$이므로 $\overrightarrow{CD}=\dfrac{\sqrt{5}-1}{2}\overrightarrow{BE}$

또, $\overrightarrow{BE}=\vec{b}-\vec{a}$이므로

$\overrightarrow{CD}=\left(\dfrac{\sqrt{5}-1}{2}\right)\vec{b}-\left(\dfrac{\sqrt{5}-1}{2}\right)\vec{a}=\dfrac{1-\sqrt{5}}{2}\vec{a}+\dfrac{\sqrt{5}-1}{2}\vec{b}$

$\therefore m=\dfrac{1-\sqrt{5}}{2}$, $n=\dfrac{\sqrt{5}-1}{2}$

040

선분 OC가 $\angle AOB$의 이등분선이므로 $\overrightarrow{OA}+\overrightarrow{OB}=\overrightarrow{OP}$인 점 P를 잡으면 사각형 OBPA는 평행사변형이고, 점 C는 선분 OP 위의 점이다.

이때 사각형 OBPA는 네 변의 길이가 1로 같으므로 두 대각선 OP 와 AB의 교점을 M이라고 하면 $\overrightarrow{OP}$는 선분 AB의 수직이등분선 이고 점 M은 $\overrightarrow{AB}$의 중점이다.

따라서 $\overrightarrow{OM}=\dfrac{\sqrt{3}}{2}$이므로 $\overrightarrow{OP}=\sqrt{3}$

또, $\overrightarrow{OC}=1$이고, 세 점 O, C, P는 한 직선 위의 점이므로 ┤ $\angle AOM=30°$이므로 $\overrightarrow{OM}=\overrightarrow{OA}\cos 30°$

$\overrightarrow{OC}=\dfrac{1}{\sqrt{3}}\overrightarrow{OP}=\dfrac{\sqrt{3}}{3}(\overrightarrow{OA}+\overrightarrow{OB})$

$\therefore k=\dfrac{\sqrt{3}}{3}$

답 ②

041

$\overrightarrow{AP}=k\overrightarrow{AC}$에 $\overrightarrow{AC}=\dfrac{4}{3}\overrightarrow{AB}+\dfrac{5}{2}\overrightarrow{AD}$를 대입하면

$\overrightarrow{AP}=k\overrightarrow{AC}=\dfrac{4}{3}k\overrightarrow{AB}+\dfrac{5}{2}k\overrightarrow{AD}$

위의 식을 시점이 B인 벡터로 정리하면

$\overrightarrow{BP}-\overrightarrow{BA}=-\dfrac{4}{3}k\overrightarrow{BA}+\dfrac{5}{2}k(\overrightarrow{BD}-\overrightarrow{BA})$

$=-\left(\dfrac{4}{3}k+\dfrac{5}{2}k\right)\overrightarrow{BA}+\dfrac{5}{2}k\overrightarrow{BD}$

이때 세 점 B, P, D는 한 직선 위에 있으므로 $\overrightarrow{BP}=m\overrightarrow{BD}$를 만족시키는 0이 아닌 실수 m이 존재하고, 벡터 $\overrightarrow{BP}$는 $\overrightarrow{BA}$와 평행하지 않다. 즉,

$$-\left(\frac{4}{3}k+\frac{5}{2}k\right)=-1,\ \frac{23}{6}k=1$$

$$\therefore k=\frac{6}{23}$$

답 ②

▶간단 풀이◀

$\overrightarrow{AP}=k\overrightarrow{AC}$에 $\overrightarrow{AC}=\frac{4}{3}\overrightarrow{AB}+\frac{5}{2}\overrightarrow{AD}$를 대입하면

$$\overrightarrow{AP}=\frac{4}{3}k\overrightarrow{AB}+\frac{5}{2}k\overrightarrow{AD}$$

이때 세 점 B, P, D는 한 직선 위에 있으므로

$$\frac{4}{3}k+\frac{5}{2}k=1$$

└ 점 P는 선분 BD를 $\frac{5}{2}k:\frac{4}{3}k$로 내분하는 점이다.

$$\frac{23}{6}k=1 \qquad \therefore k=\frac{6}{23}$$

042

세 점 P, Q, C가 한 직선 위에 있으므로 $\overrightarrow{PC}=k\overrightarrow{PQ}$를 만족시키는 0이 아닌 실수 k가 존재한다.

$\overrightarrow{BC}=\vec{a}$, $\overrightarrow{BP}=\vec{b}$라고 하면 $\overrightarrow{BD}=\vec{a}+4\vec{b}$이므로

$$\overrightarrow{BQ}=\frac{1}{m+1}\overrightarrow{BD}=\frac{1}{m+1}(\vec{a}+4\vec{b})$$

└ $\overline{AP}:\overline{PB}=3:1$이므로 $\overline{AB}=4\overline{BP}$

$\overrightarrow{PC}=k\overrightarrow{PQ}$에서 $\overrightarrow{BC}-\overrightarrow{BP}=k(\overrightarrow{BQ}-\overrightarrow{BP})$이므로

$$\vec{a}-\vec{b}=k\left\{\frac{1}{m+1}(\vec{a}+4\vec{b})-\vec{b}\right\}$$

$$=\frac{k}{m+1}\vec{a}+\frac{k(3-m)}{m+1}\vec{b}$$

이때 두 벡터 $\vec{a}$, $\vec{b}$가 서로 평행하지 않으므로

$$\frac{k}{m+1}=1,\ \frac{k(3-m)}{m+1}=-1$$

$$k=m+1,\ 3-m=-1$$

$$\therefore m=4,\ k=5$$

답 4

▶다른 풀이◀

세 점 P, Q, C가 한 직선 위에 있으므로 $\overrightarrow{PC}=k\overrightarrow{PQ}$를 만족시키는 0이 아닌 실수 k가 존재한다.

$\overrightarrow{AB}=\vec{a}$, $\overrightarrow{AD}=\vec{b}$라고 하면

$$\overrightarrow{AP}=\frac{3}{4}\overrightarrow{AB}=\frac{3}{4}\vec{a},\ \overrightarrow{AQ}=\frac{m\overrightarrow{AB}+\overrightarrow{AD}}{m+1}=\frac{m\vec{a}+\vec{b}}{m+1},$$

$$\overrightarrow{AC}=\overrightarrow{AB}+\overrightarrow{AD}=\vec{a}+\vec{b}$$

└ 점 Q는 선분 DB를 $m:1$로 내분하는 점

이므로

$$\overrightarrow{PQ}=\overrightarrow{AQ}-\overrightarrow{AP}=\frac{m\vec{a}+\vec{b}}{m+1}-\frac{3}{4}\vec{a}=\frac{m-3}{4(m+1)}\vec{a}+\frac{1}{m+1}\vec{b}$$

$$\overrightarrow{PC}=\overrightarrow{AC}-\overrightarrow{AP}=\vec{a}+\vec{b}-\frac{3}{4}\vec{a}=\frac{1}{4}\vec{a}+\vec{b}$$

즉, $\overrightarrow{PC}=k\overrightarrow{PQ}$에서

$$\frac{1}{4}\vec{a}+\vec{b}=k\left\{\frac{m-3}{4(m+1)}\vec{a}+\frac{1}{m+1}\vec{b}\right\}$$

이때 두 벡터 $\vec{a}$, $\vec{b}$가 서로 평행하지 않으므로

$$\frac{k(m-3)}{4(m+1)}=\frac{1}{4},\ \frac{k}{m+1}=1$$

위의 두 식을 연립하여 풀면

$$m=4,\ k=5$$

043

세 점 C, P, Q가 한 직선 위에 있으므로 $\overrightarrow{CP}=k\overrightarrow{CQ}$를 만족시키는 0이 아닌 실수 k가 존재한다.

$$\overrightarrow{CP}=\overrightarrow{OP}-\overrightarrow{OC}=m\vec{a}-(\vec{a}+\vec{b})=(m-1)\vec{a}-\vec{b}$$

$$\overrightarrow{CQ}=\overrightarrow{OQ}-\overrightarrow{OC}=n\vec{b}-(\vec{a}+\vec{b})=-\vec{a}+(n-1)\vec{b}$$

이므로 $\overrightarrow{CP}=k\overrightarrow{CQ}$에서

$$(m-1)\vec{a}-\vec{b}=k\{-\vec{a}+(n-1)\vec{b}\}$$

$$=-k\vec{a}+k(n-1)\vec{b}$$

$$\therefore (m+k-1)\vec{a}-(kn-k+1)\vec{b}=\vec{0}$$

이때 $\vec{a}$와 $\vec{b}$는 서로 평행하지 않으므로

$$m+k-1=0,\ kn-k+1=0$$

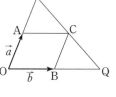

위의 두 식을 k에 대하여 정리하면

$$k=-m+1,\ k=-\frac{1}{n-1}$$

이므로

$$-m+1=-\frac{1}{n-1},\ (m-1)(n-1)=1$$

$$mn-m-n=0$$

$$\therefore m+n=mn$$

따라서 항상 옳은 것은 ③이다.

답 ③

044

세 점 P, Q, R가 한 직선 위에 있으려면 $\overrightarrow{PQ}=k\overrightarrow{PR}$를 만족시키는 0이 아닌 실수 k가 존재해야 한다.

$\overrightarrow{OA}=\vec{a}$, $\overrightarrow{OB}=\vec{b}$라고 하면

$$\overrightarrow{PQ}=\overrightarrow{OQ}-\overrightarrow{OP}$$

$$=(x^2+xy)\vec{a}+(y^2+1)\vec{b}-\vec{b}$$

$$=(x^2+xy)\vec{a}+y^2\vec{b}$$

$$\overrightarrow{PR}=\overrightarrow{OR}-\overrightarrow{OP}=2\vec{a}+2\vec{b}-\vec{b}=2\vec{a}+\vec{b}$$

이므로 $\overrightarrow{PQ}=k\overrightarrow{PR}$에서

$$(x^2+xy)\vec{a}+y^2\vec{b}=k(2\vec{a}+\vec{b})=2k\vec{a}+k\vec{b}$$

이때 두 벡터 $\vec{a}$, $\vec{b}$는 서로 평행하지 않으므로

$$x^2+xy=2k,\ y^2=k$$

즉, $x^2+xy=2y^2$, $x^2+xy-2y^2=0$

$$(x-y)(x+2y)=0$$

$$\therefore x=y \text{ 또는 } x=-2y$$

답 ①, ④

045

$\overrightarrow{OA}=\vec{a}$, $\overrightarrow{OB}=\vec{b}$라고 하면 $\overrightarrow{OC}=\frac{2}{5}\vec{a}$, $\overrightarrow{OD}=\frac{2}{5}\vec{b}$

세 점 D, P, A가 한 직선 위에 있으므로 $\overrightarrow{DP}=k\overrightarrow{DA}$를 만족시키는 0이 아닌 실수 k가 존재한다.

즉, $\overrightarrow{OP}-\overrightarrow{OD}=k(\overrightarrow{OA}-\overrightarrow{OD})$에서

$$\overrightarrow{OP}=k\overrightarrow{OA}+(1-k)\overrightarrow{OD}$$

$$=k\vec{a}+\frac{2(1-k)}{5}\vec{b} \qquad\qquad \cdots\cdots \text{㉠}$$

또, 세 점 B, P, C가 한 직선 위에 있으므로 $\overrightarrow{BP}=m\overrightarrow{BC}$를 만족시키는 0이 아닌 실수 m이 존재한다.

즉, $\overrightarrow{OP}-\overrightarrow{OB}=m(\overrightarrow{OC}-\overrightarrow{OB})$에서

$\overrightarrow{OP}=m\overrightarrow{OC}+(1-m)\overrightarrow{OB}$

$\qquad =\dfrac{2m}{5}\vec{a}+(1-m)\vec{b}$ ...... ㉡

㉠, ㉡에서 $k=\dfrac{2m}{5}$, $\dfrac{2(1-k)}{5}=1-m$이므로 두 식을 연립하여

풀면

$m=\dfrac{5}{7}$, $k=\dfrac{2}{7}$

$\therefore \overrightarrow{OP}=\dfrac{2}{7}\vec{a}+\dfrac{2}{7}\vec{b}$

즉, $t=\dfrac{2}{7}$, $s=\dfrac{2}{7}$이므로 $t+s=\dfrac{4}{7}$

답 ③

046

→ 접근

$\cos^2\theta°$와 $\sin\theta°$가 함께 주어졌으므로 삼각함수 사이의 관계를 이용하여 식을 정리한다.

세 점 A, B, C가 한 직선 위에 있으므로 $\overrightarrow{AC}=k\overrightarrow{AB}$를 만족시키는 0이 아닌 실수 k가 존재한다.

$\overrightarrow{OC}-\overrightarrow{OA}=k(\overrightarrow{OB}-\overrightarrow{OA})$에서

$\overrightarrow{OC}=(1-k)\overrightarrow{OA}+k\overrightarrow{OB}$

$\qquad =(2-\sin\theta°)\overrightarrow{OA}+\cos^2\theta°\overrightarrow{OB}$

$\overrightarrow{OA}$와 $\overrightarrow{OB}$가 서로 평행하지 않으므로

$1-k=2-\sin\theta°$, $k=\cos^2\theta°$

위의 두 식을 연립하면

$1-\cos^2\theta°=2-\sin\theta°$ $\underbrace{\quad}_{1-\cos^2\theta°=\sin^2\theta°}$

$\sin^2\theta°=2-\sin\theta°$, $\sin^2\theta+\sin\theta°-2=0$

$(\sin\theta°+2)(\sin\theta°-1)=0$

$\therefore \sin\theta°=1 \ (\because -1\le\sin\theta°\le1)$

따라서 $0°<\theta\le180°$에서 $\sin\theta°=1$을 만족시키는 $\theta°$의 값은 90°이다.

답 ④

간단 풀이

서로 다른 세 점 A, B, C가 한 직선 위에 있으므로

$\overrightarrow{OC}=(2-\sin\theta°)\overrightarrow{OA}+\cos^2\theta°\overrightarrow{OB}$에서

$(2-\sin\theta°)+\cos^2\theta°=1$

$2-\sin\theta°+1-\sin^2\theta°=1$, $\sin^2\theta°+\sin\theta°-2=0$

$(\sin\theta°+2)(\sin\theta°-1)=0$

$\therefore \sin\theta°=1 \ (\because -1\le\sin\theta°\le1)$

따라서 $0°<\theta\le180°$에서 $\sin\theta°=1$을 만족시키는 $\theta°$의 값은 90°이다.

참고

삼각함수 사이의 관계 (수학 I)

(1) $\tan x=\dfrac{\sin x}{\cos x}$

(2) $\sin^2 x+\cos^2 x=1$

04 평면벡터의 성분과 내적

047

$\overrightarrow{OP}=\dfrac{\overrightarrow{OB}+2\overrightarrow{OA}}{1+2}=\dfrac{2}{3}\overrightarrow{OA}+\dfrac{1}{3}\overrightarrow{OB}$

$\overrightarrow{OQ}=\dfrac{2\overrightarrow{OB}-3\overrightarrow{OA}}{2-3}=3\overrightarrow{OA}-2\overrightarrow{OB}$

$\therefore \overrightarrow{PQ}=\overrightarrow{OQ}-\overrightarrow{OP}$

$\qquad =(3\overrightarrow{OA}-2\overrightarrow{OB})-\left(\dfrac{2}{3}\overrightarrow{OA}+\dfrac{1}{3}\overrightarrow{OB}\right)$

$\qquad =\dfrac{7}{3}\overrightarrow{OA}-\dfrac{7}{3}\overrightarrow{OB}$

따라서 $m=\dfrac{7}{3}$, $n=-\dfrac{7}{3}$이므로

$m-n=\dfrac{7}{3}-\left(-\dfrac{7}{3}\right)=\dfrac{14}{3}$

답 ⑤

간단 풀이

오른쪽 그림과 같이 $\overline{AB}=3$으로 놓고 주어진 조건을 수직선 위에 나타내면 $\overline{PQ}=7$이므로

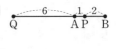

$\overrightarrow{PQ}=\dfrac{7}{3}\overrightarrow{BA}=\dfrac{7}{3}(\overrightarrow{OA}-\overrightarrow{OB})=\dfrac{7}{3}\overrightarrow{OA}-\dfrac{7}{3}\overrightarrow{OB}$

따라서 $m=\dfrac{7}{3}$, $n=-\dfrac{7}{3}$이므로 (그림에서 벡터 방향에 주의한다.)

$m-n=\dfrac{7}{3}-\left(-\dfrac{7}{3}\right)=\dfrac{14}{3}$

048

$\overrightarrow{AD}=\dfrac{3\overrightarrow{AC}+\overrightarrow{AB}}{4}$

$\overrightarrow{BE}=\dfrac{3\overrightarrow{BA}+\overrightarrow{BC}}{4}$

$\overrightarrow{CF}=\dfrac{3\overrightarrow{CB}+\overrightarrow{CA}}{4}$

이므로

$\overrightarrow{AD}+\overrightarrow{BE}+\overrightarrow{CF}$

$=\dfrac{3\overrightarrow{AC}+\overrightarrow{AB}}{4}+\dfrac{3\overrightarrow{BA}+\overrightarrow{BC}}{4}+\dfrac{3\overrightarrow{CB}+\overrightarrow{CA}}{4}$

$=\dfrac{2\overrightarrow{AC}+2\overrightarrow{BA}+2\overrightarrow{CB}}{4}$

$=\dfrac{1}{2}(\overrightarrow{AC}+\overrightarrow{CB}+\overrightarrow{BA})=\vec{0}$

$\therefore |\overrightarrow{AD}+\overrightarrow{BE}+\overrightarrow{CF}|=0$

답 0

다른 풀이

$\overrightarrow{BD}=\dfrac{3}{4}\overrightarrow{BC}$, $\overrightarrow{CE}=\dfrac{3}{4}\overrightarrow{CA}$, $\overrightarrow{AF}=\dfrac{3}{4}\overrightarrow{AB}$이므로

$\overrightarrow{AD}+\overrightarrow{BE}+\overrightarrow{CF}$

$=(\overrightarrow{BD}-\overrightarrow{BA})+(\overrightarrow{CE}-\overrightarrow{CB})+(\overrightarrow{AF}-\overrightarrow{AC})$

$=\overrightarrow{BD}+\overrightarrow{CE}+\overrightarrow{AF}+(\overrightarrow{AB}+\overrightarrow{BC}+\overrightarrow{CA})$

$=\dfrac{3}{4}(\overrightarrow{BC}+\overrightarrow{CA}+\overrightarrow{AB})+(\overrightarrow{AB}+\overrightarrow{BC}+\overrightarrow{CA})$

$=\dfrac{7}{4}(\overrightarrow{BC}+\overrightarrow{CA}+\overrightarrow{AB})=\vec{0}$

$\therefore |\overrightarrow{AD}+\overrightarrow{BE}+\overrightarrow{CF}|=0$

049

$\overrightarrow{OP}=\dfrac{3}{4}\overrightarrow{OA}$이므로

$\overrightarrow{OQ}=\dfrac{\overrightarrow{OP}+2\overrightarrow{OB}}{1+2}=\dfrac{1}{3}\times\dfrac{3}{4}\overrightarrow{OA}+\dfrac{2}{3}\overrightarrow{OB}=\dfrac{1}{4}\overrightarrow{OA}+\dfrac{2}{3}\overrightarrow{OB}$

따라서 $a=\dfrac{1}{4}$, $b=\dfrac{2}{3}$이므로

$12ab=12\times\dfrac{1}{4}\times\dfrac{2}{3}=2$

답 ②

050

$\overrightarrow{PA}+\overrightarrow{PB}+\overrightarrow{PC}=\vec{0}$를 만족시키는 점 P는 삼각형 ABC의 무게중심이다.

점 P의 위치벡터를 $\vec{p}$라고 하면

$\vec{p}=\dfrac{\vec{a}+\vec{b}+\vec{c}}{3}$ ∴ $3\vec{p}=\vec{a}+\vec{b}+\vec{c}$

이때 $|\vec{p}|=3$이므로

$|\vec{a}+\vec{b}+\vec{c}|=9$

답 ④

풍쌤 비법

(1) 삼각형 ABC의 무게중심을 G라고 하면
   $\overrightarrow{GA}+\overrightarrow{GB}+\overrightarrow{GC}=\vec{0}$
(2) 삼각형 ABC와 점 P에 대하여 $\overrightarrow{PA}+\overrightarrow{PB}+\overrightarrow{PC}=\vec{0}$이면 점 P는 삼각형 ABC의 무게중심이다.

051

$\overrightarrow{BC}=\overrightarrow{PC}-\overrightarrow{PB}$이므로

$2\overrightarrow{PA}+3\overrightarrow{PB}+\overrightarrow{PC}=\overrightarrow{PC}-\overrightarrow{PB}$

∴ $\overrightarrow{PA}=-2\overrightarrow{PB}$

따라서 점 P는 오른쪽 그림과 같이 선분 AB를 2 : 1로 내분하는 점이므로

$\triangle PAC=\dfrac{2}{3}\triangle ABC=\dfrac{2}{3}\times30=20$

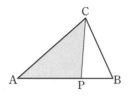

답 20

052

선분 OP가 ∠AOB의 이등분선이므로

$\overline{OA}:\overline{OB}=\overline{AP}:\overline{BP}=2:1$

즉, 점 P는 선분 AB를 2 : 1로 내분하는 점이므로

$\overrightarrow{OP}=\dfrac{2\overrightarrow{OB}+\overrightarrow{OA}}{2+1}=\dfrac{1}{3}\overrightarrow{OA}+\dfrac{2}{3}\overrightarrow{OB}$

따라서 $a=\dfrac{1}{3}$, $b=\dfrac{2}{3}$이므로 $ab=\dfrac{1}{3}\times\dfrac{2}{3}=\dfrac{2}{9}$

답 ②

참고

각의 이등분선의 성질

삼각형 ABC에서 ∠A의 이등분선이 변 BC 와 만나는 점을 D라고 하면

$\overline{AB}:\overline{AC}=\overline{BD}:\overline{DC}$

053

$\overrightarrow{OA}=\vec{a}$, $\overrightarrow{OB}=\vec{b}$라고 하면

$\overrightarrow{OC}=\dfrac{1}{3}\vec{a}$, $\overrightarrow{OD}=\dfrac{1}{3}\vec{b}$

이므로

$\overrightarrow{AD}=\overrightarrow{OD}-\overrightarrow{OA}=\dfrac{1}{3}\vec{b}-\vec{a}$

$\overrightarrow{BC}=\overrightarrow{OC}-\overrightarrow{OB}=\dfrac{1}{3}\vec{a}-\vec{b}$

∴ $\overrightarrow{AD}+\overrightarrow{BC}=-\dfrac{2}{3}(\vec{a}+\vec{b})$

또, $\overrightarrow{OG}=\dfrac{1}{3}(\vec{a}+\vec{b})$이므로

$-\dfrac{2}{3}(\vec{a}+\vec{b})=\dfrac{k}{3}(\vec{a}+\vec{b})$

∴ $k=-2$

선분 AB의 중점을 M이라고 하면

$\overrightarrow{OG}=\dfrac{2}{3}\overrightarrow{OM}=\dfrac{2}{3}\left(\dfrac{1}{2}\vec{a}+\dfrac{1}{2}\vec{b}\right)$
$=\dfrac{1}{3}\vec{a}+\dfrac{1}{3}\vec{b}$

답 -2

054

$\overrightarrow{OQ}=\dfrac{1}{2}\overrightarrow{OA}+\dfrac{1}{2}\overrightarrow{OP}=\dfrac{\overrightarrow{OA}+\overrightarrow{OP}}{2}$로 놓으면 점 Q는 선분 PA를 1 : 1로 내분하는 점이다. $|\overrightarrow{OA}|=\sqrt{4^2+3^2}=5$

이때 $|\overrightarrow{OP}|=3$, $|\overrightarrow{OA}|=5$로 일정하므로 오른쪽 그림과 같이 두 벡터 $\overrightarrow{OP}$, $\overrightarrow{OA}$의 방향이 같을 때 $|\overrightarrow{OQ}|$는 최댓값을 갖는다.

$|\overrightarrow{PQ}|=\dfrac{1}{2}|\overrightarrow{PA}|=\dfrac{1}{2}(5-3)=1$

이므로 구하는 최댓값은

$|\overrightarrow{OQ}|=3+1=4$

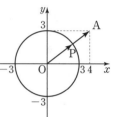

답 ②

055

점 P_1은 선분 AB를 1 : 4로 내분하는 점이므로

$\overrightarrow{OP_1}=\dfrac{4\overrightarrow{OA}+\overrightarrow{OB}}{5}$

점 P_2는 선분 AB를 2 : 3으로 내분하는 점이므로

$\overrightarrow{OP_2}=\dfrac{3\overrightarrow{OA}+2\overrightarrow{OB}}{5}$

점 P_3은 선분 AB를 3 : 2로 내분하는 점이므로

$\overrightarrow{OP_3}=\dfrac{2\overrightarrow{OA}+3\overrightarrow{OB}}{5}$

점 P_4는 선분 AB를 4 : 1로 내분하는 점이므로

$\overrightarrow{OP_4}=\dfrac{\overrightarrow{OA}+4\overrightarrow{OB}}{5}$

∴ $\overrightarrow{OP_1}+\overrightarrow{OP_2}+\overrightarrow{OP_3}+\overrightarrow{OP_4}$
$=\dfrac{(4+3+2+1)\overrightarrow{OA}+(1+2+3+4)\overrightarrow{OB}}{5}$
$=\dfrac{10\overrightarrow{OA}+10\overrightarrow{OB}}{5}$
$=2\overrightarrow{OA}+2\overrightarrow{OB}$

따라서 $m=2$, $n=2$이므로 $m+n=4$

답 ③

056

$0 \le n \le 1$이고, $0 \le m \le 3$에서 $0 \le \dfrac{m}{3} \le 1$과 같이 나타낼 수 있으므로

$\vec{p} = m\vec{a} + n\vec{b} = \dfrac{m}{3}(3\vec{a}) + n\vec{b}$

$3\overrightarrow{OA} = \overrightarrow{OC}$를 만족시키는 점 C를 직선 OA 위에 잡으면 점 P가 나타내는 도형의 넓이는 오른쪽 그림과 같이 점 O, B, C, D를 꼭짓점으로 하는 평행사변형의 넓이와 같다.

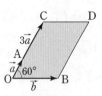

따라서 구하는 넓이는

$\overline{OC} \times \overline{OB} \times \sin 60° = 3\overline{OA} \times \overline{OB} \times \sin 60°$

$\qquad\qquad = 3 \times 2 \times 5 \times \dfrac{\sqrt{3}}{2} = 15\sqrt{3}$

답 ①

참고

평행사변형의 넓이
오른쪽 그림과 같은 평행사변형 ABCD에서 $\theta°$가 예각일 때, 평행사변형의 넓이는
$ab \sin \theta°$

057

$\overrightarrow{OA} + 2\overrightarrow{OB} = (x-2, 2x-y) + (-2x+6y, -6)$

$\qquad\qquad = (-x+6y-2, 2x-y-6)$

즉, $(-x+6y-2, 2x-y-6) = (2, x)$이므로

$-x+6y-2 = 2, \ 2x-y-6 = x$

위의 두 식을 연립하여 풀면

$x = 8, \ y = 2$

$\therefore x+y = 10$

답 ③

058

원점 O에 대하여

$\overrightarrow{PA} + \overrightarrow{PB} + \overrightarrow{PC} = (\overrightarrow{OA} - \overrightarrow{OP}) + (\overrightarrow{OB} - \overrightarrow{OP}) + (\overrightarrow{OC} - \overrightarrow{OP})$

이므로

$\overrightarrow{OA} + \overrightarrow{OB} + \overrightarrow{OC} - 3\overrightarrow{OP} = \vec{0}$

$\therefore 3\overrightarrow{OP} = \overrightarrow{OA} + \overrightarrow{OB} + \overrightarrow{OC}$

$\qquad\quad = (2, -2) + (-3, 7) + (-2, 1)$

$\qquad\quad = (-3, 6)$

즉, $3(a, b) = (-3, 6)$이므로

$3a = -3, \ 3b = 6$

따라서 $a = -1, \ b = 2$이므로

$a+b = 1$

답 ①

다른 풀이

$\overrightarrow{PA} + \overrightarrow{PB} + \overrightarrow{PC} = \vec{0}$를 만족시키는 점 P는 삼각형 ABC의 무게중심이므로

$a = \dfrac{2+(-3)+(-2)}{3} = -1, \ b = \dfrac{-2+7+1}{3} = 2$

059

$\vec{a} + t\vec{b} = (2, 4) + t(1, -1) = (t+2, -t+4)$

이므로

$|\vec{c}| = |\vec{a} + t\vec{b}| = \sqrt{(t+2)^2 + (-t+4)^2}$

$\qquad\qquad = \sqrt{2t^2 - 4t + 20}$

$\qquad\qquad = \sqrt{2(t-1)^2 + 18}$

따라서 $|\vec{c}|$는 $t = 1$일 때 최솟값을 갖고, 구하는 최솟값은

$\sqrt{18} = 3\sqrt{2}$

답 ④

060

점 P가 x축 위의 점이므로 $P(a, 0)$으로 놓으면 원점 O에 대하여

$\overrightarrow{PA} = \overrightarrow{OA} - \overrightarrow{OP}$

$\qquad = (1, 1) - (a, 0) = (1-a, 1)$

$\overrightarrow{PB} = \overrightarrow{OB} - \overrightarrow{OP}$

$\qquad = (4, 5) - (a, 0) = (4-a, 5)$

$\therefore 3\overrightarrow{PA} - \overrightarrow{PB} = (3-3a, 3) - (4-a, 5)$

$\qquad\qquad\qquad = (-1-2a, -2)$

$\therefore |3\overrightarrow{PA} - \overrightarrow{PB}| = \sqrt{(-1-2a)^2 + (-2)^2}$

$\qquad\qquad\qquad = \sqrt{4a^2 + 4a + 5}$

$\qquad\qquad\qquad = \sqrt{4\left(a + \dfrac{1}{2}\right)^2 + 4}$

따라서 $|3\overrightarrow{PA} - \overrightarrow{PB}|$는 $a = -\dfrac{1}{2}$일 때 최솟값 2를 가지므로 이때의 점 P의 x좌표는 $-\dfrac{1}{2}$이다.

답 $-\dfrac{1}{2}$

061

$\overrightarrow{OA} = (3, 4), \ \overrightarrow{OB} = (3, 0)$에서

$\overrightarrow{AO} = -\overrightarrow{OA} = -(3, 4) = (-3, -4)$

$\overrightarrow{AB} = \overrightarrow{OB} - \overrightarrow{OA} = (3, 0) - (3, 4) = (0, -4)$

$\overrightarrow{BO} = -\overrightarrow{OB} = -(3, 0) = (-3, 0)$

이므로

$a = \overrightarrow{AO} \cdot \overrightarrow{AB} = (-3, -4) \cdot (0, -4) = 16$

$b = \overrightarrow{AB} \cdot \overrightarrow{BO} = (0, -4) \cdot (-3, 0) = 0$

$c = \overrightarrow{OA} \cdot \overrightarrow{OB} = (3, 4) \cdot (3, 0) = 9$

$\therefore b < c < a$

답 ③

062

$\vec{a} \cdot \vec{b} = |\vec{a}||\vec{b}| \cos \theta° = 4\sqrt{2} \times 2 \times \cos 45° = 8$

$\therefore (\vec{a} + 3\vec{b}) \cdot (2\vec{a} - 2\vec{b})$

$\quad = \vec{a} \cdot 2\vec{a} - \vec{a} \cdot 2\vec{b} + 3\vec{b} \cdot 2\vec{a} - 3\vec{b} \cdot 2\vec{b}$

$\quad = 2|\vec{a}|^2 + 4\vec{a} \cdot \vec{b} - 6|\vec{b}|^2$

$\quad = 2 \times (4\sqrt{2})^2 + 4 \times 8 - 6 \times 2^2$

$\quad = 64 + 32 - 24 = 72$

답 ⑤

063

벡터 $\vec{a}+k\vec{b}$와 $\vec{c}-\vec{b}$가 서로 평행하므로
$$(\vec{a}+k\vec{b})\cdot(\vec{c}-\vec{a})=\pm|\vec{a}+k\vec{b}||\vec{c}-\vec{a}|$$
이때
$$\vec{a}+k\vec{b}=(0,2)+k(2,-1)=(2k,-k+2)$$
$$\vec{c}-\vec{a}=(-1,3)-(0,2)=(-1,1)$$
이므로
$$(\vec{a}+k\vec{b})\cdot(\vec{c}-\vec{a})=-2k+(-k+2)=-3k+2$$
$$\begin{aligned}\pm|\vec{a}+k\vec{b}||\vec{c}-\vec{a}|&=\pm\sqrt{(2k)^2+(-k+2)^2}\times\sqrt{(-1)^2+1^2}\\&=\pm\sqrt{4k^2+(k^2-4k+4)}\times\sqrt{2}\\&=\pm\sqrt{10k^2-8k+8}\end{aligned}$$
따라서 $(\vec{a}+k\vec{b})\cdot(\vec{c}-\vec{a})=\pm|\vec{a}+k\vec{b}||\vec{c}-\vec{a}|$에서
$$-3k+2=\pm\sqrt{10k^2-8k+8}$$
양변을 제곱하면 $9k^2-12k+4=10k^2-8k+8$
$$k^2+4k+4=0,\ (k+2)^2=0\qquad\therefore k=-2$$

답 ②

┃다른 풀이┃

벡터 $\vec{a}+k\vec{b}$와 $\vec{c}-\vec{b}$가 서로 평행하므로
$$(\vec{a}+k\vec{b})=m(\vec{c}-\vec{b})\ (단,\ m\neq0)$$
즉, $(2k,-k+2)=m(-1,1)$
$$\therefore 2k=-m,\ -k+2=m$$
두 식을 연립하여 풀면 $k=-2,\ m=4$

064

선분 AB가 원 O의 지름이므로 $\angle APB=90°$
삼각형 ABP에서 $\overline{BP}=\sqrt{8^2-5^2}=\sqrt{39}$
한편 두 벡터 $\overrightarrow{BA}$와 $\overrightarrow{BP}$가 이루는 각의 크기를 $\theta°$라고 하면
$$\cos\theta°=\frac{\overline{BP}}{\overline{AB}}=\frac{\sqrt{39}}{8}$$
$$\therefore \overrightarrow{BA}\cdot\overrightarrow{BP}=8\times\sqrt{39}\times\cos\theta°=8\times\sqrt{39}\times\frac{\sqrt{39}}{8}=39$$

답 39

065

$\vec{a}-2\vec{b}+\vec{c}=\vec{0}$에서 $2\vec{b}=\vec{a}+\vec{c}$
$$\begin{aligned}\therefore 4|\vec{b}|^2&=|\vec{a}+\vec{c}|^2\\&=|\vec{a}|^2+2\vec{a}\cdot\vec{c}+|\vec{c}|^2\\&=1^2+2\vec{a}\cdot\vec{c}+3^2\\&=10+2\vec{a}\cdot\vec{c}\end{aligned}$$
이때 $|\vec{b}|=2$이므로
$$10+2\vec{a}\cdot\vec{c}=4\times2^2=16\qquad\therefore \vec{a}\cdot\vec{c}=3$$
$$\begin{aligned}\therefore \vec{a}\cdot\vec{b}+\vec{b}\cdot\vec{c}+\vec{c}\cdot\vec{a}&=\vec{b}\cdot(\vec{a}+\vec{c})+\vec{c}\cdot\vec{a}\\{\scriptstyle 2\vec{b}=\vec{a}+\vec{c}\text{에서}}\qquad&=\frac{\vec{a}+\vec{c}}{2}\cdot(\vec{a}+\vec{c})+\vec{c}\cdot\vec{a}\\{\scriptstyle \vec{b}=\frac{\vec{a}+\vec{c}}{2}}\qquad&=\frac{1}{2}(|\vec{a}|^2+2\vec{a}\cdot\vec{c}+|\vec{c}|^2)+\vec{a}\cdot\vec{c}\\&=\frac{|\vec{a}|^2+|\vec{c}|^2}{2}+2\vec{a}\cdot\vec{c}\\&=\frac{1^2+3^2}{2}+2\times3=11\end{aligned}$$

답 ⑤

066

$\overrightarrow{AD}=\vec{a}$, $\overrightarrow{AB}=\vec{b}$라고 하면
$$|\vec{a}|=4,\ |\vec{b}|=3$$
이때 $\vec{a}$와 $\vec{b}$는 수직이므로 $\vec{a}\cdot\vec{b}=0$
점 P는 변 BC의 중점이므로
$$\overrightarrow{AP}=\frac{\overrightarrow{AB}+\overrightarrow{AC}}{2}=\frac{\vec{b}+(\vec{a}+\vec{b})}{2}=\frac{\vec{a}+2\vec{b}}{2}$$
점 Q는 변 CD를 $1:2$로 내분하는 점이므로
$$\overrightarrow{BQ}=\frac{\overrightarrow{BD}+2\overrightarrow{BC}}{1+2}=\frac{(\vec{a}-\vec{b})+2\vec{a}}{3}=\frac{3\vec{a}-\vec{b}}{3}$$
$$\begin{aligned}\therefore \overrightarrow{AP}\cdot\overrightarrow{BQ}&=\frac{1}{2}(\vec{a}+2\vec{b})\cdot\frac{1}{3}(3\vec{a}-\vec{b})\\&=\frac{1}{6}(3|\vec{a}|^2+5\vec{a}\cdot\vec{b}-2|\vec{b}|^2)\\&=\frac{1}{6}(3\times4^2+5\times0-2\times3^2)=5\end{aligned}$$
$$\overrightarrow{BD}=\overrightarrow{AD}-\overrightarrow{AB}=\vec{a}-\vec{b}$$

답 ②

067

$\vec{u}=(2,3)$에 평행하고 점 $(6,3)$을 지나는 직선의 방정식은
$$\frac{x-6}{2}=\frac{y-3}{3}\qquad {\scriptstyle \text{방향벡터가 } \vec{u}=(2,3)\text{이다.}}\qquad\cdots\cdots\ ㉠$$
x축과 만나는 점은 ㉠에 $y=0$을 대입하면 $x=4$이므로
$$A(4,0)$$
y축과 만나는 점은 ㉠에 $x=0$을 대입하면 $y=-6$이므로
$$B(0,-6)$$
$$\therefore \overline{AB}^2=4^2+6^2=52$$

답 52

068

점 $(2,-1)$을 지나고 방향벡터가 $\vec{u}=(3,1)$인 직선의 방정식은
$$\frac{x-2}{3}=\frac{y+1}{1}\qquad\therefore x-3y-5=0\qquad\cdots\cdots\ ㉠$$
점 $(1,3)$을 지나고 법선벡터가 $\vec{n}=(-1,1)$인 직선의 방정식은
$$-(x-1)+(y-3)=0$$
$$\therefore x-y+2=0\qquad\cdots\cdots\ ㉡$$
㉠, ㉡을 연립하여 풀면 $x=-\frac{11}{2},\ y=-\frac{7}{2}$
따라서 $a=-\frac{11}{2},\ b=-\frac{7}{2}$이므로
$$a+b=-\frac{11}{2}+\left(-\frac{7}{2}\right)=-9$$

답 ④

069

두 직선 l, m의 방향벡터를 각각 $\vec{u_1}$, $\vec{u_2}$라고 하면
$$\vec{u_1}=(k,2),\ \vec{u_2}=(-1,1)$$
두 직선이 이루는 각의 크기가 $30°$이므로
$$\cos30°=\frac{|\vec{u_1}\cdot\vec{u_2}|}{|\vec{u_1}||\vec{u_2}|}$$
$$\frac{\sqrt{3}}{2}=\frac{|-k+2|}{\sqrt{k^2+2^2}\sqrt{(-1)^2+1^2}}=\frac{|-k+2|}{\sqrt{2}\sqrt{k^2+4}}$$

${\scriptstyle 4-x=y-1\text{에서}}$
$${\scriptstyle \frac{x-4}{-1}=\frac{y-1}{1}}$$
${\scriptstyle \text{이므로 } \vec{u_2}=(-1,1)}$

$\sqrt{6}\sqrt{k^2+4}=2|-k+2|$

양변을 제곱하면

$6(k^2+4)=4(-k+2)^2$

$6k^2+24=4k^2-16k+16$ ⌐ $\frac{D}{4}=4^2-4>0$이므로 서로 다른 두 실근을 갖는다.

$2k^2+16k+8=0$, $\underline{k^2+8k+4=0}$

따라서 모든 실수 k의 값의 합은 이차방정식의 근과 계수의 관계에 의하여 -8이다.

답 ①

070

두 직선 $\frac{x+1}{-2}=\frac{y-2}{2k}$, $\frac{x-2}{4}=\frac{-y}{3}$의 방향벡터를 각각 $\vec{u_1}$, $\vec{u_2}$라고 하면

$\vec{u_1}=(-2, 2k)$, $\vec{u_2}=(4, -3)$

두 직선이 서로 평행하면 두 방향벡터 $\vec{u_1}$, $\vec{u_2}$도 서로 평행하므로 $\vec{u_1}=t\vec{u_2}$를 만족시키는 0이 아닌 실수 t가 존재한다.

즉, $(-2, 2k)=t(4, -3)$에서

$-2=4t$, $2k=-3t$

$\therefore t=-\frac{1}{2}$, $k=\frac{3}{4}$

답 ③

풍쌤 비법

두 직선의 평행 조건과 수직 조건

두 직선 l_1, l_2의 방향벡터가 각각 $\vec{u_1}=(a_1, b_1)$, $\vec{u_2}=(a_2, b_2)$일 때

(1) $l_1 /\!/ l_2 \Longleftrightarrow \vec{u_1} /\!/ \vec{u_2} \Longleftrightarrow \vec{u_1}=k\vec{u_2} \Longleftrightarrow \frac{a_1}{a_2}=\frac{b_1}{b_2}$

(단, $k\neq0$인 실수이고 $a_2b_2\neq0$이다.)

(2) $l_1 \perp l_2 \Longleftrightarrow \vec{u_1} \perp \vec{u_2} \Longleftrightarrow a_1a_2+b_1b_2=0$

071

l: $\frac{x-1}{-4}=\frac{y}{3}$이고, m: $x-2y+4=0$에서

$x=2y-4$ $\quad\therefore \frac{x}{2}=y-2$

따라서 두 직선 l, m의 방향벡터를 각각 $\vec{u_1}$, $\vec{u_2}$라고 하면

$\vec{u_1}=(-4, 3)$, $\vec{u_2}=(2, 1)$

두 방향벡터 $\vec{u_1}$, $\vec{u_2}$가 이루는 각의 크기가 $\theta°$이므로

$$\cos\theta°=\frac{|\vec{u_1}\cdot\vec{u_2}|}{|\vec{u_1}||\vec{u_2}|}=\frac{|(-4)\times2+3\times1|}{\sqrt{(-4)^2+3^2}\sqrt{2^2+1^2}}=\frac{5}{5\sqrt{5}}=\frac{\sqrt{5}}{5}$$

$\cos\theta°=\frac{\sqrt{5}}{5}$이므로 오른쪽 그림과 같은 직각삼각형 ABC를 생각하면

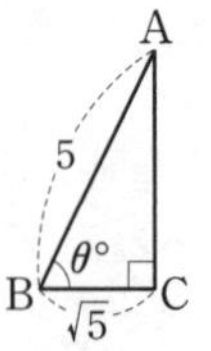

$\overline{AC}=\sqrt{5^2-(\sqrt{5})^2}=2\sqrt{5}$

$\therefore \sin\theta°=\frac{2\sqrt{5}}{5}$

답 ④

풍쌤 비법

두 직선이 이루는 각의 크기를 구할 때는 각 직선의 방정식을 방향벡터를 이용하여 나타냈는지, 법선벡터를 이용하여 나타냈는지 구분한 후 통일하여 각의 크기를 구한다.

072

점 P의 좌표를 (x, y)라고 하면

$\overrightarrow{AP}=(x+3, y+1)$, $\overrightarrow{BP}=(x-5, y+7)$

$\overrightarrow{AP}\cdot\overrightarrow{BP}=0$에서

$(x+3, y+1)\cdot(x-5, y+7)=0$

$(x+3)(x-5)+(y+1)(y+7)=0$

$x^2+y^2-2x+8y-8=0$ $\quad\therefore (x-1)^2+(y+4)^2=25$

따라서 점 P의 자취는 중심의 좌표가 $\underline{(1, -4)}$이고 반지름의 길이가 5인 원이므로 도형의 길이는 └ 두 점 A, B의 중점이다.

$2\times5\times\pi=10\pi$

답 ③

다른 풀이

$\overrightarrow{AP}\cdot\overrightarrow{BP}=0$에서 $\angle APB=90°$이므로 점 P의 자취는 두 점 A, B를 지름의 양 끝 점으로 하는 원이다. ← 선분 AB를 지름으로 하는 원

$\overline{AB}=\sqrt{\{5-(-3)\}^2+\{-7-(-1)\}^2}=10$

에서 원의 반지름의 길이는 5이므로 원의 둘레의 길이는

$2\times5\times\pi=10\pi$

073

원점을 O, 점 P의 좌표를 (x, y)라고 하면

$\overrightarrow{OA}=(1, 1)$, $\overrightarrow{OB}=(2, -1)$, $\overrightarrow{OC}=(0, 6)$

이므로

$$\begin{aligned}\overrightarrow{PA}+\overrightarrow{PB}+\overrightarrow{PC}&=(\overrightarrow{OA}-\overrightarrow{OP})+(\overrightarrow{OB}-\overrightarrow{OP})+(\overrightarrow{OC}-\overrightarrow{OP})\\&=\overrightarrow{OA}+\overrightarrow{OB}+\overrightarrow{OC}-3\overrightarrow{OP}\\&=(1, 1)+(2, -1)+(0, 6)-3(x, y)\\&=(3-3x, 6-3y)\end{aligned}$$

이때 $|\overrightarrow{PA}+\overrightarrow{PB}+\overrightarrow{PC}|=3$이므로

$\sqrt{(3-3x)^2+(6-3y)^2}=3$

양변을 제곱하여 정리하면

$x^2+y^2-2x-4y+4=0$

따라서 $a=-2$, $b=-4$, $c=4$이므로

$abc=(-2)\times(-4)\times4=32$

답 ②

074

점 G는 삼각형 ABC의 무게중심이므로 변 AC의 중점을 M이라고 하면

$$\begin{aligned}\overrightarrow{BG}&=\frac{2}{3}\overrightarrow{BM}\\&=\frac{2}{3}\times\frac{1}{2}(\overrightarrow{BA}+\overrightarrow{BC})\\&=\frac{1}{3}(\overrightarrow{BA}+\overrightarrow{BC})\end{aligned} \quad\cdots\cdots ㉠$$

이때 $\overline{BQ}:\overline{QC}=x:(1-x)$, $\overline{PG}:\overline{GQ}=t:(1-t)$ $(0<x<1, 0<t<1)$로 놓으면 세 점 P, G, Q는 한 직선 위에 있으므로

$$\begin{aligned}\overrightarrow{BG}&=(1-t)\overrightarrow{BP}+t\overrightarrow{BQ}\\&=\frac{4}{5}(1-t)\overrightarrow{BA}+tx\overrightarrow{BC}\end{aligned} \quad\cdots\cdots ㉡$$

⊙, ⓛ에서 $\frac{4}{5}(1-t)=\frac{1}{3}$, $tx=\frac{1}{3}$이므로

$t=\frac{7}{12}$, $x=\frac{4}{7}$

$\therefore \overline{\dfrac{BQ}{QC}}=\dfrac{x}{1-x}=\dfrac{4}{3}$

답 ②

075

세 점 A, B, C가 이 순서대로 한 직선 위에 있어야 하므로
점 B는 두 점 A, C의 내분점이다. 따라서
$\overrightarrow{OB}=m\overrightarrow{OA}+(1-m)\overrightarrow{OC}$ $(0<m<1)$ ┌ $m(1-m)<0$일 때 외분점,
와 같이 놓고 주어진 벡터를 대입하면 └ $m(1-m)>0$일 때 내분점이다.
$x\vec{a}+y\vec{b}=m\times(2\vec{a}-\vec{b})+(1-m)(\vec{a}+3\vec{b})$
$\quad\quad\quad\quad =(m+1)\vec{a}+(3-4m)\vec{b}$
이때 $\vec{a}$, $\vec{b}$가 서로 평행하지 않으므로
$x=m+1$, $y=3-4m$
즉, $x+y=-3m+4$이고 $0<m<1$이므로
$1<x+y<4$
이때 정수 x, y의 합 $x+y$도 정수이므로 최댓값은 3이다.

답 ①

076

$\overrightarrow{PC}=\dfrac{2\overrightarrow{PA}+\overrightarrow{PB}}{3}$

로 놓으면 점 C는 선분 AB를 1 : 2로 내분하는 점이다.
$\therefore |2\overrightarrow{PA}+\overrightarrow{PB}|=3|\overrightarrow{PC}|$
따라서 점 C의 좌표는
$\left(\dfrac{1\times 0+2\times 6}{1+2}, \dfrac{1\times 3+2\times 0}{1+2}\right)$,
즉 $(4, 1)$
이때 $|\overrightarrow{PC}|$의 최댓값은
$\overrightarrow{OC}+\overrightarrow{OP}=\sqrt{4^2+1^2}+2=\sqrt{17}+2$
이므로 $|2\overrightarrow{PA}+\overrightarrow{PB}|$의 최댓값은
$3|\overrightarrow{PC}|=3(\sqrt{17}+2)$

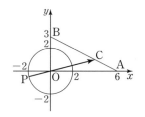

답 ③

077

$\overrightarrow{PQ}=\dfrac{2\overrightarrow{PO}+3\overrightarrow{PA}}{5}$

로 놓으면 점 Q는 선분 OA를 3 : 2로 내분하는 점이다.
$\therefore |2\overrightarrow{PO}+3\overrightarrow{PA}|=5|\overrightarrow{PQ}|$
따라서 점 Q의 좌표는
$\left(\dfrac{3\times 5+2\times 0}{3+2}, \dfrac{3\times 0+2\times 0}{3+2}\right)$, 즉 $(3, 0)$
이때 점 P는 직선 $3x-4y+1=0$ 위의 점이므로 $|\overrightarrow{PQ}|$의 최솟값
은 점 Q와 직선 $3x-4y+1=0$ 사이의 거리와 같다.
즉, $|\overrightarrow{PQ}|$의 최솟값은
$\dfrac{|3\times 3-4\times 0+1|}{\sqrt{3^2+(-4)^2}}=2$
따라서 $|2\overrightarrow{PO}+3\overrightarrow{PA}|$의 최솟값은
$5|\overrightarrow{PQ}|=5\times 2=10$

답 ④

078

> **▶ 접근**
>
> 삼각형의 무게중심 G에 대하여 $\overrightarrow{GA}+\overrightarrow{GB}+\overrightarrow{GC}=\vec{0}$가 성립함을 이용한다.

조건 ㈎에서
$2\overrightarrow{AP}+\overrightarrow{CA}=\vec{0}$, $2\overrightarrow{AP}=\overrightarrow{AC}$
이므로 점 P는 선분 AC의 중점이다.
조건 ㈏에서
$3\overrightarrow{BQ}+\overrightarrow{AG}+\overrightarrow{CG}=\vec{0}$
$3\overrightarrow{BQ}=\overrightarrow{GA}+\overrightarrow{GC}$
이때 삼각형의 무게중심의 성질에 의하여
$\overrightarrow{GA}+\overrightarrow{GB}+\overrightarrow{GC}=\vec{0}$이므로
$\overrightarrow{GA}+\overrightarrow{GC}=\overrightarrow{BG}$
즉,
$\overrightarrow{BQ}=\dfrac{1}{3}(\overrightarrow{GA}+\overrightarrow{GC})=\dfrac{1}{3}\overrightarrow{BG}$
┌ 점 Q는 선분 BG를 1 : 2로 내분하는 점
이때 $\overrightarrow{BG}=\dfrac{2}{3}\overrightarrow{BP}$이므로
$\overrightarrow{BQ}=\dfrac{1}{3}\overrightarrow{BG}=\dfrac{1}{3}\times\dfrac{2}{3}\overrightarrow{BP}=\dfrac{2}{9}\overrightarrow{BP}$
$\therefore \dfrac{|\overrightarrow{BP}|}{|\overrightarrow{BQ}|}=\dfrac{|\overrightarrow{BP}|}{\left|\dfrac{2}{9}\overrightarrow{BP}\right|}=\dfrac{9}{2}$

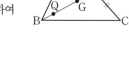

답 ③

079

$\overrightarrow{AR}=\vec{p}+t\vec{q}$로 놓으면 점 R의 자취는 직선 BC이다.
이때 $|\overrightarrow{AR}|$의 값이 최소인 경우는 점 A와 직선 BC 사이의 거리
가 최소일 때, 즉 점 R가 점 B와 일치할 때이다.
$\therefore \overrightarrow{AR}=\overrightarrow{AB}=\overrightarrow{AP}+\overrightarrow{PB}$
$\quad\quad\quad =\overrightarrow{AP}+\dfrac{2}{3}\overrightarrow{CB}=\overrightarrow{AP}+\dfrac{2}{3}\overrightarrow{DA}$
$\quad\quad\quad =\overrightarrow{AP}+\dfrac{2}{3}(-2\overrightarrow{AQ})$
$\quad\quad\quad =\vec{p}-\dfrac{4}{3}\vec{q}$
따라서 구하는 t의 값은 $-\dfrac{4}{3}$이다.

답 ①

080

$3x+5y=2$에서 $\dfrac{3}{2}x+\dfrac{5}{2}y=1$이므로
$\overrightarrow{OP}=x\overrightarrow{OA}+y\overrightarrow{OB}$
$\quad\quad =\dfrac{3}{2}x\left(\dfrac{2}{3}\overrightarrow{OA}\right)+\dfrac{5}{2}y\left(\dfrac{2}{5}\overrightarrow{OB}\right)$
$\dfrac{2}{3}\overrightarrow{OA}=\overrightarrow{OA'}$, $\dfrac{2}{5}\overrightarrow{OB}=\overrightarrow{OB'}$이라고 하면 ┌ 점 B'은 선분 OB를 2 : 3으로 내분하는 점
$\overrightarrow{OP}=\dfrac{3}{2}x\overrightarrow{OA'}+\dfrac{5}{2}y\overrightarrow{OB'}$
└ 점 A'은 선분 OA를 2 : 1로 내분하는 점
즉, 점 P는 직선 A'B' 위의 점이다.
따라서 점 P의 자취는 선분 OA를 2 : 1로 내분하는 점 A'과 선분
OB를 2 : 3으로 내분하는 점 B'을 지나는 직선이다.

답 ⑤

081

$\overrightarrow{PA}+\overrightarrow{PB}+3\overrightarrow{PC}=\vec{0}$에서

$\overrightarrow{AP}=\overrightarrow{PB}+3\overrightarrow{PC}$

이고, 양변을 4로 나누면

$\dfrac{\overrightarrow{AP}}{4}=\dfrac{\overrightarrow{PB}+3\overrightarrow{PC}}{4}$

이때 변 BC와 직선 AP의 교점이 점 D이므로

$\overrightarrow{PD}=\dfrac{\overrightarrow{PB}+3\overrightarrow{PC}}{4}$

로 놓으면 점 D는 변 BC를 $3:1$로 내분하는 점이다.

또, $\dfrac{\overrightarrow{AP}}{4}=\overrightarrow{PD}$, 즉 $\overrightarrow{AP}=4\overrightarrow{PD}$이므로 점 P는 선분 AD를 $4:1$로

내분하는 점이다.

따라서

$\triangle ABP=\dfrac{4}{5}\triangle ABD=\dfrac{4}{5}\times\dfrac{3}{4}\triangle ABC=\dfrac{3}{5}\triangle ABC$

$\triangle CDP=\dfrac{1}{5}\triangle ACD=\dfrac{1}{5}\times\dfrac{1}{4}\triangle ABC=\dfrac{1}{20}\triangle ABC$

이므로

$\dfrac{\triangle ABP}{\triangle CDP}=\dfrac{\dfrac{3}{5}\triangle ABC}{\dfrac{1}{20}\triangle ABC}=12$

답 12

082

$\overrightarrow{OP}=k\overrightarrow{OA}+l\overrightarrow{OB}=k\overrightarrow{OA}+2l\left(\dfrac{1}{2}\overrightarrow{OB}\right)$

$\dfrac{1}{2}\overrightarrow{OB}=\overrightarrow{OB'}$이라고 하면

$\overrightarrow{OP}=k\overrightarrow{OA}+2l\overrightarrow{OB'}$ ─점 B'은 선분 OB의 중점이다.

이때 $k+2l=1$, $k\ge0$, $l\ge0$이므로 점 P는 선분 AB' 위의 점이다.

그런데 $|\overrightarrow{OB}|=8$에서 $|\overrightarrow{OB'}|=\dfrac{1}{2}|\overrightarrow{OB}|=4$이고, 점 P의 자취의

길이가 4이므로 $|\overrightarrow{AB'}|=4$

즉, $|\overrightarrow{OA}|=|\overrightarrow{OB'}|=|\overrightarrow{AB'}|=4$이므로 삼각형 OAB'은 한 변의

길이가 4인 정삼각형이다.

이때 점 B'은 선분 OB의 중점이므로 삼각형 OAB의 넓이는

$\triangle OAB=2\triangle OAB'$

$=2\times\left(\dfrac{\sqrt{3}}{4}\times4^2\right)$

$=8\sqrt{3}$

답 $8\sqrt{3}$

083

$\vec{a}+\vec{b}=(2,-2)$ ······ ㉠

$\vec{b}+\vec{c}=(0,-1)$ ······ ㉡

$\vec{c}+\vec{a}=(4,3)$ ······ ㉢

㉠+㉡+㉢을 하면

$2(\vec{a}+\vec{b}+\vec{c})=(6,0)$

$\therefore \vec{a}+\vec{b}+\vec{c}=(3,0)$ ······ ㉣

㉣-㉡을 하면

$\vec{a}=(3,0)-(0,-1)=(3,1)$

$\therefore |\vec{a}|=\sqrt{3^2+1^2}=\sqrt{10}$

㉣-㉢을 하면

$\vec{b}=(3,0)-(4,3)=(-1,-3)$

$\therefore |\vec{b}|=\sqrt{(-1)^2+(-3)^2}=\sqrt{10}$

㉣-㉠을 하면

$\vec{c}=(3,0)-(2,-2)=(1,2)$

$\therefore |\vec{c}|=\sqrt{1^2+2^2}=\sqrt{5}$

$\therefore \dfrac{|\vec{a}||\vec{b}|}{|\vec{c}|^2}=\dfrac{\sqrt{10}\times\sqrt{10}}{(\sqrt{5})^2}=2$

답 ②

084

점 P가 직선 $2x+y-3=0$, 즉 $y=-2x+3$ 위의 점이므로

P$(x,-2x+3)$으로 놓으면 원점 O에 대하여

$\overrightarrow{AP}=\overrightarrow{OP}-\overrightarrow{OA}=(x,-2x+3)-(-1,2)$

$=(x+1,-2x+1)$

$\overrightarrow{BP}=\overrightarrow{OP}-\overrightarrow{OB}=(x,-2x+3)-(2,0)$

$=(x-2,-2x+3)$

$\therefore \overrightarrow{AP}+\overrightarrow{BP}=(x+1,-2x+1)+(x-2,-2x+3)$

$=(2x-1,-4x+4)$

$\therefore |\overrightarrow{AP}+\overrightarrow{BP}|^2=(2x-1)^2+(-4x+4)^2$

$=20x^2-36x+17$

$=20\left(x-\dfrac{9}{10}\right)^2+\dfrac{4}{5}$

따라서 $|\overrightarrow{AP}+\overrightarrow{BP}|^2$은 $x=\dfrac{9}{10}$일 때 최솟값 $\dfrac{4}{5}$를 갖는다.

답 ①

085

$k\vec{a}+\dfrac{1}{k}\vec{b}=k(0,4)+\dfrac{1}{k}(\sqrt{3},1)$

$=\left(\dfrac{\sqrt{3}}{k},4k+\dfrac{1}{k}\right)$

이므로

$\left|k\vec{a}+\dfrac{1}{k}\vec{b}\right|^2=\left(\dfrac{\sqrt{3}}{k}\right)^2+\left(4k+\dfrac{1}{k}\right)^2$

$=\dfrac{3}{k^2}+16k^2+8+\dfrac{1}{k^2}$

$=\dfrac{4}{k^2}+16k^2+8$ ── $\dfrac{4}{k^2}>0$, $16k^2>0$이므로 산술평균과 기하평균의 관계를 이용할 수 있다.

$\ge2\sqrt{\dfrac{4}{k^2}\times16k^2}+8=24$

$\left(\text{단, 등호는 }\dfrac{4}{k^2}=16k^2\text{일 때 성립한다.}\right)$

$\therefore \left|k\vec{a}+\dfrac{1}{k}\vec{b}\right|^2\ge24$

따라서 구하는 최솟값은 24이다.

답 ④

086

점 P의 좌표를 (x,y)라 하고, $\vec{a}=(1,1)$, $\vec{b}=(1,-1)$,

$\vec{c}=(-1,1)$, $\vec{d}=(-1,-1)$이라고 하면

$(x, y)=k\vec{a}+l\vec{b}+m\vec{c}+n\vec{d}$ (k, l, m, n은 음이 아닌 정수)

로 나타낼 수 있다. 즉,

$(x, y)=(k, k)+(l, -l)+(-m, m)+(-n, -n)$

$\qquad =(k+l-m-n, k-l+m-n)$

$\therefore x+y=2(k-n)$

따라서 x좌표와 y좌표의 합이 2의 배수이므로 조건을 만족시키지 않는 것은 ③이다.

답 ③

087

점 O를 원점, 직선 OA를 x축, 직선 OB를 y축으로 놓으면

$\overrightarrow{OA}=(3, 0)$, $\overrightarrow{OB}=(0, 3)$

따라서

$\vec{p}=\dfrac{\overrightarrow{OB}+2\overrightarrow{OA}}{1+2}=\dfrac{1}{3}(0, 3)+\dfrac{2}{3}(3, 0)=(2, 1)$

$\vec{q}=\dfrac{3\overrightarrow{OB}+2\overrightarrow{OA}}{3+2}=\dfrac{3}{5}(0, 3)+\dfrac{2}{5}(3, 0)=\left(\dfrac{6}{5}, \dfrac{9}{5}\right)$

이므로

$(1-x)\vec{p}+x\vec{q}=(1-x)(2, 1)+x\left(\dfrac{6}{5}, \dfrac{9}{5}\right)$

$\qquad\qquad\qquad =\left(-\dfrac{4}{5}x+2, \dfrac{4}{5}x+1\right)$

$\therefore |(1-x)\vec{p}+x\vec{q}|$

$=\sqrt{\left(-\dfrac{4}{5}x+2\right)^2+\left(\dfrac{4}{5}x+1\right)^2}$

$=\sqrt{\left(\dfrac{16}{25}x^2-\dfrac{16}{5}x+4\right)+\left(\dfrac{16}{25}x^2+\dfrac{8}{5}x+1\right)}$

$=\sqrt{\dfrac{32}{25}x^2-\dfrac{8}{5}x+5}=\dfrac{\sqrt{173}}{5}$

양변을 제곱하면

$\dfrac{32}{25}x^2-\dfrac{8}{5}x+5=\dfrac{173}{25}$

$32x^2-40x+125=173$

$32x^2-40x-48=0$, $4x^2-5x-6=0$

$(4x+3)(x-2)=0$

$\therefore x=2$ ($\because x>0$)

답 ③

088

(i) $a>0$일 때 ┌점 P가 제1사분면 위의 점이다.

두 벡터 $\overrightarrow{OP}$와 $\overrightarrow{OQ}$의 방향이 같을 때 $|\overrightarrow{OP}+\overrightarrow{OQ}|$가 최댓값을 갖는다.

즉, $|\overrightarrow{OP}+\overrightarrow{OQ}|$의 최댓값은 $|\overrightarrow{OP}|+|\overrightarrow{OQ}|$

$|\overrightarrow{OP}|=\sqrt{1+a^2}$, $|\overrightarrow{OQ}|=3$이므로

$f(a)=\sqrt{1+a^2}+3$

이때 $f(a)=5$이어야 하므로

$\sqrt{1+a^2}+3=5$, $\sqrt{1+a^2}=2$

$1+a^2=4$, $a^2=3$

$\therefore a=\sqrt{3}$ ($\because a>0$)

(ii) $a=0$일 때 ┌점 P가 x축 위의 점이다.

$a=0$에서 $\overrightarrow{OP}=(1, 0)$이므로 점 Q가 점 A일 때 $|\overrightarrow{OP}+\overrightarrow{OQ}|$가 최댓값을 갖는다.

이때 $|\overrightarrow{OP}|=1$, $|\overrightarrow{OQ}|=3$이므로

$f(a)=1+3=4$

이는 $f(a)=5$에 모순이다.

(iii) $a<0$일 때 ┌점 P가 제4사분면 위의 점이다.

$|\overrightarrow{OP}+\overrightarrow{OQ}|$의 크기는 두 벡터 $\overrightarrow{OP}$와 $\overrightarrow{OQ}$가 이루는 각의 크기가 커질수록 작아지므로, 두 벡터가 이루는 각의 크기가 가장 작을 때 최댓값을 가진다.

즉, 점 Q가 점 A일 때 $|\overrightarrow{OP}+\overrightarrow{OQ}|$가 최댓값을 갖는다.

$\overrightarrow{OP}+\overrightarrow{OQ}=(1, a)+(3, 0)=(4, a)$

에서

$f(a)=\sqrt{4^2+a^2}$

이때 $f(a)=5$이어야 하므로

$\sqrt{4^2+a^2}=5$, $16+a^2=25$

$a^2=9$

$\therefore a=-3$ ($\because a<0$)

(i)~(iii)에서 $f(a)=5$가 되도록 하는 실수 a의 값은

$a=\sqrt{3}$ 또는 $a=-3$

이므로 구하는 값은 $-3\sqrt{3}$

답 ③

089

$\overrightarrow{OA}=(2, 1)$, $\overrightarrow{OB}=(2, -1)$, $\overrightarrow{OC}=(k, k)$에서

$\overrightarrow{AB}=\overrightarrow{OB}-\overrightarrow{OA}=(0, -2)$

$\overrightarrow{BC}=\overrightarrow{OC}-\overrightarrow{OB}=(k-2, k+1)$

$\overrightarrow{CA}=\overrightarrow{OA}-\overrightarrow{OC}=(2-k, 1-k)$

(i) $\overrightarrow{AB}\perp\overrightarrow{BC}$일 때

$\overrightarrow{AB}\cdot\overrightarrow{BC}=(0, -2)\cdot(k-2, k+1)$

$\qquad\qquad =-2(k+1)=0$

$\therefore k=-1$

(ii) $\overrightarrow{BC}\perp\overrightarrow{CA}$일 때

$\overrightarrow{BC}\cdot\overrightarrow{CA}=(k-2, k+1)\cdot(2-k, 1-k)$

$\qquad\qquad =(k-2)(2-k)+(k+1)(1-k)=0$

$(-k^2+4k-4)+(-k^2+1)=0$

$2k^2-4k+3=0$

이 이차방정식의 판별식을 D라고 하면

$\dfrac{D}{4}=(-2)^2-2\times3=-2<0$이므로 이 방정식을 만족시키는 실수 k는 존재하지 않는다.

(iii) $\overrightarrow{CA}\perp\overrightarrow{AB}$일 때

$\overrightarrow{CA}\cdot\overrightarrow{AB}=(2-k, 1-k)\cdot(0, -2)$

$\qquad\qquad =-2(1-k)=0$

$\therefore k=1$

(i)~(iii)에서 구하는 실수 k의 값의 합은

$-1+1=0$

답 ①

090

$\overrightarrow{AB}+\overrightarrow{BC}+\overrightarrow{CA}=\vec{0}$이므로

$\vec{a}+\vec{b}+\vec{c}=\vec{0}$

$\therefore (\vec{a}+\vec{b}+\vec{c})\cdot(\vec{a}+\vec{b}+\vec{c})=0$

이때 좌변을 전개하면
$$|\vec{a}|^2+|\vec{b}|^2+|\vec{c}|^2+2(\vec{a}\cdot\vec{b}+\vec{b}\cdot\vec{c}+\vec{c}\cdot\vec{a})=0$$
이므로
$$|\vec{a}|^2+|\vec{b}|^2+|\vec{c}|^2=-2\times(-3)=6$$

답 6

091

$$\begin{aligned}\overrightarrow{OP}\cdot\overrightarrow{OQ}&=|\overrightarrow{OP}||\overrightarrow{OQ}|\cos(\angle POQ)\\&=4\times1\times\frac{1}{2}=2\end{aligned}$$

$\overrightarrow{OP}+\overrightarrow{RQ}=\vec{0}$에서
$$\overrightarrow{OP}+\overrightarrow{OQ}-\overrightarrow{OR}=\vec{0},\ \overrightarrow{OR}=\overrightarrow{OP}+\overrightarrow{OQ}$$
이므로
$$\begin{aligned}|\overrightarrow{OR}|^2&=|\overrightarrow{OP}+\overrightarrow{OQ}|^2\\&=|\overrightarrow{OP}|^2+2\overrightarrow{OP}\cdot\overrightarrow{OQ}+|\overrightarrow{OQ}|^2\\&=4^2+2\times2+1^2=21\end{aligned}$$
$$\therefore|\overrightarrow{OR}|=\sqrt{21}$$
이때 $\overrightarrow{OP}\cdot\overrightarrow{OR}=|\overrightarrow{OP}||\overrightarrow{OR}|\cos(\angle POR)$이므로
$$\begin{aligned}\cos(\angle POR)&=\frac{\overrightarrow{OP}\cdot\overrightarrow{OR}}{|\overrightarrow{OP}||\overrightarrow{OR}|}\\&=\frac{\overrightarrow{OP}\cdot(\overrightarrow{OP}+\overrightarrow{OQ})}{|\overrightarrow{OP}||\overrightarrow{OR}|}\\&=\frac{|\overrightarrow{OP}|^2+\overrightarrow{OP}\cdot\overrightarrow{OQ}}{|\overrightarrow{OP}||\overrightarrow{OR}|}\\&=\frac{4^2+2}{4\times\sqrt{21}}=\frac{3\sqrt{21}}{14}\end{aligned}$$

답 ⑤

092

$\sqrt{2}|\vec{a}-\vec{b}|=|\vec{a}+\vec{b}|$의 양변을 제곱하면
$$2|\vec{a}-\vec{b}|^2=|\vec{a}+\vec{b}|^2$$
$$2(|\vec{a}|^2-2\vec{a}\cdot\vec{b}+|\vec{b}|^2)=|\vec{a}|^2+2\vec{a}\cdot\vec{b}+|\vec{b}|^2$$
$$|\vec{a}|^2-6\vec{a}\cdot\vec{b}+|\vec{b}|^2=0$$
이때 $|\vec{a}|=|\vec{b}|$에서 $|\vec{a}|^2=|\vec{b}|^2$이므로
$$2|\vec{a}|^2=6\vec{a}\cdot\vec{b}\qquad\therefore\vec{a}\cdot\vec{b}=\frac{1}{3}|\vec{a}|^2$$
$$\therefore\cos\theta°=\frac{\vec{a}\cdot\vec{b}}{|\vec{a}||\vec{b}|}=\frac{\frac{1}{3}|\vec{a}|^2}{|\vec{a}|^2}=\frac{1}{3}$$

답 ④

093

→ 접근
두 벡터 $\overrightarrow{PA_k}$, $\overrightarrow{QA_k}$를 성분으로 나타낸 후 $\overrightarrow{PA_k}\cdot\overrightarrow{QA_k}$를 구한다.

$$\overrightarrow{PA_k}=\overrightarrow{OA_k}-\overrightarrow{OP}=(k,0)-(0,5)=(k,-5),$$
$$\overrightarrow{QA_k}=\overrightarrow{OA_k}-\overrightarrow{OQ}=(k,0)-(0,-5)=(k,5)$$
이므로
$$\overrightarrow{PA_k}\cdot\overrightarrow{QA_k}=(k,-5)\cdot(k,5)=k^2-25$$

$$\begin{aligned}\therefore\sum_{k=1}^{10}\overrightarrow{PA_k}\cdot\overrightarrow{QA_k}&=\sum_{k=1}^{10}(k^2-25)\\&=\frac{10\times11\times21}{6}-25\times10\\&=385-250=135\end{aligned}$$

답 135

참고
(1) 합의 기호 $\sum$의 성질 (수학 I)
　① $\sum_{k=1}^{n}(a_k\pm b_k)=\sum_{k=1}^{n}a_k\pm\sum_{k=1}^{n}b_k$ (복부호동순)
　② $\sum_{k=1}^{n}ca_k=c\sum_{k=1}^{n}a_k$ (단, c는 상수이다.)
(2) 자연수의 거듭제곱의 합 (수학 I)
　① $\sum_{k=1}^{n}k=\frac{n(n+1)}{2}$
　② $\sum_{k=1}^{n}k^2=\frac{n(n+1)(2n+1)}{6}$

094

오른쪽 그림과 같이 점 B를 원점으로 하는 좌표평면에 직사각형 ABCD를 놓으면
A$(0,1)$, B$(0,0)$, C$(3,0)$
이고, 점 P의 좌표를 (x,y)라고 하면
$$\overrightarrow{PA}=\overrightarrow{BA}-\overrightarrow{BP}=(0,1)-(x,y)=(-x,1-y)$$
$$\overrightarrow{PC}=\overrightarrow{BC}-\overrightarrow{BP}=(3,0)-(x,y)=(3-x,-y)$$
이므로
$$\begin{aligned}\overrightarrow{PA}\cdot\overrightarrow{PC}&=(-x,1-y)\cdot(3-x,-y)\\&=-x(3-x)-y(1-y)\\&=x^2-3x+y^2-y\\&=\left(x-\frac{3}{2}\right)^2+\left(y-\frac{1}{2}\right)^2-\frac{5}{2}\end{aligned}$$
이때 $0<x<3$, $0<y<1$이므로 $\overrightarrow{PA}\cdot\overrightarrow{PC}$의 최솟값은
$x=\frac{3}{2}$, $y=\frac{1}{2}$일 때 $-\frac{5}{2}$이다.

답 ⑤

095

다음 그림과 같이 정육각형의 중심 O를 원점, 두 점 A, D를 이은 직선을 y축, 변 BC의 중점과 변 EF의 중점을 이은 직선을 x축으로 하는 좌표평면에 정육각형을 놓자.

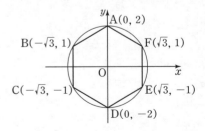

M_1, M_2, M_3의 좌표는
$$M_1\left(-\frac{\sqrt{3}}{2},\frac{3}{2}\right),\ M_2\left(-\frac{\sqrt{3}}{2},-\frac{3}{2}\right),\ M_3(\sqrt{3},0)$$
즉,

$$\overrightarrow{M_2M_1}=\overrightarrow{OM_1}-\overrightarrow{OM_2}$$
$$=\left(-\frac{\sqrt{3}}{2},\frac{3}{2}\right)-\left(-\frac{\sqrt{3}}{2},-\frac{3}{2}\right)=(0,3)$$
$$\overrightarrow{M_2M_3}=\overrightarrow{OM_3}-\overrightarrow{OM_2}$$
$$=(\sqrt{3},0)-\left(-\frac{\sqrt{3}}{2},-\frac{3}{2}\right)=\left(\frac{3\sqrt{3}}{2},\frac{3}{2}\right)$$
이므로
$$\overrightarrow{M_2M_1}\cdot\overrightarrow{M_2M_3}=(0,3)\cdot\left(\frac{3\sqrt{3}}{2},\frac{3}{2}\right)=0+\frac{9}{2}=\frac{9}{2}$$

답 ③

▮다른 풀이◁

오른쪽 그림에서 두 선분 M_1M_2, BO 의 교점을 N_1, 두 선분 M_1M_2, CO의 교점을 N_2라고 하면 두 점 N_1, N_2는 두 선분 BO, CO의 중점이다. 이때

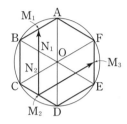

$$|\overline{M_1N_1}|=|\overline{N_1N_2}|=|\overline{N_2M_2}|=1$$
이므로 $|\overline{M_2M_1}|=3$
마찬가지로 $|\overline{M_2M_3}|=3$
또, 두 벡터 $\overrightarrow{M_2M_1}$과 $\overrightarrow{M_2M_3}$이 이루는 각의 크기는 60°이다.
$$\therefore \overrightarrow{M_2M_1}\cdot\overrightarrow{M_2M_3}=3\times3\times\cos60°=3\times3\times\frac{1}{2}=\frac{9}{2}$$

096

$(x+1)^2+y^2=4$에 $y=-2x+3$을 대입하면
$$(x+1)^2+(-2x+3)^2=4$$
$$5x^2-10x+6=0$$
위의 이차방정식의 두 근을 α, β라고 하면
$$\alpha+\beta=2,\ \alpha\beta=\frac{6}{5}$$
이때 $A(\alpha,-2\alpha+3)$, $B(\beta,-2\beta+3)$으로 놓을 수 있으므로
$$\overrightarrow{OA}\cdot\overrightarrow{OB}=(\alpha,-2\alpha+3)\cdot(\beta,-2\beta+3)$$
$$=\alpha\beta+(-2\alpha+3)(-2\beta+3)$$
$$=5\alpha\beta-6(\alpha+\beta)+9$$
$$=5\times\frac{6}{5}-6\times2+9=3$$

답 ⑤

097

$\overrightarrow{OA}\cdot\overrightarrow{OP}=\overrightarrow{OB}\cdot\overrightarrow{OP}$에서
$$\overrightarrow{OA}\cdot\overrightarrow{OP}-\overrightarrow{OB}\cdot\overrightarrow{OP}=0$$
$$(\overrightarrow{OA}-\overrightarrow{OB})\cdot\overrightarrow{OP}=0$$
$$\overrightarrow{BA}\cdot\overrightarrow{OP}=0\quad\therefore\overrightarrow{BA}\perp\overrightarrow{OP}$$

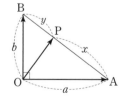

따라서 $|\overrightarrow{AP}|=x$, $|\overrightarrow{BP}|=y$라고 하면
$\triangle AOB\backsim\triangle APO$ (AA 닮음)이므로
$$a:b=x:\sqrt{a^2-x^2}$$
_{└─ $a:b=x:\overline{OP}$이고, 삼각형 APO에서 $\overline{OP}=\sqrt{a^2-x^2}$}
$$bx=a\sqrt{a^2-x^2},\ b^2x^2=a^2(a^2-x^2)$$
$$(a^2+b^2)x^2=a^4\quad\therefore x^2=\frac{a^4}{a^2+b^2}$$
이때 $\overline{AB}=\sqrt{a^2+b^2}=x+y$이므로
$$x^2=\frac{a^4}{(x+y)^2},\ 즉\ x=\frac{a^2}{x+y}$$

같은 방법으로 구하면 $y=\frac{b^2}{x+y}$
$$\therefore|\overrightarrow{AP}|:|\overrightarrow{BP}|=x:y=\frac{a^2}{x+y}:\frac{b^2}{x+y}=a^2:b^2$$
_{└─ $\triangle AOB\backsim\triangle OPB$ (AA 닮음)에서 $a:b=\sqrt{b^2-y^2}:y$를 이용하여 구한다.}

답 ⑤

▮다른 풀이◁

$\angle AOB=\angle APO=90°$이므로
$$|\overrightarrow{OA}|^2=|\overrightarrow{AP}|\times|\overrightarrow{AB}|,\ |\overrightarrow{OB}|^2=|\overrightarrow{BP}|\times|\overrightarrow{BA}|$$
$$a^2=x(x+y),\ b^2=y(x+y)$$
$$\therefore|\overrightarrow{AP}|:|\overrightarrow{BP}|=x:y=a^2:b^2$$

098

이차방정식 $x^2-2\sqrt{5}x+3=0$의 두 근이 $\overline{OA}$, $\overline{OB}$의 값이므로 이차방정식의 근과 계수의 관계에 의하여
$$\overline{OA}+\overline{OB}=2\sqrt{5},\ \overline{OA}\times\overline{OB}=3\quad\cdots\cdots㉠$$
이때 $|\overrightarrow{AB}|=|\overrightarrow{OB}-\overrightarrow{OA}|=4$이므로
$$|\overrightarrow{OB}-\overrightarrow{OA}|^2$$
$$=|\overrightarrow{OB}|^2-2\overrightarrow{OB}\cdot\overrightarrow{OA}+|\overrightarrow{OA}|^2$$
$$=|\overrightarrow{OB}|^2-2|\overrightarrow{OB}||\overrightarrow{OA}|\cos\theta°+|\overrightarrow{OA}|^2$$
$$=(|\overrightarrow{OB}|+|\overrightarrow{OA}|)^2-2|\overrightarrow{OB}||\overrightarrow{OA}|-2|\overrightarrow{OB}||\overrightarrow{OA}|\cos\theta°$$
$$=16$$
$|\overrightarrow{OA}|=\overline{OA}$, $|\overrightarrow{OB}|=\overline{OB}$이므로 위의 식에 ㉠을 대입하면
$$(2\sqrt{5})^2-2\times3-2\times3\times\cos\theta°=16$$
$$\therefore\cos\theta°=-\frac{1}{3}$$

답 ②

099

$$\vec{a}\cdot\vec{b}=(t-5)(t+1)-2(kt-7)$$
$$=(t^2-4t-5)-(2kt-14)$$
$$=t^2-2(k+2)t+9$$
모든 실수 t에 대하여 $\vec{a}\cdot\vec{b}\neq0$이어야 하므로 이차방정식
$t^2-2(k+2)t+9=0$이 허근을 가져야 한다.
이 이차방정식의 판별식을 D라고 하면 $D<0$이어야 하므로
$$\frac{D}{4}=(k+2)^2-9=k^2+4k-5$$
$$=(k-1)(k+5)<0$$
$$\therefore-5<k<1$$

답 $-5<k<1$

100

$$\vec{a}\cdot\vec{b}=(-1,2\sqrt{2})\cdot(x,y)=-x+2\sqrt{2}y=12$$
$|\vec{b}|=\sqrt{x^2+y^2}=k$라 하고 양변을 제곱하면
$$x^2+y^2=k^2$$
이때 원 $x^2+y^2=k^2$이 직선 $-x+2\sqrt{2}y=12$, 즉
$x-2\sqrt{2}y+12=0$과 접할 때 k의 값이 최소가 된다.
이때 k의 값은 원의 중심 $(0,0)$과 직선 $x-2\sqrt{2}y+12=0$ 사이의 거리와 같으므로
_{└─ 원과 직선이 만나도록 하는 k의 값이 가장 작은 경우이다.}
$$k=\frac{|0-0+12|}{\sqrt{1^2+(-2\sqrt{2})^2}}=\frac{12}{3}=4$$

답 ①

101

$\vec{a}+\vec{c}=\vec{b}+\vec{d}$에서 $\vec{a}-\vec{b}=\vec{d}-\vec{c}$

$\therefore \overrightarrow{BA}=\overrightarrow{CD}$

또, $\vec{a}+\vec{c}=\vec{b}+\vec{d}$에서 $\vec{d}=\vec{a}+\vec{c}-\vec{b}$이므로 이를 $\vec{a}\cdot\vec{c}=\vec{b}\cdot\vec{d}$에 대입하면

$\vec{a}\cdot\vec{c}=\vec{b}\cdot(\vec{a}+\vec{c}-\vec{b})$, $\vec{a}\cdot\vec{c}=\vec{b}\cdot\vec{a}+\vec{b}\cdot\vec{c}-|\vec{b}|^2$

$\vec{a}\cdot\vec{c}-\vec{a}\cdot\vec{b}+|\vec{b}|^2-\vec{b}\cdot\vec{c}=0$, $\vec{a}\cdot(\vec{c}-\vec{b})+\vec{b}\cdot(\vec{b}-\vec{c})=0$

$(\vec{b}-\vec{a})\cdot(\vec{b}-\vec{c})=0$ $\therefore \overrightarrow{AB}\cdot\overrightarrow{CB}=0$

즉, $\overrightarrow{BA}\perp\overrightarrow{BC}$이고 $\overrightarrow{BA}=\overrightarrow{CD}$이므로 사각형 ABCD는 직사각형이다.
$\overrightarrow{AB}\cdot\overrightarrow{CB}=0$에서 $\overrightarrow{BA}\cdot\overrightarrow{BC}=0$

답 ④

참고

주어진 조건으로 $\overrightarrow{BA}$, $\overrightarrow{BC}$의 길이의 관계는 알 수 없으므로 사각형 ABCD가 정사각형인지 아닌지 알 수 없다.

102

$\overrightarrow{AB}\cdot\overrightarrow{BC}=0$에서 $\overrightarrow{AB}\cdot(\overrightarrow{AC}-\overrightarrow{AB})=0$

$\therefore \overrightarrow{AB}\cdot\overrightarrow{AC}-|\overrightarrow{AB}|^2=0$ ······ ㉠

$\overrightarrow{CB}\cdot\overrightarrow{CA}=4$에서

$(\overrightarrow{AB}-\overrightarrow{AC})\cdot(-\overrightarrow{AC})=4$

$\therefore -\overrightarrow{AB}\cdot\overrightarrow{AC}+|\overrightarrow{AC}|^2=4$ ······ ㉡

$\overrightarrow{CA}\cdot\overrightarrow{BA}=12$에서 $\overrightarrow{AB}\cdot\overrightarrow{AC}=12$ ······ ㉢

㉢을 ㉠에 대입하면 $|\overrightarrow{AB}|^2=12$

$\therefore |\overrightarrow{AB}|=2\sqrt{3}$

㉢을 ㉡에 대입하면 $|\overrightarrow{AC}|^2=16$

$\therefore |\overrightarrow{AC}|=4$

이때 $\overrightarrow{AB}\cdot\overrightarrow{BC}=0$에서 $\overrightarrow{AB}\perp\overrightarrow{BC}$이므로 삼각형 ABC는 ∠B=90°인 직각삼각형이다.

$\therefore |\overrightarrow{BC}|=\sqrt{|\overrightarrow{AC}|^2-|\overrightarrow{AB}|^2}=\sqrt{4^2-(2\sqrt{3})^2}=2$

따라서 삼각형 ABC의 넓이는

$\frac{1}{2}\times|\overrightarrow{AB}|\times|\overrightarrow{BC}|=\frac{1}{2}\times2\sqrt{3}\times2=2\sqrt{3}$

답 ②

다른 풀이

$\overrightarrow{AB}\cdot\overrightarrow{BC}=0$에서 $\overrightarrow{AB}\perp\overrightarrow{BC}$이므로 삼각형 ABC는 ∠B=90°인 직각삼각형이다.

$AB=a$, $BC=b$라고 하면 $\overrightarrow{AC}=\sqrt{a^2+b^2}$이고, $\overrightarrow{CB}$와 $\overrightarrow{CA}$가 이루는 각의 크기를 $\theta°$라고 하면

$\overrightarrow{CB}\cdot\overrightarrow{CA}=4$에서

$b\sqrt{a^2+b^2}\times\cos\theta°=4$

$b\sqrt{a^2+b^2}\times\frac{b}{\sqrt{a^2+b^2}}=4$

$b^2=4$ $\therefore b=2 (\because b>0)$

$\overrightarrow{CA}\cdot\overrightarrow{BA}=12$에서

$a\sqrt{a^2+b^2}\times\cos(90°-\theta°)=12$

$a\sqrt{a^2+b^2}\times\sin\theta°=12$

$a\sqrt{a^2+b^2}\times\frac{a}{\sqrt{a^2+b^2}}=12$

$a^2=12$ $\therefore a=2\sqrt{3} (\because a>0)$

따라서 삼각형 ABC의 넓이는 $\frac{1}{2}ab=\frac{1}{2}\times2\sqrt{3}\times2=2\sqrt{3}$

103

점 P의 좌표를 (x, y)라고 하면 $\overrightarrow{OP}=(x, y)$이므로

$\overrightarrow{OP}=\sin\theta°\overrightarrow{OA}+(1-\cos\theta°)\overrightarrow{OB}$에서

$(x, y)=\sin\theta°(3, -2)+(1-\cos\theta°)(2, 3)$

$=(3\sin\theta°-2\cos\theta°+2, -2\sin\theta°-3\cos\theta°+3)$

즉,

$x-2=3\sin\theta°-2\cos\theta°$, $y-3=-2\sin\theta°-3\cos\theta°$

이므로 각 식의 양변을 제곱하여 더하면

$(x-2)^2+(y-3)^2$

$=(3\sin\theta°-2\cos\theta°)^2+(-2\sin\theta°-3\cos\theta°)^2$

$=13\sin^2\theta°+13\cos^2\theta°=13$

따라서 점 P가 나타내는 도형은 중심이 $(2, 3)$이고 반지름의 길이가 $\sqrt{13}$인 원이므로 점 P의 자취의 길이는 원의 둘레의 길이인 $2\sqrt{13}\pi$와 같다.

답 ③

참고 ❶

삼각함수 사이의 관계 (수학 I)

$\sin^2\theta°+\cos^2\theta°=1$

참고 ❷

두 평면벡터 $\vec{a}$, $\vec{b}$에 대하여 $\vec{a}\perp\vec{b}$, $|\vec{a}|=|\vec{b}|=r$이고,
점 Q가 $\overrightarrow{OQ}=\sin\theta\vec{a}+\cos\theta\vec{b}$를 만족시킬 때,

$|\overrightarrow{OQ}|^2=\sin^2\theta|\vec{a}|^2+\cos^2\theta|\vec{b}|^2+2\sin\theta\cos\theta\vec{a}\cdot\vec{b}$

$=r^2\times(\sin^2\theta+\cos^2\theta)+2\sin\theta\cos\theta\times0=r^2$

즉, $|\overrightarrow{OQ}|=r$이므로 점 Q의 자취는 원점을 중심으로 하고 반지름의 길이가 r인 원이다.

104

$P(x, y)$, $F(c, 0)$, $F'(-c, 0)$ $(c>0)$이라고 하면

$c=\sqrt{16+9}=5$

$\therefore F(5, 0)$, $F'(-5, 0)$

$\overrightarrow{PF}=\overrightarrow{OF}-\overrightarrow{OP}$

$=(5-x, -y)$

$\overrightarrow{PF'}=\overrightarrow{OF'}-\overrightarrow{OP}=(-5-x, -y)$

이므로

$\overrightarrow{PF}\cdot\overrightarrow{PF'}=(5-x)(-5-x)+y^2$

$=x^2-25+y^2$ ······ ㉠

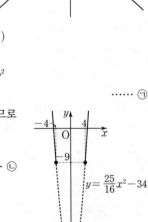

이때 점 P는 쌍곡선 위의 점이므로 $\frac{x^2}{16}-\frac{y^2}{9}=1$을 만족시킨다. 즉,

$y^2=9\left(\frac{x^2}{16}-1\right)$ ······ ㉡

㉡을 ㉠에 대입하면

$\overrightarrow{PF}\cdot\overrightarrow{PF'}=x^2-25+9\left(\frac{x^2}{16}-1\right)$

$=\frac{25}{16}x^2-34$

$(x\le-4$ 또는 $x\ge4)$

따라서 $\overrightarrow{PF} \cdot \overrightarrow{PF'}$은 $x=-4$ 또는 $x=4$에서 최솟값 -9를 갖는다.

답 ①

105

조건 ㈎에서 $\overrightarrow{AC} \cdot \overrightarrow{BC}=0$이므로 두 벡터 $\overrightarrow{AC}$, $\overrightarrow{BC}$는 서로 수직이다.

따라서 선분 AB는 원의 지름이므로 $|\overrightarrow{AB}|=8$에서 원의 반지름의 길이는 4이다.

오른쪽 그림과 같이 원의 중심을 O, 직선 OD가 선분 AC와 만나는 점을 E라고 하자.

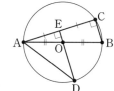

$\overrightarrow{AD}=\overrightarrow{AO}+\overrightarrow{OD}$이고, 조건 ㈏에서

$\overrightarrow{AD}=\dfrac{1}{2}\overrightarrow{AB}-2\overrightarrow{BC}=\overrightarrow{AO}-2\overrightarrow{BC}$

이므로

$\overrightarrow{OD}=-2\overrightarrow{BC}=2\overrightarrow{CB}$, 즉 $\overrightarrow{CB}=\dfrac{1}{2}\overrightarrow{OD}$

따라서 직선 CB와 직선 OD는 서로 평행하고, $|\overrightarrow{OD}|=4$이므로

$|\overrightarrow{CB}|=\dfrac{1}{2}|\overrightarrow{OD}|=2$

이때 직각삼각형 ABC에서 $|\overrightarrow{AB}|=8$, $|\overrightarrow{CB}|=2$이므로

$|\overrightarrow{AC}|=\sqrt{|\overrightarrow{AB}|^2-|\overrightarrow{BC}|^2}=\sqrt{64-4}=2\sqrt{15}$

또, $\overrightarrow{AC}\perp\overrightarrow{BC}$이므로 $\overrightarrow{AC}\perp\overrightarrow{OD}$이고 $\overrightarrow{AC}\perp\overrightarrow{EO}$

이때 점 O는 선분 AB의 중점이므로

$|\overrightarrow{EO}|=\dfrac{1}{2}|\overrightarrow{CB}|=\dfrac{1}{2}\times2=1$

즉, 점 E는 선분 AC의 중점이므로

$|\overrightarrow{AE}|=\dfrac{1}{2}|\overrightarrow{AC}|=\dfrac{1}{2}\times2\sqrt{15}=\sqrt{15}$

한편 세 점 E, O, D가 한 직선 위에 있으므로

$|\overrightarrow{ED}|=|\overrightarrow{EO}|+|\overrightarrow{OD}|=1+4=5$

따라서 직각삼각형 AED에서 피타고라스 정리에 의하여

$|\overrightarrow{AD}|^2=|\overrightarrow{AE}|^2+|\overrightarrow{ED}|^2=(\sqrt{15})^2+5^2=40$

답 ⑤

간단 풀이

$\overrightarrow{AB}=\overrightarrow{AC}-\overrightarrow{BC}$, $\overrightarrow{AC}\cdot\overrightarrow{BC}=0$, $|\overrightarrow{BC}|=2$, $|\overrightarrow{AB}|=8$이므로

$\overrightarrow{AD}=\dfrac{1}{2}\overrightarrow{AB}-2\overrightarrow{BC}$

$=\dfrac{1}{2}(\overrightarrow{AC}-\overrightarrow{BC})-2\overrightarrow{BC}$

$=\dfrac{1}{2}\overrightarrow{AC}-\dfrac{5}{2}\overrightarrow{BC}$

$\therefore |\overrightarrow{AD}|^2=\left|\dfrac{1}{2}\overrightarrow{AC}-\dfrac{5}{2}\overrightarrow{BC}\right|^2$

$=\dfrac{1}{4}|\overrightarrow{AC}|^2+\dfrac{25}{4}|\overrightarrow{BC}|^2-\dfrac{5}{2}\underbrace{(\overrightarrow{AC}\cdot\overrightarrow{BC})}_{=0}$

$=\dfrac{1}{4}|\overrightarrow{AC}|^2+\dfrac{25}{4}|\overrightarrow{BC}|^2$

$=\dfrac{1}{4}(|\overrightarrow{AC}|^2+|\overrightarrow{BC}|^2)+6|\overrightarrow{BC}|^2$

$=\dfrac{1}{4}|\overrightarrow{AB}|^2+6|\overrightarrow{BC}|^2$ 삼각형 ABC에서 $|\overrightarrow{AB}|^2=|\overrightarrow{AC}|^2+|\overrightarrow{BC}|^2$

$=\dfrac{1}{4}\times64+6\times4=40$

106

$\overrightarrow{OA}=(a, -2)$, $\overrightarrow{OC}=(3, -3)$이고 $\overrightarrow{OA}\perp\overrightarrow{OC}$이므로

$\overrightarrow{OA}\cdot\overrightarrow{OC}=3a+(-2)\times(-3)=0$ $\therefore a=-2$

$\overrightarrow{OB}=(-1, b)$, $\overrightarrow{OC}=(3, -3)$이므로

$\overrightarrow{BC}=\overrightarrow{OC}-\overrightarrow{OB}=(3, -3)-(-1, b)=(4, -3-b)$

$\therefore |\overrightarrow{BC}|=\sqrt{4^2+(-3-b)^2}=4\sqrt{2}$

양변을 제곱하면

$16+(b+3)^2=32$, $b^2+6b-7=0$

$(b-1)(b+7)=0$ $\therefore b=1 (\because b>0)$

따라서 구하는 직선은 점 $C(3, -3)$을 지나고 방향벡터가

$\vec{u}=(-2, 1)$이므로

$\dfrac{x-3}{-2}=y+3$

답 ⑤

107

직선 $\dfrac{x-2}{4}=-y+2$의 방향벡터를 $\vec{u}$라고 하면 $\vec{u}=(4, -1)$

따라서 구하는 직선은 점 $(-1, 3)$을 지나고 법선벡터가 $\vec{u}$인 직선이므로

$4(x+1)-(y-3)=0$

$\therefore 4x-y+7=0$

이 직선의 x절편은 $-\dfrac{7}{4}$, y절편은 7이므로 이 직선과 x축, y축으로 둘러싸인 도형의 넓이는

$\dfrac{1}{2}\times\left|-\dfrac{7}{4}\right|\times|7|=\dfrac{49}{8}$

답 ⑤

108

$\vec{a}+\vec{b}=(-3, 2)+(1, 4)=(-2, 6)$

이므로 점 $P(2, 2)$를 지나고 방향벡터가 $(-2, 6)$인 직선 l_1의 방정식은

$\dfrac{x-2}{-2}=\dfrac{y-2}{6}$

또,

$\vec{a}-\vec{b}=(-3, 2)-(1, 4)=(-4, -2)$

이므로 점 $P(2, 2)$를 지나고 법선벡터가 $(-4, -2)$인 직선 l_2의 방정식은

$-4(x-2)-2(y-2)=0$

$\therefore 2x+y-6=0$

따라서 두 직선 l_1, l_2를 좌표평면에 나타내면 오른쪽 그림과 같다.

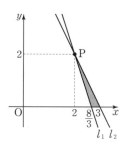

이때 l_1의 x절편은 $\dfrac{x-2}{-2}=\dfrac{0-2}{6}$에서

$x=\dfrac{8}{3}$이므로 $\dfrac{8}{3}$이고,

l_2의 x절편은 $2x+0-6=0$에서

$x=3$이므로 3이다.

따라서 구하는 도형의 넓이는

$\dfrac{1}{2}\times\left(3-\dfrac{8}{3}\right)\times2=\dfrac{1}{3}$

답 $\dfrac{1}{3}$

109

$\dfrac{x+4}{2}=y-2=t$ (t는 실수)로 놓으면

$H(2t-4,\ t+2)$ ...... ㉠

$\therefore \overrightarrow{AH}=\overrightarrow{OH}-\overrightarrow{OA}=(2t-4,\ t+2)-(-1,\ 5)$

$\qquad\qquad\qquad =(2t-3,\ t-3)$

직선 $\dfrac{x+4}{2}=y-2$의 방향벡터를 $\vec{u}$라고 하면 $\vec{u}=(2,\ 1)$이고,

$\overrightarrow{AH}$가 이 직선에 수직이므로

$\overrightarrow{AH}\cdot\vec{u}=0$

$(2t-3,\ t-3)\cdot(2,\ 1)=0$

$2(2t-3)+(t-3)=0$

$5t-9=0$ $\quad\therefore t=\dfrac{9}{5}$

따라서 $t=\dfrac{9}{5}$를 ㉠에 대입하면 $H\left(-\dfrac{2}{5},\ \dfrac{19}{5}\right)$

즉, $a=-\dfrac{2}{5}$, $b=\dfrac{19}{5}$이므로

$a+b=\dfrac{17}{5}$

답 ④

110

$l\perp m$, $m /\!/ n$이면 $l\perp n$이므로

$\vec{u_1}\perp\vec{u_2}$, $\vec{u_2} /\!/ \vec{u_3}$, $\vec{u_1}\perp\vec{u_3}$

ㄱ은 옳다.

$\vec{u_1}\perp\vec{u_2}$이므로 $\vec{u_1}\cdot\vec{u_2}=0$ $\quad\therefore ac+bd=0$

ㄴ도 옳다.

$\vec{u_2} /\!/ \vec{u_3}$이므로

$c:d=e:f$, $de=cf$

$\therefore \dfrac{d}{c}=\dfrac{f}{e}$ (단, $ce\neq0$)

ㄷ도 옳다.

$\vec{u_1}\perp\vec{u_3}$이므로 $\vec{u_1}\cdot\vec{u_3}=0$

$ae+bf=0$, $ae=-bf$

$\therefore \dfrac{a}{f}=-\dfrac{b}{e}$ (단, $ef\neq0$)

따라서 옳은 것은 ㄱ, ㄴ, ㄷ이다.

답 ⑤

111

원점을 O라 하고, 점 A에서 직선 $\dfrac{x+1}{2}=\dfrac{y-1}{3}$에 내린 수선의 발을 H라고 하자.

$\dfrac{x+1}{2}=\dfrac{y-1}{3}=t$ (t는 실수)로 놓으면

$H(2t-1,\ 3t+1)$ ...... ㉠

$\therefore \overrightarrow{AH}=\overrightarrow{OH}-\overrightarrow{OA}=(2t-1,\ 3t+1)-(3,\ -6)$

$\qquad\qquad\qquad =(2t-4,\ 3t+7)$

직선 $\dfrac{x+1}{2}=\dfrac{y-1}{3}$의 방향벡터를 $\vec{u}$라고 하면 $\vec{u}=(2,\ 3)$이고,

$\overrightarrow{AH}$가 이 직선에 수직이므로

$\overrightarrow{AH}\cdot\vec{u}=0$

$(2t-4,\ 3t+7)\cdot(2,\ 3)=0$

$2(2t-4)+3(3t+7)=0$

$13t+13=0$ $\quad\therefore t=-1$

따라서 $t=-1$을 ㉠에 대입하면 $H(-3,\ -2)$

이때 점 H는 선분 AA'의 중점이므로

$\dfrac{3+a}{2}=-3$에서 $3+a=-6$

점 A를 직선에 대하여 대칭이동한 점이 A'이므로 직선은 선분 AA'을 수직이등분한다.

$\therefore a=-9$

$\dfrac{-6+b}{2}=-2$에서 $-6+b=-4$

$\therefore b=2$

$\therefore b-a=2-(-9)=11$

답 ④

112

점 P는 직선 $x-1=\dfrac{-a-y}{2}$ 위의 점이므로

$x-1=\dfrac{y+a}{-2}=t$ (t는 실수)로 놓으면

$P(t+1,\ -2t-a)$

따라서 점 Q의 좌표는 $(t+1,\ 0)$, 점 R의 좌표는 $(0,\ -2t-a)$이므로 직선 QR의 방향벡터는

$\overrightarrow{QR}=\overrightarrow{OR}-\overrightarrow{OQ}=(-t-1,\ -2t-a)$

이때 직선 l의 방향벡터를 $\vec{u}$라고 하면 $\vec{u}=(1,\ -2)$이므로

$\vec{u}\cdot\overrightarrow{QR}=0$에서

$(1,\ -2)\cdot(-t-1,\ -2t-a)=0$

$(-t-1)+(4t+2a)=0$

$3t+2a-1=0$ ...... ㉠

또, $|\overrightarrow{OR}|=4$에서 $-2t-a=4$ 또는 $-2t-a=-4$

벡터의 크기가 4이므로 y좌표가 양수인 경우와 음수인 경우로 나누어 생각한다.

(i) $-2t-a=4$일 때

$a=-2t-4$이므로 ㉠에 대입하면

$3t+2(-2t-4)-1=0$

$-t-9=0$ $\quad\therefore t=-9$

$\therefore P(-8,\ 4)$

(ii) $-2t-a=-4$일 때

$a=-2t+4$이므로 ㉠에 대입하면

$3t+2(-2t+4)-1=0$

$-t+7=0$ $\quad\therefore t=7$

$\therefore P(8,\ -4)$

(i), (ii)에서 $|\overrightarrow{OP}|=\sqrt{64+16}=4\sqrt{5}$

답 ③

113

$|\vec{p}-\vec{c}|=5$, 즉 $|\overrightarrow{CP}|=5$를 만족시키는 점 P가 나타내는 도형은 오른쪽 그림과 같이 점 $C(4,\ 3)$을 중심으로 하고 반지름의 길이가 5인 원이다.

원 $(x-4)^2+(x-3)^2=25$가 원

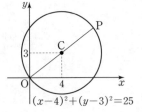

$(x-4)^2+(y-3)^2=25$

점을 지나므로 $\vec{p}=\overrightarrow{OP}$의 크기가 최대가 되려면 선분 OP가 원의 지름이어야 한다.

이때 두 점 O, P의 중점이 원의 중심이므로

$\dfrac{a}{2}=4,\ \dfrac{b}{2}=3$　　$\therefore a=8,\ b=6$

$\therefore a+b=8+6=14$

답 ②

다른 풀이

$\vec{p}=(x,\ y)$라고 하면 $\vec{c}=(4,\ 3)$, $|\vec{p}-\vec{c}|=5$이므로

$|\vec{p}-\vec{c}|^2=(\vec{p}-\vec{c})\cdot(\vec{p}-\vec{c})=(x-4,\ y-3)\cdot(x-4,\ y-3)$,

$(x-4)^2+(y-3)^2=25$

따라서 점 P가 나타내는 도형은 점 C(4, 3)을 중심으로 하고 반지름의 길이가 5인 원이다.

114

$\overrightarrow{OC}=(x,\ y)$라고 하면

$\overrightarrow{CA}=\overrightarrow{OA}-\overrightarrow{OC}=(1,\ -4)-(x,\ y)=(1-x,\ -4-y)$

$\overrightarrow{CB}=\overrightarrow{OB}-\overrightarrow{OC}=(3,\ 2)-(x,\ y)=(3-x,\ 2-y)$

$\overrightarrow{CA}\cdot\overrightarrow{CB}=0$에서

$(1-x)(3-x)+(-4-y)(2-y)=0$

$(x^2-4x+3)+(y^2+2y-8)=0$

$\therefore (x-2)^2+(y+1)^2=10$　　……㉠

즉, 점 C는 중심이 $(2,\ -1)$이고 반지름의 길이가 $\sqrt{10}$인 원 위의 점이다.

이때 $|\overrightarrow{OC}|=\overline{OC}$이므로 $|\overrightarrow{OC}|$의 값은 원점과 원 ㉠ 위의 점 사이의 거리와 같다.

원 ㉠의 중심을 O′, 반지름의 길이를 r라고 하면

$(\,|\overrightarrow{OC}|$의 최솟값$)=r-\overline{OO'}$

$\qquad=\sqrt{10}-\sqrt{2^2+(-1)^2}$

$\qquad=\sqrt{10}-\sqrt{5}$

$(\,|\overrightarrow{OC}|$의 최댓값$)=r+\overline{OO'}$

$\qquad=\sqrt{10}+\sqrt{2^2+(-1)^2}$

$\qquad=\sqrt{10}+\sqrt{5}$

따라서 $|\overrightarrow{OC}|$의 최댓값과 최솟값의 합은

$(\sqrt{10}+\sqrt{5})+(\sqrt{10}-\sqrt{5})=2\sqrt{10}$

답 ④

115

점 P의 좌표를 $(x,\ y)$라고 하면

$\overrightarrow{OA}\cdot\overrightarrow{OP}=(3,\ 0)\cdot(x,\ y)=3\times x+0\times y=3x$

즉,

$\overrightarrow{OQ}=3x\overrightarrow{OA}=3x(3,\ 0)=(9x,\ 0)$

따라서 점 Q의 x좌표는 점 P의 x좌표의 9배와 같다.

이때 점 P는 $|\overrightarrow{AP}|=2$를 만족시키며 움직이므로 중심이 점 A이고 반지름의 길이가 2인 원 위의 점이다.

따라서 점 P의 x좌표의 최댓값은 $3+2=5$이므로 $|\overrightarrow{OQ}|$의 최댓값은 $5\times 9=45$이다.

답 ⑤

116

접근

$|\overrightarrow{CP}|=3$을 만족시키는 점 P가 나타내는 도형은 중심이 C이고 반지름의 길이가 3인 원이다.

$|\overrightarrow{CP}|=3$을 만족시키는 점 P가 나타내는 도형은 중심이 점 C이고 반지름의 길이가 3인 원이므로 점 P가 나타내는 도형과 직선이 만나는 두 점 A, B에 대하여 $\overline{AB}$는 원의 지름이다.

따라서 오른쪽 그림에서

$|\overrightarrow{OA}+\overrightarrow{OB}|$

$=|2\overrightarrow{OC}|$　　점 C는 선분 AB의 중점이다.

$=2\sqrt{(\sin\theta°)^2+(\cos\theta°+1)^2}$

$=2\sqrt{\sin^2\theta°+(\cos^2\theta°+2\cos\theta°+1)}$

$=2\sqrt{2\cos\theta°+2}$

이때 $0\le 2\cos\theta°+2\le 4$이므로 $|\overrightarrow{OA}+\overrightarrow{OB}|$의 최댓값은　　$-1\le\cos\theta°\le1$

$2\sqrt{4}=4$

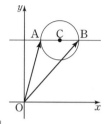

답 4

참고

(1) 삼각함수 사이의 관계 (수학 I)

　$\sin^2 x+\cos^2 x=1$

(2) 함수 $y=\sin x,\ y=\cos x$의 성질 (수학 I)

　① 정의역: 실수 전체의 집합

　② 치역: $\{y\,|-1\le y\le 1\}$

상위 1% 도전 문제

117

주어진 도형을 점 O를 원점으로 하는 좌표평면에 놓으면 오른쪽 그림과 같다.

이때 $\vec{a}=(1,\ 0),\ \vec{b}=(0,\ 1)$이고

$m,\ n\ (0\le m\le 4,\ -1\le n\le 3,$

$\underline{m^2+n^2\ne 0})$은 정수이므로　　$m=0,\ n=0$인 경우를 제외한다.

$\vec{c}=(m,\ n)$　　즉, $\vec{c}\ne\vec{0}$

과 같이 나타낼 수 있다.

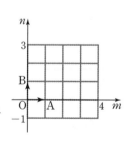

따라서 $N(p(m,\ n))$은 조건 $p(m,\ n)$을 만족시키는 순서쌍 $(m,\ n)$의 개수와 같다.

ㄱ은 옳다.

　$|mn|=1$을 만족시키는 순서쌍 $(m,\ n)$은

　$(1,\ 1),\ (1,\ -1)$

　이므로 조건을 만족시키는 벡터 $\vec{c}$는

　$\vec{c}=(1,\ 1),\ \vec{c}=(1,\ -1)$의 2개이다.

　$\therefore N(|mn|=1)=2$

ㄴ은 옳지 않다.

 (i) $mn>2$를 만족시키는 순서쌍 (m, n)은

  $(3, 1), (4, 1),$

  $(2, 2), (3, 2), (4, 2),$

  $(1, 3), (2, 3), (3, 3), (4, 3)$

  의 9개이다.

 (ii) $mn\le0$을 만족시키는 순서쌍 (m, n)은

  $(1, 0), (2, 0), (3, 0), (4, 0)$

  $(0, -1), (1, -1), (2, -1), (3, -1), (4, -1),$

  $(0, 1), (0, 2), (0, 3)$

  의 12개이다.

 (i), (ii)에서 $N(mn>2)<N(mn\le0)$

ㄷ도 옳지 않다.

 $m^2+n^2=10$을 만족시키는 순서쌍 (m, n)은

 $(1, 3), (3, 1), (3, -1)$의 3개이다.

 $(m-4)^2+n^2=5$를 만족시키는 순서쌍 (m, n)은

 $(2, 1), (2, -1), (3, 2)$의 3개이다.

 $\therefore N(m^2+n^2=10)=N((m-4)^2+n^2=5)$

따라서 옳은 것은 ㄱ이다.

답 ①

다른 풀이

ㄷ도 옳지 않다.

오른쪽 그림과 같이 $m^2+n^2=10$을 만족시키는 순서쌍 (m, n)의 개수는 중심이 O, 반지름의 길이가 $\sqrt{10}$인 원의 둘레에 있는 x좌표와 y좌표가 모두 정수인 점의 개수와 같으므로

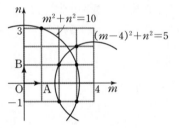

$N(m^2+n^2=10)=3$

$(m-4)^2+n^2=5$를 만족시키는 순서쌍 (m, n)의 개수는 중심이 $(4, 0)$, 반지름의 길이가 $\sqrt{5}$인 원의 둘레에 있는 x좌표와 y좌표가 모두 정수인 점의 개수와 같으므로

$N((m-4)^2+n^2=5)=3$

 $\therefore N(m^2+n^2=10)=N((m-4)^2+n^2=5)$

118

오른쪽 그림과 같이 원의 중심을 원점으로 하고, 점 A가 y축 위에 있도록 좌표평면 위에 삼각형 ABC와 원 O를 놓자. 원점은 정삼각형 ABC의 무게중심이므로

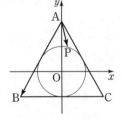

$A(0, \sqrt{3}), B\left(-\dfrac{3}{2}, -\dfrac{\sqrt{3}}{2}\right),$

$C\left(\dfrac{3}{2}, -\dfrac{\sqrt{3}}{2}\right)$

이고, 원의 반지름의 길이는 $\dfrac{\sqrt{3}}{2}$이다.

한편 원 O 위를 움직이는 점 P의 좌표를 (x, y)라고 하면

$\overrightarrow{AB}=\left(-\dfrac{3}{2}, -\dfrac{\sqrt{3}}{2}\right)-(0, \sqrt{3})=\left(-\dfrac{3}{2}, -\dfrac{3\sqrt{3}}{2}\right)$

$\overrightarrow{AP}=(x, y)-(0, \sqrt{3})=(x, y-\sqrt{3})$

이므로

$\overrightarrow{AB}\cdot\overrightarrow{AP}=\left(-\dfrac{3}{2}, -\dfrac{3\sqrt{3}}{2}\right)\cdot(x, y-\sqrt{3})$

$=-\dfrac{3}{2}x-\dfrac{3\sqrt{3}}{2}(y-\sqrt{3})$

$=-\dfrac{3}{2}x-\dfrac{3\sqrt{3}}{2}y+\dfrac{9}{2}$

이때 $-\dfrac{3}{2}x-\dfrac{3\sqrt{3}}{2}y+\dfrac{9}{2}=k$라고 하면 점 P는 원 $x^2+y^2=\dfrac{3}{4}$ 위의 점이므로 직선 $x+\sqrt{3}y-3+\dfrac{2}{3}k=0$과 원 $x^2+y^2=\dfrac{3}{4}$은 적어도 한 점에서 만나야 한다. 즉, 직선과 원의 중심 사이의 거리가 반지름의 길이보다 작거나 같아야 하므로

$\dfrac{\left|0+\sqrt{3}\times0-3+\dfrac{2}{3}k\right|}{\sqrt{1^2+(\sqrt{3})^2}}\le\dfrac{\sqrt{3}}{2}$

$\left|\dfrac{2}{3}k-3\right|\le\sqrt{3}, -\sqrt{3}\le\dfrac{2}{3}k-3\le\sqrt{3}$

$\therefore \dfrac{9}{2}-\dfrac{3\sqrt{3}}{2}\le k\le\dfrac{9}{2}+\dfrac{3\sqrt{3}}{2}$

따라서 $M=\dfrac{9}{2}+\dfrac{3\sqrt{3}}{2}, m=\dfrac{9}{2}-\dfrac{3\sqrt{3}}{2}$이므로

$Mm=\left(\dfrac{9}{2}+\dfrac{3\sqrt{3}}{2}\right)\left(\dfrac{9}{2}-\dfrac{3\sqrt{3}}{2}\right)=\dfrac{27}{2}$

답 $\dfrac{27}{2}$

참고

정삼각형의 내심, 외심, 무게중심은 일치한다.

다른 풀이

오른쪽 그림과 같이 선분 AB의 중점을 N, 점 P를 지나고 선분 AB에 수직인 직선을 l, 선분 AB와 직선 l이 만나는 점을 R라고 하자.

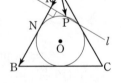

$\overrightarrow{AB}\cdot\overrightarrow{AP}$

$=|\overrightarrow{AB}||\overrightarrow{AP}|\cos(\angle PAR)$

$=|\overrightarrow{AB}||\overrightarrow{AR}|$ ...... ㉠

한편 내접원의 반지름의 길이를 r라고 하면 한 변의 길이가 3인 정삼각형의 넓이는 $\dfrac{9\sqrt{3}}{4}$이므로

$\dfrac{1}{2}\times(3+3+3)\times r=\dfrac{9\sqrt{3}}{4}$ $\therefore r=\dfrac{\sqrt{3}}{2}$

이때 $|\overrightarrow{AR}|$의 최댓값은 $\overline{AN}+r=\dfrac{3}{2}+\dfrac{\sqrt{3}}{2}$, $|\overrightarrow{AR}|$의 최솟값은

$\overline{AN}-r=\dfrac{3}{2}-\dfrac{\sqrt{3}}{2}$이므로 ㉠에서

$M=3\times\left(\dfrac{3}{2}+\dfrac{\sqrt{3}}{2}\right), m=3\times\left(\dfrac{3}{2}-\dfrac{\sqrt{3}}{2}\right)$

 $\therefore Mm=\dfrac{27}{2}$

119

타원 $\dfrac{x^2}{36}+\dfrac{y^2}{25}=1$ 위를 움직이는 점 X에 대하여 $\overrightarrow{AB}\cdot\overrightarrow{AX}$가 최

대가 되도록 하는 점을 P, 최소가 되도록 하는 점을 Q라고 하면 두 점 P, Q는 다음 그림과 같이 직선 $y=\dfrac{1}{2}x+k$에 수직이고 타원에 접하는 직선들의 접점이다.

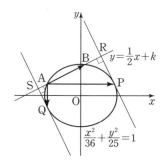

기울기가 -2이고 타원에 접하는 두 직선과 직선 $y=\dfrac{1}{2}x+k$가 만나는 점 중에서 A에 가까운 점을 S, B에 가까운 점을 R라고 하자.

$\overrightarrow{AB} \cdot \overrightarrow{AX}$의 최댓값은

$$\begin{aligned}\overrightarrow{AB} \cdot \overrightarrow{AP} &= |\overrightarrow{AB}|\,|\overrightarrow{AP}| \cos(\angle BAP)\\ &= \overline{AB} \times \overline{AR}\end{aligned}$$
┗ 직각삼각형 APR에서
$\overline{AP}\cos(\angle RAP)=\overline{AR}$

$\overrightarrow{AB} \cdot \overrightarrow{AX}$의 최솟값은

$$\begin{aligned}\overrightarrow{AB} \cdot \overrightarrow{AQ} &= -|\overrightarrow{AB}|\,|\overrightarrow{AQ}| \cos(180°-\angle BAQ)\\ &= -|\overrightarrow{AB}|\,|\overrightarrow{AQ}| \cos(\angle QAS)\\ &= -\overline{AB} \times \overline{AS}\end{aligned}$$
┗ 직각삼각형 ASQ에서
$\overline{AQ}\cos(\angle QAS)=\overline{AS}$

이므로 $\overrightarrow{AB} \cdot \overrightarrow{AX}$의 최댓값과 최솟값의 차는

$$\begin{aligned}\overline{AB} \times \overline{AR} + \overline{AB} \times \overline{AS} &= \overline{AB}(\overline{AR}+\overline{AS})\\ &= \overline{AB} \times \overline{RS}\end{aligned}$$

이때 $\overline{RS}$의 값은 기울기가 -2이고 타원에 접하는 두 직선 사이의 거리이다.

기울기가 -2인 타원의 접선의 방정식은

$$\begin{aligned}y &= -2x \pm \sqrt{36 \times (-2)^2+25}\\ &= -2x \pm 13\end{aligned}$$

두 직선 $y=-2x+13$과 $y=-2x-13$ 사이의 거리는 직선 $y=-2x+13$ 위의 점 $(0,\ 13)$과 직선 $2x+y+13=0$ 사이의 거리와 같으므로

$$\overline{RS}=\frac{|2 \times 0+13+13|}{\sqrt{2^2+1^2}}=\frac{26}{\sqrt{5}}$$

따라서 $\overline{AB} \times \overline{RS}=\dfrac{26}{\sqrt{5}}\,\overline{AB}=\sqrt{5}$이므로

$$\overline{AB}=\frac{5}{26}$$

즉, $p=26$, $q=5$이므로

$$p+q=26+5=31$$

답 31

참고

타원 $\dfrac{x^2}{a^2}+\dfrac{y^2}{b^2}=1$에 접하고 기울기가 m인 접선의 방정식은

$$y=mx \pm \sqrt{a^2m^2+b^2} \ (\text{단},\ m \neq 0)$$

120

직선 l이 원 C와 점 A에서 접하므로 삼각형 OAB는 직각삼각형이다.

원 C의 반지름의 길이를 x라고 하면

$$\begin{aligned}&\overrightarrow{PA} \cdot (\overrightarrow{OB}+\overrightarrow{PB})\\ &= (\overrightarrow{OA}-\overrightarrow{OP}) \cdot (\overrightarrow{OB}+\overrightarrow{OB}-\overrightarrow{OP})\\ &= (\overrightarrow{OA}-\overrightarrow{OP}) \cdot (2\overrightarrow{OB}-\overrightarrow{OP})\\ &= 2\overrightarrow{OA} \cdot \overrightarrow{OB}\\ &\quad -\overrightarrow{OP} \cdot (\overrightarrow{OA}+2\overrightarrow{OB})+|\overrightarrow{OP}|^2\\ &= 3x^2-\overrightarrow{OP} \cdot (\overrightarrow{OA}+2\overrightarrow{OB}) \quad \cdots\cdots \ ㉠\end{aligned}$$
┗ $\angle OAB$는 직각이므로
$\overrightarrow{OA} \cdot \overrightarrow{OB}=|\overrightarrow{OA}|^2$

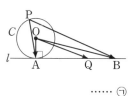

이때 선분 AB를 $2 : 1$로 내분하는 점을 Q라고 하면

$$\overrightarrow{OQ}=\frac{\overrightarrow{OA}+2\overrightarrow{OB}}{2+1},\ \ 즉\ \overrightarrow{OA}+2\overrightarrow{OB}=3\overrightarrow{OQ}$$

이므로 ㉠에 대입하면

$$3x^2-\overrightarrow{OP} \cdot (\overrightarrow{OA}+2\overrightarrow{OB})=3x^2-3\overrightarrow{OP} \cdot \overrightarrow{OQ}$$

위의 값이 최대가 되려면 $\overrightarrow{OP} \cdot \overrightarrow{OQ}$의 값이 최소이어야 하므로 두 벡터 $\overrightarrow{OP}$와 $\overrightarrow{OQ}$가 이루는 각의 크기가 $180°$이어야 한다.

이때 삼각형 OAQ는 직각삼각형이므로

$$\overline{OQ}=\sqrt{\overline{AQ}^2+\overline{OA}^2}=\sqrt{4^2+x^2}$$
┗ 점 Q는 선분 AB를 $2 : 1$로 내분하는
점이므로 $\overline{AQ}=\dfrac{2}{3}\overline{AB}=4$

$$\begin{aligned}\therefore 3x^2-3\overrightarrow{OP} \cdot \overrightarrow{OQ} &\leq 3x^2-3|\overrightarrow{OP}|\,|\overrightarrow{OQ}|\cos 180°\\ &= 3x^2+3x\sqrt{x^2+16}=72\end{aligned}$$

$3x^2+3x\sqrt{x^2+16}=72$를 정리하면

$$x\sqrt{x^2+16}=24-x^2$$

양변을 제곱하면

$$x^2(x^2+16)=(24-x^2)^2$$
$$x^4+16x^2=x^4-48x^2+24^2,\ 64x^2=24^2$$
$$x^2=9 \quad \therefore x=3\ (\because x>0)$$

답 3

풍쌤 비법

$\angle A=90°$인 직각삼각형 ABC에서 $\angle ABC=\theta°$라고 하면

$$\begin{aligned}\overrightarrow{BA} \cdot \overrightarrow{BC} &= |\overrightarrow{BA}|\,|\overrightarrow{BC}|\cos \theta°\\ &= |\overrightarrow{BA}|\,|\overrightarrow{BC}| \times \frac{\overline{AB}}{\overline{BC}}=|\overrightarrow{BA}|^2\end{aligned}$$

121

조건 ㉮에서 점 P는 선분 AB를 지름으로 하는 원 위의 점이다.

조건 ㉯에서 점 Q는 선분 AP의 중점이다.

오른쪽 그림과 같이 선분 AB를 지름으로 하는 원의 중심을 O라고 하면

$$\overline{AQ}=\overline{PQ},\ \overline{AO}=\overline{BO},\ \overline{BP} /\!/ \overline{OQ}$$이므로

$$\overline{OQ} \perp \overline{AQ}$$

따라서 점 Q는 선분 AO를 지름으로 하는 원 위의 점이다.

이때 선분 AO의 중점을 M이라고 하면

$$\overline{MQ}=\frac{1}{2}\overline{OP}=\frac{1}{2} \times 4=2$$

$$\overline{CM}=\sqrt{\overline{BC}^2+\overline{BM}^2}=\sqrt{8^2+6^2}=10$$

$$|\overrightarrow{CQ}|=\overline{CQ} \leq \overline{CM}+\overline{MQ}=10+2=12$$

따라서 $|\overrightarrow{CQ}|$의 최댓값은 12이다.

답 12

점 B를 원점, 두 선분 BC, BA를 각각 x축, y축으로 하는 좌표평면 위에 삼각형 ABC를 놓으면 A$(0, 8)$, C$(8, 0)$

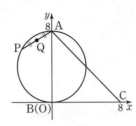

이때 P(a, b)라고 하면

$\overrightarrow{AP}=(a, b-8)$, $\overrightarrow{BP}=(a, b)$

이므로 조건 (개)에 의하여

$\overrightarrow{AP} \cdot \overrightarrow{BP}=a^2+b(b-8)=0$

$a^2+b^2-8b=0$

$\therefore a^2+(b-4)^2=16$

조건 (내)에서 점 Q는 선분 AP의 중점이므로

$Q\left(\dfrac{a}{2}, \dfrac{b+8}{2}\right)$

$\therefore \overline{CQ}=\sqrt{\left(\dfrac{a}{2}-8\right)^2+\left(\dfrac{b+8}{2}\right)^2}$

$=\sqrt{\left(\dfrac{a-16}{2}\right)^2+\left(\dfrac{b+8}{2}\right)^2}$

$=\dfrac{\sqrt{(a-16)^2+(b+8)^2}}{2}$

이때 $(a-16)^2+(b+8)^2=k^2$

$(k>0)$이라고 하면

$k \leq \sqrt{16^2+(-8-4)^2}+4$

$=20+4=24$

$\therefore \overline{CQ}=\dfrac{k}{2} \leq \dfrac{24}{2}=12$

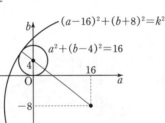

점 $(16, -8)$과 $(0, 4)$ 사이의 거리

미니 모의고사 - 1회

01

$\overline{AB}$의 연장선과 $\overline{CD}$의 연장선이 만나는 점을 B'이라고 하자.

①은 옳다.

$\overrightarrow{AB}+\overrightarrow{CD}=\overrightarrow{AB}+\overrightarrow{BO}=\overrightarrow{AO}=\overrightarrow{BC}$

②도 옳다.

$\overrightarrow{AB}+\overrightarrow{CD}+\overrightarrow{EF}=\underbrace{\overrightarrow{AB}+\overrightarrow{BO}}+\overrightarrow{OA}=\vec{0}$

$\underbrace{\overrightarrow{AB}+\overrightarrow{BO}=\overrightarrow{AO}=-\overrightarrow{OA}}$

③은 옳지 않다.

$\overrightarrow{AD}+\overrightarrow{CF}=\overrightarrow{AD}+\overrightarrow{B'A}=\overrightarrow{B'D}=\overrightarrow{BE}$

④는 옳다.

$\overrightarrow{AB}-\overrightarrow{BD}=\overrightarrow{AB}+\overrightarrow{DB}=\overrightarrow{BB'}+\overrightarrow{DB}=\overrightarrow{DB'}=\overrightarrow{EB}$

⑤도 옳다.

$\overrightarrow{AC}-\overrightarrow{FC}=\overrightarrow{AC}+\overrightarrow{CF}=\overrightarrow{AF}=\overrightarrow{CD}$

目 ③

02

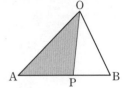

$\overrightarrow{OP}=\dfrac{2\overrightarrow{OA}+3\overrightarrow{OB}}{5}$에서 점 P는 오른쪽 그림과 같이 선분 AB를 3 : 2로 내분하는 점이다.

$\therefore \triangle OAP=\dfrac{3}{5}\triangle OAB$

따라서 삼각형 OAP의 넓이는 삼각형 OAB의 넓이의 $\dfrac{3}{5}$배이다.

$\therefore k=\dfrac{3}{5}$

目 $\dfrac{3}{5}$

03

$\vec{a}+2\vec{b}-\vec{c}=(-1, -1)+2(3, 3)-(2, 1)=(3, 4)$

$\therefore |\vec{a}+2\vec{b}-\vec{c}|=\sqrt{3^2+4^2}=5$

따라서 $\vec{e}=\left(\dfrac{3}{5}, \dfrac{4}{5}\right)$이므로 $e_1=\dfrac{3}{5}$, $e_2=\dfrac{4}{5}$

$\therefore e_1+e_2=\dfrac{7}{5}$

目 ③

04

$|\vec{a}+2\vec{b}|^2=(\vec{a}+2\vec{b}) \cdot (\vec{a}+2\vec{b})$

$\qquad =|\vec{a}|^2+4\vec{a} \cdot \vec{b}+4|\vec{b}|^2=3^2$ ...... ㉠

$|\vec{a}-2\vec{b}|^2=(\vec{a}-2\vec{b}) \cdot (\vec{a}-2\vec{b})$

$\qquad =|\vec{a}|^2-4\vec{a} \cdot \vec{b}+4|\vec{b}|^2=2^2$ ...... ㉡

㉠-㉡을 하면 $8\vec{a} \cdot \vec{b}=5$

$\therefore \vec{a} \cdot \vec{b}=\dfrac{5}{8}$

따라서 $p=8$, $q=5$이므로 $p+q=13$

目 ②

05

$\dfrac{\overrightarrow{PA}+3\overrightarrow{PB}}{4}=\overrightarrow{PC}$라고 하면 점 C는 선분 AB를 3 : 1로 내분하는 점이다. 즉,

$|\overrightarrow{PA}+3\overrightarrow{PB}|=|4\overrightarrow{PC}|=4|\overrightarrow{PC}|=8$

$\therefore |\overrightarrow{PC}|=2$

따라서 점 P의 자취는 점 C를 중심으로 하고 반지름의 길이가 2인 원이다.

目 ④

06

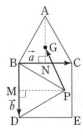

$\overrightarrow{BC}=\vec{a}$, $\overrightarrow{BD}=\vec{b}$라고 하자.

변 BD의 중점을 M이라고 하면

$\overrightarrow{MP}=\dfrac{\sqrt{3}}{2}\vec{a}$, $\overrightarrow{BM}=\dfrac{1}{2}\vec{b}$

$\therefore \overrightarrow{BP}=\overrightarrow{BM}+\overrightarrow{MP}=\dfrac{\sqrt{3}}{2}\vec{a}+\dfrac{1}{2}\vec{b}$

변 BC의 중점을 N이라고 하면

$\overrightarrow{BN}=\dfrac{1}{2}\vec{a}$, $\overrightarrow{NG}=\dfrac{1}{3}\times\left(-\dfrac{\sqrt{3}}{2}\vec{b}\right)=-\dfrac{\sqrt{3}}{6}\vec{b}$

$$\therefore \overrightarrow{BG} = \overrightarrow{BN} + \overrightarrow{NG} = \frac{1}{2}\vec{a} - \frac{\sqrt{3}}{6}\vec{b}$$

$$\therefore \overrightarrow{PG} = \overrightarrow{BG} - \overrightarrow{BP}$$

$$= \left(\frac{1}{2}\vec{a} - \frac{\sqrt{3}}{6}\vec{b}\right) - \left(\frac{\sqrt{3}}{2}\vec{a} + \frac{1}{2}\vec{b}\right)$$

$$= \left(\frac{1-\sqrt{3}}{2}\right)\vec{a} - \left(\frac{\sqrt{3}+3}{6}\right)\vec{b}$$

$$= \left(\frac{1-\sqrt{3}}{2}\right)\overrightarrow{BC} - \left(\frac{\sqrt{3}+3}{6}\right)\overrightarrow{BD}$$

즉, $m = \frac{1-\sqrt{3}}{2}$, $n = -\frac{\sqrt{3}+3}{6}$ 이므로

$$m+n = \frac{1-\sqrt{3}}{2} - \frac{\sqrt{3}+3}{6}$$

$$= -\frac{2\sqrt{3}}{3}$$

답 ③

07

ㄱ은 옳다.

$A = \{\overrightarrow{a_i b_j} \mid i, j = 1, 2, 3, 4\}$ 에서

$$\overrightarrow{a_1 b_1} = \overrightarrow{a_2 b_2} = \overrightarrow{a_3 b_3} = \overrightarrow{a_4 b_4},$$

$$\overrightarrow{a_1 b_2} = \overrightarrow{a_2 b_3} = \overrightarrow{a_3 b_4},$$

$$\overrightarrow{a_1 b_3} = \overrightarrow{a_2 b_4},$$

$$\overrightarrow{a_2 b_1} = \overrightarrow{a_3 b_2} = \overrightarrow{a_4 b_3},$$

$$\overrightarrow{a_3 b_1} = \overrightarrow{a_4 b_2}$$

이므로

$$A = \{\overrightarrow{a_1 b_1}, \ \overrightarrow{a_1 b_2}, \ \overrightarrow{a_1 b_3}, \ \overrightarrow{a_1 b_4}, \ \overrightarrow{a_2 b_1}, \ \overrightarrow{a_3 b_1}, \ \overrightarrow{a_4 b_1}\}$$

$$\therefore n(A) = 7$$

같은 방법으로 $B = \{\overrightarrow{c_i b_j} \mid i, j = 1, 2, 3, 4\}$ 에서

$$B = \{\overrightarrow{c_1 b_1}, \ \overrightarrow{c_1 b_2}, \ \overrightarrow{c_1 b_3}, \ \overrightarrow{c_1 b_4}, \ \overrightarrow{c_2 b_1}, \ \overrightarrow{c_3 b_1}, \ \overrightarrow{c_4 b_1}\}$$

$$\therefore n(B) = 7$$

$$\therefore n(A) + n(B) = 14$$

ㄴ도 옳다.

$|\vec{x} + \vec{y}|$ 의 최댓값은 $\vec{x} = \overrightarrow{a_1 b_4}$, $\vec{y} = \overrightarrow{c_1 b_4}$ 일 때

$$|\vec{x} + \vec{y}| = |\overrightarrow{a_1 b_4} + \overrightarrow{c_1 b_4}| = 2|\overrightarrow{b_1 b_4}| = 6$$

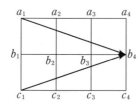

ㄷ도 옳다.

$C = \{\overrightarrow{b_i c_j} \mid i, j = 1, 2, 3, 4\}$ 라고 하자.

$\vec{y} \in B$ 이면 $-\vec{y} \in C$

이때 $A = C$ 이므로 $|\vec{x} - \vec{y}|$ 의 최댓값은 $\vec{x} = \overrightarrow{a_1 b_4}$, $\vec{y} = \overrightarrow{c_4 b_1}$ 일 때

$$|\vec{x} - \vec{y}| = |\overrightarrow{a_1 b_4} - \overrightarrow{c_4 b_1}| = |\overrightarrow{a_1 b_4} + \overrightarrow{b_1 c_4}|$$

$$= |2\overrightarrow{a_1 b_4}| = 2\sqrt{10}$$

따라서 옳은 것은 ㄱ, ㄴ, ㄷ이다.

답 ⑤

08

$\overrightarrow{AP} = \overrightarrow{CP} - \overrightarrow{CA}$, $\overrightarrow{BP} = \overrightarrow{CP} - \overrightarrow{CB}$ 이므로

$2\overrightarrow{AP} + 5\overrightarrow{BP} + 3\overrightarrow{CP} = \vec{0}$ 에 대입하면

$$2(\overrightarrow{CP} - \overrightarrow{CA}) + 5(\overrightarrow{CP} - \overrightarrow{CB}) + 3\overrightarrow{CP} = \vec{0}$$

$$10\overrightarrow{CP} = 2\overrightarrow{CA} + 5\overrightarrow{CB}$$

$$\therefore \overrightarrow{CP} = \frac{2\overrightarrow{CA} + 5\overrightarrow{CB}}{10} \quad \cdots\cdots \ \text{㉠}$$

㉠을 $\overrightarrow{CQ} = k\overrightarrow{CP}$ 에 대입하면

$$\overrightarrow{CQ} = \frac{2k\overrightarrow{CA} + 5k\overrightarrow{CB}}{10}$$

이때 점 Q가 선분 AB 위의 점이므로

$$\frac{2k}{10} + \frac{5k}{10} = 1 \qquad \therefore k = \frac{10}{7}$$

답 ②

> **풍쌤 비법**
>
> $m+n=1$ 인 양수 m, n 에 대하여 $\overrightarrow{OP} = m\overrightarrow{OA} + n\overrightarrow{OB}$ 를 만족시키는 점 P는 선분 AB 위의 점이다.

09

오른쪽 그림과 같이 원의 중심이 원점이 되도록 원을 좌표평면에 놓고, 두 점 A, B의 좌표를 각각 $(1, 0)$, $(-1, 0)$ 이라고 하자.

이때 선분 AB를 지름으로 하는 원의 방정식은

$$x^2 + y^2 = 1$$

점 P의 좌표를 (a, b) 로 놓으면 $\overline{AP} < \overline{BP}$ 에서 $a > 0$

삼각형 PAB에서 $a = 0$ 이면 $\overline{AP} = \overline{BP}$ 이고, $a < 0$ 이면 $\overline{AP} > \overline{BP}$

점 P에서 x축에 내린 수선의 발을 H라고 하면

$$\triangle ABP = \frac{1}{2} \times \overline{AB} \times \overline{PH} = \frac{1}{2} \times 2 \times |b| = |b| = \frac{\sqrt{3}}{2}$$

이때 점 P는 원 $x^2 + y^2 = 1$ 위의 점이므로 $a^2 + b^2 = 1$ 에서

$$a = \sqrt{1 - b^2} = \sqrt{1 - \left(\frac{\sqrt{3}}{2}\right)^2} = \frac{1}{2}$$

따라서 $\angle BAP = \theta°$ 라고 하면

$$\overrightarrow{AP} \cdot \overrightarrow{AB} = |\overrightarrow{AP}||\overrightarrow{AB}|\cos\theta°$$

$$= |\overrightarrow{AP}||\overrightarrow{AB}| \times \frac{|\overrightarrow{AH}|}{|\overrightarrow{AP}|}$$

$$= |\overrightarrow{AB}||\overrightarrow{AH}|$$

$$= 2(1-a) = 2 \times \left(1 - \frac{1}{2}\right) = 1$$

답 1

> **다른 풀이**
>
> $A(1, 0)$, $B(-1, 0)$, $P\left(\frac{1}{2}, \frac{\sqrt{3}}{2}\right)$ 에서
>
> $$\overrightarrow{AP} = \overrightarrow{OP} - \overrightarrow{OA} = \left(\frac{1}{2}, \frac{\sqrt{3}}{2}\right) - (1, 0) = \left(-\frac{1}{2}, \frac{\sqrt{3}}{2}\right)$$
>
> $$\overrightarrow{AB} = \overrightarrow{OB} - \overrightarrow{OA} = (-1, 0) - (1, 0) = (-2, 0)$$
>
> $$\therefore \overrightarrow{AP} \cdot \overrightarrow{AB} = \left(-\frac{1}{2}, \frac{\sqrt{3}}{2}\right) \cdot (-2, 0) = 1$$

10

점 P의 좌표를 (x, y) 라고 하면 $\vec{p} \cdot (\vec{p} - \vec{a}) = 0$ 에서

$(x, y) \cdot (x-6, y-8)=0$
$x(x-6)+y(y-8)=0$
$\therefore (x-3)^2+(y-4)^2=25$
즉, 점 P가 나타내는 도형은 중심이 $(3, 4)$이고 반지름의 길이가
5인 원이다.
한편 $\overrightarrow{OP} \cdot \overrightarrow{OQ}=(x, y) \cdot (-3, 4)=-3x+4y$이므로
$-3x+4y=k$ (k는 상수)라고 하면 원 $(x-3)^2+(y-4)^2=25$와
직선 $-3x+4y=k$가 접할 때 k가 최댓값과 최솟값을 갖는다.
원 $(x-3)^2+(y-4)^2=25$와 직선 $-3x+4y=k$가 접하면 원의
중심 $(3, 4)$에서 직선 $3x-4y+k=0$까지의 거리가 반지름의 길
이 5와 같으므로
$$\frac{|3 \times 3-4 \times 4+k|}{\sqrt{3^2+(-4)^2}}=5, \ |k-7|=25$$
$k-7=25$ 또는 $k-7=-25$
$\therefore k=32$ 또는 $k=-18$
따라서 $\overrightarrow{OP} \cdot \overrightarrow{OQ}$의 최댓값은 32, 최솟값은 -18이므로 구하는 합
은 $32+(-18)=14$

답 14

다른 풀이

$\vec{p} \cdot (\vec{p}-\vec{a})=0$에서 $(\vec{p}-\vec{0}) \cdot (\vec{p}-\vec{a})=0$을 만족시키는 점 P가 나
타내는 도형은 두 점 $O(0, 0)$, $A(6, 8)$을 지름의 양 끝 점으로 하
는 원이다.
이 원의 중심을 C라고 하면 점 C는 선분 OA의 중점이므로
$C(3, 4)$이고, 반지름의 길이는 $\overline{OC}=\sqrt{3^2+4^2}=5$이다.
한편 $\overrightarrow{OP}=\overrightarrow{OC}+\overrightarrow{CP}$이므로
$\overrightarrow{OP} \cdot \overrightarrow{OQ}=(\overrightarrow{OC}+\overrightarrow{CP}) \cdot \overrightarrow{OQ}$
$\qquad\qquad =\overrightarrow{OC} \cdot \overrightarrow{OQ}+\overrightarrow{CP} \cdot \overrightarrow{OQ}$
$\overrightarrow{OC} \cdot \overrightarrow{OQ}=(3, 4) \cdot (-3, 4)=-9+16=7$
두 벡터 $\overrightarrow{CP}$, $\overrightarrow{OQ}$가 이루는 각의 크기를 $\theta°$라고 하면
$\overrightarrow{CP} \cdot \overrightarrow{OQ}=|\overrightarrow{CP}||\overrightarrow{OQ}|\cos \theta°$ $(0° \leq \theta° \leq 180°)$
$\qquad\qquad =5 \times 5 \times \cos \theta°=25\cos \theta°$
이때 $-1 \leq \cos \theta° \leq 1$이므로
$-25 \leq \overrightarrow{CP} \cdot \overrightarrow{OQ} \leq 25$
따라서 $\overrightarrow{OP} \cdot \overrightarrow{OQ}$의 최댓값은 $7+25=32$, 최솟값은 $7-25=-18$
이므로 구하는 합은
$32+(-18)=14$

미니 모의고사 - 2회

01

$\vec{d}+\vec{a}+\vec{b}+\vec{c}=\overrightarrow{CG}+\overrightarrow{EF}+\overrightarrow{FA}+\overrightarrow{AC}$
$\qquad\qquad =\overrightarrow{CG}+(\overrightarrow{EF}+\overrightarrow{FA}+\overrightarrow{AC})$
$\qquad\qquad =\overrightarrow{CG}+\overrightarrow{EC}=\overrightarrow{EG}$
이때 직각삼각형 EAG에서
$$|\vec{d}+\vec{a}+\vec{b}+\vec{c}|=|\overrightarrow{EG}|=\sqrt{\overline{EA}^2+\overline{AG}^2}=\sqrt{\left(\frac{1}{2}\right)^2+1^2}=\frac{\sqrt{5}}{2}$$

답 ①

02

정삼각형 ABC의 무게중심을 G라고 하면 점 G는 정삼각형의 외
심과 일치하므로 $G(3, 3)$
이때 $\overrightarrow{OG}=\dfrac{\overrightarrow{OA}+\overrightarrow{OB}+\overrightarrow{OC}}{3}$이므로
$\overrightarrow{OA}+\overrightarrow{OB}+\overrightarrow{OC}=3\overrightarrow{OG}=(9, 9)$
$\therefore |\overrightarrow{OA}+\overrightarrow{OB}+\overrightarrow{OC}|=\sqrt{9^2+9^2}=9\sqrt{2}$

답 $9\sqrt{2}$

03

이차방정식의 근과 계수의 관계에서
$\alpha+\beta=3$, $\alpha\beta=-5$
$\overrightarrow{AB}=\overrightarrow{OB}-\overrightarrow{OA}$이므로
$|\overrightarrow{AB}|^2=|\overrightarrow{OB}-\overrightarrow{OA}|^2$
$\qquad\quad =|\overrightarrow{OB}|^2-2\overrightarrow{OB} \cdot \overrightarrow{OA}+|\overrightarrow{OA}|^2$
$\qquad\quad =\beta^2-2 \times (-4)+\alpha^2$
$\qquad\quad =\alpha^2+\beta^2+8=(\alpha+\beta)^2-2\alpha\beta+8$
$\qquad\quad =3^2-2 \times (-5)+8=27$
$\therefore |\overrightarrow{AB}|=3\sqrt{3}$

답 ④

04

오른쪽 그림과 같이 꼭짓점 A와 B 사이
의 꼭짓점을 D라고 하자.
$\overrightarrow{AD}=\overrightarrow{DB}=1$에서 삼각형 DAB가 이등
변삼각형이므로 점 D에서 선분 AB에 내
린 수선의 발을 H라고 하면 선분 DH가
각 ADB를 이등분한다.

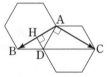

$\therefore \angle ADH=\dfrac{1}{2} \times 120°=60°$
$\therefore \overline{AB}=2\overline{AH}=2 \times \dfrac{\sqrt{3}}{2}=\sqrt{3}$
이때 $\overline{AB}=\overline{AC}=\sqrt{3}$, $\overline{AD}=1$, $\overline{DC}=2$이므로
$\overline{DC}^2=\overline{AC}^2+\overline{AD}^2$에서 $\angle DAC=90°$ | 삼각형 DAH에서
$\therefore \angle BAC=\angle BAD+\angle DAC=120°$ | $\angle DAH=90°-\angle ADH$ $\therefore \angle BAD=30°$
따라서 $\angle BAC=120°$, $|\overrightarrow{AB}|=|\overrightarrow{AC}|=\sqrt{3}$이므로
$\overrightarrow{AB} \cdot \overrightarrow{AC}=-\sqrt{3} \times \sqrt{3} \times \cos(180°-120°)$
$\qquad\qquad =-\sqrt{3} \times \sqrt{3} \times \cos 60°=-\dfrac{3}{2}$

답 ④

05

직선 $6x-3y-2=0$의 법선벡터를 $\vec{n}$이라고 하면 $\vec{n}=(6, -3)$
직선 $\dfrac{1-x}{4}=\dfrac{y-3}{k}$의 방향벡터를 $\vec{u}$라고 하면 $\vec{u}=(-4, k)$
이때 두 직선이 서로 수직이므로 두 벡터 $\vec{u}$와 $\vec{n}$은 서로 평행하다.
즉, $\vec{u}=m\vec{n}$을 만족시키는 0이 아닌 실수 m이 존재하므로
$(-4, k)=m(6, -3)$에서 $-4=6m$, $k=-3m$
$\therefore m=-\dfrac{2}{3}$, $k=-3m=-3 \times \left(-\dfrac{2}{3}\right)=2$

답 2

06

(i) $a \geq 0$, $b \geq 0$일 때

$a+b=1$이므로 점 P의 자취는 두 벡터 $\overrightarrow{OA}$, $\overrightarrow{OB}$의 종점을 잇는 선분이다.

(ii) $a \geq 0$, $b < 0$일 때

$a-b=1$이므로 점 P의 자취는 두 벡터 $\overrightarrow{OA}$, $-\overrightarrow{OB}$의 종점을 잇는 선분이다.

(iii) $a < 0$, $b \geq 0$일 때

$-a+b=1$이므로 점 P의 자취는 두 벡터 $-\overrightarrow{OA}$, $\overrightarrow{OB}$의 종점을 잇는 선분이다.

(iv) $a < 0$, $b < 0$일 때

$-a-b=1$이므로 점 P의 자취는 두 벡터 $-\overrightarrow{OA}$, $-\overrightarrow{OB}$의 종점을 잇는 선분이다.

(i)~(iv)에서 점 P가 나타내는 도형은 오른쪽 그림과 같은 마름모이다.

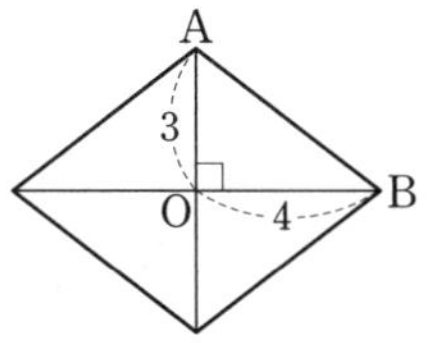

따라서 점 P가 나타내는 도형의 길이는

$4 \times \sqrt{4^2+3^2} = 4 \times 5 = 20$

답 20

07

오른쪽 그림과 같이 $\overrightarrow{OC}=\vec{a}$, $\overrightarrow{OB}=\vec{b}$ 라고 하자.

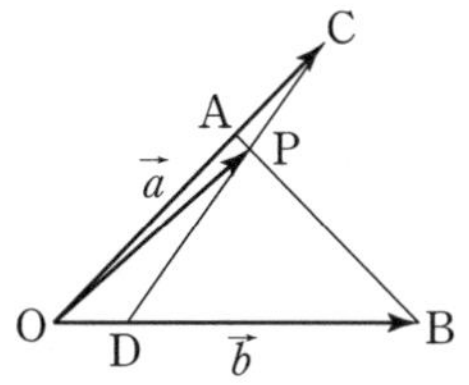

점 P가 선분 CD를

$t : 1-t \ (0 < t < 1)$로 내분한다고 하면

$\overrightarrow{OP} = t\overrightarrow{OD} + (1-t)\overrightarrow{OC}$

$\quad = (1-t)\vec{a} + t \times \dfrac{1}{5}\vec{b}$ ...... ㉠

또, 점 P가 변 AB를 $s : 1-s \ (0 < s < 1)$로 내분한다고 하면

$\overrightarrow{OP} = s\overrightarrow{OB} + (1-s)\overrightarrow{OA}$

$\quad = \dfrac{2}{3}(1-s)\vec{a} + s\vec{b}$ ...... ㉡

㉠, ㉡에서

$1-t = \dfrac{2}{3}(1-s)$, $\dfrac{1}{5}t = s$

이므로 두 식을 연립하여 풀면 $t = \dfrac{5}{13}$, $s = \dfrac{1}{13}$

따라서 $\overline{AP} : \overline{PB} = \dfrac{1}{13} : \dfrac{12}{13} = 1 : 12$이므로

$\triangle POB = 12 \triangle POA$

또, $\overline{OA} : \overline{OC} = 2 : 3$이므로

$\triangle PCO = \dfrac{3}{2} \triangle POA$

$\therefore \dfrac{\triangle POB}{\triangle PCO} = \dfrac{12\triangle POA}{\dfrac{3}{2}\triangle POA} = 8$

답 8

08

반원에 대한 원주각의 크기는 90°이므로

$\angle APB = 90°$

ㄱ은 옳다.

$\overrightarrow{AP} \cdot \overrightarrow{AB} = |\overrightarrow{AP}| \times |\overrightarrow{AB}| \times \cos(\angle PAB)$

$\quad = |\overrightarrow{AP}| \times |\overrightarrow{AB}| \times \dfrac{|\overrightarrow{AP}|}{|\overrightarrow{AB}|} = |\overrightarrow{AP}|^2$

ㄴ은 옳지 않다.

(반례) 점 Q가 선분 CD의 중점이면 $\angle AQB = 90°$이므로

$\overrightarrow{AQ} \cdot \overrightarrow{BQ} = 0$

└─ 이 경우 점 Q는 선분 AB를 지름으로 하는 원 위의 점이다.

ㄷ은 옳다.

$(\overrightarrow{AP} + \overrightarrow{BP}) \cdot \overrightarrow{AB}$

$= \overrightarrow{AP} \cdot \overrightarrow{AB} + \overrightarrow{BP} \cdot \overrightarrow{AB}$

$= |\overrightarrow{AP}| \times |\overrightarrow{AB}| \times \dfrac{|\overrightarrow{AP}|}{|\overrightarrow{AB}|} + |\overrightarrow{BP}| \times |\overrightarrow{AB}| \times \dfrac{|\overrightarrow{BP}|}{|\overrightarrow{AB}|}$

$= |\overrightarrow{AP}|^2 + |\overrightarrow{BP}|^2 = |\overrightarrow{AB}|^2$

따라서 옳은 것은 ㄱ, ㄷ이다.

답 ③

09

조건 ㈎에서 $\overrightarrow{BC} \cdot \overrightarrow{DC} = 0$이므로 $\overrightarrow{BC} \perp \overrightarrow{DC}$

따라서 삼각형 BCD는 직각삼각형이므로 선분 BD는 원의 지름이다.

벡터 $\overrightarrow{BA}$와 $\overrightarrow{BC}$가 이루는 각의 크기를 $\theta°$라고 하면 조건 ㈏에서 $\overrightarrow{BA} \cdot \overrightarrow{BC} = 2$이므로

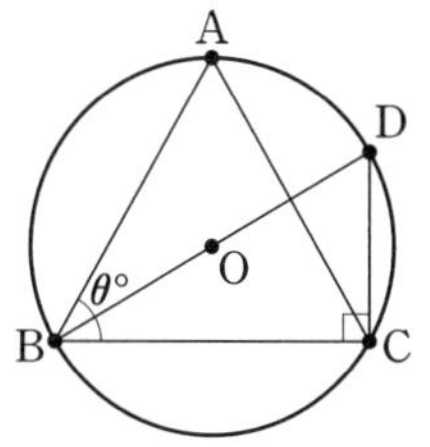

$\overrightarrow{BA} \cdot \overrightarrow{BC} = |\overrightarrow{BA}||\overrightarrow{BC}|\cos\theta°$

$\quad\quad\quad\quad = 2 \times 2 \times \cos\theta° = 2$

$\therefore \cos\theta° = \dfrac{1}{2}$ $\quad \therefore \theta° = 60°$

이때 삼각형 ABC는 $\overline{AB} = \overline{BC}$이고 그 끼인 각의 크기가 60°이므로 정삼각형이다.

즉, 원의 중심을 O라고 하면 점 O는 정삼각형 ABC의 무게중심이다.

$\therefore \overline{BD} = 2\overline{BO} = 2 \times \dfrac{2}{3} \times \left(\dfrac{\sqrt{3}}{2} \times 2\right) = \dfrac{4\sqrt{3}}{3}$

$\therefore |\overrightarrow{CD}|^2 = \overline{BD}^2 - \overline{BC}^2$ ← 한 변의 길이가 2인 정삼각형의 높이

$\quad\quad\quad = \left(\dfrac{4\sqrt{3}}{3}\right)^2 - 2^2 = \dfrac{4}{3}$

답 ④

10

$\vec{p} - \vec{a} = (x, y) - (4, -1) = (x-4, y+1)$이므로

$|\vec{p} - \vec{a}| = 5$에서 $(x-4)^2 + (y+1)^2 = 5^2$

따라서 점 P가 나타내는 도형은 중심이 점 A이고 반지름의 길이가 5인 원이다.

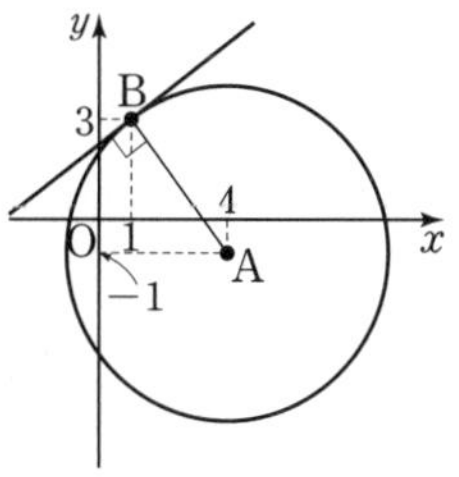

즉, 이 원 위의 점 B(1, 3)에서의 접선은 법선벡터가 $\overrightarrow{AB}$이고 점 B를 지나는 직선이다.

$\overrightarrow{AB} = \overrightarrow{OB} - \overrightarrow{OA}$

$\quad = (1, 3) - (4, -1)$

$\quad = (-3, 4)$

이므로 구하는 접선의 방정식은

$-3(x-1) + 4(y-3) = 0$

$\therefore 3x - 4y + 9 = 0$

따라서 $a = 3$, $b = 9$이므로

$a + b = 12$

답 ②

III.
공간도형과 공간좌표

05 공간도형

001

직선 BH와 한 점에서 만나는 면은 면 ABCD, 면 ABFE, 면 BCGF, 면 HGFE, 면 ADHE, 면 DCGH이므로
$a=6$
직선 BH와 꼬인 위치에 있는 모서리는 모서리 AD, 모서리 AE, 모서리 CD, 모서리 CG, 모서리 EF, 모서리 GF이므로
$b=6$
직선 BH와 평행한 모서리는 없으므로
$c=0$
$\therefore a+b+c=6+6+0=12$

답 ②

002

ㄱ. 직선 AD와 직선 BQ는 만나지 않고 평행하지 않으므로 꼬인 위치에 있다.
ㄴ. 직선 AB와 직선 CP는 한 점에서 만난다.
ㄷ. 직선 PQ와 직선 BD는 서로 평행하다.
따라서 두 직선이 꼬인 위치에 있는 것은 ㄱ이다.

답 ①

참고

선분 AC의 중점을 점 M이라고 하면 두 점 P, Q는 무게중심이므로 $\overline{BP}:\overline{PM}=\overline{DQ}:\overline{QM}=2:1$
따라서 두 삼각형 MPQ, MBD는 닮음이고 직선 PQ와 직선 BD는 평행하다.

003

(i) 세 점 A, B, G로 결정되는 평면은 평면 ABG의 1개이다.
(ii) 직선 EF와 한 점으로 결정되는 평면은 평면 AEF, 평면 BEF, 평면 GEF의 3개이다. 이때 네 점 A, B, E, F는 한 평면 위에 있으므로 평면 AEF와 평면 BEF는 같은 평면이다. 즉, 구하는 평면은 2개이다.
(iii) 직선 CE와 한 점으로 결정되는 평면은 평면 ACE, 평면 BCE, 평면 GCE의 3개이다. 이때 네 점 A, C, E, G는 한 평면 위에 있으므로 평면 ACE와 평면 GCE는 같은 평면이다. 즉, 구하는 평면은 2개이다.
(iv) 직선 EF와 직선 CE로 결정되는 평면은 평면 CEF의 1개이다.
(i)~(iv)에서 구하는 평면의 개수는
$1+2+2+1=6$

답 ③

004

모든 평면이 적어도 하나의 다른 평면과 교선을 갖고, 그 어떤 세 평면도 한 교선에서 만나지 않을 때 서로 다른 5개의 평면으로 만들어지는 교선의 개수가 최대이다.
따라서 교선의 최대 개수는 서로 다른 5개에서 2개를 택하는 조합의 수와 같다.
$\therefore {}_5C_2=\dfrac{5\times4}{2\times1}=10$

답 ②

참고

조합의 수
서로 다른 n개에서 r개를 택하는 조합의 수는
$${}_nC_r=\dfrac{n!}{r!(n-r)!}$$

005

ㄷ. (반례) 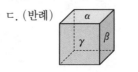   ㄹ. (반례)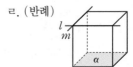

따라서 옳은 것은 ㄱ, ㄴ이다.

답 ①

참고

ㄹ에서 직선 l과 m은 꼬인 위치에 있을 수도 있으므로 $\alpha/\!/l$, $\alpha/\!/m$이면 $l/\!/m$ 또는 $l\perp m$이라고 생각하지 않도록 주의한다.

006

정팔면체의 성질에 의하여 $\overline{CF}/\!/\overline{AE}$이므로 꼬인 위치에 있는 두 모서리 AB, CF가 이루는 각의 크기는 두 모서리 AB, AE가 이루는 각의 크기와 같다.
이때 삼각형 ABE는 정삼각형이므로
$\angle BAE=60°$
따라서 구하는 각의 크기는 $60°$이다.

답 ③

007

$\overline{AC}/\!/\overline{EG}$이므로 꼬인 위치에 있는 두 선분 AC, DE가 이루는 각의 크기는 두 선분 EG, DE가 이루는 각의 크기와 같다.
이때 삼각형 DEG는 정삼각형이므로
$\angle DEG=60°$ ┌ 선분 DE, 선분 EG, 선분 DG는 각 면의 대각선이므로 그 길이가 같다.
즉, $\theta°=60°$이므로 $\cos\theta°=\cos60°=\dfrac{1}{2}$

답 ②

다른 풀이

$\overline{DE}/\!/\overline{CF}$이므로 꼬인 위치에 있는 두 선분 AC, DE가 이루는 각의 크기는 두 선분 AC, CF가 이루는 각의 크기와 같다.
이때 삼각형 ACF는 정삼각형이므로
$\angle ACF=60°$
즉, $\theta°=60°$이므로 $\cos\theta°=\cos60°=\dfrac{1}{2}$

008

ㄱ은 옳다.

평면 ADG는 평면 ADF와 같은 평면이고, 평면 ADF 위의 선분 AD에 대하여 (평면 ABFE)⊥$\overline{AD}$이므로

$\overline{AD}\perp\overline{BE}$ ┌ 선분 AD가 평면 ABFE와 수직이므로
└ 평면 ABFE 위의 모든 직선과 수직이다.

또, 평면 ADF 위의 선분 AF에 대하여 $\overline{AF}\perp\overline{BE}$

따라서 평면 ADF, 즉 평면 ADG 위의 두 선분과 선분 BE가 수직이므로 (평면 ADG)⊥$\overline{BE}$

ㄴ은 옳지 않다.

평면 BDH 위의 직선 중 선분 AG와 수직인 서로 다른 두 직선을 찾을 수 없으므로 평면 BDH는 선분 AG와 수직이 아니다.

ㄷ도 옳지 않다.

평면 ACE 위의 선분 AE와 CG에 대하여

$\overline{AE}/\!/\overline{DH}$, $\overline{CG}/\!/\overline{DH}$

이므로 평면 ACE와 선분 DH는 평행하다.

따라서 옳은 것은 ㄱ이다.

답 ①

009

삼각형 ABC와 삼각형 BCD는 모두 정삼각형이고, 점 M은 모서리 BC의 중점이므로

$\overline{AM}\perp\overline{BC}$, $\overline{DM}\perp\overline{BC}$

∴ (평면 AMD)⊥$\overline{BC}$

따라서 구하는 각의 크기는 90°이다.

답 90°

010

$\overline{PO}\perp\alpha$이므로 선분 PO는 평면 α 위의 임의의 직선과 수직이다.

이때 (가) 직선 l 은 평면 α에 포함되므로 $\overline{PO}\perp l$

또, $\overline{OH}\perp$ (나) l 이므로 직선 l은 선분 PO와 선분 OH를 포함하는 평면 PHO와 수직이다.

이때 선분 PH는 (다) 평면 PHO 에 포함되고, 직선 l은 (다) 평면 PHO 위에 있는 모든 직선과 수직이므로 $\overline{PH}\perp l$

답 ②

011

$\overline{PO}\perp\alpha$, $\overline{OQ}\perp\overline{AB}$이므로 삼수선의 정리에 의하여

$\overline{PQ}\perp\overline{AB}$

직각삼각형 PQA에서

$\overline{PQ}=\sqrt{\overline{AP}^2-\overline{AQ}^2}=\sqrt{6^2-(\sqrt{11})^2}=5$

따라서 직각삼각형 POQ에서

$\overline{OQ}=\sqrt{\overline{PQ}^2-\overline{PO}^2}=\sqrt{5^2-4^2}=3$

답 ③

012

$\overline{CG}\perp$(면 EFGH), $\overline{CO}\perp\overline{FH}$이므로 삼수선의 정리에 의하여

$\overline{GO}\perp\overline{FH}$

직각삼각형 FGH에서 $\overline{GH}\times\overline{FG}=\overline{FH}\times\overline{GO}$이고,

$\overline{FH}=\sqrt{(\sqrt{7})^2+3^2}=4$이므로 ┌ 삼각형 FGH의 넓이를 구하는 식

$\sqrt{7}\times3=4\times\overline{GO}$ ∴ $\overline{GO}=\dfrac{3\sqrt{7}}{4}$

$\dfrac{1}{2}\overline{GH}\times\overline{FG}=\dfrac{1}{2}\overline{FH}\times\overline{GO}$ 에서 $\overline{GH}\times\overline{FG}=\overline{FH}\times\overline{GO}$

따라서 직각삼각형 CGO에서

$\overline{CO}=\sqrt{\overline{CG}^2+\overline{GO}^2}=\sqrt{2^2+\left(\dfrac{3\sqrt{7}}{4}\right)^2}=\sqrt{\dfrac{127}{4}}$

∴ $a=127$

답 127

013

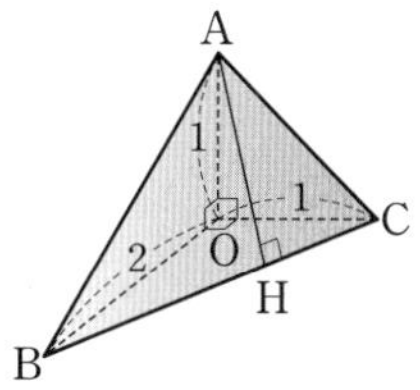

$\overline{OA}\perp\overline{OB}$, $\overline{OA}\perp\overline{OC}$이므로 모서리 OA와 평면 OBC는 서로 수직이다.

또, 점 A에서 모서리 BC에 내린 수선의 발을 H라고 하면 $\overline{AH}\perp\overline{BC}$이므로 삼수선의 정리에 의하여

$\overline{OH}\perp\overline{BC}$

직각삼각형 OBC에서 $\overline{OB}\times\overline{OC}=\overline{BC}\times\overline{OH}$이고,

$\overline{BC}=\sqrt{2^2+1^2}=\sqrt{5}$이므로

$2\times1=\sqrt{5}\times\overline{OH}$ ∴ $\overline{OH}=\dfrac{2}{\sqrt{5}}$

따라서 직각삼각형 AOH에서

$\overline{AH}=\sqrt{\overline{OA}^2+\overline{OH}^2}=\sqrt{1^2+\left(\dfrac{2}{\sqrt{5}}\right)^2}=\dfrac{3}{\sqrt{5}}$

∴ $\triangle ABC=\dfrac{1}{2}\times\overline{AH}\times\overline{BC}=\dfrac{1}{2}\times\dfrac{3}{\sqrt{5}}\times\sqrt{5}=\dfrac{3}{2}$

답 ④

014

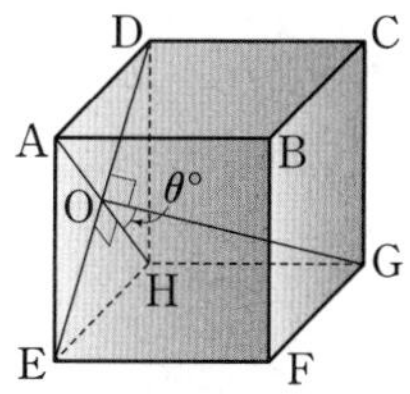

오른쪽 그림과 같이 정사각형 AEHD의 두 대각선의 교점을 O라고 하면 삼각형 DEG는 정삼각형이므로 점 G에서 선분 DE에 내린 수선의 발은 점 O이다.

∴ $\overline{GO}\perp\overline{DE}$, $\overline{HO}\perp\overline{DE}$

따라서 평면 AEHD와 평면 DEG가 이루는 각의 크기는 두 선분 GO, HO가 이루는 각의 크기와 같다.

∴ $\theta°=\angle GOH$

정육면체의 한 모서리의 길이를 a라고 하면

$\overline{HO}=\dfrac{1}{2}\overline{AH}=\dfrac{\sqrt{2}}{2}a$

이므로 직각삼각형 GHO에서

$\overline{GO}=\sqrt{\overline{GH}^2+\overline{HO}^2}=\sqrt{a^2+\left(\dfrac{\sqrt{2}}{2}a\right)^2}=\dfrac{\sqrt{6}}{2}a$

∴ $\cos\theta°=\dfrac{\overline{HO}}{\overline{GO}}=\dfrac{\dfrac{\sqrt{2}}{2}a}{\dfrac{\sqrt{6}}{2}a}=\dfrac{\sqrt{3}}{3}$

답 ②

015

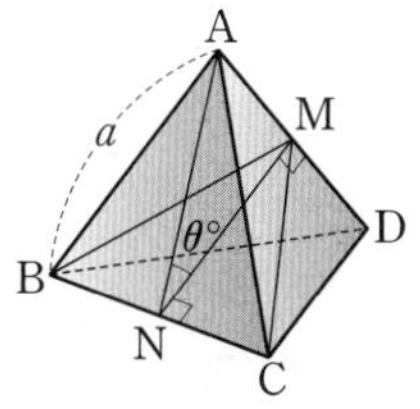

오른쪽 그림과 같이 모서리 BC의 중점을 N이라고 하면

$\overline{AN}\perp\overline{BC}$, $\overline{MN}\perp\overline{BC}$

이므로 두 평면 ABC와 BCM이 이루는 각의 크기는 두 선분 AN, MN이 이루

는 각의 크기와 같다.

$$\therefore \theta° = \angle \text{ANM}$$

정사면체의 한 모서리의 길이를 a라고 하면 직각삼각형 BNM에서

$$\overline{\text{MN}} = \sqrt{\overline{\text{BM}}^2 - \overline{\text{BN}}^2} = \sqrt{\left(\frac{\sqrt{3}}{2}a\right)^2 - \left(\frac{1}{2}a\right)^2} = \frac{\sqrt{2}}{2}a$$

$$\therefore \cos \theta° = \frac{\overline{\text{MN}}}{\overline{\text{AN}}} = \frac{\frac{\sqrt{2}}{2}a}{\frac{\sqrt{3}}{2}a} = \frac{\sqrt{6}}{3}$$

답 $\dfrac{\sqrt{6}}{3}$

참고

$\overline{\text{AN}} = \sqrt{\overline{\text{MN}}^2 + \overline{\text{AM}}^2}$이므로 삼각형 AMN은 $\angle\text{AMN} = 90°$인 직각삼각형이다.

016

정사각형 ABCD에서 선분 AC와 BD의 중점을 O라고 하면

$$\overline{\text{A}'\text{O}} \perp \overline{\text{BD}}, \ \overline{\text{GO}} \perp \overline{\text{BD}}$$

따라서 두 평면 A'BD, BCD가 이루는 각의 크기는 두 선분 A'O, GO가 이루는 각의 크기와 같다.

$$\therefore \theta° = \angle\text{A}'\text{OG}$$

점 G는 삼각형 BCD의 무게중심이므로

$$\overline{\text{GO}} = \frac{1}{3}\overline{\text{CO}} = \frac{1}{3} \times \sqrt{2} = \frac{\sqrt{2}}{3}$$

따라서 직각삼각형 A'GO에서

$$\overline{\text{A}'\text{G}} = \sqrt{\overline{\text{A}'\text{O}}^2 - \overline{\text{GO}}^2} = \sqrt{(\sqrt{2})^2 - \left(\frac{\sqrt{2}}{3}\right)^2} = \frac{4}{3}$$

$$\overline{\text{A}'\text{O}} = \overline{\text{AO}} = \sqrt{2}$$

$$\therefore \sin \theta° = \frac{\overline{\text{A}'\text{G}}}{\overline{\text{A}'\text{O}}} = \frac{\frac{4}{3}}{\sqrt{2}} = \frac{2\sqrt{2}}{3}$$

답 ⑤

다른 풀이

직각삼각형 A'GO에서

$$\cos \theta° = \frac{\overline{\text{GO}}}{\overline{\text{A}'\text{O}}} = \frac{\frac{\sqrt{2}}{3}}{\sqrt{2}} = \frac{1}{3}$$

이때 삼각함수의 관계에 의하여 $\sin^2\theta° + \cos^2\theta° = 1$이므로

$$\sin \theta° = \sqrt{1 - \cos^2\theta°} = \sqrt{1 - \left(\frac{1}{3}\right)^2} = \frac{2\sqrt{2}}{3}$$

참고

삼각함수 사이의 관계 (수학 I)

$$\sin^2\theta° + \cos^2\theta° = 1$$

017

오른쪽 그림과 같이 점 C에서 모서리 AB에 내린 수선의 발을 H라고 하면

$$\overline{\text{OC}} \perp (\text{평면 OAB}), \ \overline{\text{CH}} \perp \overline{\text{AB}}$$

이므로 삼수선의 정리에 의하여

$$\overline{\text{OH}} \perp \overline{\text{AB}}$$

따라서 두 평면 OAB, ABC가 이루는 각의 크기는 두 선분 CH, OH가 이루는 각의 크기와 같다.

$$\therefore \theta° = \angle\text{CHO}$$

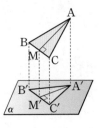

이때 $\overline{\text{OA}} = a$라고 하면 직각삼각형 AOC에서 $\overline{\text{OC}} = \sqrt{3}a$이고, 직각삼각형 BOC에서 $\overline{\text{OB}} = \sqrt{3}a$이므로

$$\overline{\text{AB}} = \sqrt{\overline{\text{OA}}^2 + \overline{\text{OB}}^2} = \sqrt{a^2 + (\sqrt{3}a)^2} = 2a$$

따라서 직각삼각형 OAB에서

$$\overline{\text{OH}} \times \overline{\text{AB}} = \overline{\text{OA}} \times \overline{\text{OB}}$$

이므로

$$\overline{\text{OH}} \times 2a = a \times \sqrt{3}a \quad \therefore \overline{\text{OH}} = \frac{\sqrt{3}}{2}a$$

$$\therefore \tan \theta° = \frac{\overline{\text{OC}}}{\overline{\text{OH}}} = \frac{\sqrt{3}a}{\frac{\sqrt{3}}{2}a} = 2$$

답 2

018

오른쪽 그림과 같이 점 B에서 평면 ACD에 내린 수선의 발을 H라고 하면 모서리 AB의 평면 ACD 위로의 정사영은 선분 AH이다.

이때 점 H는 삼각형 ACD의 무게중심이므로 모서리 CD의 중점을 M이라고 하면

$$\overline{\text{AH}} = \frac{2}{3}\overline{\text{AM}} = \frac{2}{3} \times \left(\frac{\sqrt{3}}{2} \times 3\right) = \sqrt{3}$$

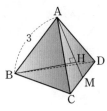

답 $\sqrt{3}$

019

㈎ 선분 AC의 평면 AEHD 위로의 정사영은 선분 AD이므로 그 길이는 1

㈏ 선분 AF의 평면 EFGH 위로의 정사영은 선분 EF이므로 그 길이는 1

㈐ 선분 DF의 평면 CDHG 위로의 정사영은 선분 DG이므로 그 길이는 $\sqrt{2}$

$$\therefore a = b < c$$

답 ③

020

삼각형 ABC의 평면 α 위로의 정사영을 A'B'C'이라고 하면 변 BC가 평면 α와 평행하므로

$$\overline{\text{B}'\text{C}'} = \overline{\text{BC}} = 2$$

선분 BC의 중점을 M, 선분 B'C'의 중점을 M'이라고 하면 점 M의 평면 α 위로의 정사영은 점 M'이다.

즉, 삼각형 ABC와 평면 α가 이루는 각의 크기는 선분 AM과 선분 A'M'이 이루는 각의 크기와 같다.

$$\overline{\text{AM}} = \sqrt{\overline{\text{AB}}^2 - \overline{\text{BM}}^2} = \sqrt{4^2 - 1^2} = \sqrt{15}$$

$$\overline{\text{A}'\text{M}'} = \frac{\sqrt{3}}{2}\overline{\text{B}'\text{C}'} = \sqrt{3}$$

삼각형 A'B'C'은 정삼각형이다.

이고, 선분 AM의 평면 α 위로의 정사영이 선분 A'M'이므로

$$\overline{\text{A}'\text{M}'} = \overline{\text{AM}}\cos \theta°, \ \sqrt{3} = \sqrt{15}\cos \theta°$$

$$\therefore \cos \theta° = \frac{\sqrt{5}}{5}$$

답 ①

021

선분 HF의 중점을 M′, 모서리 HE의 중점을 N′이라고 하면 삼각형 MBN의 평면 EFGH로의 정사영은 삼각형 M′FN′이다.

오른쪽 그림과 같이 $\overline{HG}=a$라고 하면

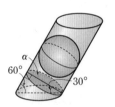

$\triangle M'FN'$
$=\square EFGH-(\triangle HGF+\triangle HN'M'+\triangle N'EF)$
$=a^2-\left(\dfrac{1}{2}a^2+\dfrac{1}{8}a^2+\dfrac{1}{4}a^2\right)$
$=\dfrac{1}{8}a^2$

이때 평면 MBN과 평면 EFGH가 이루는 각의 크기가 45°이므로

$\dfrac{1}{8}a^2=\triangle MBN\times\cos 45°$ $\therefore \triangle MBN=\dfrac{\sqrt{2}}{8}a^2$

따라서 삼각형 MBN의 넓이는 정사각형 EFGH의 넓이의 $\dfrac{\sqrt{2}}{8}$배이다.

답 ④

022

구와 입체도형의 접점의 집합은 반지름의 길이가 구의 반지름의 길이와 같은 원이다.

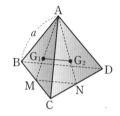

이때 이 원을 포함한 평면을 α라고 하면 주어진 입체도형의 한 밑면의 평면 α 위로의 정사영은 이 원과 같다.

입체도형의 밑면과 평면 α가 이루는 각의 크기는 30°이므로 정사영의 넓이는

$6\sqrt{3}\pi\times\cos 30°=6\sqrt{3}\pi\times\dfrac{\sqrt{3}}{2}=9\pi$

즉, 원의 넓이가 9π이므로 구의 반지름의 길이를 r라고 하면

$\pi r^2=9\pi$ $\therefore r=3$

답 ②

023

ㄱ은 옳다.

오른쪽 그림과 같은 직육면체에서 세 평면을 평면 ABCD, 평면 AEHD, 평면 DHGC라고 하면 세 교선은 직선 AD, 직선 DC, 직선 DH이다.

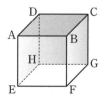

이때 교선의 교점은 점 D이므로 교선은 한 점에서 만난다.

ㄴ도 옳다.

오른쪽 그림과 같은 직육면체에서 세 평면을 평면 ABCD, 평면 ABGH, 평면 DHGC라고 하면 세 교선은 직선 AB, 직선 DC, 직선 HG이다.

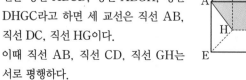

이때 직선 AB, 직선 CD, 직선 GH는 서로 평행하다.

ㄷ은 옳지 않다.

서로 다른 세 평면은 각각 두 개의 교선을 포함한다. 이때 한 평면 위에 있는 두 직선은 꼬인 위치에 있을 수 없다.

따라서 3개의 교선의 위치 관계가 될 수 있는 것은 ㄱ, ㄴ이다.

답 ③

024

오른쪽 그림과 같이 면 ABC의 무게중심을 G_1, 면 ACD의 무게중심을 G_2, 모서리 BC의 중점을 M, 모서리 CD의 중점을 N이라고 하자.

이때

$\overline{MC}=\dfrac{1}{2}\overline{BC}$, $\overline{CN}=\dfrac{1}{2}\overline{CD}$

이고, 선분 MN과 모서리 BD가 평행하므로

$\overline{MN}=\dfrac{1}{2}\overline{BD}=\dfrac{1}{2}a$ ······ ㉠

또, 선분 G_1G_2는 모서리 BD와 평행하므로 선분 G_1G_2와 선분 MN도 평행하다.

$\overline{AG_1}=\dfrac{2}{3}\overline{AM}$, $\overline{AG_2}=\dfrac{2}{3}\overline{AN}$이므로 삼각형 AG_1G_2와 삼각형 AMN은 서로 닮음이고 닮음비는 $2:3$이다.

$\therefore \overline{G_1G_2}:\overline{MN}=2:3$ ······ ㉡

따라서 ㉠, ㉡에서

$\overline{G_1G_2}=\dfrac{2}{3}\overline{MN}=\dfrac{2}{3}\times\dfrac{1}{2}a=\dfrac{1}{3}a$

답 ②

025

서로 다른 세 평면의 위치 관계를 그림으로 나타내면 다음과 같다.

(i)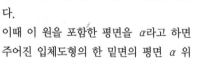

(ii)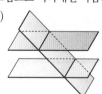

(iii)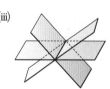

(iv)

(v)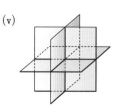

각각 분할되는 공간의 개수를 구해 보면

(i) 세 평면이 평행한 경우: 4

(ii) 세 평면 중 두 평면이 평행하고 나머지 한 평면이 두 평면과 만나는 경우: 6

(iii) 세 평면이 한 직선에서 만나는 경우: 6

(iv) 세 평면이 각각 만나고, 이때 생기는 교선이 평행한 경우: 7

(v) 세 평면이 각각 만나고, 이때 생기는 세 교선이 한 점에서 만나는 경우: 8

(i)~(v)에서 $M=8$, $m=4$이므로

$M-m=8-4=4$

답 ③

026

직선 l이 사각형 ABCD의 어떤 변과도 평행하지 않을 때 평면의 개수는 최댓값을 갖는다.

(i) 네 점 A, B, C, D로 결정되는 평면은 평면 ABCD의 1개이다.

(ii) 직선 l과 한 점으로 결정되는 평면은 평면 APQ, 평면 BPQ, 평면 CPQ, 평면 DPQ의 4개이다.

(iii) 직선 l 위의 한 점과 두 점으로 결정되는 평면은 평면 PAB, 평면 PAC, 평면 PAD, 평면 PBC, 평면 PBD, 평면 PCD, 평면 QAB, 평면 QAC, 평면 QAD, 평면 QBC, 평면 QBD, 평면 QCD의 12개이다.

(i), (ii), (iii)에 의하여

$M=1+4+12=17$

또, 사각형 ABCD가 평행사변형이고 직선 l이 평행사변형의 한 변과 평행할 때 평면의 개수는 최솟값을 갖는다. 이때 직선 l이 변 AB와 평행할 경우 평면의 개수를 알아보자.

(iv) 네 점 A, B, C, D로 결정되는 평면은 평면 ABCD의 1개이다.

(v) 직선 l과 한 점으로 결정되는 평면은 평면 APQ, 평면 BPQ, 평면 CPQ, 평면 DPQ의 4개이다.

이때 네 점 A, B, P, Q는 한 평면 위에 있으므로 평면 APQ와 평면 BPQ는 같은 평면이고, 네 점 C, D, P, Q는 한 평면 위에 있으므로 평면 CPQ와 평면 DPQ는 같은 평면이다. 즉, 구하는 평면은 2개이다.
└─ 사각형 ABCD는 평행사변형이므로 직선 l은 변 CD와도 평행하다.

(vi) 직선 l 위의 한 점과 두 점으로 결정되는 평면은 평면 PAB, 평면 PAC, 평면 PAD, 평면 PBC, 평면 PBD, 평면 PCD, 평면 QAB, 평면 QAC, 평면 QAD, 평면 QBC, 평면 QBD, 평면 QCD의 12개이다.

이때 네 점 A, B, P, Q는 한 평면 위에 있으므로 평면 PAB와 평면 QAB는 (v)의 평면 APQ와 같은 평면이고, 네 점 C, D, P, Q는 한 평면 위에 있으므로 평면 PCD와 평면 QCD는 (v)의 평면 CPQ와 같은 평면이다. 즉, 구하는 평면은 8개이다.

(iv), (v), (vi)에 의하여

$m=1+2+8=11$

$\therefore M+m=17+11=28$

답 ①

간단 풀이

직선 l이 사각형 ABCD의 어떤 변과도 평행하지 않을 때 평면의 개수는 최댓값을 갖는다.

$\therefore M=\underset{\text{(iii)}}{\underline{{}_4C_2\times{}_2C_1}}+\underset{\text{(ii)}}{\underline{{}_4C_1\times{}_2C_2}}+\underset{\text{(i)}}{\underline{{}_4C_4}}=17$

참고

최솟값을 구할 때는 오른쪽 그림과 같이 각 점을 직육면체의 꼭짓점에 놓고 생각하면 편리하다.

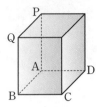

027

어느 세 점도 한 직선 위에 있지 않은 6개의 점으로 만들 수 있는 직선의 개수는

${}_6C_2=\dfrac{6\times5}{2\times1}=15$

세 점이 한 직선 위에 있는 경우 6개의 점으로 만들 수 있는 직선의 개수는

${}_6C_2-{}_3C_2+1=15-3+1=13$

따라서 서로 다른 6개의 점 중 세 점은 한 직선 위에 있다.

한 직선 위에 있는 세 점을 각각 A, B, C라 하고, 나머지 세 점을 D, E, F라고 하자. ┌ 평면의 최대 개수를 구해야 하므로 직선 DE, DF, EF는 직선 AB와 평행하지 않다.

(i) 세 점 D, E, F로 결정되는 평면은 평면 DEF의 1개이다.

(ii) 직선 AB와 한 점으로 결정되는 평면은 평면 ABD, 평면 ABE, 평면 ABF의 3개이다.

(iii) 직선 DE와 한 점으로 결정되는 평면은 평면 ADE, 평면 BDE, 평면 CDE의 3개이다.

(iv) 직선 DF와 한 점으로 결정되는 평면은 평면 ADF, 평면 BDF, 평면 CDF의 3개이다.

(v) 직선 EF와 한 점으로 결정되는 평면은 평면 AEF, 평면 BEF, 평면 CEF의 3개이다.

(i)~(v)에서 구하는 평면의 개수는

$1+3+3+3+3=13$

답 13

참고

오른쪽 그림과 같이 각 점을 직육면체의 모서리 위 또는 꼭짓점에 놓고 생각하면 편리하다.

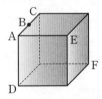

028

밑면의 한 모서리를 모서리 AB라고 하자.

(i) $n=2k-1$ $(k\geq2)$일 때

　i) 모서리 AB가 포함된 밑면의 모서리는 모두 같은 평면에 있으므로 꼬인 위치에 있는 모서리의 개수는 0이다.

　ii) 옆면의 모서리 중 모서리 AB와 만나는 2개의 모서리를 제외한 $n-2$개의 모서리와는 꼬인 위치에 있다.

　iii) 모서리 AB가 포함되지 않은 다른 밑면의 모서리 중 모서리 AB와 평행한 1개의 모서리를 제외한 $n-1$개의 모서리와 꼬인 위치에 있다.

　i)~iii)에 의하여

$f(n)=(n-2)+(n-1)=2n-3$

$\therefore f(2k-1)=2(2k-1)-3=4k-5$

(ii) $n=2k$ $(k \geq 2)$일 때

　ⅰ) 모서리 AB가 포함된 밑면의 모서리는 모두 같은 평면에 있
　　으므로 꼬인 위치에 있는 모서리의 개수는 0이다.

　ⅱ) 옆면의 모서리 중 모서리 AB와 만나는 2개의 모서리를 제
　　외한 $n-2$개의 모서리와는 꼬인 위치에 있다.

　ⅲ) 모서리 AB가 포함되지 않은 다른 밑면의 모서리 중 모서리
　　AB와 평행한 2개의 모서리를 제외한 $n-2$개의 모서리와
　　꼬인 위치에 있다.

ⅰ)~ⅲ)에 의하여

$f(n)=(n-2)+(n-2)=2n-4$

$\therefore f(2k)=2 \times 2k-4=4k-4$

$$\therefore \sum_{n=3}^{20} f(n)=\sum_{k=2}^{10} \{f(2k-1)+f(2k)\}$$
$$=\sum_{k=2}^{10}(8k-9)$$
$$=\sum_{k=1}^{10}(8k-9)-\underline{(-1)}$$

　　　$k=1$을 대입한 값을 빼야 한다.

$$=\left(8 \times \frac{10 \times 11}{2}-9 \times 10\right)-(-1)$$
$$=351$$

답 351

029

$\overline{AB}=a$라고 하면 사각형 BCDE는 한 변의 길이가 a인 정사각형
이므로

$\overline{BD}=\sqrt{2}a$

이때

$\sqrt{\overline{AB}^2+\overline{AD}^2}=\sqrt{a^2+a^2}=\sqrt{2}a$

이므로 삼각형 ABD는 선분 BD를 빗변으로 하는 직각삼각형이
다.

즉, $\angle BAD=90°$이므로　${\theta_1}°=90°$

또, $\overline{DE} /\!/ \overline{BC}$이므로 모서리 AB와 모서리 DE가 이루는 각의 크기
는 모서리 AB와 모서리 BC가 이루는 각의 크기와 같다.

이때 삼각형 ABC는 정삼각형이므로

$\angle ABC=60°$　　$\therefore {\theta_2}°=60°$

$\therefore {\theta_1}°+{\theta_2}°=150°$

답 ④

030

오른쪽 그림과 같이 주어진 정육면체
와 합동인 정육면체를 나란히 붙이면

$\overline{AG} /\!/ \overline{DG'}$

이므로 두 선분 BD, AG가 이루는 각
의 크기는 두 선분 BD, DG'이 이루는
각의 크기와 같다.

정육면체의 한 모서리의 길이를 a라고
하면 직각삼각형 BFG'에서

$\overline{BG'}=\sqrt{\overline{BF}^2+\overline{FG'}^2}=\sqrt{a^2+(2a)^2}=\sqrt{5}a$

직각삼각형 ABD에서　$\overline{BD}=\sqrt{2}a$

$\overline{DG'}$은 한 모서리의 길이가 a인 정육면체의 대각선이므로

$\overline{DG'}=\sqrt{3}a$

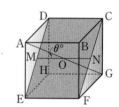

즉, 삼각형 BDG'에서

$\overline{BD}^2+\overline{DG'}^2=\overline{BG'}^2$

따라서 삼각형 BDG'는 선분 BG'을 빗변으로 하는 직각삼각형이
다.

$\therefore \angle BDG'=90°$

즉, 선분 BD와 선분 AG가 이루는 각의 크기는 90°이다.

답 ④

│간단 풀이│

$\overline{AC} \perp \overline{BD}$, $\overline{BD} \perp \overline{CG}$이므로

$\overline{BD} \perp$(평면 ACG)

이때 선분 AG는 평면 ACG 위의 선분이므로　$\overline{BD} \perp \overline{AG}$

따라서 선분 BD와 선분 AG가 이루는 각의 크기는 90°이다.

031

오른쪽 그림과 같이 선분 DE의 중점을
M이라고 하면 $\overline{DE} \perp \overline{AH}$이므로 점 A에
서 평면 DEFC에 내린 수선의 발은 점
M이다.

이때 선분 AG와 평면 DEFC가 만나는
점을 O라고 하면

$\angle AOM=\theta°$

또, 선분 CF의 중점을 N이라고 하면 $\overline{CF} \perp \overline{BG}$이므로 점 G에서
평면 DEFC에서 내린 수선의 발은 점 N이다.

$\angle GON=\theta°$이므로 삼각형 AOM과 삼각형 GON은 합동이다.
($\because$ ASA 합동)

$\therefore \overline{AO}=\overline{OG}$

　$\angle AMO=\angle GNO=90°$, $\overline{AM}=\overline{GN}$

따라서 점 O는 선분 AG의 중점이므로 정육면체의 모서리의 길이
를 a라고 하면 직각삼각형 AOM에서

$$\sin \theta°=\frac{\overline{AM}}{\overline{AO}}=\frac{\frac{1}{2}\overline{AH}}{\frac{1}{2}\overline{AG}}=\frac{\frac{\sqrt{2}}{2}a}{\frac{\sqrt{3}}{2}a}=\frac{\sqrt{2}}{\sqrt{3}}=\frac{\sqrt{6}}{3}$$

답 ⑤

032

직선 AB와 직선 EF가 서로 평행하므로 두 직선 AB, MF가 이루
는 각의 크기는 두 직선 EF, MF가 이루는 각의 크기와 같다.

정육면체의 한 모서리의 길이를 $2a$라고 하면 직각삼각형 MBF에
서

$\overline{MF}=\sqrt{\overline{MB}^2+\overline{BF}^2}=\sqrt{(\sqrt{2}a)^2+(2a)^2}=\sqrt{6}a$

한편 삼각형 MEF는 $\overline{ME}=\overline{MF}$인 이등변삼각형이므로 선분 EF
의 중점을 N이라고 하면 직선 MN과 직선 NF는 서로 수직이다.

따라서 직각삼각형 MNF에서

$$\cos \theta°=\frac{\overline{NF}}{\overline{MF}}=\frac{a}{\sqrt{6}a}=\frac{\sqrt{6}}{6}$$

답 ④

033

오른쪽 그림과 같이 모서리 CD의 중점을
M이라고 하면 삼각형 ACD와 삼각형
BCD는 정삼각형이므로
$\overline{CD} \perp \overline{AM}$, $\overline{CD} \perp \overline{BM}$
∴ $\overline{CD} \perp$ (평면 ABM)
이때 점 M에서 모서리 AB에 내린 수선
의 발을 N이라고 하면 선분 MN은 평면 ABM 위에 있으므로
$\overline{MN} \perp \overline{CD}$
따라서 모서리 AB와 모서리 CD 사이의 거리는 선분 MN의 길이
와 같다.
직각삼각형 AMD에서
$\overline{AM} = \sqrt{\overline{AD}^2 - \overline{DM}^2} = \sqrt{1^2 - \left(\dfrac{1}{2}\right)^2} = \dfrac{\sqrt{3}}{2}$

└─ 삼각형 ACD가 정삼각형이므로
이를 이용하여 구할 수도 있다.

이므로 직각삼각형 ANM에서
$\overline{MN} = \sqrt{\overline{AM}^2 - \overline{AN}^2} = \sqrt{\left(\dfrac{\sqrt{3}}{2}\right)^2 - \left(\dfrac{1}{2}\right)^2} = \dfrac{\sqrt{2}}{2}$

답 ①

034

오른쪽 그림과 같이 모서리 BC와 평행하
고 점 M을 지나는 직선이 모서리 CD와
만나는 점을 N이라고 하면 점 N은 모서
리 CD의 중점이다. └─ 두 삼각형 BCD, MND의
닮음비가 2 : 1이다.
이때 $\overline{BC} /\!/ \overline{MN}$이므로 모서리 BC와 선
분 AM이 이루는 각의 크기는 두 선분
MN, AM이 이루는 각의 크기와 같다.
정사면체의 한 모서리의 길이를 a라고 하면
$\overline{MN} = \dfrac{1}{2}a$, $\overline{AM} = \overline{AN} = \dfrac{\sqrt{3}}{2}a$
이므로 삼각형 AMN은 이등변삼각형이다.
이때 점 A에서 선분 MN에 내린 수선의 발을 H라고 하면 점 H는
선분 MN을 수직이등분하므로
$\cos\theta° = \dfrac{\overline{MH}}{\overline{AM}} = \dfrac{\dfrac{\overline{MN}}{2}}{\overline{AM}} = \dfrac{\dfrac{1}{4}a}{\dfrac{\sqrt{3}}{2}a} = \dfrac{1}{2\sqrt{3}} = \dfrac{\sqrt{3}}{6}$

답 ③

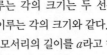

035

다음 그림과 같이 모서리 CG에서 겹치도록 주어진 직육면체와 합
동인 직육면체를 놓으면 두 선분 AN, CM이 이루는 각의 크기는
두 선분 CN′, CM이 이루는 각의 크기와 같다.

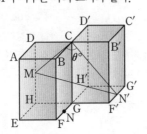

직각삼각형 CDM에서
$\overline{CM} = \sqrt{2^2 + 2^2} = 2\sqrt{2}$
직각삼각형 CGN′에서 $\overline{GN'} = \sqrt{2^2 + 1^2} = \sqrt{5}$이므로
$\overline{CN'} = \sqrt{4^2 + (\sqrt{5})^2} = \sqrt{21}$
직각삼각형 MHN′에서 $\overline{HN'} = \sqrt{2^2 + 1^2} = \sqrt{17}$이므로
$\overline{MN'} = \sqrt{2^2 + (\sqrt{17})^2} = \sqrt{21}$
즉, $\overline{CN'} = \overline{MN'}$이므로 삼각형 CMN′은 이등변삼각형이다.
점 N′에서 선분 CM에 내린 수선의 발을 I라고 하면 선분 N′I는
선분 CM을 수직이등분하므로
$\cos\theta° = \dfrac{\overline{CI}}{\overline{CN'}} = \dfrac{\dfrac{\overline{CM}}{2}}{\overline{CN'}} = \dfrac{\sqrt{2}}{\sqrt{21}} = \dfrac{\sqrt{42}}{21}$

답 ②

다른 풀이

코사인법칙에 의하여
$\cos\theta° = \dfrac{\overline{CM}^2 + \overline{CN'}^2 - \overline{MN'}^2}{2 \times \overline{CM} \times \overline{CN'}}$
$= \dfrac{(2\sqrt{2})^2 + (\sqrt{21})^2 - (\sqrt{21})^2}{2 \times 2\sqrt{2} \times \sqrt{21}}$
$= \dfrac{8}{4\sqrt{42}} = \dfrac{\sqrt{42}}{21}$

참고

(1) 코사인법칙 (수학 I)
삼각형 ABC에서
① $a^2 = b^2 + c^2 - 2bc\cos A$
② $b^2 = c^2 + a^2 - 2ca\cos B$
③ $c^2 = a^2 + b^2 - 2ab\cos C$

(2) 코사인법칙의 변형 (수학 I)
삼각형 ABC에서
① $\cos A = \dfrac{b^2 + c^2 - a^2}{2bc}$
② $\cos B = \dfrac{c^2 + a^2 - b^2}{2ca}$
③ $\cos C = \dfrac{a^2 + b^2 - c^2}{2ab}$

036

접근

꼬인 위치에 있는 두 직선이 이루는 각의 크기는 평행이동을 통해 구
할 수 있으므로, 각의 크기가 다른 경우를 각각 나누어 구한다.

오른쪽 그림과 같은 정육면체를 놓고 경우
를 나누어 구한다.

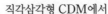

(ⅰ) 모서리 AB와 모서리 CD는 평행하므로
두 선분이 이루는 각의 크기는 0°이다.
∴ $\cos 0° = 1$　　∴ $12\cos^2\theta° = 12$
(ⅱ) 모서리 AB와 모서리 FG가 이루는 각의 크기는 모서리 AB와
모서리 BC가 이루는 각의 크기와 같다.
이때 두 모서리는 서로 수직이므로
$\cos 90° = 0$　　∴ $12\cos^2\theta° = 0$
(ⅲ) 모서리 AB와 선분 EG가 이루는 각의 크기는 모서리 AB와 선
분 AC가 이루는 각의 크기와 같다.
이때 $\overline{AB} = a$라고 하면 $\overline{AC} = \sqrt{2}a$이므로

$$\cos\theta° = \cos(\angle CAB) = \frac{\sqrt{2}}{2}$$

$$\therefore 12\cos^2\theta° = 12 \times \left(\frac{\sqrt{2}}{2}\right)^2 = 6$$

(iv) 모서리 AB와 선분 CE가 이루는 각의 크기는 모서리 CD와 선분 CE가 이루는 각의 크기와 같다.

이때 $\overline{AB} = a$라고 하면 $\overline{CE} = \sqrt{3}a$이고, ┌(정육면체의 대각선의 길이)
$= \sqrt{3} \times$ (한 모서리의 길이)

$\overline{CD} \perp$ (평면 AEHD)에서 $\overline{CD} \perp \overline{DE}$이므로 삼각형 CDE는 직각삼각형이다.

$$\therefore \cos\theta° = \cos(\angle DCE) = \frac{\overline{CD}}{\overline{CE}} = \frac{a}{\sqrt{3}a} = \frac{\sqrt{3}}{3}$$

$$\therefore 12\cos^2\theta° = 12 \times \left(\frac{\sqrt{3}}{3}\right)^2 = 4$$

(i)~(iv)에서 $12\cos^2\theta°$의 값의 합은

$12 + 0 + 6 + 4 = 22$

답 ②

다른 풀이

(iv) 모서리 AB와 선분 CE가 이루는 각의 크기는 모서리 CD와 선분 CE가 이루는 각의 크기와 같다.

이때 $\overline{AB} = a$라고 하면 $\overline{CE} = \sqrt{3}a$이므로 코사인법칙에 의하여

$$\cos\theta° = \frac{\overline{CD}^2 + \overline{CE}^2 - \overline{DE}^2}{2 \times \overline{CD} \times \overline{CE}}$$

$$= \frac{a^2 + (\sqrt{3}a)^2 - (\sqrt{2}a)^2}{2\sqrt{3}a^2} = \frac{\sqrt{3}}{3}$$

참고

만들 수 있는 모든 선분은 평행이동을 이용하여 (i)~(iv)의 경우로 생각할 수 있다.

037

오른쪽 그림과 같이 점 M에서 선분 EG에 내린 수선의 발을 I, 모서리 EH의 중점을 N이라고 하면

$\overline{MN} \perp$ (평면 EFGH), $\overline{MI} \perp \overline{EG}$

이므로 삼수선의 정리에 의하여

$\overline{NI} \perp \overline{EG}$

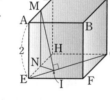

이때 삼각형 NEI는 빗변의 길이가 $\overline{NE} = 1$인 직각이등변삼각형이므로

└삼각형 EHG가 직각이등변삼각형이므로 $\angle HEG = 45°$
즉, 삼각형 NEI도 직각이등변삼각형이다.

$$\overline{NI} = \frac{1}{\sqrt{2}}$$

점 M에서 선분 EG에 이르는 최단 거리는 선분 MI의 길이와 같으므로 직각삼각형 MNI에서

$$\overline{MI} = \sqrt{\overline{MN}^2 + \overline{NI}^2} = \sqrt{2^2 + \left(\frac{1}{\sqrt{2}}\right)^2} = \frac{3\sqrt{2}}{2}$$

답 ③

038

오른쪽 그림과 같이 선분 BC의 중점을 M이라고 하면

$\overline{PA} \perp \alpha$, $\overline{AM} \perp \overline{BC}$

이므로 삼수선의 정리에 의하여

$\overline{PM} \perp \overline{BC}$

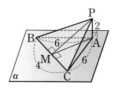

직각삼각형 ABM에서 $\overline{AB} = 6$, $\overline{BM} = \frac{1}{2}\overline{BC} = 2$이므로

$$\overline{AM} = \sqrt{\overline{AB}^2 - \overline{BM}^2} = \sqrt{6^2 - 2^2} = 4\sqrt{2}$$

직각삼각형 PMA에서 $\overline{PA} = 2$이므로

$$\overline{PM} = \sqrt{\overline{PA}^2 + \overline{AM}^2} = \sqrt{2^2 + (4\sqrt{2})^2} = 6$$

따라서 삼각형 PBC의 넓이는

$$\frac{1}{2} \times \overline{PM} \times \overline{BC} = \frac{1}{2} \times 6 \times 4 = 12$$

답 ⑤

039

점 A에서 직선 XY에 내린 수선의 발을 H라고 하면

$\overline{AH} \perp$ (평면 β), $\overline{AQ} \perp m$

이므로 삼수선의 정리에 의하여

$\overline{QH} \perp m$

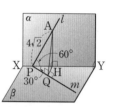

직각삼각형 AHP에서

$$\overline{PH} = \overline{AP}\cos 60° = 4\sqrt{2} \times \frac{1}{2} = 2\sqrt{2}$$

따라서 직각삼각형 HQP에서

$$\overline{PQ} = \overline{PH}\cos 30° = 2\sqrt{2} \times \frac{\sqrt{3}}{2} = \sqrt{6}$$

답 ④

040

┌점 P는 밑면의 원주 위의 점이므로 점 H는 다른 밑면의 원주 위에 존재한다.

오른쪽 그림과 같이 점 P에서 다른 밑면에 내린 수선의 발을 H, 점 H에서 지름 AB에 내린 수선의 발을 Q, 밑면의 중심을 O라고 하면

$\overline{PH} \perp$ (평면 ABH), $\overline{HQ} \perp \overline{AB}$

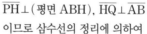

이므로 삼수선의 정리에 의하여

$\overline{PQ} \perp \overline{AB}$

직각삼각형 PHQ에서 $\overline{HQ} = x$라고 하면

$$\overline{PQ} = \sqrt{\overline{PH}^2 + \overline{HQ}^2} = \sqrt{5^2 + x^2} \quad \cdots\cdots ㉠$$

직각삼각형 AQP에서

$$\overline{AQ} = \sqrt{\overline{AP}^2 - \overline{PQ}^2} = \sqrt{(\sqrt{35})^2 - (\sqrt{5^2 + x^2})^2}$$

$$= \sqrt{10 - x^2} \quad \cdots\cdots ㉡$$

한편 직각삼각형 OQH에서

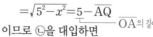

$$\overline{OQ} = \sqrt{\overline{OH}^2 - \overline{HQ}^2}$$

$$= \sqrt{5^2 - x^2} = 5 - \overline{AQ} \qquad \overline{OA}의 길이$$

이므로 ㉡을 대입하면

$$\sqrt{5^2 - x^2} = 5 - \sqrt{10 - x^2}$$

$$25 - x^2 = 25 - 10\sqrt{10 - x^2} + (10 - x^2)$$

$$10\sqrt{10 - x^2} = 10, \quad 10 - x^2 = 1$$

$$x^2 = 9 \quad \therefore x = 3 \ (\because x > 0)$$

이때 점 P와 선분 AB 사이의 거리의 최솟값은 선분 PQ의 길이와 같으므로 ㉠에서

$$\overline{PQ} = \sqrt{5^2 + x^2} = \sqrt{25 + 3^2} = \sqrt{34}$$

답 ④

041

→ 접근

직선 l에서 면 BEFC에 내린 수선의 발과 모서리 BE에 내린 수선의
발을 이용하면 삼수선의 정리를 통해 직각삼각형을 찾을 수 있다.

오른쪽 그림과 같이 직선 l 위의
점 O를 잡고, 점 O에서 면 BEFC
에 내린 수선의 발을 P, 점 O에서
모서리 BE에 내린 수선의 발을 Q
라고 하면

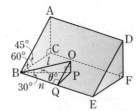

$\overline{OP} \perp$ (평면 BEFC), $\overline{OQ} \perp \overline{BE}$
이므로 삼수선의 정리에 의하여
$$\overline{PQ} \perp \overline{BE}$$
이때 직각삼각형 BQO에서 ∠ABE=90°이므로
$$\angle OBQ = 30° \quad \text{┌ ∠ABE=∠ABO+∠OBQ}$$
$$\therefore \overline{OQ} = \overline{OB}\sin 30° = \frac{\overline{OB}}{2}$$
또, 직각삼각형 OPQ에서 ∠OQP의 크기는 ∠ABC의 크기와 같
으므로 ∠OQP=45° ┌ $\overline{AB} /\!/ \overline{OQ}$
$$\therefore \overline{OP} = \overline{OQ}\sin 45° = \frac{\overline{OB}}{2} \times \frac{\sqrt{2}}{2} = \frac{\sqrt{2}\,\overline{OB}}{4}$$
이때 ∠OBP=θ°이므로
$$\sin \theta° = \frac{\overline{OP}}{\overline{OB}} = \frac{\sqrt{2}\,\overline{OB}}{4} \times \frac{1}{\overline{OB}} = \frac{\sqrt{2}}{4}$$

답 ①

042

두 평면 α, β가 서로 수직이고 평면 α 위에 있는 직선 AB와 평면
β가 서로 평행하므로 그림으로 나타내면 다음과 같다.

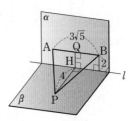

두 평면 α, β의 교선을 직선 l, 평면 β 위의 점 P에서 직선 l에 내
린 수선의 발을 H, 점 H에서 직선 AB에 내린 수선의 발을 Q라고
하면
$$\overline{PH} = 4, \quad \overline{QH} = 2$$
┌ 점 A와 평면 β 사이의 거리가 2이다.
이다. └ 점 P와 평면 α 사이의 거리가 4이다.
또,
$$\overline{AB} \perp \overline{QH}, \quad \overline{PH} \perp (\text{평면 } \alpha)$$
이므로 삼수선의 정리에 의하여
$$\overline{AB} \perp \overline{PQ}$$
따라서 직각삼각형 PHQ에서
$$\overline{PQ} = \sqrt{\overline{PH}^2 + \overline{HQ}^2} = \sqrt{4^2 + 2^2} = 2\sqrt{5}$$
이므로 삼각형 PAB의 넓이는
$$\frac{1}{2} \times \overline{AB} \times \overline{PQ} = \frac{1}{2} \times 3\sqrt{5} \times 2\sqrt{5} = 15$$

답 15

043

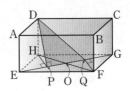

직각삼각형 DHP에서 $\overline{HP} = \sqrt{2}$, $\overline{DH} = \sqrt{6}$이므로
$$\overline{DP} = \sqrt{\overline{DH}^2 + \overline{HP}^2} = \sqrt{(\sqrt{6})^2 + (\sqrt{2})^2} = 2\sqrt{2}$$
선분 EG와 선분 FH의 교점을 O라 하고, $\overline{OP} = x$라고 하면
$$\overline{OP} = \overline{OQ} \text{이므로} \quad \overline{PQ} = 2x$$
이때 ┌ 사각형 EFGH가 직사각형이므로 점 P와 Q는 점 O를 중심으로 대칭이다.
$$\overline{DH} \perp (\text{평면 EFGH}), \quad \overline{HP} \perp \overline{EG}$$
이므로 삼수선의 정리에 의하여
$$\overline{DP} \perp \overline{EG}$$
따라서 삼각형 DPQ는 ∠DPQ=90°인 직각삼각형이고, 그 넓이
가 $2\sqrt{6}$이므로
$$\triangle DPQ = \frac{1}{2} \times \overline{DP} \times \overline{PQ} = \frac{1}{2} \times 2\sqrt{2} \times 2x = 2\sqrt{6}$$
$$\therefore x = \sqrt{3}$$
따라서 선분 DO의 길이는 직각삼각형 DPO에서
$$\overline{DO} = \sqrt{\overline{DP}^2 + \overline{OP}^2} = \sqrt{(2\sqrt{2})^2 + (\sqrt{3})^2} = \sqrt{11}$$

답 ④

044

점 A에서 평면 α에 내린 수선의 발을
H, 선분 AH의 길이를 x라고 하면 직각
삼각형 AHB와 직각삼각형 AHC에서
$$\overline{BH} = \sqrt{12^2 - x^2}, \quad \overline{CH} = \sqrt{13^2 - x^2}$$
이때

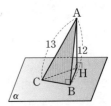

$$\overline{AB} \perp \overline{BC}, \quad \overline{AH} \perp (\text{평면 } \alpha)$$
이므로 삼수선의 정리에 의하여
$$\overline{BH} \perp \overline{BC}$$
따라서 선분 BC의 자취의 넓이는 점 H를 중심으로 하고 반지름의
길이가 CH인 원의 넓이에서 점 H를 중심으로 하고 반지름의 길이
가 BH인 원의 넓이를 뺀 값과 같다.
즉, 구하는 자취의 넓이는
$$\pi(\sqrt{13^2 - x^2})^2 - \pi(\sqrt{12^2 - x^2})^2 = 25\pi$$

답 25π

045

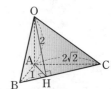

$\overline{OA} \perp \overline{AB}$, $\overline{OA} \perp \overline{AC}$이므로
$$\overline{OA} \perp (\text{평면 ABC})$$
또, 점 A에서 선분 BC에 내린 수선의 발
을 H라고 하면
$$\overline{AH} \perp \overline{BC}$$
이므로 삼수선의 정리에 의하여
$$\overline{OH} \perp \overline{BC}$$
따라서 점 P가 점 H일 때 $\overline{OP} + \overline{AP}$가 최솟값을 갖는다.
직각삼각형 ABC에서

$$\overline{BC}=\sqrt{\overline{AB}^2+\overline{AC}^2}=\sqrt{1^2+(2\sqrt2)^2}=3$$

이고,

$$\frac{1}{2}\times\overline{AB}\times\overline{AC}=\frac{1}{2}\times\overline{BC}\times\overline{AH}$$

$$\frac{1}{2}\times1\times2\sqrt2=\frac{1}{2}\times3\times\overline{AH}$$

$$\therefore\ \overline{AH}=\frac{2\sqrt2}{3}$$

또, 직각삼각형 OAH에서

$$\overline{OH}=\sqrt{\overline{OA}^2+\overline{AH}^2}=\sqrt{2^2+\left(\frac{2\sqrt2}{3}\right)^2}=\frac{2\sqrt{11}}{3}$$

따라서 $\overline{OP}+\overline{AP}$의 최솟값은 $\overline{OH}+\overline{AH}=\dfrac{2(\sqrt{11}+\sqrt2)}{3}$이다.

답 ⑤

참고

전개도를 이용하여 $\overline{OA}=\overline{OP}+\overline{PA}$의 길이를 구하는 방법은 계산이 복잡하므로 위의 방법을 이용하여 구한다.

046

선분 FG는 평면 AEFB와 수직이므로 $\overline{AF}\perp\overline{FG}$
정육면체의 한 모서리의 길이를 a라 하고, 점 F에서 대각선 AG에 내린 수선의 발을 M이라고 하자.
직각삼각형 AFG에서

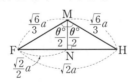

$$\frac{1}{2}\times\overline{AF}\times\overline{FG}=\frac{1}{2}\times\overline{AG}\times\overline{FM}$$이므로

$$\frac{1}{2}\times\sqrt2 a\times a=\frac{1}{2}\times\sqrt3 a\times\overline{FM}$$

$$\therefore\ \overline{FM}=\frac{\sqrt6}{3}a$$

또, 선분 GH는 평면 AEHD와 수직이므로 $\overline{AH}\perp\overline{HG}$
한편 두 직각삼각형 AFG, AHG는 합동이므로 점 H에서 선분 AG에 내린 수선의 발도 점 M이다.

$$\therefore\ \overline{HM}=\overline{FM}=\frac{\sqrt6}{3}a$$

이때 $\overline{AG}\perp\overline{FM},\ \overline{AG}\perp\overline{HM}$이므로 두 평면 AFG, AGH가 이루는 각의 크기는 두 선분 FM, HM이 이루는 각의 크기와 같다.
삼각형 FMH는 $\overline{FM}=\overline{HM}$인 이등변삼각형이므로 선분 FH의 중점을 N이라고 하면

$$\sin\frac{\theta°}{2}=\frac{\overline{FN}}{\overline{FM}}=\frac{\frac{\sqrt2}{2}a}{\frac{\sqrt6}{3}a}=\frac{\sqrt3}{2}$$

즉, $\dfrac{\theta°}{2}=60°$이므로 $\theta°=120°$

답 ④

다른 풀이

삼각형 FMH에서 코사인법칙에 의하여

$$\cos\theta°=\frac{\overline{FM}^2+\overline{HM}^2-\overline{FH}^2}{2\times\overline{FM}\times\overline{HM}}$$

$$=\frac{\left(\frac{\sqrt6}{3}a\right)^2+\left(\frac{\sqrt6}{3}a\right)^2-(\sqrt2 a)^2}{2\times\frac{\sqrt6}{3}a\times\frac{\sqrt6}{3}a}$$

$$=-\frac{1}{2}$$

$\cos\theta°=-\dfrac{1}{2}$을 만족시키는 $\theta°$의 값은 $120°$이다.

├── 두 평면이 이루는 각의 크기는 크지 않은 쪽이다.

047

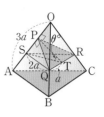

정사면체의 모서리 OA를 $2:1$로 내분하는 점을 S라고 하면 삼각형 ABC와 삼각형 SQR는 평행하므로 삼각형 PQR와 삼각형 ABC가 이루는 각의 크기는 삼각형 PQR와 삼각형 SQR가 이루는 각의 크기와 같다.
정사면체 OSQR에서 점 P는 모서리 OS의 중점이므로

$$\overline{OS}\perp\overline{QP},\ \overline{OS}\perp\overline{RP}\quad\therefore\ \overline{OS}\perp(평면\ PQR)$$

따라서 선분 QR의 중점을 T라고 하면 삼각형 PST는 $\angle SPT=90°$인 직각삼각형이다.
$\overline{OA}=3a$라고 하면 $\overline{SQ}=2a,\ \overline{PS}=a,\ \overline{QT}=a$이므로
삼각형 SQT에서

$$\overline{ST}=\sqrt{\overline{SQ}^2-\overline{QT}^2}=\sqrt{(2a)^2-a^2}=\sqrt3 a$$

직각삼각형 SPT에서

$$\overline{PT}=\sqrt{\overline{ST}^2-\overline{PS}^2}=\sqrt{(\sqrt3 a)^2-a^2}=\sqrt2 a$$

$$\therefore\ \cos\theta°=\frac{\overline{PT}}{\overline{ST}}=\frac{\sqrt2 a}{\sqrt3 a}=\frac{\sqrt6}{3}$$

답 ⑤

048

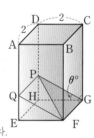

오른쪽 그림과 같이 모서리 AE를 $2:1$로 내분하는 점을 Q라고 하면 네 점 P, Q, F, G는 한 평면 위에 있으므로 평면 PFG는 평면 PQFG와 같은 평면이다.
따라서 두 평면 PFG, EFGH가 이루는 각의 크기는 두 선분 PG, GH가 이루는 각의 크기와 같다. ├── 두 선분 QF, EF로 구할 수도 있다.

$$\therefore\ \theta°=\angle PGH$$

직각삼각형 PHG에서

$$\cos\theta°=\frac{\overline{GH}}{\overline{PG}}=\frac{2}{\overline{PG}}=\frac{2}{3}$$

$$\therefore\ \overline{PG}=3\qquad\therefore\ \overline{PH}=\sqrt{3^2-2^2}=\sqrt5$$

이때 점 P는 모서리 DH를 $2:1$로 내분하는 점이므로

$$\overline{DH}=3\overline{PH}=3\sqrt5$$

따라서 직육면체의 부피는

$$2\times2\times3\sqrt5=12\sqrt5$$

$$\therefore\ a=12$$

답 ②

049

주어진 조건에서 두 삼각형 BDF, JDF가 이등변삼각형이므로 오른쪽 그림과 같이 꼭짓점 B, J에서 모서리 DF에 내린 수선의 발은 일치한다.
따라서 수선의 발을 M이라고 하면 두 평면

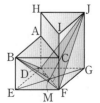

BDF, JDF가 이루는 각의 크기는 두 직선 BM, JM이 이루는 각의 크기와 같다.

정사각형 DEFG에서

$$\overline{EM}=\frac{1}{2}\overline{EG}=\frac{1}{2}\times 2\sqrt{2}=\sqrt{2}$$

이때 직각삼각형 BEM에서 $\overline{BE}=\sqrt{2}$이므로 삼각형 BEM은 직각이등변삼각형이다.

$$\therefore \angle BME=45°$$

한편 직각삼각형 JGM에서 $\overline{GM}=\sqrt{2}$이고 $\overline{GJ}=\sqrt{6}$이므로

$$\tan(\angle JMG)=\frac{\overline{GJ}}{\overline{GM}}=\sqrt{3}$$

$$\therefore \angle JMG=60°$$

따라서 두 평면 BDF, JDF가 이루는 각의 크기는

$$\begin{aligned}\angle BMJ&=180°-\angle BME-\angle JMG\\&=180°-45°-60°\\&=75°\end{aligned}$$

답 ③

050

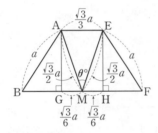

위의 그림과 같이 두 정사면체를 옆에서 바라보고 생각한다.

모서리 CD의 중점을 M이라고 하면

$$\overline{AM}\perp\overline{CD}, \overline{EM}\perp\overline{CD}$$

이므로 두 평면 ACD, ECD가 이루는 각의 크기는 두 선분 AM, EM이 이루는 각의 크기와 같다.

정사면체의 한 모서리의 길이를 a라고 하면

$$\overline{AM}=\overline{EM}=\frac{\sqrt{3}}{2}a$$

또, 점 A에서 삼각형 BCD에 내린 수선의 발을 G라고 하면 점 G는 삼각형 BCD의 무게중심이므로

$$\overline{GM}=\frac{1}{3}\times\frac{\sqrt{3}}{2}a=\frac{\sqrt{3}}{6}a$$

점 E에서 삼각형 CDF에 내린 수선의 발을 H라고 하면 점 H는 삼각형 CDF의 무게중심이므로

$$\overline{HM}=\frac{\sqrt{3}}{6}a$$

$$\therefore \overline{AE}=\overline{GH}=\overline{GM}+\overline{HM}=\frac{\sqrt{3}}{3}a$$

따라서 삼각형 AME에서 코사인법칙에 의하여

$$\begin{aligned}\cos\theta°&=\frac{\overline{AM}^2+\overline{EM}^2-\overline{AE}^2}{2\times\overline{AM}\times\overline{EM}}\\&=\frac{\left(\frac{\sqrt{3}}{2}a\right)^2+\left(\frac{\sqrt{3}}{2}a\right)^2-\left(\frac{\sqrt{3}}{3}a\right)^2}{2\times\frac{\sqrt{3}}{2}a\times\frac{\sqrt{3}}{2}a}\\&=\frac{7}{9}\end{aligned}$$

이때 삼각함수 사이의 관계에 의하여 $\sin^2\theta°+\cos^2\theta°=1$이므로

$$\sin\theta°=\sqrt{1-\left(\frac{7}{9}\right)^2}=\frac{4\sqrt{2}}{9}$$

따라서 $p=4$, $q=9$이므로

$$q-p=5$$

답 5

051

$\overline{AK}:\overline{KB}=1:2$, $\overline{AL}:\overline{LC}=1:2$이고 $\overline{KL}/\!/\overline{BC}$이므로

$$\overline{KL}=\frac{1}{3}\overline{BC} \qquad\cdots\cdots ㉠$$

$\overline{BM}:\overline{MD}=1:2$, $\overline{CN}:\overline{ND}=1:2$이고, $\overline{MN}/\!/\overline{BC}$이므로

$$\overline{MN}=\frac{2}{3}\overline{BC} \qquad\cdots\cdots ㉡$$

즉, ㉠, ㉡에서 사각형 KLNM은 등변사다리꼴이다.

오른쪽 그림과 같이 꼭짓점 D에서 모서리 BC에 내린 수선의 발을 Q, 두 선분 AQ, KL이 만나는 점을 P, 두 선분 DQ, NM이 만나는 점을 R라고 하면 $\overline{MN}/\!/\overline{BC}$이므로

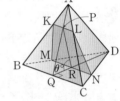

$$\overline{DQ}\perp\overline{MN}$$

또, 사각형 KLNM은 등변사다리꼴이므로 점 P는 선분 KL의 중점이고 점 R는 선분 MN의 중점이므로

$$\overline{PR}\perp\overline{MN}$$

따라서 두 평면 KLNM, BCD가 이루는 각의 크기는 두 선분 PR, RQ가 이루는 각의 크기와 같다.

$$\therefore \theta°=\angle PRQ$$

정사면체의 한 모서리의 길이를 $6a$라고 하면 ㉠, ㉡에서

$$\overline{KL}=\frac{1}{3}\overline{BC}=2a, \overline{MN}=\frac{2}{3}\overline{BC}=4a$$

— 삼각형 ACD는 정삼각형

삼각형 LCN에서 $\angle LCN=60°$, $\overline{LC}=4a$, $\overline{CN}=2a$이므로

$\overline{LN}=2\sqrt{3}a$ — 코사인법칙을 이용하여 구할 수도 있지만 두 변의 길이의 비를 통해 $\angle LNC=90°$임을 알고 이용할 수 있다.

사각형 KMNL의 점 L에서 선분 MN에 내린 수선의 발을 H라고 하면

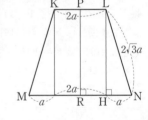

$$\begin{aligned}\overline{LH}&=\sqrt{\overline{LN}^2-\overline{HN}^2}\\&=\sqrt{(2\sqrt{3}a)^2-a^2}=\sqrt{11}a\end{aligned}$$

$$\therefore \overline{PR}=\overline{LH}=\sqrt{11}a$$

또,

$$\overline{RQ}=\frac{1}{3}\overline{DQ}=\frac{1}{3}\times 3\sqrt{3}a=\sqrt{3}a$$

$$\overline{PQ}=\frac{2}{3}\overline{AQ}=\frac{2}{3}\times 3\sqrt{3}a=2\sqrt{3}a$$

이므로 삼각형 PRQ에서 코사인법칙에 의하여

$$\begin{aligned}\cos\theta°&=\frac{\overline{PR}^2+\overline{RQ}^2-\overline{PQ}^2}{2\times\overline{PR}\times\overline{RQ}}\\&=\frac{(\sqrt{11}a)^2+(\sqrt{3}a)^2-(2\sqrt{3}a)^2}{2\times\sqrt{11}a\times\sqrt{3}a}\\&=\frac{\sqrt{33}}{33}\end{aligned}$$

$$\therefore \frac{1}{\cos^2\theta°}=33$$

답 ③

052

넓이가 S_1인 단면의 밑면 위로의 정사영은 원기둥의 밑면이고, 넓이가 S_2인 단면의 밑면 위로의 정사영도 원기둥의 밑면이므로

$$S_1\cos 60°=S_2\cos 45°$$

$$S_1\times\frac{1}{2}=S_2\times\frac{\sqrt{2}}{2}$$

$$\therefore \frac{S_1}{S_2}=2\times\frac{\sqrt{2}}{2}=\sqrt{2}$$

답 ④

053

삼각기둥 PEF−QHG의 부피가 나머지 부분의 부피의 $\frac{1}{5}$이므로

두 점 P, Q는 각각 모서리 AE, DH를 2 : 1로 내분하는 점이다.

$$\therefore \overline{PE}=\frac{1}{3}\overline{AE}=2$$

또, 두 평면 PFGQ, EFGH가 이루는 각의 크기는 두 선분 PF, EF가 이루는 각의 크기와 같다.

이때 $\angle PFE=\theta°$라고 하면 잘린 단면의 밑면으로의 정사영은 사각형 EFGH이므로

$$S\cos \theta°=\overline{EF}\times\overline{GF},\ S\times\frac{\overline{EF}}{\overline{PF}}=6$$

$$\frac{3}{\sqrt{13}}S=6,\ S=2\sqrt{13}$$

$\overline{PF}=\sqrt{\overline{PE}^2+\overline{EF}^2}=\sqrt{2^2+3^2}=\sqrt{13}$

$$\therefore S^2=52$$

답 ⑤

054

오른쪽 그림과 같이 밑면과 30°를 이루는 평면으로 자른 단면은 원이고, 선분 AC는 단면인 원의 지름이다.

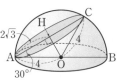

이때 삼각형 OAC는 $\overline{OA}=\overline{OC}=4$인 이등변삼각형이므로 점 O에서 선분 AC에 내린 수선의 발을 H라고 하면

$$\overline{AH}=\overline{OA}\cos 30°=4\times\frac{\sqrt{3}}{2}=2\sqrt{3}$$

따라서 자른 단면은 반지름의 길이가 $2\sqrt{3}$인 원이므로 구하는 정사영의 넓이를 S라고 하면

$$S=\pi(2\sqrt{3})^2\times\cos 30°=12\pi\times\frac{\sqrt{3}}{2}=6\sqrt{3}\pi$$

답 ④

055

오른쪽 그림과 같이 평면 α 위에 $\overline{AC}\,/\!/\,l$, $\overline{BC}\perp l$이 되도록 점 C를 잡고, 점 A, B, C의 평면 β 위로의 정사영을 각각 점 A′, B′, C′이라고 하자.

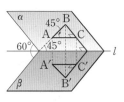

삼각형 ABC는 $\angle ACB=90°$인 직각삼각형이므로

$$\overline{AC}=\overline{AB}\cos 45°=4\times\frac{\sqrt{2}}{2}=2\sqrt{2}$$

$$\overline{BC}=\overline{AB}\sin 45°=4\times\frac{\sqrt{2}}{2}=2\sqrt{2}$$

선분 A′C′은 선분 AC의 평면 β 위로의 정사영이므로

$$\overline{A'C'}=\overline{AC}\cos 0°=2\sqrt{2}$$ ─ 선분 AC는 직선 l과 평행하므로 평면 β와 이루는 각의 크기가 0°이다.

선분 B′C′은 선분 BC의 평면 β 위로의 정사영이므로

$$\overline{B'C'}=\overline{BC}\cos 60°=2\sqrt{2}\times\frac{1}{2}=\sqrt{2}$$ ─ 선분 BC는 직선 l과 수직이므로 평면 β와 이루는 각의 크기는 두 평면 α, β가 이루는 각의 크기와 같다.

이때 삼각형 A′B′C′은 $\angle A'C'B'=90°$인 직각삼각형이므로

$$\overline{A'B'}=\sqrt{\overline{A'C'}^2+\overline{B'C'}^2}=\sqrt{(2\sqrt{2})^2+(\sqrt{2})^2}=\sqrt{10}$$

답 ⑤

056

삼각형 PQR는 $\overline{PQ}=\overline{PR}$인 이등변삼각형이므로 점 P에서 선분 QR에 내린 수선의 발을 O라고 하면

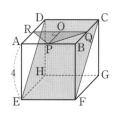

$$\triangle PQR=\frac{1}{2}\times\overline{QR}\times\overline{PO}$$

$$=\frac{1}{2}\times 4\times 2=4$$

한편 평면 PQR는 평면 ABCD와 같으므로 두 평면 PQR, DEFC가 이루는 각의 크기는 두 선분 BC, CF가 이루는 각의 크기와 같다.

이때 사각형 BFGC는 정사각형이므로

$$\angle BCF=45°$$

따라서 삼각형 PQR의 평면 CDEF 위로의 정사영의 넓이는

$$\triangle PQR\times\cos 45°=4\times\frac{\sqrt{2}}{2}=2\sqrt{2}$$

답 ⑤

참고

점 P, Q, R는 각각 모서리 AB, BC, AD의 중점이므로

$$\triangle PQR=\frac{1}{4}\square ABCD=\frac{1}{4}\times 16=4$$

057

점 O에서 선분 AB에 내린 수선의 발을 H라고 하면

$$\overline{OO'}\perp(평면\ ABCD),\ \overline{OH}\perp\overline{AB}$$

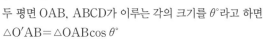

이므로 삼수선의 정리에 의하여

$$\overline{O'H}\perp\overline{AB}$$

두 평면 OAB, ABCD가 이루는 각의 크기를 $\theta°$라고 하면

$$\triangle O'AB=\triangle OAB\cos\theta°$$

$$\frac{1}{2}\times\overline{AB}\times\overline{O'H}=\frac{\sqrt{3}}{4}\times\overline{AB}^2\times\cos\theta°$$

$$\frac{1}{2}\times 2\times 1=\frac{\sqrt{3}}{4}\times 2^2\times\cos\theta°$$ $\overline{O'H}=\frac{1}{2}\overline{BC}=1$

$$\therefore \cos\theta°=\frac{\sqrt{3}}{3}$$

점 O'의 평면 OAB 위로의 정사영을 O''이라고 하면 선분 O'H의 평면 OAB 위로의 정사영은 선분 O''H이므로

$$\overline{O''H} = \overline{O'H}\cos\theta° = 1 \times \frac{\sqrt{3}}{3} = \frac{\sqrt{3}}{3}$$

이때 $\overline{AH} \perp \overline{O''H}$이고 선분 O'A의 평면 OAB 위로의 정사영은 선분 O''A이므로

$$\overline{O''A} = \sqrt{\overline{AH}^2 + \overline{O''H}^2} = \sqrt{1^2 + \left(\frac{\sqrt{3}}{3}\right)^2} = \frac{2\sqrt{3}}{3}$$

답 ⑤

참고

$\theta° = \angle OHO' \neq \angle O'AO''$이므로

$$\overline{O''A} = \overline{O'A}\cos\theta°$$

와 같이 구하지 않도록 주의한다.

풍쌤 비법

(1) 정사면체에서 이웃하는 두 면이 이루는 각의 크기를 $\theta°$라고 하면 $\cos\theta° = \dfrac{1}{3}$

(2) 모든 모서리의 길이가 같은 정사각뿔에서 밑면과 옆면이 이루는 각의 크기를 $\theta°$라고 하면 $\cos\theta° = \dfrac{\sqrt{3}}{3}$

058

구의 반지름의 길이를 r, 공의 중심을 지나고 햇빛에 수직인 평면을 α라고 하자.

평면 α에 의하여 잘린 공의 단면은 반지름의 길이가 r인 원이므로 그 넓이는 πr^2

그림자의 장축의 평면 α 위로의 정사영은 공의 지름이므로 지면과 평면 α가 이루는 각의 크기를 $\theta°$라고 하면

$$2r = 24\cos\theta°$$

$$\therefore \cos\theta° = \frac{r}{12} \qquad \cdots\cdots \text{㉠}$$

또, 그림자의 평면 α 위로의 정사영은 평면 α에 의하여 잘린 공의 단면이므로

$$\pi r^2 = 144\pi\cos\theta°, \quad r^2 = 144\cos\theta° \qquad \cdots\cdots \text{㉡}$$

㉡에 ㉠을 대입하면

$$r^2 = 144 \times \frac{r}{12}$$

$$r^2 - 12r = 0 \qquad \therefore r = 12 \ (\because r > 0)$$

따라서 구의 반지름의 길이는 12이다.

답 ③

059

원기둥이 잘린 단면의 넓이를 S, 원기둥의 밑면의 넓이를 S', 원기둥을 자른 평면과 밑면이 이루는 각의 크기를 $\theta°$라고 하면

$$\frac{1}{2}S' = S\cos\theta°$$

이때 주어진 조건에 의하여 $S = S'$이므로

$$\cos\theta° = \frac{1}{2}$$

$$\therefore \theta° = 60°$$

즉, 오른쪽 그림과 같이 평면과 원기둥의 모선이 만나는 점을 B, B에서 밑면에 내린 수선의 발을 A, 구의 중심에서 선분 OA에 내린 수선의 발을 C라고 하면

$$\overline{OC}\tan 30° = \sqrt{3}$$

$$\overline{OC} \times \frac{\sqrt{3}}{3} = \sqrt{3} \qquad \therefore \overline{OC} = 3$$

따라서 원기둥의 밑면의 반지름의 길이는

$$\overline{OC} + \overline{AC} = 3 + \sqrt{3}$$

답 ③

060

오른쪽 그림과 같이 두 밑면이 원기둥을 자른 평면과 만나는 점을 각각 P, Q, R, S라 하고, 점 R, S의 다른 밑면 위로의 정사영을 각각 R', S'이라고 하자.

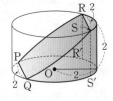

이때 잘린 단면의 밑면 위로의 정사영은 밑면인 원에서 활꼴 PQ와 활꼴 R'S'을 뺀 도형과 같다.

두 밑면은 평행하고 $\overline{PQ} = \overline{RS} = 2$이므로 밑면에서 잘린 활꼴 PQ의 넓이는 활꼴 R'S'의 넓이와 같다.

즉, 밑면의 중심을 O라고 하면 삼각형 OPQ는 한 변의 길이가 2인 정삼각형이므로

(활꼴 PQ의 넓이) = (부채꼴 OPQ의 넓이) − △OPQ

$$= \pi \times 2^2 \times \frac{60}{360} - \frac{\sqrt{3}}{4} \times 2^2$$

$$= \frac{2}{3}\pi - \sqrt{3}$$

즉, 잘린 단면의 밑면 위로의 정사영의 넓이는

$$2^2 \times \pi - 2 \times \left(\frac{2}{3}\pi - \sqrt{3}\right) = \frac{8}{3}\pi + 2\sqrt{3}$$

또, 현 PQ의 중점을 M, 현 RS의 중점을 N, 점 N의 밑면 위로의 정사영을 N', 점 M과 N'을 지나는 밑면의 지름을 $\overline{AB}$라고 하면

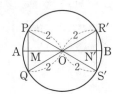

$$\overline{MN'} = 2\overline{OM}$$

$$= 2\sqrt{3} \quad \text{──── } \overline{OM}\text{은 정삼각형 OPQ 높이이므로 } \overline{OM} = \sqrt{3}$$

$$\overline{NN'} = 2$$

직각삼각형 MN'N에서

$$\overline{MN} = \sqrt{\overline{MN'}^2 + \overline{NN'}^2}$$

$$= \sqrt{(2\sqrt{3})^2 + 2^2} = 4$$

즉, 원기둥을 자른 평면과 밑면이 이루는 각의 크기를 $\theta°$라고 하면

$$\cos\theta° = \frac{\overline{MN'}}{\overline{MN}} = \frac{2\sqrt{3}}{4} = \frac{\sqrt{3}}{2}$$

따라서 잘린 단면의 넓이를 S라고 하면

$$\frac{8}{3}\pi + 2\sqrt{3} = S\cos\theta°$$

$$\therefore S = \left(\frac{8}{3}\pi + 2\sqrt{3}\right) \times \frac{1}{\cos\theta°}$$

$$= \frac{16\sqrt{3}}{9}\pi + 4$$

답 ④

061

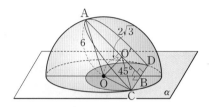

단면의 넓이를 S, 단면의 평면 α 위로의 정사영의 넓이를 S'이라고 하면

$$S'=S\cos 45°=\frac{\sqrt{2}}{2}S \qquad \cdots\cdots \text{㉠}$$

위의 그림과 같이 A, B, C, D, O'을 놓으면 $\overline{AO}$는 반구의 반지름의 길이이므로 $\overline{AO}=6$

삼각형 AOO'은 직각삼각형이므로 피타고라스 정리에 의하여

$$\overline{AO'}=\sqrt{\overline{AO}^2-\overline{OO'}^2}=\sqrt{6^2-(2\sqrt{3})^2}=2\sqrt{6}$$

삼각형 OBO'은 직각이등변삼각형이므로

$$\overline{BO'}=2\sqrt{3}, \ \overline{BO}=\frac{\overline{BO'}}{\cos 45°}=2\sqrt{6}, \ \angle OBO'=45°$$

삼각형 OCB는 직각삼각형이므로 피타고라스 정리에 의하여

$$\overline{BC}=\sqrt{\overline{OC}^2-\overline{OB}^2}=\sqrt{6^2-(2\sqrt{6})^2}=2\sqrt{3}$$

따라서 삼각형 $O'BC$는 $\overline{BC}=\overline{BO'}$인 직각이등변삼각형이고, 삼각형 $O'BD$와 합동인 삼각형이므로

$$\angle CO'D=45°\times 2=90°$$

이때 잘린 단면은 중심이 O'이고 반지름의 길이가 $\overline{AO'}$인 원의 일부이므로 호 DAC의 중심각의 크기는 $360°-90°=270°$

$$\therefore S=\pi\times\overline{AO'}^2\times\frac{270}{360}+\underbrace{\frac{1}{2}\times\overline{CD}\times\overline{O'B}}_{\text{삼각형 }O'CD\text{의 넓이}}$$

$$=\underbrace{\pi\times(2\sqrt{6})^2\times\frac{3}{4}}_{\text{부채꼴 }DAC\text{의 넓이}}+\frac{1}{2}\times 4\sqrt{3}\times 2\sqrt{3}$$

$$=12+18\pi$$

㉠에 의하여

$$S'=\frac{\sqrt{2}}{2}(12+18\pi)=\sqrt{2}(6+9\pi)$$

따라서 $a=6$, $b=9$이므로 $a+b=15$

📖 **15**

062

삼각형 ACH의 넓이를 S, 삼각형 ACH의 세 평면 $ABCD$, $AEHD$, $DHGC$ 위로의 정사영의 넓이를 각각 S_1, S_2, S_3이라고 하면

$$S_1=S\cos \alpha°, \ S_2=S\cos \beta°, \ S_3=S\cos \gamma° \qquad \cdots\cdots \text{㉠}$$

$\overline{AB}=a$, $\overline{AD}=b$, $\overline{AE}=c$라고 하면 사면체 $ACDH$는 오른쪽 그림과 같다.

즉, $\overline{AD}\perp\overline{CD}$, $\overline{AD}\perp\overline{DH}$, $\overline{CD}\perp\overline{DH}$인 사면체

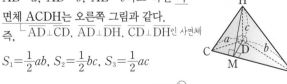

$$S_1=\frac{1}{2}ab, \ S_2=\frac{1}{2}bc, \ S_3=\frac{1}{2}ac \qquad \cdots\cdots \text{㉡}$$

점 H에서 선분 AC에 내린 수선의 발을 M이라고 하면 $\overline{DH}\perp(\text{평면 }ACD)$, $\overline{HM}\perp\overline{AC}$

이므로 삼수선의 정리에 의하여

$$\overline{MD}\perp\overline{AC}$$

직각삼각형 ACD에서

$$\frac{1}{2}\times\overline{AD}\times\overline{CD}=\frac{1}{2}\times\overline{AC}\times\overline{MD}$$

$$ab=\sqrt{a^2+b^2}\times\overline{MD} \qquad \therefore \overline{MD}=\frac{ab}{\sqrt{a^2+b^2}}$$

또, 직각삼각형 HDM에서

$$\overline{MH}=\sqrt{\overline{MD}^2+\overline{DH}^2}$$

$$=\sqrt{\left(\frac{ab}{\sqrt{a^2+b^2}}\right)^2+c^2}$$

$$\therefore S=\frac{1}{2}\times\overline{AC}\times\overline{MH}$$

$$=\frac{1}{2}\times\sqrt{a^2+b^2}\times\sqrt{\left(\frac{ab}{\sqrt{a^2+b^2}}\right)^2+c^2}$$

$$=\frac{1}{2}\sqrt{a^2b^2+b^2c^2+a^2c^2} \qquad \cdots\cdots \text{㉢}$$

㉠, ㉡, ㉢에서

$$S^2=\frac{1}{4}(a^2b^2+b^2c^2+a^2c^2)$$

$$=S_1^2+S_2^2+S_3^2$$

$$=S^2\cos^2\alpha°+S^2\cos^2\beta°+S^2\cos^2\gamma°$$

$$=S^2(\cos^2\alpha°+\cos^2\beta°+\cos^2\gamma°)$$

$$\therefore \cos^2\alpha°+\cos^2\beta°+\cos^2\gamma°=1$$

위의 식에 $\cos \alpha°=\frac{\sqrt{3}}{3}$, $\cos \beta°=\frac{\sqrt{14}}{7}$를 대입하면

$$\frac{1}{3}+\frac{2}{7}+\cos^2\gamma°=1, \ \cos^2\gamma°=\frac{8}{21}$$

$$\therefore \cos \gamma°=\frac{2\sqrt{42}}{21} \ (\because \cos \gamma°>0)$$

따라서 $p=2$, $q=21$이므로 $p+q=23$

📖 **23**

풍쌤 비법

오른쪽 그림과 같이 $\overline{OA}\perp\overline{OB}$, $\overline{OA}\perp\overline{OC}$, $\overline{OB}\perp\overline{OC}$인 사면체에서 $\triangle OAB=S_1$, $\triangle OBC=S_2$, $\triangle OAC=S_3$ 라고 하면 $(\triangle ABC)^2=S_1^2+S_2^2+S_3^2$

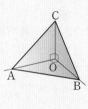

063

> **접근**
>
> 원뿔의 꼭짓점이 점 O이므로 점 O에서 밑면에 내린 정사영을 O'이라 하고, 선분 O'A'와 O'B'의 길이 및 두 선분이 이루는 각의 크기를 구해 본다.

주어진 반원의 호의 길이는

$$2\pi\times 8\times\frac{180}{360}=8\pi$$

이므로 원뿔의 밑면의 반지름의 길이를 r라고 하면 $2\pi r=8\pi$ $\therefore r=4$

오른쪽 그림과 같이 원뿔의 꼭짓점 O의 밑면 위로의 정사영을 O'이라 하고, 선분 OA의 연장선과 선분 O'A'의 연장선이 만나는 점을 P, 선분 OB의 연장선과 선분 O'B'의 연장선이 만나는 점을 Q라고 하자.

원뿔의 모선과 밑면이 이루는 각의 크기를 $\theta°$라고 하면

$\theta° = \angle \mathrm{OPO'} = \angle \mathrm{OQO'}$

이때

$\cos \theta° = \dfrac{\overline{\mathrm{O'P}}}{\overline{\mathrm{OP}}} = \dfrac{4}{8} = \dfrac{1}{2}$

이므로

$\overline{\mathrm{O'A'}} = \overline{\mathrm{OA}} \cos \theta° = 6 \times \dfrac{1}{2} = 3$

$\overline{\mathrm{O'B'}} = \overline{\mathrm{OB}} \cos \theta° = 2\sqrt{2} \times \dfrac{1}{2} = \sqrt{2}$

또, 주어진 전개도에서 $\angle \mathrm{AOB}$의 크기가

$180°$의 $\dfrac{1}{4}$이므로 원뿔을 만들었을 때

$\angle \mathrm{AOB}$의 크기는 $360°$의 $\dfrac{1}{4}$이 된다.

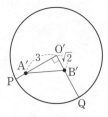

$\therefore \angle \mathrm{A'O'B'} = 90°$

따라서 삼각형 $\mathrm{O'A'B'}$은 직각삼각형이므로

$\overline{\mathrm{A'B'}} = \sqrt{\overline{\mathrm{O'A'}}^2 + \overline{\mathrm{O'B'}}^2}$
$\quad\quad = \sqrt{3^2 + (\sqrt{2})^2} = \sqrt{11}$

답 ③

06 공간좌표

064

점 P를 x축에 대하여 대칭이동한 점의 좌표는

$(a, -b, -c)$

점 Q를 yz평면에 대하여 대칭이동한 점의 좌표는

$(-a+4b, 2-2b, 3c-2a)$

즉,

$a = -a+4b$ ······ ㉠
$-b = 2-2b$ ······ ㉡
$-c = 3c-2a$ ······ ㉢

㉡에서 $b=2$

㉠에서 $2a=4b$, $a=2b$이므로 $a=4$

㉢에서 $4c=2a$, $2c=a$이므로 $c=2$

$\therefore a+b+c = 4+2+2 = 8$

답 8

065

점 P에서 xy평면에 내린 수선의 발이 $(-2, 1, 0)$이므로 점 P의
좌표는 $(-2, 1, k)$

또, z축에 내린 수선의 발이 $(0, 0, 4)$이므로 $k=4$

$\therefore \mathrm{P}(-2, 1, 4)$

따라서 점 P를 zx평면에 대하여 대칭이동한 점의 좌표는

$(-2, -1, 4)$

$\therefore a+b+c = -2+(-1)+4 = 1$

답 ①

066

▸ 접근

두 개의 정육면체를 붙여 만든 직육면체이므로 정육면체의 모서리의
길이를 이용하여 각 꼭짓점의 좌표를 구할 수 있다.

주어진 직육면체는 두 개의 정육면체를 붙여 만든 직육면체이므로
한 정육면체의 모서리의 길이를 x라고 하면

$\mathrm{A}(x, 0, x)$, $\mathrm{B}(x, 2x, x)$, $\mathrm{E}(x, 0, 0)$

즉, $a+b+c = 2x = 4$이므로 점 B의 y좌표는 4, 점 E의 x좌표는 2
이다.

따라서 구하는 합은

$4+2 = 6$

답 ③

참고

$\mathrm{A}(x, 0, x)$, $\mathrm{B}(x, 2x, x)$, $\mathrm{C}(0, 2x, x)$, $\mathrm{D}(0, 0, x)$, $\mathrm{E}(x, 0, 0)$,
$\mathrm{F}(x, 2x, 0)$, $\mathrm{G}(0, 2x, 0)$, $\mathrm{H}(0, 0, 0)$

067

세 점 A, B, C는 점 $\mathrm{P}(2, 3, 5)$에서 각
각 x축, y축, xy평면에 내린 수선의 발이
므로

$\mathrm{A}(2, 0, 0)$, $\mathrm{B}(0, 3, 0)$, $\mathrm{C}(2, 3, 0)$

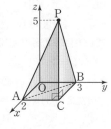

이때 $\overline{\mathrm{AC}} \perp \overline{\mathrm{BC}}$, $\overline{\mathrm{AC}} \perp \overline{\mathrm{PC}}$, $\overline{\mathrm{BC}} \perp \overline{\mathrm{PC}}$이
고 $\overline{\mathrm{AC}}=3$, $\overline{\mathrm{BC}}=2$, $\overline{\mathrm{PC}}=5$이므로 구하
는 사면체의 부피는

$\dfrac{1}{3} \times \left(\dfrac{1}{2} \times 2 \times 3 \right) \times 5 = 5$

답 5

068

$\mathrm{P}(t, 1-t, 3)$, $\mathrm{Q}(2, t-2, t-1)$에 대하여

$\overline{\mathrm{PQ}} = \sqrt{(2-t)^2 + (2t-3)^2 + (t-4)^2}$
$\quad\quad = \sqrt{6t^2 - 24t + 29} = \sqrt{6(t-2)^2 + 5}$

따라서 선분 PQ의 길이는 $t=2$일 때 최소이고, 이때의 최솟값은
$\sqrt{5}$이다.

답 ②

069

점 P가 z축 위에 있으므로 $a=b=0$ $\therefore \mathrm{P}(0, 0, c)$

$\overline{\mathrm{AP}} = \overline{\mathrm{BP}}$에서 $\overline{\mathrm{AP}}^2 = \overline{\mathrm{BP}}^2$이므로

$3^2 + (-1)^2 + (c-3)^2 = (-2)^2 + (-2)^2 + (c-5)^2$

$c^2 - 6c + 19 = c^2 - 10c + 33$

$4c = 14$ $\therefore c = \dfrac{7}{2}$

$\therefore a-b+c = 0-0+\dfrac{7}{2} = \dfrac{7}{2}$

답 ③

070

오른쪽 그림과 같이 점 P에서 x축에 내린 수선의 발을 P′, 점 Q에서 y축에 내린 수선의 발을 Q′이라고 하자.

직각삼각형 OP′P에서

$\overline{OP'}=4\sqrt{2}\cos 30°=4\sqrt{2}\times\dfrac{\sqrt{3}}{2}=2\sqrt{6}$

$\overline{PP'}=4\sqrt{2}\sin 30°=4\sqrt{2}\times\dfrac{1}{2}=2\sqrt{2}$

직각삼각형 OQ′Q에서

$\overline{OQ'}=4\cos 45°=4\times\dfrac{\sqrt{2}}{2}=2\sqrt{2}$

$\overline{QQ'}=4\sin 45°=4\times\dfrac{\sqrt{2}}{2}=2\sqrt{2}$

$\therefore P(2\sqrt{6},\ 2\sqrt{2},\ 0),\ Q(0,\ 2\sqrt{2},\ 2\sqrt{2})$

따라서 두 점 P, Q 사이의 거리는

$\overline{PQ}=\sqrt{(-2\sqrt{6})^2+(2\sqrt{2}-2\sqrt{2})^2+(2\sqrt{2})^2}=4\sqrt{2}$

답 ④

071

$\overline{AB}=\sqrt{(2-1)^2+(0+1)^2+(-3-2)^2}=3\sqrt{3}$
$\overline{BC}=\sqrt{(0-2)^2+(4-0)^2+(1+3)^2}=6$
$\overline{CA}=\sqrt{(1-0)^2+(-1-4)^2+(2-1)^2}=3\sqrt{3}$

따라서 $\overline{AB}=\overline{CA}$이므로 삼각형 ABC는 이등변삼각형이다.

답 ①

참고

삼각형의 세 변의 길이가 a, b, c이고 가장 긴 변의 길이가 c일 때
(1) $c^2=a^2+b^2$ ➡ 직각삼각형
(2) $c^2>a^2+b^2$ ➡ 둔각삼각형
(3) $c^2<a^2+b^2$ ➡ 예각삼각형
(4) $a=b=c$ ➡ 정삼각형
(5) $a=b$ 또는 $b=c$ 또는 $c=a$ ➡ 이등변삼각형

072

두 점 A, B의 x좌표의 부호가 같으므로 두 점 A, B는 좌표공간에서 yz평면을 기준으로 같은 쪽에 있다.

오른쪽 그림과 같이 점 A(-1, 1, 2)와 yz평면에 대하여 대칭인 점을 A′이라고 하면 A′(1, 1, 2)

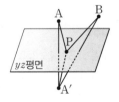

이때 $\overline{AP}=\overline{A'P}$이므로 $\overline{AP}+\overline{PB}$의 최솟값은 선분 A′B의 길이와 같다.

$\overline{A'B}=\sqrt{(-3-1)^2+(2-1)^2+(a-2)^2}=\sqrt{66}$

에서 양변을 제곱하면

$16+1+(a-2)^2=66$

$(a-2)^2=49,\ a-2=\pm 7$

$\therefore a=9\ (\because a>0)$

답 ②

073

A$(0,\ -2,\ a)$, P$(1,\ 0,\ 2)$에서
$\overline{AP}=\sqrt{1^2+2^2+(2-a)^2}=\sqrt{a^2-4a+9}$
B$(-1,\ 2,\ -3)$, P$(1,\ 0,\ 2)$에서
$\overline{BP}=\sqrt{(1+1)^2+(-2)^2+(2+3)^2}=\sqrt{33}$

이때 $\overline{AP}=\dfrac{\sqrt{3}}{3}\overline{BP}$이므로

$\sqrt{a^2-4a+9}=\dfrac{\sqrt{3}}{3}\times\sqrt{33},\ a^2-4a+9=11$

$a^2-4a-2=0$

따라서 모든 실수 a의 값의 합은 이차방정식의 근과 계수의 관계에 의하여 4이다. $\dfrac{D}{4}=(-2)^2-1\times(-2)=6>0$이므로 서로 다른 두 실근을 갖는다.

답 4

074

두 점 A$(-1,\ -3,\ 1)$, B$(2,\ -2,\ -1)$의 zx평면 위로의 정사영을 각각 A′, B′이라고 하면

A′$(-1,\ 0,\ 1)$, B′$(2,\ 0,\ -1)$

이때

$\overline{AB}=\sqrt{(2+1)^2+(-2+3)^2+(-1-1)^2}=\sqrt{14}$
$\overline{A'B'}=\sqrt{(2+1)^2+(-1-1)^2}=\sqrt{13}$

이고, $\overline{A'B'}=\overline{AB}\cos\theta°$이므로

$\cos\theta°=\dfrac{\overline{A'B'}}{\overline{AB}}=\dfrac{\sqrt{13}}{\sqrt{14}}$

$\therefore \cos^2\theta°=\dfrac{13}{14}$

답 ⑤

풍쌤 비법

세 점 A, B, C에서 좌표평면에 내린 수선의 발을 각각 A′, B′, C′이라고 하면
(1) $\overline{AB}$의 좌표평면 위로의 정사영은 $\overline{A'B'}$이다.
(2) △ABC의 좌표평면 위로의 정사영은 △A′B′C′이다.

075

각 A가 둔각이므로 삼각형 ABC에서 가장 긴 변은 $\overline{BC}$이다.

즉, $\overline{BC}^2>\overline{AB}^2+\overline{AC}^2$이므로

$(a-4)^2+(-2-2a)^2+(a-1)^2$
$>\{3^2+(2a-1)^2+(-a)^2\}+\{(a-1)^2+(-3)^2+(-1)^2\}$

$6a^2-2a+21>6a^2-6a+21$

$4a>0\quad \therefore a>0$

따라서 정수 a의 최솟값은 1이다.

답 ④

076

선분 AB를 $k:2$로 내분하는 점이 zx평면 위에 있으므로 내분점의 y좌표는 0이다.

즉, $\dfrac{k\times 2+2\times(-3)}{k+2}=0$이므로

$2k-6=0$

$\therefore k=3$

답 ③

077

$A(-1,\,5,\,0),\ B(0,\,5,\,6),\ C(0,\,0,\,6)$
이므로 삼각형 ABC의 무게중심 G의 좌표는

$\left(\dfrac{-1+0+0}{3},\ \dfrac{5+5+0}{3},\ \dfrac{0+6+6}{3}\right)$

$\therefore G\left(-\dfrac{1}{3},\ \dfrac{10}{3},\ 4\right)$

$\therefore a=-\dfrac{1}{3},\ b=\dfrac{10}{3},\ c=4$

$\therefore a+b+c=-\dfrac{1}{3}+\dfrac{10}{3}+4=7$

답 ④

078

점 B는 선분 AP의 중점이므로

$B\left(\dfrac{2+a}{2},\ \dfrac{4+b}{2},\ \dfrac{1+c}{2}\right)$

이때 점 B의 좌표는 $(-1,\,-3,\,0)$이므로

$\dfrac{2+a}{2}=-1,\ \dfrac{4+b}{2}=-3,\ \dfrac{1+c}{2}=0$

$\therefore a=-4,\ b=-10,\ c=-1$

$\therefore a-b-c=-4-(-10)-(-1)=7$

답 ②

다른 풀이

점 P는 선분 AB를 $2:1$로 외분하는 점이므로

$a=\dfrac{2\times(-1)-1\times 2}{2-1}=-4$

$b=\dfrac{2\times(-3)-1\times 4}{2-1}=-10$

$c=\dfrac{2\times 0-1\times 1}{2-1}=-1$

$\therefore a-b-c=-4-(-10)-(-1)=7$

(그림: A(2, 4, 1), B(−1, −3, 0), P(a, b, c), 2 : 1)

079

접근

삼각형 ABC의 무게중심의 좌표를 구한 후, l_n을 구한다.

삼각형 ABC의 무게중심의 좌표는

$\left(\dfrac{2n}{3},\ \dfrac{n}{3},\ \dfrac{2n}{3}\right)$

이므로

$l_n=\sqrt{\left(\dfrac{2n}{3}\right)^2+\left(\dfrac{n}{3}\right)^2+\left(\dfrac{2n}{3}\right)^2}=n$

$\therefore \displaystyle\sum_{n=1}^{10}l_n=\sum_{n=1}^{10}n=\dfrac{10\times 11}{2}=55$

답 55

080

선분 AB를 $1:2$로 내분하는 점은 x축 위에 있으므로 내분점의 y좌표는 0이다.

즉, $\dfrac{1\times b+2\times(-2)}{1+2}=0$에서 $b-4=0$

$\therefore b=4$

또, 선분 AB를 $2:3$으로 외분하는 점은 yz평면 위에 있으므로 외분점의 x좌표는 0이다.

즉, $\dfrac{2\times(b-2)-3\times 2a}{2-3}=0$에서

$2b-6a-4=0,\ 3a=b-2$

이때 $b=4$이므로 위의 식에 대입하여 구하면

$a=\dfrac{2}{3}$

$\therefore 3a+2b=3\times\dfrac{2}{3}+2\times 4=10$

답 ⑤

참고

선분 AB를 $1:2$로 내분하는 점은 x축 위에 있으므로 y좌표, z좌표가 0이다.

이때 내분점의 z좌표를 구하면

$\dfrac{(-6)+2\times 3}{1+2}=0$

이므로 y좌표를 이용하여 b의 값을 구한다.

081

선분 AC의 중점의 좌표는

$\left(\dfrac{3+1}{2},\ \dfrac{-5+2}{2},\ \dfrac{1-5}{2}\right)$ $\therefore \left(2,\ -\dfrac{3}{2},\ -2\right)$

점 D의 좌표를 $(x,\,y,\,z)$라고 하면 선분 BD의 중점의 좌표는

$\left(\dfrac{x-5}{2},\ \dfrac{y-7}{2},\ \dfrac{z-2}{2}\right)$

이때 평행사변형의 두 대각선 AC, BD의 중점은 일치하므로

$\dfrac{x-5}{2}=2,\ \dfrac{y-7}{2}=-\dfrac{3}{2},\ \dfrac{z-2}{2}=-2$

$\therefore x=9,\ y=4,\ z=-2$

따라서 $D(9,\,4,\,-2)$이므로

$\overline{BD}=\sqrt{(9+5)^2+(4+7)^2+(-2+2)^2}=\sqrt{317}$

답 ③

082

선분 AB를 $1:2$로 외분하는 점 P의 좌표는

$\left(\dfrac{1\times 1-2\times 2}{1-2},\ \dfrac{1\times 1-2\times(-4)}{1-2},\ \dfrac{1\times(-1)-2\times 1}{1-2}\right)$

$\therefore P(3,\,-9,\,3)$

선분 BC를 $1:2$로 외분하는 점 Q의 좌표는

$\left(\dfrac{1\times 3-2\times 1}{1-2},\ \dfrac{1\times 0-2\times 1}{1-2},\ \dfrac{1\times(-4)-2\times(-1)}{1-2}\right)$

$\therefore Q(-1,\,2,\,2)$

선분 CA를 $1:2$로 내분하는 점 R의 좌표는

$\left(\dfrac{1\times 2-2\times 3}{1-2},\ \dfrac{1\times(-4)-2\times 0}{1-2},\ \dfrac{1\times 1-2\times(-4)}{1-2}\right)$

$\therefore R(4,\,4,\,-9)$

따라서 삼각형 PQR의 무게중심 G의 좌표는

$$\left(\frac{3-1+4}{3}, \frac{-9+2+4}{3}, \frac{3+2-9}{3}\right)$$

$$\therefore \mathrm{G}\left(2, -1, -\frac{4}{3}\right)$$

이때 점 G에서 z축에 내린 수선의 발을 G′이라고 하면 점 G와 z축 사이의 거리는 선분 GG′의 길이와 같다.

즉, $\mathrm{G}'\left(0, 0, -\frac{4}{3}\right)$이므로

$$\overline{\mathrm{GG}'} = \sqrt{2^2+(-1)^2} = \sqrt{5}$$

답 ②

간단 풀이

삼각형 PQR의 무게중심 G는 삼각형 ABC의 무게중심과 일치한다.

이때 삼각형 ABC의 무게중심의 좌표는

$$\left(\frac{2+1+3}{3}, \frac{-4+1+0}{3}, \frac{1-1-4}{3}\right)$$

$$\therefore \left(2, -1, -\frac{4}{3}\right)$$

따라서 삼각형 PQR의 무게중심 G의 좌표는

$$\left(2, -1, -\frac{4}{3}\right)$$

풍쌤 비법

(1) 삼각형 ABC의 세 변 AB, BC, CA를 $m:n(m>0, n>0)$으로 내분하는 점을 각각 D, E, F라고 하면 삼각형 DEF의 무게중심은 삼각형 ABC의 무게중심과 일치한다.

(2) 삼각형 ABC의 세 변 AB, BC, CA를 $m:n(m>0, n>0, m\neq n)$으로 외분하는 점을 각각 H, I, J라고 하면 삼각형 HIJ의 무게중심은 삼각형 ABC의 무게중심과 일치한다.

083

주어진 구의 중심을 C라고 하면 점 A$(0, 5, -1)$과 점 C$(4, 1, 1)$ 사이의 거리는

$$\overline{\mathrm{AC}} = \sqrt{4^2+(1-5)^2+(1+1)^2} = 6$$

이때 점 A에서 구 위의 점 사이의 거리의 최솟값은 선분 AC의 길이에서 구의 반지름의 길이인 3을 **뺀** 값과 같으므로

$$6-3 = 3$$

답 ①

084

$x^2+y^2+z^2+6x-8y-2z+22=0$에서

$(x+3)^2+(y-4)^2+(z-1)^2=4$

이므로 구의 중심을 C, 점 C에서 z축에 내린 수선의 발을 H라고 하면

C$(-3, 4, 1)$, H$(0, 0, 1)$

$$\therefore \overline{\mathrm{HC}} = \sqrt{(-3)^2+4^2} = 5$$

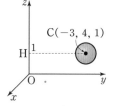

따라서 구하는 최솟값은 선분 HC의 길이에서 구의 반지름의 길이를 **뺀** 값과 같으므로

$$5-2 = 3$$

답 ③

085

$x^2+y^2+z^2-4x+2y-5=0$에서

$(x-2)^2+(y+1)^2+z^2=10$

이므로 구의 중심의 좌표는

$(2, -1, 0)$

이때 선분 AB의 중점의 좌표는

$$\left(\frac{3+a}{2}, \frac{-1+b}{2}, \frac{3+c}{2}\right)$$

이고, 이 중점이 구의 중심과 일치하므로

$$\frac{3+a}{2}=2, \frac{-1+b}{2}=-1, \frac{3+c}{2}=0$$

$$\therefore a=1, b=-1, c=-3$$

$$\therefore a+b+c = 1-1-3 = -3$$

답 ②

086

중심이 (a, b, c)이고 반지름의 길이가 3인 구의 방정식은

$(x-a)^2+(y-b)^2+(z-c)^2=9$ ...... ㉠

yz평면 위의 점은 x좌표가 0이므로 ㉠에 $x=0$을 대입하면

$(y-b)^2+(z-c)^2=9-a^2$

이 식이 $y^2+(z-3)^2=4$와 같으므로

$a^2=5, b=0, c=3$

$$\therefore a^2+b^2+c^2 = 5+0+9 = 14$$

답 ⑤

087

x축 위의 점은 y좌표, z좌표가 모두 0이므로 주어진 구의 방정식에 $y=0$, $z=0$을 대입하면

$x^2-kx+5=0$ ...... ㉠

구와 x축이 만나는 두 점 사이의 거리가 4이므로 x에 대한 이차방정식 ㉠의 두 근의 차가 4이다.

따라서 이차방정식 ㉠의 두 근을 α, $\alpha+4$라고 하면 근과 계수의 관계에 의하여

$\alpha(\alpha+4)=5, \alpha^2+4\alpha-5=0$

$(\alpha-1)(\alpha+5)=0$

$\therefore \alpha=1$ 또는 $\alpha=-5$

또, 근과 계수의 관계에 의하여 $\alpha+(\alpha+4)=k$이므로

$k=2\alpha+4$

$\therefore k=6$ 또는 $k=-6$

$\therefore k^2=36$

답 ④

088

구와 xy평면이 만나서 생기는 원의 방정식은

$(x-1)^2+(y-3)^2=9$ —— 구의 방정식에 $z=0$을 대입하여 구한다.

따라서 원뿔의 밑면의 넓이는

$3^2 \times \pi = 9\pi$

이때 원뿔의 부피가 최대가 되려면 높이가 최대이어야 하므로, 원뿔의 꼭짓점은 xy평면과의 거리가 가장 먼 구 위의 점이어야 한다.

구의 중심 $(1, 3, 4)$와 xy평면 사이의 거리는 4이므로
(높이의 최댓값)$=4+5=9$ ┈ z좌표의 값과 같다.
따라서 원뿔의 부피의 최댓값은 ┈ 구의 반지름의 길이
$$\frac{1}{3} \times 9\pi \times 9 = 27\pi$$

답 ⑤

089

$x^2+y^2+z^2-6x+2ky+4z+7=0$에서
$(x-3)^2+(y+k)^2+(z+2)^2=k^2+6$ ┈┈┈ ㉠
xy평면 위의 점은 z좌표가 0이므로 ㉠에 $z=0$을 대입하면
$(x-3)^2+(y+k)^2=k^2+2$
$\therefore S_1=(k^2+2)\pi$
zx평면 위의 점은 y좌표가 0이므로 ㉠에 $y=0$을 대입하면
$(x-3)^2+(z+2)^2=6$
$\therefore S_2=6\pi$
이때 $2S_1+kS_2=0$이므로
$2(k^2+2)\pi+6k\pi=0$, $k^2+3k+2=0$
따라서 근과 계수의 관계에 의하여 k의 값의 곱은 2이다.

답 ③

090

$x^2+y^2+z^2-2\sqrt{3}x+2y-4z+k=0$에서
$(x-\sqrt{3})^2+(y+1)^2+(z-2)^2=-k+8$
주어진 두 구의 중심의 좌표는 각각 $(0, 1, -1)$, $(\sqrt{3}, -1, 2)$이
므로 두 구의 중심 사이의 거리는
$\sqrt{(\sqrt{3}-0)^2+(-1-1)^2+(2+1)^2}=4$
이때 두 구는 내접하므로 두 구의 중심 사이의 거리는 두 구의 반지
름의 길이의 차의 절댓값과 같다.
$\therefore |1-\sqrt{-k+8}|=4$
(i) $1-\sqrt{-k+8}>0$일 때
　$1-\sqrt{-k+8}=4$, $-\sqrt{-k+8}=3$
　$-k+8=9$　$\therefore k=-1$
　이때 $k=-1$을 $1-\sqrt{-k+8}$에 대입하면
　$1-3=-2<0$이므로 가정에 모순이다.
(ii) $1-\sqrt{-k+8}<0$일 때
　$\sqrt{-k+8}-1=4$, $\sqrt{-k+8}=5$
　$-k+8=25$　$\therefore k=-17$
(i), (ii)에서 $k=-17$

답 ①

풍쌤 비법

두 구의 위치 관계

두 구의 반지름의 길이를 각각 r, r', 두 구의 중심 사이의 거리를 d라고 하면
(1) $d>r+r'$ ➡ 한 구가 다른 구의 외부에 있다.
(2) $d=r+r'$ ➡ 두 구가 서로의 밖에서 접한다. (외접한다.)
(3) $|r-r'|<d<r+r'$ ➡ 두 구가 접하지 않고 만난다.
(4) $d=|r-r'|$ ➡ 두 구가 한 구의 내부에서 접한다. (내접한다.)
(5) $0 \le d<|r-r'|$ ➡ 한 구가 다른 구의 내부에 있다.

091

정육면체의 한 모서리의 길이를 a라고 하자.
정육면체의 모서리 AD, AB, AE가 각각 x축, y축, z축에 평행하
고 정육면체의 모서리의 길이가 a라고 하면
(점 G의 x좌표)$=0-a=-3$
(점 G의 y좌표)$=2+a=5$ ┈ 점 A의 좌표와 점 G의 좌표를 이용하여 구한다.
(점 G의 z좌표)$=5-a=2$
$\therefore a=3$
ㄱ은 옳다.
　꼭짓점 H의 x좌표, z좌표는 각각 꼭짓점 G의 x좌표, z좌표와
　같고, y좌표는 꼭짓점 A의 y좌표와 같다.
　$\therefore$ H$(-3, 2, 2)$
ㄴ은 옳지 않다.
　B$(0, 5, 5)$, C$(-3, 5, 5)$이므로 두 꼭짓점 B, C의 y좌표와 z
　좌표가 같다.
ㄷ은 옳다.
　평면 EFGH가 xy평면과 평행하므로 선분 FH도 xy평면과 평
　행하다.
따라서 옳은 것은 ㄱ, ㄷ이다.

답 ④

다른 풀이

ㄴ. 모서리 BC는 x축과 평행하므로 두 점 B, C의 y좌표와 z좌표
　는 서로 같다.

참고

정육면체의 각 모서리가 x축 또는 y축 또는 z축에 평행하지 않으면
각 꼭짓점 사이의 거리를 이용하여 구할 수 있다.

092

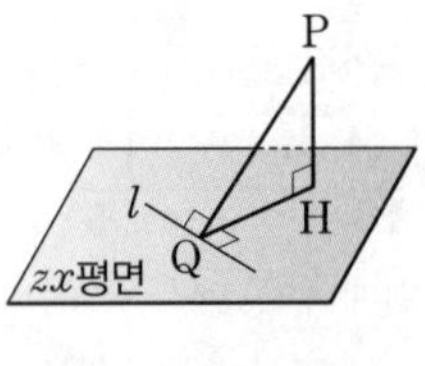

P$(-3, 4, 1)$, H$(-3, 0, 1)$이므로
$\overline{PH}=4$
오른쪽 그림과 같이 점 P에서 직선 l에
내린 수선의 발을 Q라고 하면
$\overline{PQ} \perp l$, $\overline{PH} \perp (zx$평면$)$
이므로 삼수선의 정리에 의하여
$\overline{HQ} \perp l$
따라서 점 H와 직선 l 사이의 거리는 선분 HQ의 길이와 같다.
이때 $\overline{PQ}=4\sqrt{2}$, $\overline{PH}=4$이므로 직각삼각형 PQH에서
$\overline{HQ}=\sqrt{(4\sqrt{2})^2-4^2}=4$

답 4

093

점 P는 zx평면과 yz평면에 동시에 접하는 원기둥의 밑면의 중심이
므로 주어진 원기둥은 밑면의 지름이 $2a$이고 높이가 c이다.
점 Q는 x축으로부터 왼쪽으로 세 번째, y축으로부터 아래쪽으로
두 번째, xy평면으로부터 위쪽으로 두 번째에 놓인 원기둥이므로
(점 Q의 x좌표)$=2a+a=3$ ┈ 원기둥이 zx평면과 yz평면에 동시에
(점 Q의 y좌표)$=2b+2b+b=d$ ┈ 접하므로 $|a|=|b|$
(점 Q의 z좌표)$=c+c=4$ ┈ 이때 원기둥이 y축의 음의 방향에 놓여 있으므로 $b<0$

$$\therefore a=1,\ c=2$$
이때 $b=-a=-1$이므로
$$d=5b=-5$$
$$\therefore a+b+c+d=1+(-1)+2+(-5)=-3$$

답 ①

094

점 P는 점 B를 xy평면에 대하여 대칭이동한 점이므로
$$P(\sqrt{2},\ 0,\ 1)$$
점 Q는 점 C에서 z축에 내린 수선의 발이므로
$$Q(0,\ 0,\ 1)$$
주어진 점을 좌표공간에 나타내면 오른쪽 그림과 같다.

두 점 P, Q에서 xy평면에 내린 수선의 발을 각각 P′, Q′이라고 하면
$$P'(\sqrt{2},\ 0,\ 0),\ Q'(0,\ 0,\ 0) \quad \text{── 원점 O이다.}$$
즉, 삼각형 APQ의 xy평면 위로의 정사영이 삼각형 AP′O이므로
$$\triangle AP'O=\triangle APQ\cos\theta° \quad\cdots\cdots\ \boxed{\bigcirc}$$
이때 점 P와 점 Q의 z좌표가 같으므로 선분 PQ는 yz평면에 수직이다. 즉, yz평면 위의 선분 AQ와 수직이다.

따라서 삼각형 APQ는 $\angle AQP=90°$인 직각삼각형이다.

직각삼각형 AOQ에서
$$\overline{AQ}=\sqrt{\overline{AO}^2+\overline{QO}^2}=\sqrt{2^2+1^2}=\sqrt{5}$$
점 P와 점 Q의 z좌표가 같으므로
$$\overline{PQ}=(\text{점 P의 }x\text{좌표})=\sqrt{2}$$
따라서 ㉠에서
$$\frac{1}{2}\times\overline{AO}\times\overline{P'O}=\frac{1}{2}\times\overline{AQ}\times\overline{PQ}\times\cos\theta°$$
$$2\times\sqrt{2}=\sqrt{5}\times\sqrt{2}\times\cos\theta°$$
$$\therefore \cos\theta°=\frac{2\sqrt{5}}{5}$$

답 ④

참고

직각삼각형 PP′A에서 _{직각삼각형 AP′O에서} $\overline{AP'}=\sqrt{\overline{AO}^2+\overline{P'O}^2}$
$$\overline{AP}=\sqrt{\overline{PP'}^2+\overline{AP'}^2}=\sqrt{1^2+2^2+(\sqrt{2})^2}=\sqrt{7}$$
이때 $\overline{AQ}=\sqrt{5}$, $\overline{PQ}=\sqrt{2}$, $\overline{AP}=\sqrt{7}$이므로
$$\overline{AP}^2=\overline{AQ}^2+\overline{PQ}^2$$
이와 같이 삼각형 APQ는 $\angle AQP=90°$인 직각삼각형임을 구할 수도 있다.

095

점 A를 zx평면에 대하여 대칭이동한 점을 A′이라고 하면
$$A'(3,\ -1,\ 4)$$
점 B를 xy평면에 대하여 대칭이동한 점을 B′이라고 하면
$$B'(1,\ 4,\ -1)$$
이때 $\overline{AP}=\overline{A'P}$, $\overline{QB}=\overline{QB'}$이므로
$$\overline{AP}+\overline{PQ}+\overline{QB}=\overline{A'P}+\overline{PQ}+\overline{QB'}\geq\overline{A'B'}$$
즉, $\overline{AP}+\overline{PQ}+\overline{QB}$의 최솟값은 선분 A′B′의 길이와 같다.

$$\therefore \overline{A'B'}=\sqrt{(1-3)^2+(4+1)^2+(-1-4)^2}=3\sqrt{6}$$

답 ①

096

오른쪽 그림과 같이 점 B$(-1,\ 4,\ 2)$에서 xy평면에 내린 수선의 발을 H, 선분 AH와 반지름의 길이가 2인 원 C의 교점을 P라고 하면 구하는 거리의 최솟값은 선분 BP의 길이와 같다.

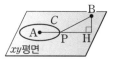

A$(3,\ 1,\ 0)$, H$(-1,\ 4,\ 0)$이므로
$$\overline{AH}=\sqrt{(-1-3)^2+(4-1)^2}=5$$
$$\therefore \overline{PH}=5-2=3$$
이때 $\overline{BH}=2$이므로 직각삼각형 BPH에서
$$\overline{BP}=\sqrt{\overline{PH}^2+\overline{BH}^2}=\sqrt{3^2+2^2}=\sqrt{13}$$

답 ⑤

097

A$(a,\ 0,\ b)$, B$(b,\ a,\ 0)$, C$(0,\ b,\ a)$에서
$$\overline{AB}=\sqrt{(b-a)^2+a^2+b^2}$$
$$\overline{BC}=\sqrt{b^2+(b-a)^2+a^2}$$
$$\overline{CA}=\sqrt{a^2+b^2+(b-a)^2}$$
따라서 삼각형 ABC는 한 변의 길이가 $\sqrt{a^2+b^2+(b-a)^2}$인 정삼각형이므로
$$\triangle ABC=\frac{\sqrt{3}}{4}\{a^2+b^2+(a-b)^2\}$$
$$\underset{\substack{\llcorner\ a^2+b^2+(b-a)^2=2a^2+2b^2-2ab\\ \text{에서 } ab=1\text{이므로}\\ 2(a^2+b^2-1)}}{=\frac{\sqrt{3}}{2}(a^2+b^2-1)} \quad\cdots\cdots\ \boxed{\bigcirc}$$
이때 a, b는 양수이므로 산술평균과 기하평균의 관계에 의하여
$$a^2+b^2\geq2\sqrt{a^2b^2}=2ab=2 \ (\text{단, 등호는 } a=b\text{일 때 성립한다.})$$
즉, a^2+b^2의 최솟값이 2이므로 ㉠에서 삼각형 ABC의 넓이의 최솟값은 $\frac{\sqrt{3}}{2}$이다.

답 ②

098

A$(0,\ 0,\ 0)$, B$(a,\ b,\ c)$라고 하자.

점 B의 xy평면 위로의 정사영을 B′이라고 하면 선분 AB의 xy평면 위로의 정사영은 선분 OB′이다.

이때 $\overline{OB'}=\sqrt{a^2+b^2}$이므로
$$\sqrt{a^2+b^2}=2\sqrt{2}$$
$$\therefore a^2+b^2=8 \quad\cdots\cdots\ \boxed{\bigcirc}$$
점 B의 yz평면 위로의 정사영을 B″이라고 하면 선분 AB의 yz평면 위로의 정사영은 선분 OB″이다.

이때 $\overline{OB''}=\sqrt{b^2+c^2}$이므로
$$\sqrt{b^2+c^2}=3 \quad \therefore b^2+c^2=9 \quad\cdots\cdots\ \boxed{\bigcirc\!\!\bigcirc}$$
점 B의 zx평면 위로의 정사영을 B‴이라고 하면 선분 AB의 zx평면 위로의 정사영은 선분 OB‴이다.

이때 $\overline{OB'''}=\sqrt{c^2+a^2}$이므로
$$\sqrt{c^2+a^2}=\sqrt{23} \quad \therefore c^2+a^2=23 \quad\cdots\cdots\ \boxed{\bigcirc\!\!\bigcirc\!\!\bigcirc}$$

①, ⓒ, ⓒ을 변끼리 더하면

$2(a^2+b^2+c^2)=40$　　$\therefore a^2+b^2+c^2=20$

$\therefore \overline{AB}=\sqrt{a^2+b^2+c^2}=\sqrt{20}=2\sqrt{5}$

답 ①

099

점 $A(2, 4, 5)$에서 xy평면에 내린 수선의 발을 P라고 하면

점 P의 좌표는 $(2, 4, 0)$

$\overline{AP}\perp(xy$평면$)$, $\overline{AH}\perp($직선 $y=x)$이므

로 삼수선의 정리에 의하여

$\overline{PH}\perp($직선 $y=x)$

이때 xy평면에서 점 P와 직선 $y=x$, 즉

$x-y=0$ 사이의 거리는

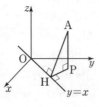

$\overline{PH}=\dfrac{|2-4|}{\sqrt{1^2+(-1)^2}}=\sqrt{2}$

이므로 직각삼각형 APH에서

$\overline{AH}=\sqrt{\overline{AP}^2+\overline{PH}^2}=\sqrt{5^2+(\sqrt{2})^2}=3\sqrt{3}$

답 ④

100

점 A에서 점 P를 지나 점 B에 이르는 거리는 $\overline{AP}+\overline{PB}$이다.

오른쪽 그림과 같이 y축 위의 점

$B'(0, -2, 0)$을 잡으면

$\overline{PB}=\overline{PB'}$

이므로 $\overline{AP}+\overline{PB}$의 최솟값은 선분 AB'

의 길이와 같다.

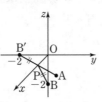

$\therefore \overline{AB'}=\sqrt{(-3)^2+(-2-2)^2}=5$

답 ①

101

점 P에서 선분 AB에 내린 수선의 발을 H라고 하면

$\triangle ABP=\dfrac{1}{2}\times(6-2)\times\overline{PH}=8$

$\therefore \overline{PH}=4$

즉, 삼각형 ABP의 넓이가 8일 때의 점

P의 자취는 오른쪽 그림과 같이 높이가

4이고 밑면의 반지름의 길이가 4인 원기

둥의 옆면이다.

따라서 구하는 넓이는

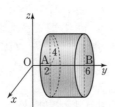

$2\pi\times4\times4=32\pi$

답 ③

102

▶ 접근

점 C의 좌표를 구할 수 있으므로 선분 AC의 길이는 정해져 있다. 즉, 삼각형 ABC의 넓이는 점 B에 따라 달라진다.

$C(-4, 2, 1)$이므로 점 B에서 선분 AC 또는 그 연장선에 내린 수선의 발을 H라고 하면

$\triangle ABC=\dfrac{1}{2}\times\overline{AC}\times\overline{BH}$　　　……㉠

이때 $\overline{AC}=8$이므로 삼각형 ABC의 넓이는 선분 BH의 길이가 최소일 때 최솟값을 갖는다.

점 H는 직선 AC 위의 점이므로 y좌표는 항상 2이고, z좌표는 항상 1이므로 H의 좌표를 $(c, 2, 1)$로 놓을 수 있다.

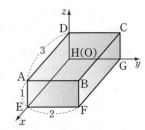

$\therefore \overline{BH}=\sqrt{(c-a)^2+(2+2)^2+(1-b)^2}$

따라서 선분 BH의 길이는 $a=c$, $b=1$일 때 최솟값 4를 가지므로 ㉠에서 구하는 넓이의 최솟값은

$\dfrac{1}{2}\times8\times4=16$

답 ④

103

오른쪽 그림과 같이 꼭짓점 H를 원점, 모서리 EH를 x축의 양의 방향, 모서리 HG를 y축의 양의 방향, 모서리 DH를 z축의 양의 방향으로 하는 좌표공간에 직육면체를 놓자.

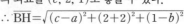

면 ABCD의 둘레의 길이는 10이므로 (규칙 1)에 따라 점 P가 다시 점 A로 돌아오는 데 걸리는 시간은 22초이다.

(면 ABCD의 둘레의 길이)$+\overline{AE}$
$+$(면 EFGH의 둘레의 길이)$+\overline{EA}$
$=10+1+10+1=22$

마찬가지로 (규칙 2)에 따라 점 Q가 다시 점 H로 돌아오는 데 걸리는 시간도 22초이다.

즉, 두 점 P, Q는 출발한 지 125초 후에 5번 회전한 후 15만큼 움직인 위치에 존재한다.

$\overline{\qquad}$ $125=22\times5+15$

따라서 출발한 지 125초 후 점 P는 모서리 FG 위에 존재하고, 점 Q는 모서리 AB 위에 존재하므로

$P(1, 2, 0)$, $Q(3, 1, 1)$

$\therefore \overline{PQ}=\sqrt{(3-1)^2+(1-2)^2+(1-0)^2}=\sqrt{6}$

답 ②

◀다른 풀이◀

출발한 지 125초 후 점 P는 모서리 FG를 2 : 1로 내분하는 점에 위치하고, 점 Q는 모서리 AB의 중점에 위치한다.

이때 $F(3, 2, 0)$, $G(0, 2, 0)$이므로

$P\left(\dfrac{2\times0+1\times3}{2+1}, \dfrac{2\times2+1\times2}{2+1}, \dfrac{2\times0+1\times0}{2+1}\right)$

$\therefore P(1, 2, 0)$

또, $A(3, 0, 1)$, $B(3, 2, 1)$이므로

$Q\left(\dfrac{3+3}{2}, \dfrac{0+2}{2}, \dfrac{1+1}{2}\right)$　　$\therefore Q(3, 1, 1)$

104

두 점 A, B의 yz평면 위로의 정사영을 각각 A', B'이라고 하면

$A'(0, 2, 4)$, $B'(0, 1-k, -1)$

선분 AB의 yz평면 위로의 정사영은 선분 A'B'이므로
$\overline{A'B'}=\sqrt{(1-k-2)^2+(-1-4)^2}=\sqrt{(k+1)^2+25}$
즉, 선분 A'B'의 길이는 $k=-1$일 때 최솟값 5를 갖는다.
이때 $k=-1$에서 B$(-1, 2, -1)$이므로 두 점 A, B의 xy평면 위로의 정사영을 각각 A'', B''이라고 하면
A''$(2, 2, 0)$, B''$(-1, 2, 0)$
선분 AB의 xy평면 위로의 정사영은 선분 A''B''이므로
$\overline{A''B''}=\overline{AB}\times\cos\theta°$
$\sqrt{(-1-2)^2+(2-2)^2}$
$=\sqrt{(-1-2)^2+(2-2)^2+(-1-4)^2}\times\cos\theta°$
$3=\sqrt{34}\times\cos\theta°$
$\therefore \cos\theta°=\dfrac{3\sqrt{34}}{34}$
따라서 $p=34$, $q=34$이므로
$p+q=68$

답 68

105

P$(t, t-2, 3)$에서 점 Q, R, S의 좌표를 구하면
Q$(t, 0, 0)$, R$(0, t-2, 0)$,
S$(t, -t+2, 3)$
이므로 삼각형 PQS는 yz평면과 평행하다.
즉, <u>점 P, Q, S의 x좌표가 같다.</u>
$\triangle PQS=\dfrac{1}{2}\times2\times|t-2|\times3=3|t-2|$ $\leftarrow \dfrac{1}{2}\times\overline{PS}\times(점 S의 z좌표)$
이므로 사면체 PQRS의 부피를 V라고 하면
$V=\dfrac{1}{3}\times\triangle PQS\times\overline{OQ}$ $\leftarrow$ 점 R에서 평면 PQS에 내린 수선의 발까지의 거리는 선분 OQ의 길이와 같다.
$=\dfrac{1}{3}\times3|t-2|\times t$
$=t|t-2|$
이때 $y=t|t-2|$의 그래프는 오른쪽 그림과 같으므로 $0\le t\le2$에서 V의 최댓값은 1이다.

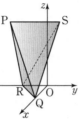

답 1

106

두 점 A, B에서 xy평면에 내린 수선의 발은 각각 점 A', B'이고, 선분 AB가 xy평면과 평행하므로 $\leftarrow$ 두 점 A, B의 z좌표가 같다.
A$(-2, 3, k)$, B$(-1, 6, k)$ (k는 상수)
와 같이 놓을 수 있다.
이때 삼각형 OAB의 무게중심 G의 z좌표가 -2이므로
$\dfrac{0+k+k}{3}=-2$ $\therefore k=-3$
$\therefore$ A$(-2, 3, -3)$, B$(-1, 6, -3)$
즉, 삼각형 OAB의 무게중심 G의 좌표는
$\left(\dfrac{-2-1}{3}, \dfrac{3+6}{3}, \dfrac{-3-3}{3}\right)$

$\therefore$ G$(-1, 3, -2)$
$\therefore \overline{AG}=\sqrt{(-1+2)^2+(3-3)^2+(-2+3)^2}=\sqrt{2}$

답 ①

107

$\overline{BC}=\overline{BD}=2$, $\overline{BC}\perp\overline{BD}$에서
$\triangle BCD=\dfrac{1}{2}\times\overline{BC}\times\overline{BD}=\dfrac{1}{2}\times2\times2=2$
이때 사면체 ABCD의 부피가 $\dfrac{2\sqrt{7}}{9}$이므로 삼각형 BCD의 무게중심을 G라고 하면
$\dfrac{1}{3}\times\triangle BCD\times\overline{AG}=\dfrac{2\sqrt{7}}{9}$
$\dfrac{1}{3}\times2\times\overline{AG}=\dfrac{2\sqrt{7}}{9}$
$\therefore \overline{AG}=\dfrac{\sqrt{7}}{3}$ ...... ㉠
또, 오른쪽 그림과 같이 점 B를 원점, 직선 BC를 x축, 직선 BD를 y축으로 하는 좌표공간에 사면체 ABCD를 놓으면
B$(0, 0, 0)$, C$(2, 0, 0)$, D$(0, 2, 0)$
$\therefore$ G$\left(\dfrac{2}{3}, \dfrac{2}{3}, 0\right)$ ...... ㉡
$\overline{AG}\perp$(평면 BCD)이므로 ㉠과 ㉡에 의하여
A$\left(\dfrac{2}{3}, \dfrac{2}{3}, \dfrac{\sqrt{7}}{3}\right)$
$\therefore \overline{AC}=\sqrt{\left(2-\dfrac{2}{3}\right)^2+\left(-\dfrac{2}{3}\right)^2+\left(-\dfrac{\sqrt{7}}{3}\right)^2}=\sqrt{3}$

답 ①

108

정삼각형 ABC의 높이가 $\dfrac{\sqrt{3}}{2}\times6=3\sqrt{3}$이므로 점 C는 점 M에서 x축 방향으로 $-3\sqrt{3}$만큼, z 방향으로 6만큼 평행이동한 점이다.

오른쪽 그림과 같이 점 M을 원점, 직선 MF를 x축, 직선 DE를 y축, 직선 CF가 z축에 평행한 좌표공간에 주어진 정삼각기둥을 놓으면
M$(0, 0, 0)$, B$(0, 3, 6)$, C$(-3\sqrt{3}, 0, 6)$

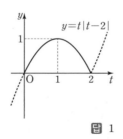

이때 점 P는 선분 BM을 $1:2$로 내분하는 점이므로
P$\left(\dfrac{1\times0+2\times0}{1+2}, \dfrac{1\times0+2\times3}{1+2}, \dfrac{1\times0+2\times6}{1+2}\right)$
$\therefore$ P$(0, 2, 4)$
$\therefore \overline{CP}=\sqrt{(0+3\sqrt{3})^2+(2-0)^2+(4-6)^2}=\sqrt{35}$
즉, $l=\sqrt{35}$이므로
$10l^2=10\times(\sqrt{35})^2=350$

답 350

참고
C$(3\sqrt{3}, 0, 6)$과 같이 점 C를 x축의 양의 방향에 놓아도 된다.

109

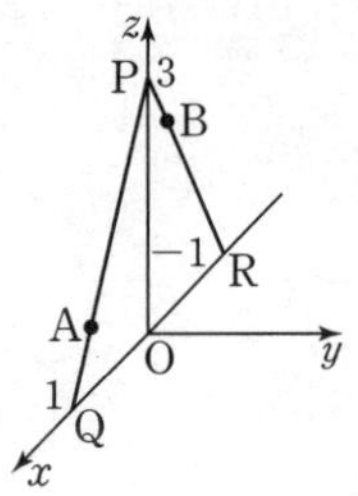

원뿔의 밑면의 중심을 O라 하고, 오른쪽 그림과 같이 점 O를 원점, 직선 QR를 x축, 직선 OP를 z축으로 하는 좌표공간에 삼각형 PQR를 놓자.

이때 원뿔의 높이가 3, 밑면의 반지름의 길이가 1이므로

$P(0, 0, 3)$, $Q(1, 0, 0)$, $R(-1, 0, 0)$

선분 PQ를 3 : 1로 내분하는 점 A의 좌표는

$$\left(\frac{3\times1+1\times0}{3+1},\ \frac{3\times0+1\times0}{3+1},\ \frac{3\times0+1\times3}{3+1}\right)$$

$\therefore A\left(\dfrac{3}{4},\ 0,\ \dfrac{3}{4}\right)$

선분 PR를 1 : 3으로 내분하는 점 B의 좌표는

$$\left(\frac{1\times(-1)+3\times0}{1+3},\ \frac{1\times0+3\times0}{1+3},\ \frac{1\times0+3\times3}{1+3}\right)$$

$\therefore B\left(-\dfrac{1}{4},\ 0,\ \dfrac{9}{4}\right)$

따라서 두 점 A, B 사이의 거리는

$$\overline{AB}=\sqrt{\left(-\frac{1}{4}-\frac{3}{4}\right)^2+\left(\frac{9}{4}-\frac{3}{4}\right)^2}=\frac{\sqrt{13}}{2}$$

답 ③

110

두 점 $A(a, -a, 4)$, $B(b, b, -2)$의 yz평면 위로의 정사영을 각각 A', B'이라고 하면

$A'(0, -a, 4)$, $B'(0, b, -2)$

이때 선분 AB의 yz평면 위로의 정사영은 선분 A'B'이므로

$\overline{A'B'}=\overline{AB}\cos 60°$

$$\underbrace{\sqrt{(b+a)^2+(-2-4)^2}}=\sqrt{(b-a)^2+(b+a)^2+(-2-4)^2}\times\cos 60°$$

$(b+a)^2+36=\{(b-a)^2+(b+a)^2+36\}\times\dfrac{1}{4}$

$a^2+2ab+b^2+36=\dfrac{a^2}{2}+\dfrac{b^2}{2}+9$

$\therefore a^2+4ab+b^2=-54$ ······ ㉠

또, 선분 AB를 1 : 3으로 외분하는 점의 좌표는

$$\left(\frac{1\times b-3\times a}{1-3},\ \frac{1\times b-3\times(-a)}{1-3},\ \frac{1\times(-2)-3\times4}{1-3}\right)$$

$\therefore \left(\dfrac{3a-b}{2},\ -\dfrac{3a+b}{2},\ 7\right)$

이때 외분점은 zx평면 위의 점이므로 y좌표가 0이다. 즉,

$-\dfrac{3a+b}{2}=0$ $\therefore b=-3a$ ······ ㉡

㉠에 ㉡을 대입하면

$a^2+4a\times(-3a)+(-3a)^2=-54$

$-2a^2=-54,\ a^2=27$ $\therefore a=3\sqrt{3}\ (\because a>0)$

따라서 ㉡에서 $b=-9\sqrt{3}$

$\therefore a-b=12\sqrt{3}$

답 ④

111

선분 AB를 2 : 1로 외분하는 점을 P라고 하면

$$P\left(\frac{2\times2-1\times t}{2-1},\ \frac{2\times(-1)-1\times(-2)}{2-1},\ \frac{2\times2t-1\times(-2)}{2-1}\right)$$

$\therefore P(4-t, 0, 4t+2)$

이때 점 P는 z축 위의 점이므로 x좌표가 0이다. 즉,

$4-t=0$ $\therefore t=4$

$\therefore A(4, -2, -2)$, $B(2, -1, 8)$, $P(0, 0, 18)$

또, 점 P는 선분 AB를 2 : 1로 외분하는 점이므로 점 B는 선분 PA의 중점이다. 즉,

$\triangle OAB=\dfrac{1}{2}\triangle OPA$ ······ ㉠

점 A에서 z축에 내린 수선의 발을 A'이라고 하면 $A'(0, 0, -2)$이므로

$\overline{AA'}=\sqrt{4^2+(-2)^2}=2\sqrt{5}$

$\therefore \triangle OPA=\dfrac{1}{2}\times\overline{OP}\times\overline{AA'}$ ⎬ $\overline{OP}$는 z축 위에 있으므로 $\triangle OPA$에서 $\overline{OP}$는 밑변, $\overline{AA'}$은 높이가 된다.

$=\dfrac{1}{2}\times18\times2\sqrt{5}=18\sqrt{5}$

따라서 ㉠에서 구하는 삼각형 OAB의 넓이는 $9\sqrt{5}$이다.

답 ③

다른 풀이

$A(4, -2, -2)$, $B(2, -1, 8)$에서

$\overline{OA}=\sqrt{4^2+(-2)^2+(-2)^2}=2\sqrt{6}$

$\overline{OB}=\sqrt{2^2+(-1)^2+8^2}=\sqrt{69}$

$\overline{AB}=\sqrt{(2-4)^2+(-1+2)^2+(8+2)^2}=\sqrt{105}$

$\angle AOB=\theta°$라고 하면

$\cos\theta°=\dfrac{\overline{OA}^2+\overline{OB}^2-\overline{AB}^2}{2\times\overline{OA}\times\overline{OB}}$

$=\dfrac{24+69-105}{2\times2\sqrt{6}\times\sqrt{69}}=-\dfrac{1}{\sqrt{46}}$

이때 삼각함수의 관계에 의하여 $\sin^2\theta°+\cos^2\theta°=1$이므로

$\sin\theta°=\sqrt{1-\cos^2\theta°}=\dfrac{3\sqrt{5}}{\sqrt{46}}$ ⎬ $\theta°$는 삼각형 OAB의 내각의 크기이므로 $0°<\theta°<180°$ $\therefore \sin\theta°>0$

$\therefore \triangle OAB=\dfrac{1}{2}\times\overline{OA}\times\overline{OB}\sin\theta°$

$=\dfrac{1}{2}\times2\sqrt{6}\times\sqrt{69}\times\dfrac{3\sqrt{5}}{\sqrt{46}}=9\sqrt{5}$

112

삼각형 ABC에서

$\overline{AB}=\sqrt{(0-1)^2+(2+1)^2+(3-4)^2}=\sqrt{11}$

$\overline{AC}=\sqrt{(-1-1)^2+(5+1)^2+(2-4)^2}=2\sqrt{11}$

이므로

$\overline{AB}:\overline{AC}=\sqrt{11}:2\sqrt{11}=1:2$

각의 이등분선의 성질에 의하여

$\overline{AB}:\overline{AC}=\overline{BD}:\overline{DC}=1:2$

따라서 점 D는 선분 BC를 1 : 2로 내분하는 점이므로

$$D\left(\frac{1\times(-1)+2\times0}{1+2},\ \frac{1\times5+2\times2}{1+2},\ \frac{1\times2+2\times3}{1+2}\right)$$

$\therefore D\left(-\dfrac{1}{3},\ 3,\ \dfrac{8}{3}\right)$

따라서 $a=-\dfrac{1}{3}$, $b=3$, $c=\dfrac{8}{3}$이므로

$a+b-c=-\dfrac{1}{3}+3-\dfrac{8}{3}=0$

답 ②

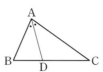

113

조건 (나)에서 점 B$(a, b, 0)(b<0)$이라고 하면
$\overline{OB}^2 = \overline{AB}^2$
이므로
$a^2 + b^2 = (a-1)^2 + b^2, \ 2a - 1 = 0$
$\therefore a = \dfrac{1}{2}$

이때 $a^2 + b^2 = 1$이므로 $\overline{OB}^2 = 1$
$b = -\sqrt{1 - \left(\dfrac{1}{2}\right)^2} = -\dfrac{\sqrt{3}}{2} \ (\because b < 0)$
$\therefore B\left(\dfrac{1}{2}, -\dfrac{\sqrt{3}}{2}, 0\right)$

또, 조건 (나), (다)에 의하여 사면체 OABC는 한 모서리의 길이가 1
인 정사면체이다.

이때 세 점 O, A, B는 xy평면 위의 점이므로 점 C의 xy평면 위로
의 정사영은 삼각형 OAB의 무게중심이다.

C(c, d, e)라고 하면 점 C의 xy평면 위로의 정사영은 $(c, d, 0)$
이고, 삼각형 OAB의 무게중심의 좌표는
$\left(\dfrac{1+\dfrac{1}{2}}{3}, \dfrac{-\dfrac{\sqrt{3}}{2}}{3}, 0\right) \quad \therefore \left(\dfrac{1}{2}, -\dfrac{\sqrt{3}}{6}, 0\right)$
$\therefore c = \dfrac{1}{2}, \ d = -\dfrac{\sqrt{3}}{6}$

이때 조건 (다)에서 $\overline{OC} = 1$이므로 $\overline{OC}^2 = 1$에서
$c^2 + d^2 + e^2 = \dfrac{1}{4} + \dfrac{1}{12} + e^2 = 1, \ e^2 = \dfrac{2}{3}$
$\therefore e = -\dfrac{\sqrt{6}}{3} \ (\because e < 0)$
$\therefore C\left(\dfrac{1}{2}, -\dfrac{\sqrt{3}}{6}, -\dfrac{\sqrt{6}}{3}\right)$

따라서 삼각형 OBC의 무게중심의 좌표는
$\left(\dfrac{\dfrac{1}{2}+\dfrac{1}{2}}{3}, \dfrac{-\dfrac{\sqrt{3}}{2}-\dfrac{\sqrt{3}}{6}}{3}, \dfrac{-\dfrac{\sqrt{6}}{3}}{3}\right)$
$\therefore \left(\dfrac{1}{3}, -\dfrac{2\sqrt{3}}{9}, -\dfrac{\sqrt{6}}{9}\right)$

답 ③

114

선분 AB의 중점 M의 좌표는
$\left(\dfrac{6+0}{2}, \dfrac{0+6}{2}, \dfrac{0+0}{2}\right)$
$\therefore M(3, 3, 0)$

선분 PM 위의 점 Q는 선분 PM을 $t : 1-t$로 내분하는 점으로 생
각할 수 있으므로 점 Q의 좌표는
$\left(\dfrac{3t + (1-t)\times 0}{t + 1 - t}, \dfrac{3t + (1-t)\times 0}{t + 1 - t}, \dfrac{t \times 0 + 2(1-t)}{t + 1 - t}\right)$
$\therefore Q(3t, 3t, 2-2t)$
$\therefore \overline{OQ} = \sqrt{(3t)^2 + (3t)^2 + (2-2t)^2}$
$\qquad = \sqrt{22t^2 - 8t + 4}$
$\qquad = \sqrt{22\left(t - \dfrac{2}{11}\right)^2 + \dfrac{36}{11}}$

따라서 $t = \dfrac{2}{11}$일 때 선분 OQ의 길이가 최소이므로 점 Q는 선분

PM을 $\dfrac{2}{11} : \dfrac{9}{11}$, 즉 $2 : 9$로 내분하는 점이다.

$\therefore \dfrac{\overline{PQ}}{\overline{QM}} = \dfrac{\dfrac{2}{11}\overline{PM}}{\dfrac{9}{11}\overline{PM}} = \dfrac{2}{9}$

따라서 $p = 2, \ q = 9$이므로 $\ p + q = 11$

답 ②

115

두 점 A, B의 z좌표의 부호가 다르므로 점 P는 선분 AB를 내분
하는 점이다.

점 P가 선분 AB를 $t : 1-t$로 내분한다고 하면
$P\left(\dfrac{2t + 4(1-t)}{t + 1 - t}, \dfrac{3t - 5(1-t)}{t + 1 - t}, \dfrac{4t - (1-t)}{t + 1 - t}\right)$
$\therefore P(-2t+4, 8t-5, 5t-1)$

이때 점 P는 xy평면 위의 점이므로 z좌표가 0이다. 즉,
$5t - 1 = 0 \qquad \therefore t = \dfrac{1}{5}$
$\therefore P\left(\dfrac{18}{5}, -\dfrac{17}{5}, 0\right)$

또, 두 점 A, B의 x좌표의 부호가 같으므로 점 Q는 선분 AB를 외
분하는 점이다.

점 Q가 선분 AB를 $s : 1-s$로 외분한다고 하면
$Q\left(\dfrac{2s - 4(1-s)}{s - (1-s)}, \dfrac{3s + 5(1-s)}{s - (1-s)}, \dfrac{4s + (1-s)}{s - (1-s)}\right)$
$\therefore Q\left(\dfrac{6s-4}{2s-1}, \dfrac{-2s+5}{2s-1}, \dfrac{3s+1}{2s-1}\right)$

이때 점 Q는 yz평면 위의 점이므로 x좌표가 0이다. 즉,
$\dfrac{6s-4}{2s-1} = 0 \qquad \therefore s = \dfrac{2}{3}$
$\therefore Q(0, 11, 9)$

따라서 $a = -\dfrac{17}{5}, \ b = 11$이므로
$a + b = 11 + \left(-\dfrac{17}{5}\right) = \dfrac{38}{5}$

답 ②

116

구 $(x+2)^2+(y-1)^2+z^2=16$의 중심을 C라고 하면

C$(-2, 1, 0)$

$\therefore \overline{CA}=\sqrt{(3+2)^2+(3-1)^2+(-\sqrt{3})^2}=4\sqrt{2}$

오른쪽 그림과 같이 접점을 P, 점 P에서
선분 CA에 내린 수선의 발을 H라고 하면
점 P의 자취는 원이고, 선분 PH의 길이
는 원의 반지름의 길이이다.

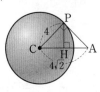

직각삼각형 PCA에서

$\overline{AP}=\sqrt{\overline{CA}^2-\overline{CP}^2}=\sqrt{(4\sqrt{2})^2-4^2}=4$

이므로 직각삼각형 PCA의 넓이에서

$\dfrac{1}{2}\times\overline{AP}\times\overline{CP}=\dfrac{1}{2}\times\overline{CA}\times\overline{PH}$

$\dfrac{1}{2}\times4\times4=\dfrac{1}{2}\times4\sqrt{2}\times\overline{PH}$

$\therefore \overline{PH}=2\sqrt{2}$

따라서 구하는 도형의 길이는 원의 둘레의 길이와 같으므로

$2\pi\times2\sqrt{2}=4\sqrt{2}\pi$

답 ④

참고

삼각형 PCA가 직각이등변삼각형이므로 삼각형 CHP도 직각이등
변삼각형임을 이용하여 $\overline{PH}$를 구할 수도 있다.

117

점 P의 좌표를 (x, y, z)라고 하면 $\overline{AP}:\overline{BP}=3:2$에서

$2\overline{AP}=3\overline{BP}$, $4\overline{AP}^2=9\overline{BP}^2$

이므로

$4\{(x+5)^2+(y-3)^2+(z-1)^2\}$
$=9\{(x+1)^2+(y-3)^2+(z+2)^2\}$

$(5x^2-22x)+(5y^2-30y)+(5z^2+44z)=14$

$5\left(x-\dfrac{11}{5}\right)^2+5(y-3)^2+5\left(z+\dfrac{22}{5}\right)^2=180$

$\left(x-\dfrac{11}{5}\right)^2+(y-3)^2+\left(z+\dfrac{22}{5}\right)^2=36$

즉, 점 P의 자취는 중심이 $\left(\dfrac{11}{5}, 3, -\dfrac{22}{5}\right)$이고 반지름의 길이가
6인 구이다.

따라서 점 P가 나타내는 도형의 넓이는

$4\pi\times6^2=144\pi$

답 144π

118

두 구의 중심의 좌표는 각각 $(0, 1, -1)$, $(-2, 1, 5)$이고 반지름
의 길이는 각각 1, 3이다.

이때 두 구의 중심 사이의 거리는

$\sqrt{(-2)^2+(5+1)^2}=2\sqrt{10}$

이고, $1+3<2\sqrt{10}$이므로 두 구는
오른쪽 그림과 같이 서로 만나지 않
는다.

따라서 선분 PQ의 길이의 최댓값을

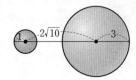

M, 최솟값을 m이라고 하면

$M=1+2\sqrt{10}+3=2\sqrt{10}+4$

$m=2\sqrt{10}-(1+3)=2\sqrt{10}-4$

이므로

$M-m=(2\sqrt{10}+4)-(2\sqrt{10}-4)=8$

답 ③

119

주어진 구가 xy평면, yz평면, zx평면에 동시에 접하고 점
$(-2, -3, 1)$을 지나므로 구의 중심의 x좌표, y좌표는 음수이고,
z좌표는 양수이다.

따라서 구의 반지름의 길이를 r $(r>0)$라고 하면 구의 방정식은

$(x+r)^2+(y+r)^2+(z-r)^2=r^2$

이 구가 점 $(-2, -3, 1)$을 지나므로

$(-2+r)^2+(-3+r)^2+(1-r)^2=r^2$

$2r^2-12r+14=0$

$\therefore r^2-6r+7=0$

위의 방정식을 풀면 $r=3\pm\sqrt{2}$

따라서 두 구의 중심의 좌표는 각각

$(-3-\sqrt{2}, -3-\sqrt{2}, 3+\sqrt{2})$, $(-3+\sqrt{2}, -3+\sqrt{2}, 3-\sqrt{2})$

이므로 중심 사이의 거리는

$\sqrt{(-2\sqrt{2})^2+(-2\sqrt{2})^2+(2\sqrt{2})^2}=2\sqrt{6}$

답 ⑤

120

접근

세 구의 반지름의 길이가 등비수열을 이루므로 3, $3r$, $3r^2$ $(r>0)$으
로 나타낸 후, 점 A, B, C의 좌표를 구한다.

세 구의 반지름의 길이가 등비수열을 이루므로

3, $3r$, $3r^2$ $(r>0)$

으로 놓고, 평면 α를 xy평면으로 생각하면 구의 중심의 z좌표는 반
지름의 길이와 같으므로

A$(x_1, y_1, 3)$, B$(x_2, y_2, 3r)$, C$(x_3, y_3, 3r^2)$

으로 놓을 수 있다.

이때 삼각형 ABC의 무게중심의 좌표는

$\left(\dfrac{x_1+x_2+x_3}{3}, \dfrac{y_1+y_2+y_3}{3}, \dfrac{3+3r+3r^2}{3}\right)$

이고, 무게중심에서 평면 α, 즉 xy평면에 이르는 거리는 무게중심
의 z좌표와 같으므로

$\dfrac{3+3r+3r^2}{3}=7$

$1+r+r^2=7$, $r^2+r-6=0$

$(r+3)(r-2)=0$

$\therefore r=2$ $(\because r>0)$

따라서 가장 큰 구의 반지름의 길이는 $3r^2$이므로

$3\times2^2=12$

답 12

121

점 A의 좌표를 (x_1, y_1, z_1)이라고 하면 점 A가 구

$(x-1)^2+(y-1)^2+z^2=9$ 위의 점이므로

$(x_1-1)^2+(y_1-1)^2+z_1^2=9$ ...... ㉠

또, 선분 AB를 2 : 1로 내분하는 점을 P(x, y, z)라고 하면

$x=\dfrac{2\times4+x_1}{2+1}$, $y=\dfrac{2\times1+y_1}{2+1}$, $z=\dfrac{2\times3+z_1}{2+1}$

$\therefore x_1=3x-8,\ y_1=3y-2,\ z_1=3z-6$

이를 ㉠에 대입하면

$(3x-9)^2+(3y-3)^2+(3z-6)^2=9$

$9(x-3)^2+9(y-1)^2+9(z-2)^2=9$

$\therefore (x-3)^2+(y-1)^2+(z-2)^2=1$

따라서 선분 AB를 2 : 1로 내분하는 점이 그리는 도형은 중심이 $(3, 1, 2)$이고, 반지름의 길이가 1인 구이므로 그 부피는

$\dfrac{4}{3}\pi\times1^3=\dfrac{4}{3}\pi$

답 ③

참고

반지름의 길이가 r인 구에서

(1) 구의 부피: $\dfrac{4}{3}\pi r^3$　(2) 구의 겉넓이: $4\pi r^2$

122

오른쪽 그림과 같이 yz평면 위에 있는 원기둥의 밑면 위의 점을 A, 구의 중심을 C, 점 C에서 yz평면에 내린 수선의 발을 H라고 하면 <u>구의 중심과 yz평면 사이의 거리이므로 구의 중심의 x좌표의 절댓값과 같다.</u>

$\overline{AC}=5,\ \overline{CH}=4$

이므로 <u>원기둥이 구에 내접하므로 선분 AC의 길이는 구의 반지름의 길이와 같다.</u>

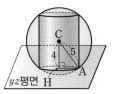

$\overline{AH}=\sqrt{\overline{AC}^2-\overline{CH}^2}=\sqrt{5^2-4^2}=3$

또, 원기둥은 주어진 구에 내접하므로 원기둥의 높이는 $2\overline{CH}$와 같다.

따라서 원기둥의 밑면의 반지름은 3, 높이는 8이므로 부피는

$\pi\times3^2\times8=72\pi$

답 ③

123

$x^2+y^2+z^2-20x-8y-10z-148=0$에서

$(x-10)^2+(y-4)^2+(z-5)^2=289$

이므로 중심이 C$(10, 4, 5)$이고 반지름의 길이가 17인 구이다.

$x^2+y^2+z^2+20x=0$에서

$(x+10)^2+y^2+z^2=100$

이므로 중심이 C'$(-10, 0, 0)$이고 반지름의 길이가 10인 구이다.

즉,

$\overline{CC'}=\sqrt{(-10-10)^2+(0-4)^2+(0-5)^2}=21$

이므로 오른쪽 그림에서 점 P에서 직선 CC'에 내린 수선의 발을 점 H라고 할 때,

직각삼각형 PHC에서

$\overline{PH}^2=17^2-\overline{CH}^2$ ...... ㉠

직각삼각형 PHC'에서

$\overline{PH}^2=10^2-(21-\overline{CH})^2$ ...... ㉡

㉠, ㉡을 연립하여 풀면 $\overline{CH}=15$, $\overline{PH}=8$

따라서 삼각형 CPC'의 넓이는

$\dfrac{1}{2}\times\overline{CC'}\times\overline{PH}=\dfrac{1}{2}\times21\times8$

$=84$

답 ②

124

주어진 구의 방정식을

$(x-a)^2+(y-b)^2+(z-c)^2=r^2$ ...... ㉠

이라고 하자.

xy평면 위의 점은 z좌표가 0이므로 ㉠에 $z=0$을 대입하면

$(x-a)^2+(y-b)^2=r^2-c^2$

$\therefore x^2+y^2-2ax-2by=r^2-a^2-b^2-c^2$

위의 식이 $x^2+y^2+4x-6y=1$과 같으므로

$-2a=4,\ -2b=-6$

$\therefore a=-2,\ b=3$

zx평면 위의 점은 y좌표가 0이므로 ㉠에 $y=0$을 대입하면

$(x-a)^2+(z-c)^2=r^2-b^2$

$\therefore x^2+z^2-2ax-2cz=r^2-a^2-b^2-c^2$

위의 식이 $x^2+z^2+4x-2z=1$과 같으므로

$-2c=-2$　　$\therefore c=1$

또, $r^2-(-2)^2-3^2-1^2=1$에서　$r^2=15$

이를 ㉠에 대입하면

$(x+2)^2+(y-3)^2+(z-1)^2=15$ ...... ㉡

yz평면 위의 점은 x좌표가 0이므로 ㉡에 $x=0$을 대입하면

$(y-3)^2+(z-1)^2=11$

따라서 yz평면과 만나서 생기는 원의 넓이는

$\pi\times(\sqrt{11})^2=11\pi$

답 ②

간단 풀이

$x^2+y^2+4x-6y=1$에서

$(x+2)^2+(y-3)^2=14$ ...... ㉠

$x^2+z^2+4x-2z=1$에서

$(x+2)^2+(z-1)^2=6$

따라서 구의 중심은 $(-2, 3, 1)$이고, 구의 반지름의 길이를 r라고 하면

$(x+2)^2+(y-3)^2+(z-1)^2=r^2$ ...... ㉡

㉡에 $z=0$을 대입하면

$(x+2)^2+(y-3)^2=r^2-1$

위의 식을 ㉠과 비교하면

$r^2-1=14,\ r^2=15$

따라서 구의 방정식은

$(x+2)^2+(y-3)^2+(z-1)^2=15$

125

구 $x^2+y^2+z^2=20$과 xy평면이 만나서 생기는 원의 방정식은

$x^2+y^2=20$ <u>$z=0$을 대입한다.</u> ...... ㉠

점 B$(2, -1, 3)$의 xy평면 위로의 정사영은
B′$(2, -1, 0)$
이때 점 B′은 원 ㉠의 내부에 있으므로 ┌ $\overline{\text{OB'}} < \overline{\text{OA}}$이므로 원 ㉠의 내부에 있다.
점 A가 직선 OB′과 원이 만나는 점 중
점 B′과 가까운 점일 때 선분 AB의 길
이가 최소이다.

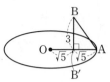

이때
$\overline{\text{OB'}} = \sqrt{2^2 + (-1)^2} = \sqrt{5}$
$\overline{\text{AB'}} = 2\sqrt{5} - \sqrt{5} = \sqrt{5}$
$\overline{\text{BB'}} = 3$ ┌─ 원 ㉠의 반지름
이므로
$\overline{\text{AB}} = \sqrt{\overline{\text{AB'}}^2 + \overline{\text{BB'}}^2} = \sqrt{(\sqrt{5})^2 + 3^2} = \sqrt{14}$
따라서 선분 AB의 길이의 최솟값은 $\sqrt{14}$이다.

답 ①

126

(i) 구 $(x-4)^2 + (y+5)^2 + (z-2)^2 = n$이 xy평면과 만나는 경우
는 $z = 0$일 때이므로
$(x-4)^2 + (y+5)^2 = n-4$
이때 주어진 구가 xy평면과 만나야 하므로
$n-4 \geq 0$ ∴ $n \geq 4$ ┌ $n-4=0$이면 구는 점 $(4, -5, 0)$에서 xy평면과 접한다.
(ii) 구 $(x-4)^2 + (y+5)^2 + (z-2)^2 = n$이 yz평면과 만나는 경우
는 $x = 0$일 때이므로
$(y+5)^2 + (z-2)^2 = n-16$
이때 주어진 구가 yz평면과 만나지 않아야 하므로
$n-16 < 0$ ∴ $n < 16$
(iii) 구 $(x-4)^2 + (y+5)^2 + (z-2)^2 = n$이 zx평면과 만나는 경우
는 $y = 0$일 때이므로
$(x-4)^2 + (z-2)^2 = n-25$
이때 주어진 구가 zx평면과 만나지 않아야 하므로
$n-25 < 0$ ∴ $n < 25$
(i)~(iii)에 의하여 $4 \leq n < 16$이므로 주어진 조건을 만족시키는 자
연수 n의 개수는
$16 - 4 = 12$

답 12

127

오른쪽 그림과 같이 점 P에서 구에 접선
을 그을 때 접점을 A, 직선 PA가 xy평
면과 만나는 점을 B라고 하면 xy평면에
생기는 그림자는 중심이 원점이고 반지름
의 길이가 $\overline{\text{OB}}$인 원이다.

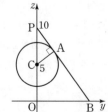

이때
$\angle\text{CAP} = 90°$, $\overline{\text{CP}} = 5$, $\overline{\text{CA}} = 3$
이므로 직각삼각형 CAP에서
$\overline{\text{AP}} = \sqrt{\overline{\text{CP}}^2 - \overline{\text{CA}}^2} = \sqrt{5^2 - 3^2} = 4$

즉, $\tan(\angle\text{APC}) = \dfrac{\overline{\text{CA}}}{\overline{\text{AP}}} = \dfrac{3}{4}$

∴ $\overline{\text{OB}} = \overline{\text{OP}} \times \tan(\angle\text{BPO}) = 10 \times \dfrac{3}{4} = \dfrac{15}{2}$

따라서 구의 그림자의 넓이는

$\pi \times \left(\dfrac{15}{2}\right)^2 = \dfrac{225}{4}\pi$

답 ⑤

128

집합 A는 중심의 좌표가 $(1, 1, -1)$이고 반지름의 길이가 1인 구
위의 점들의 집합이고, 집합 B는 중심의 좌표가 $(-2, 0, a)$이고
반지름의 길이가 4인 구 위의 점들의 집합이다.
이때 $A \cap B = \varnothing$이면 두 구는 교점이 없으므로 두 구는 만나지 않
는다.
즉, $\sqrt{(1+2)^2 + 1^2 + (-1-a)^2} > 5$
이어야 하므로 └── 두 구의 반지름의 길이의 합
 └ 두 구의 중심 사이의 거리
$(1+2)^2 + 1^2 + (-1-a)^2 > 25$
$a^2 + 2a - 14 > 0$
∴ $a < -1 - \sqrt{15}$ 또는 $a > -1 + \sqrt{15}$
이때 $3 < \sqrt{15} < 4$에서 $2 < -1 + \sqrt{15} < 3$
따라서 자연수 a의 최솟값은 3이다.

답 ④

129

주어진 구의 방정식은
$(x-a)^2 + (y-b)^2 + (z-c)^2 = 10^2$
구가 xy평면, yz평면, xz평면과 만나서 생기는 원의 방정식은 각각
$C_1 : (x-a)^2 + (y-b)^2 = 100 - c^2$
$C_2 : (y-b)^2 + (z-c)^2 = 100 - a^2$
$C_3 : (x-a)^2 + (z-c)^2 = 100 - b^2$
원 C_1, C_2가 접하므로 점 $(0, b, c)$를 중심으로 하고 반지름의 길
이가 $\sqrt{100-a^2}$인 원 C_2는 y축과 접해야 한다.
∴ $c = \sqrt{100-a^2}$ ······ ㉠
원 C_1, C_3이 접하므로 점 $(a, 0, c)$를 중심으로 하고 반지름의 길
이가 $\sqrt{100-b^2}$인 원 C_3은 y축과 접해야 한다.
∴ $c = \sqrt{100-b^2}$ ······ ㉡
반지름의 길이가 $\sqrt{100-c^2}$인 원 C_1의 넓이가 64π이므로
$\{\sqrt{100-c^2}\}^2 \pi = 64\pi$
$100 - c^2 = 64$, $c^2 = 36$ ∴ $c = 6$ ($\because c > 0$)
$c = 6$을 ㉠에 대입하여 정리하면 $6 = \sqrt{100-c^2}$
$36 = 100 - a^2$, $a^2 = 64$ ∴ $a = 8$ ($\because a > 0$)
$c = 6$을 ㉡에 대입하여 정리하면 $6 = \sqrt{100-b^2}$
$36 = 100 - b^2$, $b^2 = 64$ ∴ $b = 8$ ($\because b > 0$)
∴ $a + b + c = 8 + 8 + 6 = 22$

답 22

130

삼각형 DEG의 평면 EFGH 위로의 정사영은 삼각형 HEG이므로 평면 DEG와 평면 EFGH가 이루는 각의 크기를 $\theta°$라고 하면
$\triangle HEG = \triangle DEG \cos \theta°$
이때 삼각형 DEG는 한 변의 길이가 $8\sqrt{2}$인 정삼각형이므로

$\dfrac{1}{2} \times 8 \times 8 = \dfrac{\sqrt{3}}{4} \times (8\sqrt{2})^2 \times \cos \theta°$

$\therefore \cos \theta° = \dfrac{1}{\sqrt{3}}$

원기둥의 밑면의 반지름의 길이를 $r(0 < r \leq 4)$라고 하면 잘린 단면의 밑면 위로의 정사영은 반지름의 길이가 r인 반원이다.
따라서 구하는 단면의 넓이를 S라고 하면 ┌ 단면은 타원을 반으로 자른 모양이다.

$\dfrac{1}{2} \pi r^2 = S \cos \theta°$

$\therefore S = \dfrac{\pi r^2}{2} \times \dfrac{1}{\cos \theta°} = \dfrac{\sqrt{3}}{2} \pi r^2$

이때 $0 < r \leq 4$이므로 S의 최댓값은

$\dfrac{\sqrt{3}}{2} \pi \times 4^2 = 8\sqrt{3}\pi$

답 ③

참고

$0 < r \leq 4$이어야 원기둥이 정육면체의 내부에 존재한다.

131

오른쪽 그림과 같이 모서리 BC의 중점을 P', 모서리 CD의 중점을 Q', 점 D의 평면 ABC 위로의 정사영을 점 D'이라고 하자.
이때 $\angle DD'P' = 90°$, $\angle A'P'P = 90°$
이므로
$\overline{DD'} /\!/ \overline{A'P}$

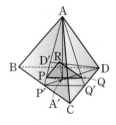

즉, 삼각형 DD'P과 A'PP'은 서로 닮음이므로 점 P는 선분 AP' 위의 점이다.

이때 $\angle DP'D' = \theta°$라고 하면 $\cos \theta° = \dfrac{1}{3}$이므로 ┌ 정사면체에서 두 면이 이루는 각을 $\theta°$라고 하면 $\cos \theta° = \dfrac{1}{3}$

$\overline{PP'} = \dfrac{1}{3}\overline{A'P'} = \dfrac{1}{3}\overline{D'P'} = \dfrac{1}{3}\left(\dfrac{1}{3}\overline{AP'}\right) = \dfrac{1}{9}\overline{AP'}$ ······ ㉠

위와 같은 방법으로 구하면 ┌ 점 A'은 삼각형 BCD의 무게중심이고, 점 D'은 삼각형 ABC의 무게중심이다.

$\overline{QQ'} = \dfrac{1}{9}\overline{AQ'}$ ┌ 점 B의 평면 ACD 위로의 정사영을 이용하여 구한다. ······ ㉡

㉠, ㉡에 의하여 삼각형 APQ와 AP'Q'은 서로 닮음이고, 닮음비는 $8 : 9$이다.

$\therefore \overline{PQ} = \dfrac{8}{9}\overline{P'Q'} = \dfrac{8}{9} \times \dfrac{1}{2}\overline{BD} = \dfrac{8}{9} \times \dfrac{1}{2} \times 3 = \dfrac{4}{3}$

또, 같은 방법으로 구하면

$\overline{QR} = \overline{PR} = \dfrac{4}{3}$

따라서 삼각형 PQR는 한 변의 길이가 $\dfrac{4}{3}$인 정삼각형이므로

$S = \dfrac{\sqrt{3}}{4} \times \left(\dfrac{4}{3}\right)^2 = \dfrac{4\sqrt{3}}{9}$

$\therefore 27S^2 = 27 \times \left(\dfrac{4\sqrt{3}}{9}\right)^2 = 16$

답 16

132

오른쪽 그림과 같이 원기둥의 밑면의 중심을 각각 O, O'이라 하고, 그림자를 네 부분으로 나누고 그 넓이를 각각 S_1, S_2, S_3, S_4라고 하자.

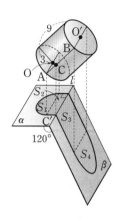

(i) S_1은 선분 OA를 반지름으로 하는 반원을 평면 α 위로 정사영한 도형의 넓이와 같으므로

$S_1 = \dfrac{1}{2} \times \pi \times 3^2 \times \cos 45° = \dfrac{9\sqrt{2}}{4}\pi$

(ii) S_2는 직사각형의 넓이이므로

$S_2 = 6 \times \left\{\left(9 \times \dfrac{1}{1+2}\right) \times \cos 45°\right\}$
$= 9\sqrt{2}$

(iii) 넓이가 S_3인 평면 β 위의 도형을 평면 α 위로 정사영한 도형은 직사각형이므로 ┌ 빛이 평면 α에 수직으로 비춘다.

$6 \times \left\{\left(9 \times \dfrac{2}{1+2}\right) \times \cos 45°\right\} = S_3 \times \cos(180° - 120°)$

$18\sqrt{2} = \dfrac{S_3}{2}$ $\therefore S_3 = 36\sqrt{2}$

(iv) 넓이가 S_4인 평면 β 위의 도형을 평면 α 위로 정사영한 도형은 선분 O'B를 반지름으로 하는 반원이므로

$\dfrac{1}{2} \times \pi \times 3^2 \times \cos 45° = S_4 \times \cos(180° - 120°)$

$\dfrac{9\sqrt{2}}{4}\pi = \dfrac{S_4}{2}$ $\therefore S_4 = \dfrac{9\sqrt{2}}{2}\pi$

(i)~(iv)에서

$S_1 + S_2 + S_3 + S_4 = 45\sqrt{2} + \dfrac{27\sqrt{2}}{4}\pi$

따라서 $p = 45$, $q = 27$이므로
$p + q = 72$

답 72

133

두 구 $(x-3)^2 + (y+1)^2 + (z-3)^2 = 4$,
$(x-2)^2 + (y-1)^2 + (z-k)^2 = 16$의 zx평면 위로의 정사영은 각각

$(x-3)^2 + (z-3)^2 = 4$, $(x-2)^2 + (z-k)^2 = 16$

이므로 중심이 $C(3, 3)$이고 반지름의 길이가 2인 원을 C_1, 중심이 $C'(2, k)$이고 반지름의 길이가 4인 원을 C_2라고 하면

$\overline{CC'} = \sqrt{(2-3)^2 + (k-3)^2} = \sqrt{(k-3)^2 + 1}$

따라서 두 원이 만나지 않으려면 원 C_1이 원 C_2의 내부에 존재하거나, 원 C_1이 원 C_2의 외부에 존재해야 한다.

(i) 원 C_1이 원 C_2의 내부에 존재할 때
선분 CC'의 길이가 두 원의 반지름의 길이의 차보다 작아야 하므로

$0 \leq \overline{CC'} < 4 - 2$
$0 \leq \sqrt{(k-3)^2 + 1} < 2$, $0 \leq (k-3)^2 < 3$
$\therefore 3 - \sqrt{3} < k < 3 + \sqrt{3}$

(ii) 원 C_1이 원 C_2의 외부에 존재할 때

선분 CC′의 길이가 두 원의 반지름의 길이의 합보다 커야 하므로

$$\overline{CC'}>4+2$$
$$\sqrt{(k-3)^2+1}>6, \ (k-3)^2+1>36$$
$$k<3-\sqrt{35} \ \text{또는} \ k>3+\sqrt{35}$$
$$\therefore 3+\sqrt{35}<k\leq 10 \ (\because 0<k\leq 10)$$

(i), (ii)에 의하여 구하는 자연수 k의 값은 2, 3, 4, 9, 10이므로 k의 값의 합은

$\boxed{\sqrt{35}=5.\cdots \text{이므로} \ 8.\cdots<k\leq 10}$

$$2+3+4+9+10=28$$

답 ⑤

134

$$x^2+y^2+z^2=36 \quad\cdots\cdots ㉠$$
$$x^2+(y-3)^2+z^2=15 \quad\cdots\cdots ㉡$$

㉠−㉡을 하면

$$6y=30 \qquad \therefore y=5$$

즉, 두 구가 만나는 원은 y좌표가 5이므로 ㉠에 $y=5$를 대입하면

$$x^2+z^2=11$$

이 원 위의 점 $P(x_1, 5, z_1)$의 xy평면 위로의 정사영은

$$P'(x_1, 5, 0)$$

또, 구 S_1이 y축과 만나는 점은 $x=0, z=0$이므로 ㉠에 대입하면

$$Q(0, -6, 0), \ R(0, 6, 0)$$

이므로 삼각형 QP′R의 넓이는

$$\triangle QP'R=\frac{1}{2}\times \overline{QR}\times |x_1|=6|x_1|$$

이때 사면체 PQP′R의 높이는 $|z_1|$이므로 사면체의 부피를 V라고 하면

$$V=\frac{1}{3}\triangle QP'R\times |z_1|=2|x_1 z_1|$$

$x_1{}^2>0, z_1{}^2>0$이므로 산술평균과 기하평균의 관계에 의하여

$$x_1{}^2+z_1{}^2\geq 2\sqrt{x_1{}^2 z_1{}^2}=2|x_1 z_1| \ (\text{단, 등호는 } x_1=z_1\text{일 때 성립한다.})$$

이때 점 P는 원 $x^2+z^2=11$ 위의 점이므로

$$x_1{}^2+z_1{}^2=11$$
$$\therefore 2|x_1 z_1|\leq 11$$
$$\therefore V=2|x_1 z_1|\leq 11$$

따라서 사면체 PQP′R의 부피의 최댓값은 11이다.

답 11

미니 모의고사 - 1회

01

주어진 평면의 개수는 직선 AC와 꼭짓점 한 개를 택하여 만드는 평면의 개수와 같다.

따라서 선분 AC를 포함하는 평면은 평면 ABC, ACE, ACF, ACH의 4개이다.

$\boxed{\text{평면 ABC, ACD는 같은 평면이고,}\\ \text{평면 ACE, ACG는 같은 평면이다.}}$

답 4

02

접힌 도형에서 사각형 ABCD가 정사각형이므로 $\overline{BC}=\overline{CD}$이고 $\angle BCD=60°$이므로 삼각형 BCD는 정삼각형이다.

이때 선분 AC의 중점을 M이라고 하면 두 평면 ABC와 ACD가 이루는 각의 크기는 $\angle BMD$의 크기와 같다.

주어진 정사각형의 한 변의 길이를 a라고 하면 삼각형 BMD에서

$$\overline{BM}=\frac{\sqrt{2}}{2}a, \ \overline{MD}=\frac{\sqrt{2}}{2}a$$

$\boxed{\text{삼각형 ABC, ACD는 직각이등변삼각형이므}\\ \text{로 } \angle BAC=\angle DAC=45°}$

$$\therefore \overline{BM}^2+\overline{MD}^2=\left(\frac{\sqrt{2}}{2}a\right)^2+\left(\frac{\sqrt{2}}{2}a\right)^2$$
$$=a^2=\overline{BD}^2$$

따라서 삼각형 BMD는 $\angle BMD=90°$인 직각이등변삼각형이다.

답 ⑤

03

타원의 장축의 길이를 $2a$라고 하면

$$2a\cos 30°=6, \ \sqrt{3}a=6 \qquad \therefore a=2\sqrt{3}$$

타원의 단축의 길이를 $2b$라고 하면

$$2b=6 \qquad \therefore b=3$$

따라서 타원의 두 초점 사이의 거리는

$$2\sqrt{(2\sqrt{3})^2-3^2}=2\sqrt{3}$$

답 ②

04

점 P의 좌표를 (a, b, c)라고 하면 점 P에서 z축에 내린 수선의 발의 좌표는 $(0, 0, c)$이므로

$$c=-3$$

또, 점 P를 yz평면에 대하여 대칭이동한 점의 좌표는

$$(-a, b, c)$$

이 점에서 xy평면에 내린 수선의 발의 좌표는

$$(-a, b, 0)$$
$$\therefore a=-2, b=-1$$

따라서 점 P의 좌표는 $(-2, -1, -3)$이므로

$$\overline{OP}=\sqrt{(-2)^2+(-1)^2+(-3)^2}=\sqrt{14}$$

답 ①

05

$B(x_2, y_2, z_2)$, $C(x_3, y_3, z_3)$라고 하면 변 BC의 중점의 좌표가 $(-1, 3, 2)$이므로

$$x_2+x_3=-2, \ y_2+y_3=6, \ z_2+z_3=4$$

이때 정삼각형 ABC의 무게중심은 외접원의 중심과 같으므로

$$a=\frac{4+x_2+x_3}{3}=\frac{4-2}{3}=\frac{2}{3}$$
$$b=\frac{0+y_2+y_3}{3}=\frac{6}{3}=2$$
$$c=\frac{-3+z_2+z_3}{3}=\frac{-3+4}{3}=\frac{1}{3}$$
$$\therefore a+b+c=\frac{2}{3}+2+\frac{1}{3}=3$$

답 ③

점 O는 정삼각형 ABC의 무게중심이다. 즉, 선분 BC의 중점을 M 이라고 하면 점 O는 선분 AM을 2 : 1로 내분하는 점이다.

$$O\left(\frac{2\times(-1)+1\times 4}{2+1},\ \frac{2\times 3+1\times 0}{2+1},\ \frac{2\times 2+1\times(-3)}{2+1}\right)$$

$$\therefore O\left(\frac{2}{3},\ 2,\ \frac{1}{3}\right)$$

06

점 D에서 선분 BC에 내린 수선의 발을 M 이라고 하면 삼각형 BCD는 정삼각형이므 로 M은 선분 BC의 중점이다.

직각삼각형 CMD에서

$$\overline{DM}=\sqrt{\overline{CD}^2-\overline{CM}^2}=\sqrt{4^2-2^2}=2\sqrt{3}$$

$\overline{DG}\perp$(평면 ABC), $\overline{DM}\perp\overline{BC}$이므로 삼 수선의 정리에 의하여

$\overline{GM}\perp\overline{BC}$

면 ABC와 면 BCD가 이루는 각의 크기가 60°이므로

$\angle GMD=60°$이고

$$\overline{DG}=\overline{DM}\sin 60°=2\sqrt{3}\times\frac{\sqrt{3}}{2}=3$$

$$\overline{GM}=\overline{DM}\cos 60°=2\sqrt{3}\times\frac{1}{2}=\sqrt{3}$$

점 G가 삼각형 ABC의 무게중심이므로

$$\overline{AM}=3\overline{GM}=3\sqrt{3}$$

따라서 삼각형 ABC의 넓이는

$$\triangle ABC=\frac{1}{2}\times\overline{BC}\times\overline{AM}$$
$$=\frac{1}{2}\times 4\times 3\sqrt{3}=6\sqrt{3}$$

이므로 사면체 ABCD의 부피는

$$\frac{1}{3}\times\triangle ABC\times\overline{DG}=\frac{1}{3}\times 6\sqrt{3}\times 3=6\sqrt{3}$$

답 $6\sqrt{3}$

07

$\overline{EF}\perp$(평면 AEHD)에서 $\overline{EF}\perp\overline{AH}$이고, $\overline{DE}\perp\overline{AH}$이므로 $\overline{AH}\perp$(평면 DEF)

선분 AH와 선분 DE의 교점을 M, 점 M에서 선분 DF에 내린 수 선의 발을 N이라고 하면

$\overline{AH}\perp\overline{MN}$

이때 선분 MN은 평면 DEF에 포함되므로 평면 DEF 위의 모든 직선은 선분 AH와 수직이다.

즉, 점 M은 선분 AH 위의 점이므로 점 P이고, 점 N은 선분 DF 위의 점이므로 점 Q이다.

이때 점 P는 선분 AH와 선분 DE의 교점이므로

$$\overline{AP}=\frac{1}{2}\overline{AH}=\frac{\sqrt{2}}{2}$$

답 ②

08

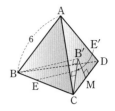

오른쪽 그림과 같이 점 B에서 평면 ACD 에 내린 수선의 발을 B′, 점 E에서 평면 ACD에 내린 수선의 발을 E′이라고 하면 선분 BE의 평면 ACD 위로의 정사영은 $\overline{B'E'}$이다.

이때 점 B′은 삼각형 ACD의 무게중심이 므로 모서리 CD의 중점을 M이라고 하면

$$\overline{AM}=\frac{\sqrt{3}}{2}\times 6=3\sqrt{3}$$

$$\overline{B'M}=\frac{1}{3}\overline{AM}=\frac{1}{3}\times 3\sqrt{3}=\sqrt{3}$$

또, 직각삼각형 B′MC에서

$$\overline{B'C}=\sqrt{\overline{B'M}^2+\overline{MC}^2}=\sqrt{(\sqrt{3})^2+3^2}=2\sqrt{3}$$

이때 점 E는 모서리 BC를 1 : 2로 내분하는 점이므로 점 E′은 선 분 B′C를 1 : 2로 내분하는 점이다.

$$\therefore \overline{B'E'}=\frac{1}{3}\overline{B'C}=\frac{2\sqrt{3}}{3}$$

답 ②

09

$$\overline{OA}=\sqrt{(-3)^2+1^2+3^2}=\sqrt{19}$$

$$\overline{OB}=\sqrt{0^2+(-1)^2+2^2}=\sqrt{5}$$

$$\overline{AB}=\sqrt{3^2+(-1-1)^2+(2-3)^2}=\sqrt{14}$$

이때 $\overline{OA}^2=\overline{OB}^2+\overline{AB}^2$이므로 삼각형 OAB는 $\angle ABO=90°$인 직각삼각형이다.

$$\therefore \triangle OAB=\frac{1}{2}\times\overline{AB}\times\overline{OB}=\frac{1}{2}\times\sqrt{14}\times\sqrt{5}=\frac{\sqrt{70}}{2}$$

이때 점 A의 xy평면 위로의 정사영을 A′, 점 B의 xy평면 위로의 정사영을 B′이라고 하면 삼각형 OAB의 xy평면 위로의 정사영은 OA′B′이다.

A′$(-3, 1, 0)$, B′$(0, -1, 0)$이므로

$$\triangle OA'B'=\frac{1}{2}\times|-1|\times|-3|=\frac{3}{2}$$

따라서 $\triangle OA'B'=\triangle OAB\cos\theta°$이므로

$$\frac{3}{2}=\frac{\sqrt{70}}{2}\cos\theta°,\ \cos\theta°=\frac{3}{\sqrt{70}}$$

$$\therefore \frac{1}{\cos^2\theta°}=\left(\frac{\sqrt{70}}{3}\right)^2=\frac{70}{9}$$

답 ⑤

10

평면 α를 xy평면, 평면 β를 zx평면으로 하는 좌표평면에 구를 놓고, 구의 방정식을

$$(x-a)^2+(y-b)^2+(z-b)^2=4$$

라고 하자.

이때 두 평면 α, β의 교선은 x축이고, $y=0$, $z=0$이어야 하므로 위의 방정식에 대입하면

$$(x-a)^2=4-2b^2,\ x-a=\pm\sqrt{4-2b^2}$$

$$\therefore x=a\pm\sqrt{4-2b^2}\qquad \therefore \overline{AB}=2\sqrt{4-2b^2}$$

정삼각형 OAB는 한 변의 길이가 2이므로

$2\sqrt{4-2b^2}=2$, $4-2b^2=1$ ┌─ 점 A, B는 구 위의 점이므로

$b^2=\dfrac{3}{2}$ $\therefore b=\dfrac{\sqrt{6}}{2}$ $\overline{OA}=\overline{OB}=2$

따라서 점 O와 평면 α 사이의 거리는 $\dfrac{\sqrt{6}}{2}$이다.

답 ④

다른 풀이

오른쪽 그림과 같이 구의 중심 O
에서 평면 α, β에 내린 수선의 발
을 각각 H, H′, 두 평면의 교선에
내린 수선의 발을 M이라고 하면
$\overline{OH}\perp$(평면 α), $\overline{OM}\perp\overline{AB}$
이므로 삼수선의 정리에 의하여
$\overline{HM}\perp\overline{AB}$
이때 삼각형 OAB가 한 변의 길이
가 2인 정삼각형이므로
$\overline{OM}=\sqrt{3}$
한편 $\overline{OH}=\overline{HM}=\overline{OH'}$이므로 삼각형 OHM에서 피타고라스 정리
에 의하여
$\overline{OH}^2+\overline{HM}^2=\overline{OM}^2$, $2\overline{OH}^2=3$, $\overline{OH}^2=\dfrac{3}{2}$

$\therefore \overline{OH}=\overline{OH'}=\dfrac{\sqrt{6}}{2}$

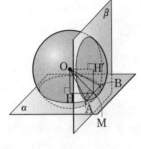

미니 모의고사 - 2회

01

$\overline{EH}/\!/\overline{AD}$이므로 두 직선 AC, EH가 이루는 각의 크기는 두 직선
AC, AD가 이루는 각의 크기와 같다.

$\therefore a^\circ=45^\circ$

또, $\overline{HF}/\!/\overline{DB}$이므로 두 직선 AC, HF가 이루는 각의 크기는 두
직선 AC, DB가 이루는 각의 크기와 같다.

$\therefore \beta^\circ=90^\circ$

$\therefore \beta^\circ-a^\circ=45^\circ$

답 ③

02

모서리 BC의 중점을 M이라고 하면
$\overline{AM}\perp\overline{BC}$, $\overline{FM}\perp\overline{BC}$
이므로 두 평면 ABC, BFC가 이루는
각의 크기는 두 직선 AM, FM이 이
루는 각의 크기와 같다.

$\therefore \theta^\circ=\angle AMF$

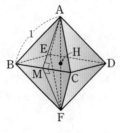

이때 선분 AF의 중점을 H라고 하면 점 H는 평면 BCDE 위의 점
이므로

$\overline{AM}=\dfrac{\sqrt{3}}{2}$, $\overline{MH}=\dfrac{1}{2}$

이때 $\overline{AH}\perp$(평면 BCDE)이므로

$\angle AMH=\dfrac{\theta^\circ}{2}$

이고, 직각삼각형 AMH에서

$\overline{AH}=\sqrt{\overline{AM}^2-\overline{MH}^2}=\sqrt{\left(\dfrac{\sqrt{3}}{2}\right)^2-\left(\dfrac{1}{2}\right)^2}=\dfrac{\sqrt{2}}{2}$

$\therefore \sin\dfrac{\theta^\circ}{2}=\dfrac{\overline{AH}}{\overline{AM}}=\dfrac{\sqrt{2}}{\sqrt{3}}=\dfrac{\sqrt{6}}{3}$

답 ④

다른 풀이

$\cos\dfrac{\theta^\circ}{2}=\dfrac{\overline{MH}}{\overline{AM}}=\dfrac{1}{\sqrt{3}}$

이고 삼각함수의 관계에 의하여 $\sin^2\theta^\circ+\cos^2\theta^\circ=1$이므로

$\sin\dfrac{\theta^\circ}{2}=\sqrt{1-\cos^2\dfrac{\theta^\circ}{2}}=\dfrac{\sqrt{6}}{3}$

03

평면 α 위의 도형의 두 평면 β와 γ 위로의 정사영의 넓이를 각각 S,
S'이라고 하면

$S=20\cos 30^\circ$, $S=S'\cos 45^\circ$

즉,

$S=20\times\dfrac{\sqrt{3}}{2}=10\sqrt{3}$

$\therefore S'=S\times\dfrac{1}{\cos 45^\circ}=10\sqrt{3}\times\sqrt{2}=10\sqrt{6}$

답 ⑤

참고

빛이 평면 β에 수직이므로 $S'=S\cos 45^\circ$와 같이 생각하지 않도록
주의한다.

04

$P(0, 2, 3)$, $Q(-1, 1, 1)$, $R(x, y, z)$라고 하면
$A=\sqrt{x^2+(y-2)^2+(z-3)^2}=\overline{PR}$
$B=\sqrt{(x+1)^2+(y-1)^2+(z-1)^2}=\overline{QR}$
이다.

즉, $A+B=\overline{PR}+\overline{QR}$의 값은 점 R가 선분 PQ 위에 있을 때 최소
이고, 그 값은 선분 PQ의 길이와 같다.

$\therefore \overline{PQ}=\sqrt{(-1)^2+(1-2)^2+(1-3)^2}=\sqrt{6}$

또, $A-B=\overline{PR}-\overline{QR}$의 값은 점 R가 선분 PQ의 연장선에 있을
때 최대이고, 그 값은 선분 PQ의 길이와 같다.

따라서 $A+B$의 최솟값과 $A-B$의 최댓값의 합은
$2\overline{PQ}=2\sqrt{6}$

답 ③

05

점 O를 원점, 직선 OA를 x축, 직선 OB를 y축, 직선 OC를 z축으로 하는 좌표공간에 사면체 OABC를 놓으면

O$(0, 0, 0)$, A$(5, 0, 0)$, B$(0, 2, 0)$, C$(0, 0, 3)$

구하는 구의 방정식을

$x^2+y^2+z^2+px+qy+rz+s=0$

으로 놓으면 네 점 O, A, B, C를 지나므로

$s=0$, $25+5p=0$, $4+2q=0$, $9+3r=0$

$\therefore p=-5,\ q=-2,\ r=-3,\ s=0$

따라서 구의 방정식은

$x^2+y^2+z^2-5x-2y-3z=0$

$\left(x-\dfrac{5}{2}\right)^2+(y-1)^2+\left(z-\dfrac{3}{2}\right)^2=\dfrac{19}{2}$

이므로 구의 반지름의 길이는 $\dfrac{\sqrt{38}}{2}$이다.

답 ③

06

오른쪽 그림과 같이 모서리 DE의 중점을 N이라고 하면

$\overline{MN}\parallel\overline{BD}$

따라서 두 직선 AM, BD가 이루는 각의 크기는 두 직선 AM, MN이 이루는 각의 크기와 같다.

$\therefore \overline{MN}=\dfrac{1}{2}\overline{BD}=\dfrac{1}{2}\times6\sqrt{2}=3\sqrt{2}$

직각삼각형 ABM에서

$\overline{AM}=\sqrt{\overline{AB}^2-\overline{BM}^2}=\sqrt{6^2-3^2}=3\sqrt{3}$

오른쪽 그림과 같이 점 A에서 선분 MN에 내린 수선의 발을 H라고 하면

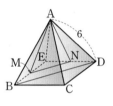

$\overline{MH}=\dfrac{1}{2}\overline{MN}=\dfrac{3\sqrt{2}}{2}$

이므로

$\overline{AH}=\sqrt{\overline{AM}^2-\overline{MH}^2}$

$=\sqrt{(3\sqrt{3})^2-\left(\dfrac{3\sqrt{2}}{2}\right)^2}=\dfrac{3\sqrt{10}}{2}$

$\therefore \sin\theta°=\dfrac{\overline{AH}}{\overline{AM}}=\dfrac{\sqrt{30}}{6}$

답 ⑤

다른 풀이

삼각형 AMN은 $\overline{AM}=\overline{AN}$인 이등변삼각형이므로

$\overline{AN}=3\sqrt{3}$

따라서 삼각형 AMN에서

$\cos\theta°=\dfrac{\overline{AM}^2+\overline{MN}^2-\overline{AN}^2}{2\times\overline{AM}\times\overline{MN}}$

$=\dfrac{(3\sqrt{3})^2+(3\sqrt{2})^2-(3\sqrt{3})^2}{2\times3\sqrt{3}\times3\sqrt{2}}$

$=\dfrac{\sqrt{6}}{6}$

삼각함수의 관계에 의하여 $\sin^2\theta°+\cos^2\theta°=1$이므로

$\sin\theta°=\sqrt{1-\cos^2\theta°}=\sqrt{1-\left(\dfrac{\sqrt{6}}{6}\right)^2}=\dfrac{\sqrt{30}}{6}$

07

점 F에서 $\overline{AG}$에 내린 수선의 발을 P, $\overline{EG}$의 중점을 M이라고 하자.

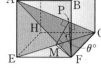

삼각형 FEG는 이등변삼각형이므로

$\overline{FM}\perp\overline{EG}$ ...... ㉠

$\overline{AE}\perp$(평면 EFGH)이므로

$\overline{FM}\perp\overline{AE}$ ...... ㉡

㉠, ㉡에서 $\overline{FM}\perp$(평면 AEGC)이고, $\overline{FP}\perp\overline{AG}$이므로 삼수선의 정리에 의하여

$\overline{MP}\perp\overline{AG}$ $\therefore \theta°=\angle MPF$

정육면체의 한 모서리의 길이를 a라고 하면

$\overline{FM}=\dfrac{\sqrt{2}}{2}a$

이고, $\overline{AG}\times\overline{FP}=\overline{AF}\times\overline{FG}$이므로

$\sqrt{3}a\times\overline{FP}=\sqrt{2}a\times a$ $\therefore \overline{FP}=\dfrac{\sqrt{6}}{3}a$

직각삼각형 PMF에서

$\overline{PM}=\sqrt{\overline{FP}^2-\overline{FM}^2}=\sqrt{\left(\dfrac{\sqrt{6}}{3}a\right)^2-\left(\dfrac{\sqrt{2}}{2}a\right)^2}=\dfrac{\sqrt{6}}{6}a$

$\therefore \cos\theta°=\dfrac{\overline{PM}}{\overline{FP}}=\dfrac{\dfrac{\sqrt{6}}{6}a}{\dfrac{\sqrt{6}}{3}a}=\dfrac{1}{2}$

답 ②

08

원 P와 원 위의 점 P의 xy평면 위로의 정사영을 원 C'와 점 P'이라고 하면

$C'=\{(x, y, z)\,|\,x^2+y^2=10,\ z=0\}$

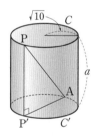

이때 점 A$(-1, 3, 0)$이 $x^2+y^2=10$, $z=0$을 만족시키므로 점 A는 원 C' 위의 점이다.

오른쪽 그림과 같이 반지름의 길이가 $\sqrt{10}$인 두 원 C, C'을 밑면으로 하는 높이가 a인 원기둥에서

$\overline{P'P}\perp\overline{P'A}$ $(\because \overline{P'P}\perp(xy$평면$))$

이므로 직각삼각형 PP'A에서

$\overline{PA}=\sqrt{\overline{P'P}^2+\overline{P'A}^2}=\sqrt{a^2+\overline{P'A}^2}$

$\overline{P'A}$의 최댓값은 원의 지름인 $2\sqrt{10}$이므로 $\overline{PA}$의 최댓값은

$\sqrt{a^2+(2\sqrt{10})^2}=\sqrt{a^2+40}=2\sqrt{19}$

$a^2=36$ $\therefore a=6$

답 ①

09

꼭짓점 C에서 xy평면에 내린 수선의 발을 H, 점 B에서 모서리 OA에 내린 수선의 발을 M이라고 하자. 점 H는 삼각형 OAB의 무게중심이므로

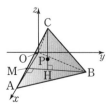

$\overline{BM}=\dfrac{\sqrt{3}}{2}\times6=3\sqrt{3}$에서

$\overline{BH}=\dfrac{2}{3}\overline{BM}=2\sqrt{3}$

삼각형 CHB에서

$\overline{\text{CH}}=\sqrt{\overline{\text{BC}}^2-\overline{\text{BH}}^2}=\sqrt{6^2-(2\sqrt{3})^2}=2\sqrt{6}$

$\therefore$ A(6, 0, 0), B(3, $3\sqrt{3}$, 0), C(3, $\sqrt{3}$, $2\sqrt{6}$)

점 P가 $\overline{\text{PO}}=\overline{\text{PA}}=\overline{\text{PB}}=\overline{\text{PC}}=r$를 만족시킬 때 네 점 O, A, B, C는 중심이 P이고 반지름의 길이가 r인 구이다.

즉, 점 P는 정사면체에 외접하는 구의 중심이다.

구 $(x-a)^2+(y-b)^2+(z-c)^2=r^2$ 위에 네 점이 있으므로

$a^2+b^2+c^2=r^2$ ······ ㉠

$(6-a)^2+b^2+c^2=r^2$ ······ ㉡

$(3-a)^2+(3\sqrt{3}-b)^2+c^2=r^2$ ······ ㉢

$(3-a)^2+(\sqrt{3}-b)^2+(2\sqrt{6}-c)^2=r^2$ ······ ㉣

㉠, ㉡에서 $a=3$, $r^2=9+b^2+c^2$ 이므로

㉢, ㉣에 각각 대입하면 $b=\sqrt{3}$, $b+2\sqrt{2}c=3\sqrt{3}$

따라서 $a=3$, $b=\sqrt{3}$, $c=\dfrac{\sqrt{6}}{2}$이므로

$a^2+b^2+4c^2=18$

답 18

▌간단 풀이◁

정사면체의 네 꼭짓점의 좌표를

(x_1, y_1, z_1), (x_2, y_2, z_2), (x_3, y_3, z_3), (x_4, y_4, z_4)

로 놓으면 정사면체의 무게중심의 좌표는

$\left(\dfrac{x_1+x_2+x_3+x_4}{4}, \dfrac{y_1+y_2+y_3+y_4}{4}, \dfrac{z_1+z_2+z_3+z_4}{4}\right)$

정사면체는 외접하는 구의 중심과 무게중심이 모두 일치하므로

$\left(\dfrac{0+6+3+3}{4}, \dfrac{0+0+3\sqrt{3}+\sqrt{3}}{4}, \dfrac{0+0+0+2\sqrt{6}}{4}\right)$

$=\left(3, \sqrt{3}, \dfrac{\sqrt{6}}{2}\right)$

$\therefore a^2+b^2+4c^2=18$

10

반구의 중심을 O′, 점 O′에서 y축에 내린 수선의 발을 H, 평면 α와 반구의 접점을 P라고 하면

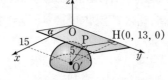

$\overline{\text{O}'\text{P}}\perp$(평면 α), $\overline{\text{O}'\text{H}}\perp$($y$축)

이므로 삼수선의 정리에 의하여

$\overline{\text{PH}}\perp$($y$축)

따라서 평면 α와 xy평면이 이루는 각의 크기는 $\theta°=\angle\text{O}'\text{HP}$이다.

$\overline{\text{O}'\text{H}}=15$, $\overline{\text{O}'\text{P}}=5$이므로 직각삼각형 O′PH에서

$\overline{\text{PH}}=\sqrt{\overline{\text{O}'\text{H}}^2-\overline{\text{O}'\text{P}}^2}=\sqrt{15^2-5^2}=10\sqrt{2}$ ┌─ 반구와 평면이 접하므로 두 점 사이의 거리는 반구의 반지름의 길이와 같다.

$\therefore \cos\theta°=\dfrac{\overline{\text{PH}}}{\overline{\text{O}'\text{H}}}=\dfrac{10\sqrt{2}}{15}=\dfrac{2\sqrt{2}}{3}$

답 ④

상·위·권 실력 완성

풍산자

일등급유형

풍산자 장학생 선발!

총 장학금 1,200만 원

지학사

지학사에서는 학생 여러분의 꿈을 응원하기 위해
2007년부터 매년 풍산자 장학생을 선발하고 있습니다.
풍산자로 공부한 학생이라면 누구나 도전해 보세요.

*연간 장학생 40명 기준

선발 대상

풍산자 수학 시리즈로 공부한 전국의 중·고등학생 중 성적 향상 및 우수자

조금만 노력하면 누구나 지원 가능!
성적 향상 장학생(10명)
| 중학 | 수학 점수가 10점 이상 향상된 학생
| 고등 | 수학 내신 성적이 한 등급 이상 향상된 학생

수학 성적이 잘 나왔다면?
성적 우수 장학생(10명)
| 중학 | 수학 점수가 90점 이상인 학생
| 고등 | 수학 내신 성적이 2등급 이상인 학생

혜택

• 장학금 30만원 및 장학증서 *장학금 및 장학증서는 각 학교로 전달합니다.

• 신청자 전원 '풍산자 수학 시리즈' 교재 중 1권 제공

모집 일정

매년 2월, 8월(총 2회)

*공식 홈페이지 및 SNS를 통해 소식을 받으실 수 있습니다.

> 장학 수기

"풍산자와 기적의 상승곡선 5 ➡ 1등급!"   _이 *원(해송고)

"수학 A로 가는 모험의 필수 아이템!"   _김 *은(지도중)

"수학 66점에서 100점으로 향상하다!"   _구 *경(한영중)

장학 수기 더 보러 가기

풍산자 서포터즈

풍산자 시리즈로 공부하고 싶은 학생들 모두 주목! 매년 2월과 8월에 서포터즈를 모집합니다.

리뷰 작성 및 SNS 홍보 활동을 통해 공부 실력 향상은 물론, 문화 상품권과 미션 선물을 받을 수 있어요!

자세한 내용은 풍산자 홈페이지(www.pungsanja.com)를 통해 확인해 주세요.

풍산자
일등급
유형

기하

구성과 특징

1

일등급 실력 완성을 위한 집중 학습

학교 시험과 수능에서 일등급 실력을 완성하기 위한 문항 대비 집중서로 중상위 수준의 다양한 문제 풀이를 통해 중위권 학생들은 상위권 실력으로 향상될 수 있고, 상위권 학생들은 상위권 실력을 유지할 수 있도록 구성하였습니다.

2

다양한 유형의 문항으로 학교시험 & 학력평가 대비

학교 시험과 수능/모의고사/학력평가를 분석하여 출제 빈도가 높고 반드시 알아야 할 유형, 다양한 문제 해결력이 필요한 유형을 체계적으로 수록하여 학교 시험과 수능을 동시에 대비할 수 있습니다. 또한 최신 기출 문제를 연습하고 실전에 대비할 수 있도록 신경향 문제를 수록하였습니다.

3

점진적 학습이 가능한 단계별 문제 구성

실전 개념이 문제에 어떻게 활용되는지를 정리하였고, 중 수준, 상 수준, 최상위 수준의 문제를 단계별로 수록하여 문제를 풀면서 일등급 실력에 도달할 수 있도록 구성하였습니다.

STEP A | 상위권 보장　개념+필수 기출 문제

- 학교 시험/평가원/교육청 기출 문제를 체계적으로 분석하여 실전 개념을 정리하였고, 출제 가능성이 높은 유형으로 구성하였습니다.

- **등급업 TIP** 　실전에 자주 이용되는 개념, 공식, 비법 등을 제시하였습니다.

- STEP A, STEP B에서는 실제 시험에 출제되는 문제를 수록하여 실전 감각을 기를 수 있습니다.

  평가원 기출 , **교육청 기출** / 평가원/ 교육청 기출 문제 중에서 중요한 유형의 문제입니다.

  학교 기출 신 유형 최신 학교 시험 기출 문제 중에서 새로운 유형의 문제로 정답과 풀이에서 접근 방법을 확인할 수 있습니다.

STEP B | 최상위권 도약　실력 완성 문제

- 개념별로 상 수준의 문제를 구성하여 탄탄한 상위권 실력을 완성할 수 있도록 하였습니다.

  다빈출 출제 비중이 높은 유형의 문제입니다.

STEP C | 상위 1% 도전 문제

- 대단원별 최고난도 문항으로 일등급 대비와 최상위 실력을 기를 수 있도록 하였습니다.

| 미니 모의고사

- 대단원별로 실력을 점검할 수 있는 문항을 엄선하여 구성하였습니다.

차례

III | 공간도형과 공간좌표

어제는 역사이고

내일은 미래이며,

그리고 오늘은 선물입니다.

그렇기에 우리는

현재(present)를 선물(present)이라고 말합니다.

 명석한 두뇌도 뛰어난 체력도 타고난 재능도 끝없는 노력을 이길 순 없다.
아무것도 변하지 않을지라도 내가 변하면 모든 것이 변한다.

풍산자 일등급유형과 함께
까다로운 문제를 정복해 볼까요?

_계산 실수와 개념의 잘못된 적용을 유도하는 문제

_개념은 단순한데 사고의 전환이 필요한 신경향 문제

_익숙한 문제인데 풀이 방법은 다른 접근이 필요한 문제

_여러 가지 개념의 응용을 해야 하는데 적용에 실패하는 문제

_문제 해결을 위한 조건과 추론 과정에서 변형과 해석을 요구하는 문제

이차곡선

상위권 보장 **개념+필수 기출 문제**

개념 1 포물선

(1) **포물선의 정의**: 평면 위의 한
점 F와 이 점을 지나지 않는
한 직선 l이 주어질 때, 점 F
와 직선 l에 이르는 거리가
같은 점들의 집합을 포물선
이라 하고, 점 F를 포물선의
초점, 직선 l을 포물선의 준
선이라고 한다. 이때 초점 F를 지나고 준선 l에 수직인
직선을 포물선의 축, 포물선과 축의 교점을 포물선의 꼭
짓점이라고 한다.

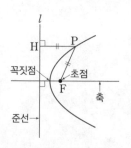

참고 초점이 F인 포물선 위의 점 P에서 준선 l에 내린 수선의
발을 H라고 하면 ➡ $\overline{PF}=\overline{PH}$

(2) **포물선의 방정식**

① 초점이 $F(p, 0)$, 준선이 $x=-p$인 포물선의 방정식
은 $y^2=4px$ (단, $p\neq 0$)
— 꼭짓점: 원점, 축의 방정식: $y=0$

② 초점이 $F(0, p)$, 준선이 $y=-p$인 포물선의 방정식
은 $x^2=4py$ (단, $p\neq 0$)
— 꼭짓점: 원점, 축의 방정식: $x=0$

참고 포물선 $y^2=4px$와 $x^2=4py$는 직선 $y=x$에 대하여 대칭
이다. (단, $p\neq 0$)

(3) **포물선의 평행이동**

① 포물선 $y^2=4px$를 x축의 방향으로 m만큼, y축의 방
향으로 n만큼 평행이동한 포물선의 방정식은
$(y-n)^2=4p(x-m)$

② 포물선 $x^2=4py$를 x축의 방향으로 m만큼, y축의 방
향으로 n만큼 평행이동한 포물선의 방정식은
$(x-m)^2=4p(y-n)$

참고 포물선을 평행이동하면 포물선의 초점, 꼭짓점, 준선, 축
도 평행이동된다.

등급업 TIP
오른쪽 그림과 같이 점
F를 초점, 직선 l을 준
선으로 하는 포물선에
서 포물선 위를 움직이
는 점 P와 포물선의 오
른쪽에 있는 한 점 A에
대하여 $\overline{PA}+\overline{PF}$의 값
이 최소가 되게 하는 점
P의 위치는 점 A에서 준선 l에 그은 수선이 포물선과
만나는 점 P'이다.

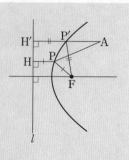

---

001 ⟋**평가원 기출**⟋　　　　출제율 ▭▭▬

초점이 F인 포물선 $y^2=12x$ 위의 점 P에 대하여
$\overline{PF}=9$일 때, 점 P의 x좌표는?

① 6　　　　② $\dfrac{13}{2}$　　　　③ 7

④ $\dfrac{15}{2}$　　　　⑤ 8

002　　　　출제율 ▭▭▬

포물선 $y^2=4px$ $(p>0)$의 꼭짓점과 준선 사이의 거리
가 5일 때, 직선 $x=p$와 이 포물선의 두 교점 사이의 거
리를 구하여라.

003　　　　출제율 ▭▭▬

오른쪽 그림과 같이 포물선
$y^2=8x$의 초점을 F라고 할 때,
이 포물선 위의 두 점 A, B에
대하여 $\overline{AF}=10$, $\overline{BF}=4$,
$\overline{BF}\perp\overline{OF}$이다. 이때 삼각형
AFB의 넓이는? (단, 점 A는
제1사분면, 점 B는 제4사분면 위의 점이다.)

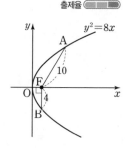

① 16　　　　② 14　　　　③ 12

④ 10　　　　⑤ 8

004 학교 기출 신 유형   출제율 ▢▢▢▢

포물선 $x^2=4y$ 위의 세 점 $A(x_1, y_1)$, $B(x_2, y_2)$, $C(x_3, y_3)$과 점 $F(0, 1)$이 $\overline{AF}+\overline{BF}+\overline{CF}=12$를 만족시킬 때, $x_1^2+x_2^2+x_3^2$의 값은?

① 24   ② 30   ③ 36

④ 42   ⑤ 48

005   출제율 ▢▢▢▢

다음 그림은 점 F를 초점으로 하고 직선 CF를 축으로 하는 포물선이다. $\overline{AB}=12$, $\overline{AB}\perp\overline{CF}$일 때, 삼각형 ABC의 넓이를 구하여라.

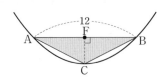

006   출제율 ▢▢▢▢

두 포물선 $(x-4)^2=k(y+1)$과 $(y-2)^2=12(x-1)$의 초점이 일치할 때, 상수 k의 값은?

① 4   ② 8   ③ 12

④ 16   ⑤ 20

007   출제율 ▢▢▢▢

다음 그림과 같이 초점이 F인 포물선 $x^2=2y$ 위에 $\overline{FP}=2$인 점 P가 있다. 직선 FP 위에 $\overline{FP}=\overline{PQ}$가 되도록 점 Q를 잡을 때, 점 Q와 x축 사이의 거리는?

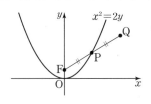

① $\dfrac{5}{2}$ ② 3   ③ $\dfrac{9}{2}$

④ 5   ⑤ $\dfrac{11}{2}$

008   출제율 ▢▢▢▢

두 점 $A(4, 0)$, $B(7, 4)$와 포물선 $y^2=16x$ 위에 있는 점 C를 꼭짓점으로 하는 삼각형 ABC의 둘레의 길이의 최솟값은?

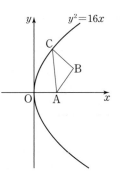

① 12   ② 13   ③ 14

④ 15   ⑤ 16

개념 ② 타원

(1) **타원의 정의:** 평면 위의 두 점 F, F′으로부터의 거리의 합이 일정한 점들의 집합을 타원이라 하고, 두 점 F, F′을 타원의 초점이라고 한다. 이때 두 초점 F, F′을 잇는

직선과 타원의 두 교점을 A, A′이라 하고, $\overline{FF'}$의 수직이등분선과 타원의 두 교점을 B, B′이라고 할 때, 네 점 A, A′, B, B′을 타원의 꼭짓점, $\overline{AA'}$을 타원의 장축, $\overline{BB'}$을 타원의 단축, 장축과 단축의 교점을 타원의 중심이라고 한다.

> 참고 두 초점이 F, F′인 타원 위의 점 P에 대하여
> ➡ $\overline{PF}+\overline{PF'}=$ (일정)
>   └ 장축의 길이

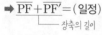

(2) **타원의 방정식**

① 두 초점 F$(c, 0)$, F′$(-c, 0)$으로부터의 거리의 합이 $2a$인 타원의 방정식은

$$\frac{x^2}{a^2}+\frac{y^2}{b^2}=1 \ (단, a>c>0, b^2=a^2-c^2)$$

└ 초점의 좌표: $(\pm\sqrt{a^2-b^2},\ 0)$
장축의 길이: $2a$, 단축의 길이: $2b$

② 두 초점 F$(0, c)$, F′$(0, -c)$로부터의 거리의 합이 $2b$인 타원의 방정식은

$$\frac{x^2}{a^2}+\frac{y^2}{b^2}=1 \ (단, b>c>0, a^2=b^2-c^2)$$

└ 초점의 좌표: $(0,\ \pm\sqrt{b^2-a^2})$
장축의 길이: $2b$, 단축의 길이: $2a$

(3) **타원의 평행이동**

타원 $\frac{x^2}{a^2}+\frac{y^2}{b^2}=1$을 x축의 방향으로 m만큼, y축의 방향으로 n만큼 평행이동한 타원의 방정식은

$$\frac{(x-m)^2}{a^2}+\frac{(y-n)^2}{b^2}=1$$

> 참고 타원을 평행이동하면 타원의 초점, 꼭짓점, 중심도 평행이동된다. 그러나 장축과 단축의 길이는 변하지 않는다.

등급업 TIP

타원 $\frac{x^2}{a^2}+\frac{y^2}{b^2}=1$의 두 초점을 F, F′이라 하고 초점 F를 지나는 직선과 타원의 두 교점을 A, B라고 하면

① $a>b>0$일 때,
➡ $\overline{AF'}+\overline{AF}=2a$,
   $\overline{BF'}+\overline{BF}=2a$
➡ △AF′B의 둘레의 길이는 $4a$

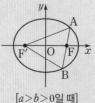

[$a>b>0$일 때]

② $b>a>0$일 때
➡ $\overline{AF'}+\overline{AF}=2b$, $\overline{BF'}+\overline{BF}=2b$
➡ △AF′B의 둘레의 길이는 $4b$

009
출제율 ●●●○○

타원 $16x^2+25y^2=400$의 한 초점의 좌표를 $(p, 0)$, 장축의 길이를 m, 단축의 길이를 n이라고 할 때, $m+n+p$의 값은? (단, $p>0$)

① 13 ② 15 ③ 17
④ 19 ⑤ 21

010
출제율 ●●●○○

타원 $\frac{x^2}{20}+\frac{y^2}{36}=1$과 두 초점을 공유하고 점 P$(6, 4)$를 지나는 타원의 단축의 길이를 구하여라.

011
출제율 ●●●○○

타원 $4x^2+8x+9y^2-54y+49=0$의 두 초점의 좌표를 각각 (a, b), (c, d)라고 할 때, $a+b+c+d$의 값은?

① 1 ② 2 ③ 3
④ 4 ⑤ 5

012 학교 기출 신 유형   출제율 ◖▬▬▭◗

두 초점 F, F′이 x축 위에 있는 타원 $\dfrac{x^2}{49}+\dfrac{y^2}{a}=1$ 위의
점 P가 $\overline{\text{PF}}=9$를 만족시킨다. 점 F에서 선분 PF′에 내
린 수선의 발 H에 대하여 $\overline{\text{FH}}=6\sqrt{2}$일 때, 상수 a의 값
을 구하여라.

013   출제율 ◖▬▬▬◗

오른쪽 그림과 같이 타원의 한
초점 F(3, 0)을 지나고 기울기
가 0보다 작은 직선이 이 타원과
만나는 두 점을 A, B라고 하자.
이 타원의 다른 한 초점
F′(−3, 0)에 대하여 삼각형 ABF′의 둘레의 길이가
24일 때, 타원의 단축의 길이를 구하여라.

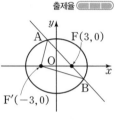

014   출제율 ◖▬▭▭◗

타원 $\dfrac{x^2}{49}+\dfrac{y^2}{13}=1$과 원 $x^2+y^2=36$의 교점 중 한 점을
P라 하고, 이 원과 x축과의 두 교점을 A, B라고 할 때,
삼각형 PAB의 넓이는?

① 10   ② 11   ③ 12

④ 13   ⑤ 14

개념 **③** 쌍곡선

(1) **쌍곡선의 정의**: 평면 위의
두 점 F, F′으로부터의 거리
의 차가 일정한 점들의 집합
을 쌍곡선이라 하고, 두 점
F, F′을 쌍곡선의 초점이라
고 한다. 이때 두 초점 F, F′
을 잇는 직선과 쌍곡선의 두 교점을 A, A′이라고 할 때,
두 점 A, A′을 쌍곡선의 꼭짓점, $\overline{\text{AA}'}$을 쌍곡선의 주
축, $\overline{\text{AA}'}$의 중점을 쌍곡선의 중심이라고 한다.

참고 두 초점이 F, F′인 쌍곡선 위
의 점 P에 대하여
➡ $|\overline{\text{PF}}-\overline{\text{PF}'}|=$ (일정)
└─ 주축의 길이

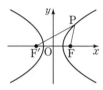

(2) **쌍곡선의 방정식**

① 두 초점 F(c, 0), F′($-c$, 0)으로부터의 거리의 차
가 $2a$인 쌍곡선의 방정식은

$$\dfrac{x^2}{a^2}-\dfrac{y^2}{b^2}=1 \ (단, c>a>0, \ b^2=c^2-a^2)$$
└─ 초점의 좌표: $(\pm\sqrt{a^2+b^2},\ 0)$
꼭짓점의 좌표: $(\pm a,\ 0)$, 주축의 길이: $2a$

② 두 초점 F(0, c), F′(0, $-c$)로부터의 거리의 차가
$2b$인 쌍곡선의 방정식은

$$\dfrac{x^2}{a^2}-\dfrac{y^2}{b^2}=-1 \ (단, c>b>0, \ a^2=c^2-b^2)$$
└─ 초점의 좌표: $(0,\ \pm\sqrt{a^2+b^2})$
꼭짓점의 좌표: $(0,\ \pm b)$, 주축의 길이: $2b$

(3) 쌍곡선 $\dfrac{x^2}{a^2}-\dfrac{y^2}{b^2}=\pm1$의 점근선의 방정식은
└─ 곡선 위의 점이 한없이 가까워지는 직선

$$y=\pm\dfrac{b}{a}x$$

(4) **쌍곡선의 평행이동**

쌍곡선 $\dfrac{x^2}{a^2}-\dfrac{y^2}{b^2}=\pm1$을 x축의 방향으로 m만큼, y축
의 방향으로 n만큼 평행이동한 쌍곡선의 방정식은

$$\dfrac{(x-m)^2}{a^2}-\dfrac{(y-n)^2}{b^2}=\pm1 \ (복부호동순)$$

참고 쌍곡선을 평행이동하면 쌍곡선의 초점, 꼭짓점, 중심, 점
근선도 평행이동된다. 그러나 주축의 길이는 변하지 않
는다.

015

출제율

두 초점 $F(0, 2\sqrt{6})$, $F'(0, -2\sqrt{6})$으로부터의 거리의 차가 $4\sqrt{3}$인 쌍곡선의 방정식이 $\dfrac{x^2}{a^2} - \dfrac{y^2}{b^2} = -1$일 때, $\left(\dfrac{a}{b}\right)^2$의 값은? (단, a, b는 상수이다.)

① 1   ② 2   ③ 3

④ 4   ⑤ 5

016

출제율

초점이 x축 위에 있고 점근선의 방정식이 $y = \pm\dfrac{4}{3}x$이면서 점 $(3\sqrt{3}, 4)$를 지나는 쌍곡선의 방정식을 $\dfrac{x^2}{a^2} - \dfrac{y^2}{b^2} = 1$이라고 할 때, $a^2 + b^2$의 값은?

① 30   ② 40   ③ 50

④ 60   ⑤ 70

017

출제율

쌍곡선 $7x^2 - 9y^2 = 63$ 위의 점 $P(a, b)$와 두 초점 F, F'에 대하여 삼각형 PFF'의 넓이가 $8\sqrt{7}$일 때, $a^2 + b^2$의 값을 구하여라.

018

출제율

오른쪽 그림은 두 점 F, F'을 초점으로 하는 쌍곡선 $\dfrac{x^2}{4} - \dfrac{y^2}{60} = 1$의 그래프이다. $\angle FPF' = 90°$일 때, |보기|에서 옳은 것만을 있는 대로 고른 것은?

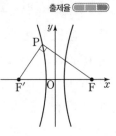

• 보기

ㄱ. $\overline{FF'} = 16$

ㄴ. 삼각형 $PF'F$의 넓이는 64이다.

ㄷ. 세 점 P, F', F를 동시에 지나는 원의 넓이는 64π이다.

① ㄱ   ② ㄴ   ③ ㄱ, ㄴ

④ ㄱ, ㄷ   ⑤ ㄱ, ㄴ, ㄷ

019 학교 기출 신 유형

출제율

오른쪽 그림과 같이 쌍곡선 $\dfrac{x^2}{4} - \dfrac{y^2}{12} = 1$의 두 초점 F, F'을 지나면서 중심이 원점인 원이 있다. 이 원이 주어진 쌍곡선의 점근선과 제1사분면에서 만나는 교점을 P라고 할 때, 부채꼴 POF의 넓이는?

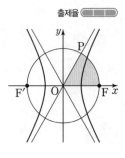

① $\dfrac{7}{3}\pi$ ② $\dfrac{8}{3}\pi$ ③ 3π

④ $\dfrac{10}{3}\pi$ ⑤ $\dfrac{11}{3}\pi$

020 평가원 기출 / 출제율 ▭▭▭▭

오른쪽 그림과 같이 두 초점이 F(c, 0), F′($-c$, 0) ($c>0$)이고 주축의 길이가 2인 쌍곡선이 있다. 점 F를 지나고 x축에 수직인 직선이 쌍곡선과 제1사분면에서 만나는 점을 A, 점 F′을 지나고 x축에 수직인 직선이 쌍곡선과 제2사분면에서 만나는 점을 B라고 하자. 사각형 ABF′F가 정사각형일 때, 정사각형 ABF′F의 대각선의 길이는?

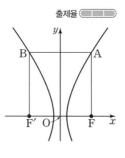

① $3+2\sqrt{2}$ ② $5+\sqrt{2}$ ③ $4+2\sqrt{2}$
④ $6+\sqrt{2}$ ⑤ $5+2\sqrt{2}$

021 학교 기출 신유형 출제율 ▭▭▭▭

다음 그림과 같이 두 점 F, F′을 초점으로 하는 쌍곡선 $\dfrac{x^2}{5}-\dfrac{y^2}{b}=1$이 있다. 중심이 원점이고 두 초점을 지나는 원이 쌍곡선과 만나는 점 중에서 제2사분면에 있는 점을 P라고 하자. 점 P에서 중심이 원점이고 쌍곡선의 꼭짓점을 지나는 원에 그은 접선이 초점 F를 지날 때, $\overline{\text{FF}'}$의 값은? (단, 점 Q는 접점이고, b와 점 F의 x좌표는 모두 양수이다.)

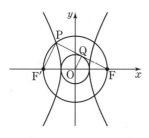

① 10 ② 11 ③ 12
④ 13 ⑤ 14

개념 4 이차곡선

(1) 이차곡선

계수가 실수인 두 일차식의 곱으로 인수분해되지 않는 x, y에 대한 이차방정식

$$Ax^2+By^2+Cxy+Dx+Ey+F=0$$
$$(A, B, C, D, E, F\text{는 상수})$$

으로 나타내어지는 곡선을 이차곡선이라고 한다.

> 참고 원, 포물선, 타원, 쌍곡선은 모두 이차곡선이다.

등급업 TIP

이차방정식 $Ax^2+By^2+Cxy+Dx+Ey+F=0$ (A, B, C, D, E, F는 상수)에서 $C=0$일 때, 다음과 같이 계수의 조건에 따라 곡선이 나타날 때 이 이차방정식은 원, 포물선, 타원, 쌍곡선 중 하나를 나타낸다.

(1) $A=B$, $AB\neq0$ ➡ 원
(2) ($A=0$, $BD\neq0$) 또는 ($B=0$, $AE\neq0$) ➡ 포물선
(3) $AB>0$, $A\neq B$ ➡ 타원
(4) $AB<0$ ➡ 쌍곡선

022 출제율 ▭▭▭▭

방정식 $kx^2+(1-k)y^2-2y=0$이 나타내는 도형이 타원이 되도록 하는 실수 k의 값의 범위를 구하여라.

023 출제율 ▭▭▭▭

이차곡선 $(2+a)x^2-y^2+8x+by+c=0$이 초점의 좌표가 (3, 4)이고 준선이 y축에 평행한 포물선일 때, 상수 a, b, c에 대하여 $a+b-c$의 값은?

① 15 ② 20 ③ 25
④ 30 ⑤ 35

최상위권 도약 실력 완성 문제

STEP B

개념 **1** 포물선

024

좌표평면에서 점 $P(-4, k)$와 초점이 F인 포물선 $y^2=16x$ 위의 점 Q에 대하여 $\overline{PQ}=\overline{QF}=20$일 때, 양수 k의 값을 구하여라.

025

포물선 $y^2=12x$의 초점을 F라 하고 이 포물선과 직선 $y=2x+k$의 교점을 A, B라고 하자. $\overline{AF}+\overline{BF}=27$일 때, 상수 k의 값은?

① -20 　　② -19 　　③ -18

④ -17 　　⑤ -16

026 수학I 융합

초점이 F인 포물선 $y^2=2x$ 위의 점 P_n에 대하여
$$a_n=\overline{P_nF} \ (n=1, 2, 3, \cdots)$$
라 하고 점 P_n의 x좌표를 x_n이라고 할 때, $\displaystyle\sum_{n=1}^{300}(a_n-x_n)$의 값을 구하여라.

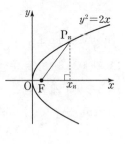

027

포물선을 축을 중심으로 회전시킬 때 만들어지는 면을 포물면이라고 하는데, 포물면은 축에 평행하게 들어온 빛이나 전파를 포물선의 초점에 모이게 한다. 포물면으로 이루어진 위성방송 안테나는 초점의 위치에 수신기를 설치하여 미약한 전파가 잘 수신될 수 있게 만든 것이다. 어떤 위성방송 안테나의 단면이 위의 그림과 같은 포물선이고 그 초점에 수신기가 위치해 있을 때, 수신기와 포물선의 꼭짓점 사이의 거리는?

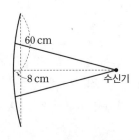

① $\dfrac{155}{2}$ cm 　② $\dfrac{175}{2}$ cm 　③ $\dfrac{195}{2}$ cm

④ $\dfrac{225}{2}$ cm 　⑤ $\dfrac{255}{2}$ cm

028 학교 기출 신유형

다음 그림과 같이 초점이 F인 포물선 $y^2=8x$ 위의 한 점 P를 지나고 x축에 평행한 직선 m이 포물선의 준선 l과 만나는 점을 Q라고 하자. 직선 m 위의 $\overline{PQ}=\overline{QR}$인 점 R에 대하여 $\angle PFR=90°$일 때, 선분 OQ의 길이를 구하여라.

(단, O는 원점이고, 점 P는 제1사분면 위의 점이다.)

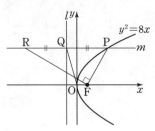

029 다빈출

오른쪽 그림과 같이 포물선 $y^2=4x$ 위의 네 점 A, B, C, D를 꼭짓점으로 하는 사각형 ABCD에 대하여 두 선분 AB, CD가 각각 y축과 평행하다. 사각형 ABCD의 두 대각선의 교점이 포물선의 초점 F와 일치하고 $\overline{DF}=5$일 때, 사각형 ABCD의 넓이는?

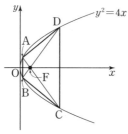

① $\dfrac{35}{2}$ ② 18   ③ $\dfrac{75}{4}$

④ $\dfrac{39}{2}$ ⑤ 20

030

다음 그림과 같이 초점이 F인 포물선 $y^2=8x$ 위에 서로 다른 두 점 A, B가 있다. 두 점 A, B의 x좌표는 2보다 큰 자연수이고 삼각형 AFB의 무게중심의 x좌표가 5일 때, $\overline{AF}\times\overline{BF}$의 최댓값은?

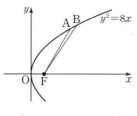

① 60   ② 64   ③ 68

④ 72   ⑤ 76

031 평가원 기출

다음 그림과 같이 좌표평면에서 꼭짓점이 원점 O이고, 초점이 F인 포물선과 점 F를 지나고 기울기가 1인 직선이 만나는 두 점을 각각 A, B라고 하자. 선분 AF를 대각선으로 하는 정사각형의 한 변의 길이가 2일 때, 선분 AB의 길이는 $a+b\sqrt{2}$이다. a^2+b^2의 값을 구하여라.

(단, a, b는 정수이다.)

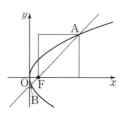

032

다음 그림과 같이 점 F를 초점으로 공유하는 두 포물선 C_1, C_2의 꼭짓점의 좌표가 각각 A(2, 0), B(8, 0)이다. 포물선 C_1 위의 한 점 P를 지나고 x축에 평행한 직선이 포물선 C_2와 만나는 점을 Q라고 할 때, 삼각형 PFQ의 둘레의 길이는?

(단, 점 P의 x좌표는 점 Q의 x좌표보다 작다.)

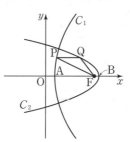

① 8   ② 10   ③ 11

④ 12   ⑤ 13

033

오른쪽 그림과 같이 좌표평면에서 x축 위의 두 점 A, B에 대하여 꼭 짓점이 A, 초점이 B인 포물선 p_1과 꼭짓점이 B, 초점이 원점 O인 포물 선 p_2가 y축 위의 두 점 C, D에서 만난다. $\overline{AB}=4$일 때, 사각형 ADBC의 넓이는?

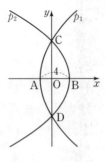

① $16(\sqrt{5}-1)$ ② $12(\sqrt{3}-1)$ ③ $8(\sqrt{5}-1)$
④ $4(\sqrt{3}+1)$ ⑤ $4(\sqrt{5}+1)$

034 학교 기출 신유형

다음 그림과 같이 전구 F를 초점으로 하는 포물선 궤도 를 따라 전구 쪽으로 접근하고 있는 한 곤충 A가 있다. A와 F를 잇는 직선과 이 포물선의 궤도의 축 l이 이루 는 예각의 크기가 처음으로 60°가 되는 지점을 A_1이라 고 하면 두 지점 A_1과 F 사이의 거리는 60 cm이다. 이 곤충이 계속 포물선 궤도를 따라 전구 쪽으로 접근하여 A와 F를 잇는 직선과 이 포물선의 궤도의 축 l이 이루 는 예각의 크기가 두 번째로 60°가 되는 지점을 A_2라고 할 때, 두 지점 A_2와 F 사이의 거리를 구하여라.

(단, 전구와 곤충의 크기는 무시한다.)

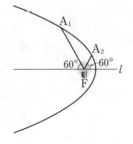

035

오른쪽 그림과 같이 두 원
$C_1: (x-2)^2+y^2=4,$
$C_2: (x-4)^2+(y-4)^2=16$
의 서로 다른 두 교점을 A, B라고 하자. 점 A를 초점으로 하고 y축 을 준선으로 하는 포물선을 p_1, 점 B를 초점으로 하고 y축을 준선으로 하는 포물선을 p_2라 고 할 때, 두 포물선 p_1, p_2의 교점 사이의 거리는?

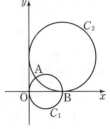

① 4 ② $3\sqrt{2}$ ③ $2\sqrt{5}$
④ $\sqrt{22}$ ⑤ $2\sqrt{6}$

개념 ② 타원

036

오른쪽 그림과 같이 타원 $\dfrac{x^2}{25}+\dfrac{y^2}{16}=1$의 두 초점 F, F′과 타원 위의 한 점 P에 대 하여 $\angle PF'F=60°$라고 할 때, $\overline{PF'}$의 길이는?

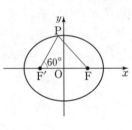

① 4 ② $\dfrac{32}{7}$ ③ 5
④ $\dfrac{38}{7}$ ⑤ 6

037 다빈출

오른쪽 그림과 같이 타원 $\dfrac{x^2}{16}+\dfrac{y^2}{7}=1$의 두 초점을 F, F′ 이라고 하자. 이 타원 위의 점 P 가 $\overline{OP}=\overline{OF}$를 만족시킬 때, $\overline{PF}\times\overline{PF'}$의 값은? (단, O는 원점이다.)

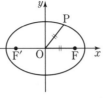

① 10   ② 11   ③ 12

④ 13   ⑤ 14

038 학교 기출 신유형

타원 $\dfrac{x^2}{36}+\dfrac{y^2}{20}=1$의 두 초점 중 x좌표가 양수인 점을 F, 음 수인 점을 F′이라고 하자. 이 타 원 위의 점 P에 대하여 선분 FP의 수직이등분선이 점 F′을 지날 때, 삼각형 PF′F의 넓이를 구하여라.

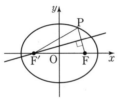

039 수학I 융합

타원 $\dfrac{x^2}{25}+\dfrac{y^2}{16}=1$ 위의 x좌표가 정수인 20개의 점을 각각 A_1, A_2, A_3, $\cdots$, A_{20}이라 하고 이 타원의 한 초점 을 F라고 할 때, $\displaystyle\sum_{k=1}^{20}\overline{FA_k}$의 값을 구하여라.

040 학교 기출 신유형

다음 그림과 같이 포물선 $y^2=-8(x-5)$와 타원 $\dfrac{(x+3)^2}{4}+\dfrac{y^2}{8}=1$이 있다. 포물선의 초점 F에서 나온 빛이 포물선 위의 점 A에서 반사되어 x축과 평행하게 진행하여 타원의 한 초점 P에서 방향을 바꾸어 진행하 다가 타원 위의 점 B에서 반사되어 타원의 다른 한 초점 Q에 도착할 때, 빛이 움직인 거리 $\overline{FA}+\overline{AP}+\overline{PB}+\overline{BQ}$를 구하여라.

(단, 점 A는 제1사분면 위의 점이다.)

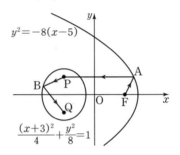

041

원 C_1: $(x+3)^2+y^2=81$에 내 접하고 원 C_2: $(x-3)^2+y^2=1$ 에 외접하는 원의 중심의 집합 이 나타내는 도형은 타원이다. 이 타원의 장축의 길이를 $2a$, 단축의 길이를 $2b$라고 할 때, $a+b$의 값은?

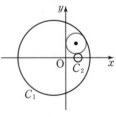

① 5   ② 6   ③ 7

④ 8   ⑤ 9

042

오른쪽 그림과 같이 원 $x^2+y^2=64$에 내접하면서 점 A$(6, 0)$을 지나는 원의 중심을 P라고 하자. |보기|에서 점 P가 그리는 도형에 대한 설명으로 옳은 것만을 있는 대로 고른 것은?

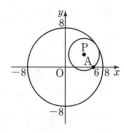

(단, O는 원점이다.)

┌─ 보기 ─────────────────────
ㄱ. $\overline{PO}+\overline{PA}=8$
ㄴ. 점 P가 그리는 도형은 포물선이다.
ㄷ. 도형의 방정식은 $7(x-3)^2+16y^2=112$이다.
└───────────────────────────

① ㄱ   ② ㄴ   ③ ㄷ
④ ㄱ, ㄴ   ⑤ ㄱ, ㄷ

043 · 평가원 기출 ·

오른쪽 그림과 같이 두 점 F$(0, c)$, F$'(0, -c)$를 초점으로 하는 타원 $\dfrac{x^2}{a^2}+\dfrac{y^2}{25}=1$이 x축과 만나는 점 중에서 x좌표가 양수인 점을 A라고 하자. 직선 $y=c$가 직선 AF$'$과 만나는 점을 B, 직선 $y=c$가 타원과 만나는 점 중 x좌표가 양수인 점을 P라고 하자. 삼각형 BPF$'$의 둘레의 길이와 삼각형 BFA의 둘레의 길이의 차가 4일 때, 삼각형 AFF$'$의 넓이는?

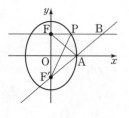

(단, $0<a<5$, $c>0$)

① $5\sqrt{6}$ ② $\dfrac{9\sqrt{6}}{2}$ ③ $4\sqrt{6}$
④ $\dfrac{7\sqrt{6}}{2}$ ⑤ $3\sqrt{6}$

044

오른쪽 그림과 같이 원 $x^2+y^2=20$이 x축과 만나는 두 점 F, F$'$을 초점으로 하고 장축의 길이가 12인 타원이 있다. 이 타원과 원 $x^2+y^2=20$이 제1사분면에서 만나는 점을 P라 하고 직선 PF가 타원과 제4사분면에서 만나는 점을 Q라고 할 때, 선분 FQ의 길이는?

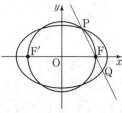

(단, 점 F의 x좌표는 양수이다.)

① 1   ② 2   ③ 3
④ 4   ⑤ 5

045

오른쪽 그림과 같이 두 점 A$(6, 0)$, B$(-6, 0)$에 대하여 장축이 선분 AB인 타원의 두 초점을 F, F$'$이라고 하자. 초점이 F이고 꼭짓점이 원점인 포물선이 이 타원과 만나는 두 점 P, Q에 대하여 $\overline{PQ}=4\sqrt{6}$일 때, $\overline{PF}\times\overline{PF'}$의 값은?

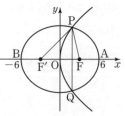

① 31   ② 32   ③ 33
④ 34   ⑤ 35

046

다음 그림과 같이 좌표평면 위에 중심의 좌표가 각각 $(12, 0)$, $(-12, 0)$, $(0, 8)$, $(0, -8)$이고 반지름의 길이가 모두 같은 4개의 원에 동시에 접하고, 초점이 x축 위에 있는 타원이 있다. 이 타원의 두 초점 사이의 거리가 16일 때, 장축의 길이 a와 단축의 길이 b에 대하여 $a+b$의 값을 구하여라.

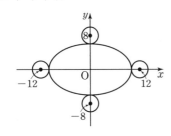

047

오른쪽 그림과 같이 타원 $\dfrac{x^2}{54} + \dfrac{y^2}{k} = 1$의 두 초점 F, F′이 x축 위에 있고 한 꼭짓점 A가 y축 위에 있다. 직선 AF′이 제3사분면에서 타원과 만나는 점을 B라 하고 직선 AF가 제4사분면에서 타원과 만나는 점을 C라고 할 때, 삼각형 ABC의 무게중심이 원점 O이다. 삼각형 ABC의 넓이를 구하여라.

(단, k는 상수이다.)

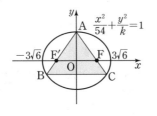

개념 **3** 쌍곡선

048

쌍곡선 $\dfrac{x^2}{9} - \dfrac{y^2}{4} = -1$과 포물선 $y^2 = 4px$가 서로 다른 두 점에서 만나도록 하는 모든 p의 값의 곱을 구하여라.

049

오른쪽 그림과 같이 쌍곡선 $\dfrac{x^2}{4} - \dfrac{y^2}{12} = 1$의 두 초점이 F, F′이고, 점 F를 중심으로 하는 원 C는 쌍곡선과 한 점에서 만난다. 제2사분면에 있는 쌍곡선 위의 점 P에서 원 C에 접선을 그었을 때, 그 접점을 Q라고 하자. $\overline{PQ} = 4\sqrt{2}$일 때, 선분 PF′의 길이를 구하여라. (단, 점 F의 x좌표는 양수이다.)

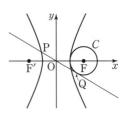

050

오른쪽 그림과 같이 쌍곡선 $\dfrac{x^2}{16} - \dfrac{y^2}{20} = 1$의 두 초점을 F, F′이라 하고, 이 쌍곡선 위의 점 P를 중심으로 하고 선분 PF′을 반지름으로 하는 원을 C라고 하자. 원 C 위를 움직이는 점 Q에 대하여 선분 FQ의 길이의 최댓값이 20일 때, 원 C의 넓이를 구하여라. (단, $\overline{PF'} < \overline{PF}$)

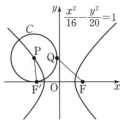

051 <다빈출>

쌍곡선 $\dfrac{x^2}{16}-\dfrac{y^2}{9}=1$의 두 초점 중 x좌표가 음수인 점을 A라고 하자. 점 B$(0,\ 2\sqrt{6})$과 제1사분면에 있는 이 쌍곡선 위의 점 P에 대하여 $\overline{\text{PA}}+\overline{\text{PB}}$의 최솟값은?

① 11　　　　② 12　　　　③ 13

④ 14　　　　⑤ 15

052

쌍곡선 $\dfrac{x^2}{12}-\dfrac{y^2}{4}=1$의 두 초점을 F$(c,\ 0)$, F$'(-c,\ 0)$ $(c>0)$이라고 하자. 다음 그림과 같이 점 F를 지나고 쌍곡선의 한 점근선과 수직인 직선이 이 쌍곡선과 만나는 두 점을 P, Q라고 할 때, 삼각형 F$'$PQ의 둘레의 길이는?

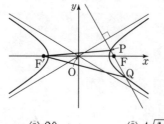

① $14\sqrt{2}$　　　② 20　　　③ $4\sqrt{13}$

④ $12\sqrt{3}$　　　⑤ $15\sqrt{2}$

053

두 초점이 F, F$'$인 쌍곡선 $\dfrac{x^2}{16}-\dfrac{y^2}{9}=1$ 위의 점 P에 대하여 삼각형 PF$'$F가 이등변삼각형이다. 점 P가 제1사분면 위의 점일 때, 점 P의 좌표를 구하여라.

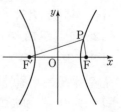

054 학교 기출 신 유형 수학I 융합

점 P$(3,\ 0)$을 지나는 직선이 쌍곡선 $\dfrac{x^2}{4}-\dfrac{y^2}{5}=1$과 $x\geq 0$인 부분에서 만나는 두 점을 각각 A, B라고 하자. 두 점 A, B와 점 C$(-3,\ 0)$을 꼭짓점으로 하는 삼각형 ABC의 세 변의 길이 $\overline{\text{CA}}$, $\overline{\text{AB}}$, $\overline{\text{BC}}$가 이 순서대로 등차수열을 이룰 때, 삼각형 ABC의 둘레의 길이를 구하여라.

055 평가원 기출

평면에 한 변의 길이가 10인 정삼각형 ABC가 있다. $\overline{PB}-\overline{PC}=2$를 만족시키는 점 P에 대하여 선분 PA의 길이가 최소일 때, 삼각형 PBC의 넓이는?

① $20\sqrt{3}$　　　② $21\sqrt{3}$　　　③ $22\sqrt{3}$

④ $23\sqrt{3}$　　　⑤ $24\sqrt{3}$

056

쌍곡선 $\dfrac{x^2}{4}-\dfrac{y^2}{12}=1$의 두 초점을 각각 F, F'이라고 하자. 이 쌍곡선 위의 임의의 점 P에 대하여 다음 그림과 같이 선분 F'P 위에 $\overline{PF}=\overline{PQ}$인 점 Q를 잡고 ∠QPF의 이등분선이 선분 QF와 만나는 점을 R라고 하자. 점 P가 제1사분면에 있는 쌍곡선 위를 움직일 때, 점 R가 그리는 도형의 길이는?

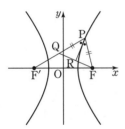

① $\dfrac{\pi}{6}$　　　② $\dfrac{\pi}{3}$　　　③ $\dfrac{\pi}{2}$

④ $\dfrac{2}{3}\pi$　　　⑤ π

개념 ④ 이차곡선

057

이차곡선 $x^2+ay^2+2x+by+2=0$에 대하여 |보기|에서 옳은 것만을 있는 대로 고른 것은?

┌ 보기 ┐

ㄱ. $a=1$, $b>2$이면 원이다.

ㄴ. $a=0$, $b=-4$이면 제1사분면과 제2사분면을 지나는 포물선이다.

ㄷ. $a=-1$이면 주축이 x축에 평행한 쌍곡선이다.

① ㄱ　　　② ㄴ　　　③ ㄷ

④ ㄱ, ㄴ　　　⑤ ㄱ, ㄷ

058 다빈출

이차곡선 $x^2-6x+16y^2-7=0$과 중심이 $(3, 0)$이고 반지름의 길이가 r인 원이 서로 다른 네 점에서 만날 때, r의 값의 범위는?

① $1<r<2$　　　② $0\le r<3$　　　③ $1<r<4$

④ $0<r\le 4$　　　⑤ $r\ge 3$

059

중심이 O인 원 밖의 한 정점 F와 원 위를 움직이는 점 P에 대하여 선분 PF의 수직이등분선 l이 반직선 PO와 만나는 점을 Q라고 하자. 점 P가 원 위를 한 바퀴 돌 때, 점 Q는 다음 중 어떤 도형 위를 움직이는가?

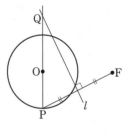

① 선분　　　② 원　　　③ 포물선

④ 타원　　　⑤ 쌍곡선

STEP A 상위권 보장 **개념+필수 기출 문제**

---

(1) 이차곡선과 직선의 위치 관계

이차곡선의 방정식과 직선의 방정식에서 한 문자를 소거하여 얻은 이차방정식의 판별식을 D라고 하면 이차곡선과 직선의 위치 관계는 다음과 같다.

① $D>0 \iff$ 서로 다른 두 점에서 만난다. ─┐
② $D=0 \iff$ 한 점에서 만난다. (접한다.) ├─ 만난다.
③ $D<0 \iff$ 만나지 않는다.

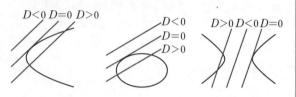

060

출제율

직선 $y=mx+3$이 포물선 $y^2=8x$와 만나지 않을 때, 실수 m의 값의 범위는?

① $m<-\dfrac{2}{3}$　　　　② $-1<m<0$

③ $-\dfrac{2}{3}<m<\dfrac{2}{3}$　　④ $m>\dfrac{2}{3}$

⑤ $0<m<2$

061

출제율

실수 k에 대하여 직선 $y=kx+k$와 포물선 $y^2=4x$의 교점의 개수를 $f(k)$라고 할 때,

$$f(-2)+f(-1)+f\left(-\dfrac{1}{2}\right)+f(0)+f\left(\dfrac{2}{3}\right)+f(1)$$

의 값은?

① 3　　　　② 4　　　　③ 5
④ 6　　　　⑤ 7

062

출제율

타원 $x^2+8y^2=12$와 직선 $y=x+k$가 접할 때, 모든 실수 k의 값의 곱을 구하여라.

063

출제율

직선 $y=mx+3$이 타원 $4x^2+y^2-8x=0$과 서로 다른 두 점에서 만날 때, 실수 m의 값의 범위는?

① $m<-\dfrac{5}{6}$　　② $m<-\dfrac{2}{3}$　　③ $m>0$

④ $m>\dfrac{2}{3}$　　　⑤ $m>\dfrac{5}{6}$

064

출제율

쌍곡선 $4x^2-y^2=12$에 대하여 |보기|에서 옳은 것만을 있는 대로 고른 것은?

┌─ 보기 ─────────────────────────┐
ㄱ. 직선 $x-2y+3=0$과 서로 다른 두 점에서 만난다.
ㄴ. 직선 $3x-y+2=0$과 만나지 않는다.
ㄷ. 직선 $4x-y+6=0$과 한 점에서 만난다.
└───────────────────────────────┘

① ㄱ　　　　② ㄴ　　　　③ ㄷ
④ ㄱ, ㄷ　　⑤ ㄱ, ㄴ, ㄷ

개념 ② 포물선의 접선의 방정식

(1) 기울기가 주어진 포물선의 접선의 방정식

① 포물선 $y^2=4px$에 접하고 기울기가 $m(m\neq 0)$인 접선의 방정식은

$$y=mx+\frac{p}{m}$$

참고 기울기가 0인 직선, 즉 포물선 $y^2=4px$의 축에 평행한 직선은 포물선 $y^2=4px$와 항상 한 점에서 만나지만 접선은 아니다.

② 포물선 $x^2=4py$에 접하고 기울기가 m인 접선의 방정식은

$$y=mx-pm^2$$

(2) 포물선 위의 점에서의 접선의 방정식

① 포물선 $y^2=4px$ 위의 점 (x_1, y_1)에서의 접선의 방정식은

$$\underline{y_1y=2p(x+x_1)}$$
— y^2 대신 y_1y, x 대신 $\frac{1}{2}(x+x_1)$을 대입

② 포물선 $x^2=4py$ 위의 점 (x_1, y_1)에서의 접선의 방정식은

$$\underline{x_1x=2p(y+y_1)}$$
— x^2 대신 x_1x, y 대신 $\frac{1}{2}(y+y_1)$을 대입

등급업 TIP 포물선 밖의 점에서 그은 접선의 방정식

포물선 $y^2=4px$ 밖의 한 점 (a, b)에서 그은 접선의 방정식은 다음의 두 가지 방법을 이용한다.

[방법 1] 접선의 기울기를 m으로 놓고 접선의 방정식을 구한 후 이 접선이 점 (a, b)를 지남을 이용한다.

[방법 2] 곡선 위의 점 (x_1, y_1)에서의 접선의 방정식을 구한 후 이 접선이 점 (a, b)를 지남을 이용한다.

065

출제율 ▰▱▱▱

포물선 $y^2=4x$에 접하고 기울기가 2인 직선과 x축, y축으로 둘러싸인 삼각형의 넓이를 구하여라.

066

출제율 ▰▰▰▱

직선 $y=-\frac{1}{3}x$에 수직이고 포물선 $y^2=12x$에 접하는 직선이 점 $(-2, a)$를 지날 때, a의 값은?

① -1 ② -2 ③ -3
④ -4 ⑤ -5

067

출제율 ▰▱▱▱

포물선 $y^2=8x$ 위의 점 $\mathrm{P}(a, b)$에서의 접선의 기울기가 1일 때, a^2+b^2의 값을 구하여라.

068

출제율 ▰▱▱▱

포물선 $y^2=2x$ 위의 점 $(2, 2)$에서의 접선에 수직이고 이 포물선의 초점을 지나는 직선의 y절편은?

① 1 ② 2 ③ 3
④ 4 ⑤ 5

069
출제율 ▮▮▮▯▯

점 $(-2, 1)$에서 포물선 $y^2=12x$에 그은 두 접선의 기울기의 곱을 구하여라.

070
출제율 ▮▮▮▮▯

포물선 $x+2y-y^2=1$ 위의 점 $(4, 3)$에서의 접선의 기울기는?

① $\dfrac{1}{4}$ ② $\dfrac{1}{2}$ ③ $\dfrac{3}{4}$

④ 1 ⑤ $\dfrac{5}{4}$

071 학교 기출 신유형
출제율 ▮▮▮▮▯

포물선 $y^2=ax$의 초점과 포물선 위의 점 (a, a)에서의 접선 사이의 거리를 b라고 할 때, $\dfrac{a\sqrt{5}}{b}$의 값을 구하여라. (단, $a>0$)

072 교육청 기출
출제율 ▮▮▮▮▯

포물선 $y^2=4(x-1)$ 위의 점 P는 제1사분면 위의 점이고 초점 F에 대하여 $\overline{PF}=3$이다. 포물선 위의 점 P에서의 접선의 기울기는?

① $\dfrac{\sqrt{2}}{4}$ ② $\dfrac{3\sqrt{2}}{8}$ ③ $\dfrac{\sqrt{2}}{2}$

④ $\dfrac{5\sqrt{2}}{8}$ ⑤ $\dfrac{3\sqrt{2}}{4}$

073
출제율 ▮▮▮▮▯

포물선 $y^2=8x$ 위의 임의의 점과 직선 $x+y+4=0$ 사이의 거리의 최솟값은?

① $\dfrac{\sqrt{2}}{4}$ ② $\dfrac{\sqrt{2}}{3}$ ③ $\dfrac{\sqrt{2}}{2}$

④ $\sqrt{2}$ ⑤ $\dfrac{3\sqrt{2}}{2}$

개념 ③ 타원의 접선의 방정식

(1) 기울기가 주어진 타원의 접선의 방정식

타원 $\dfrac{x^2}{a^2}+\dfrac{y^2}{b^2}=1$에 접하고 기울기가 m인 접선의 방정식은

$$y=mx\pm\sqrt{a^2m^2+b^2}$$

참고 한 타원에 대하여 기울기가 같은 접선은 두 개이다.

(2) 타원 위의 점에서의 접선의 방정식

타원 $\dfrac{x^2}{a^2}+\dfrac{y^2}{b^2}=1$ 위의 점 $(x_1,\,y_1)$에서의 접선의 방정식은 $\underbrace{\dfrac{x_1x}{a^2}+\dfrac{y_1y}{b^2}=1}_{x^2\text{ 대신 }x_1x,\ y^2\text{ 대신 }y_1y\text{를 대입}}$

등급업 TIP 타원 밖의 점에서 그은 접선의 방정식

타원 $\dfrac{x^2}{a^2}+\dfrac{y^2}{b^2}=1$ 밖의 한 점 $(p,\,q)$에서 그은 접선의 방정식은 다음의 두 가지 방법을 이용한다.

[방법 1] 접선의 기울기를 m으로 놓고 접선의 방정식을 구한 후 이 접선이 점 $(p,\,q)$를 지남을 이용한다.
[방법 2] 곡선 위의 점 $(x_1,\,y_1)$에서의 접선의 방정식을 구한 후 이 접선이 점 $(p,\,q)$를 지남을 이용한다.

074

출제율

타원 $\dfrac{x^2}{4}+\dfrac{y^2}{9}=1$에 접하고 직선 $x+2y+1=0$에 수직인 직선의 방정식이 $y=mx+n$일 때, 상수 $m,\ n$에 대하여 m^2+n^2의 값은?

① 26　　　② 27　　　③ 28
④ 29　　　⑤ 30

075

출제율

직선 $y=-2x+1$을 x축의 방향으로 k만큼 평행이동하면 타원 $2x^2+y^2=8$에 접할 때, 모든 k의 값의 곱은?

① -5　　　② $-\dfrac{21}{4}$　　　③ $-\dfrac{11}{2}$
④ $-\dfrac{23}{4}$　　　⑤ -6

076

출제율

타원 $\dfrac{x^2}{12}+\dfrac{y^2}{4}=1$ 위의 점 $(a,\,b)$에서의 접선과 x축과의 교점의 좌표가 $(6,\,0)$일 때, a^2+3b^2의 값을 구하여라.

077

출제율

타원 $4x^2+3y^2=12$ 위의 점과 직선 $y=x+5$ 사이의 거리의 최댓값과 최솟값의 합은?

① 5　　　② $5\sqrt{2}$　　　③ $5\sqrt{3}$
④ 10　　　⑤ $5\sqrt{5}$

078

출제율

타원 $\dfrac{x^2}{16}+\dfrac{y^2}{7}=1$ 위의 점 $\left(3,\dfrac{7}{4}\right)$에서의 접선이 x축과 만나는 점을 Q라 하고, 타원의 두 초점 $F(c,\ 0)$, $F'(-c,\ 0)$ $(c>0)$에서 이 접선에 내린 수선의 발을 각각 R, S라고 할 때, $\dfrac{\overline{QS}}{\overline{QR}}$의 값은?

① 3
② $\dfrac{22}{7}$
③ $\dfrac{23}{7}$
④ $\dfrac{24}{7}$
⑤ $\dfrac{25}{7}$

079 교육청 기출

출제율

점 $A(6,\ 4)$에서 타원 $\dfrac{x^2}{12}+\dfrac{y^2}{16}=1$에 그은 두 접선의 접점을 각각 B, C라고 할 때, 삼각형 ABC의 넓이를 구하여라.

080 학교 기출 신유형

출제율

오른쪽 그림과 같이 타원 $\dfrac{x^2}{9}+\dfrac{y^2}{16}=1$ 위의 점 $P(x_1,\ y_1)$에서의 접선이 x축, y축과 만나는 점을 각각 A, B라고 하자. 삼각형 OAB의 넓이가 최소일 때의 점 P의 좌표를 구하여라.

(단, O는 원점이고 점 P는 제1사분면 위의 점이다.)

개념 4 **쌍곡선의 접선의 방정식**

(1) 기울기가 주어진 쌍곡선의 접선의 방정식

① 쌍곡선 $\dfrac{x^2}{a^2}-\dfrac{y^2}{b^2}=1$에 접하고 기울기가 m인 접선의 방정식은

$$y=mx\pm\sqrt{a^2m^2-b^2}\ (단,\ a^2m^2-b^2>0)$$

> 참고 $a^2m^2-b^2<0$이면 접선이 존재하지 않고, $a^2m^2-b^2=0$, 즉 $m=\pm\dfrac{b}{a}$이면 직선은 쌍곡선의 점근선과 일치하거나 평행하므로 쌍곡선과 만나지 않거나 한 점에서 만난다.

② 쌍곡선 $\dfrac{x^2}{a^2}-\dfrac{y^2}{b^2}=-1$에 접하고 기울기가 m인 접선의 방정식은

$$y=mx\pm\sqrt{b^2-a^2m^2}\ (단,\ b^2-a^2m^2>0)$$

(2) 쌍곡선 위의 점에서의 접선의 방정식

① 쌍곡선 $\dfrac{x^2}{a^2}-\dfrac{y^2}{b^2}=1$ 위의 점 $(x_1,\ y_1)$에서의 접선의 방정식은

$$\dfrac{x_1 x}{a^2}-\dfrac{y_1 y}{b^2}=1$$

x^2 대신 $x_1 x$, y^2 대신 $y_1 y$를 대입

② 쌍곡선 $\dfrac{x^2}{a^2}-\dfrac{y^2}{b^2}=-1$ 위의 점 $(x_1,\ y_1)$에서의 접선의 방정식은

$$\dfrac{x_1 x}{a^2}-\dfrac{y_1 y}{b^2}=-1$$

x^2 대신 $x_1 x$, y^2 대신 $y_1 y$를 대입

> **등급업 TIP** 쌍곡선 밖의 점에서 그은 접선의 방정식
>
> 쌍곡선 $\dfrac{x^2}{a^2}-\dfrac{y^2}{b^2}=1$ 밖의 한 점 $(p,\ q)$에서 그은 접선의 방정식은 다음의 두 가지 방법을 이용한다.
>
> [방법 1] 접선의 기울기를 m으로 놓고 접선의 방정식을 구한 후 이 접선이 점 $(p,\ q)$를 지남을 이용한다.
>
> [방법 2] 곡선 위의 점 $(x_1,\ y_1)$에서의 접선의 방정식을 구한 후 이 접선이 점 $(p,\ q)$를 지남을 이용한다.

081

출제율 ━━━

쌍곡선 $3x^2-ay^2=-12$ 위의 점 $(1,\ b)$에서의 접선이 점 $(0,\ -4)$를 지날 때, $5a+b$의 값은?

(단, a, b는 상수이다.)

① -2 　　② -1 　　③ 0

④ 1 　　⑤ 2

082

출제율 ━━

쌍곡선 $\dfrac{x^2}{16}-\dfrac{y^2}{9}=1$ 위의 점 $A(8,\ 3\sqrt{3})$에서의 접선이 x축과 만나는 점을 B라고 하자. 이 쌍곡선의 두 초점 중 x좌표가 양수인 점을 F라고 할 때, 삼각형 FAB의 넓이를 구하여라.

083

출제율 ━━

직선 $y=2x-5$가 쌍곡선 $\dfrac{x^2}{a}-\dfrac{y^2}{3}=1$에 접할 때, 쌍곡선의 두 초점 사이의 거리는?

① $2\sqrt{7}$ 　　② $4\sqrt{2}$ 　　③ 6

④ $2\sqrt{10}$ 　　⑤ $2\sqrt{11}$

084 평가원 기출

출제율 ━━━

다음 그림과 같이 두 초점이 $F(3,\ 0)$, $F'(-3,\ 0)$인 쌍곡선 $\dfrac{x^2}{a^2}-\dfrac{y^2}{b^2}=1$ 위의 점 $P(4,\ k)$에서의 접선과 x축과의 교점이 선분 $F'F$를 $2:1$로 내분할 때, k^2의 값을 구하여라. (단, a, b는 상수이다.)

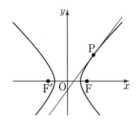

085

출제율 ━━

다음 그림과 같이 쌍곡선 $x^2-y^2=4$ 위의 점 P에서의 접선이 이 쌍곡선의 두 점근선과 만나는 점을 각각 A, B라고 할 때, $\overline{OA}\times\overline{OB}$의 값은?

(단, O는 원점이고, 점 P는 제1사분면 위의 점이다.)

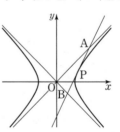

① 2 　　② 4 　　③ 6

④ 8 　　⑤ 10

개념 1 이차곡선과 직선의 위치 관계

086

직선 $y=k(x+1)-2$가 포물선 $y^2=8x$와 만나도록 하는 상수 k의 최댓값을 M, 최솟값을 m이라고 할 때, Mm의 값은?

① -2 ② -1 ③ 0

④ 1 ⑤ 2

087

두 집합

$$A=\{(x, y) \mid (y-2)^2=4x, \ x, \ y는 \ 실수\},$$
$$B=\{(x, y) \mid x-3y+3a=0, \ x, \ y는 \ 실수\}$$

에 대하여 $n(A \cap B)=2$를 만족시키는 자연수 a의 개수를 구하여라.

088

직선 $y=mx+k$가 실수 m의 값에 관계없이 항상 포물선 $y^2=2x+10$과 만나도록 하는 모든 자연수 k의 값의 합은?

① 1 ② 3 ③ 6

④ 10 ⑤ 15

089 다빈출

직선 $y=3x+k$가 포물선 $y^2=4x$와는 만나지 않고 포물선 $y^2=4(x+2)$와는 서로 다른 두 점에서 만날 때, 정수 k의 개수는?

① 2 ② 3 ③ 4

④ 5 ⑤ 6

090

타원 $\dfrac{x^2}{4}+\dfrac{y^2}{5}=1$이 직선 $y=3x+k$와는 서로 다른 두 점에서 만나고, 직선 $y=-x+k$와는 만나지 않을 때, 모든 자연수 k의 값의 합은?

① 11 ② 12 ③ 13

④ 14 ⑤ 15

091

직선 $x+y-1=0$이 타원 $\dfrac{x^2}{4}+y^2=1$에 의하여 잘린 선분의 길이는?

① $\dfrac{2\sqrt{2}}{5}$ ② $\sqrt{2}$ ③ $\dfrac{8\sqrt{2}}{5}$

④ $2\sqrt{2}$ ⑤ $\dfrac{13\sqrt{2}}{5}$

092

타원 $\dfrac{x^2}{8}+\dfrac{y^2}{4}=1$과 직선 $y=x+k$가 두 점 A, B에서 만난다. $\overline{\mathrm{OA}}\perp\overline{\mathrm{OB}}$를 만족시키는 모든 실수 k의 값의 곱은? (단, O는 원점이다.)

① $-\dfrac{10}{3}$ ② -4 ③ $-\dfrac{14}{3}$

④ $-\dfrac{16}{3}$ ⑤ -6

093 학교 기출 신유형

타원 $ax^2+by^2=1$은 직선 $x+y=1$과 두 점 A, B에서 만난다. $\overline{\mathrm{AB}}=2\sqrt{2}$이고 선분 AB의 중점 C와 타원의 중심 O를 지나는 직선의 기울기는 $\dfrac{\sqrt{2}}{2}$일 때, 두 상수 a, b의 값을 구하여라.

094 수학Ⅱ 융합

쌍곡선 $\dfrac{x^2}{16}-\dfrac{y^2}{9}=1$과 직선 $y=mx$의 교점의 개수를 $f(m)$이라고 할 때, |보기|에서 옳은 것만을 있는 대로 고른 것은?

→ 보기 •
ㄱ. $m=\pm\dfrac{3}{4}$이면 $f(m)=1$이다.

ㄴ. $-\dfrac{3}{4}<m<\dfrac{3}{4}$이면 $f(m)=2$이다.

ㄷ. $m<-\dfrac{3}{4}$이면 $f(m)=2$이다.

ㄹ. $\displaystyle\lim_{m\to-\frac{3}{4}+}f(m)+\lim_{m\to\frac{3}{4}-}f(m)=4$

① ㄱ, ㄴ   ② ㄱ, ㄷ   ③ ㄴ, ㄷ

④ ㄴ, ㄹ   ⑤ ㄷ, ㄹ

095

점 $\mathrm{P}\left(\dfrac{4}{3},\dfrac{4}{3}\right)$를 지나는 직선이 쌍곡선 $\dfrac{x^2}{4}-y^2=1$과 서로 다른 두 점 A, B에서 만난다. 점 P가 선분 AB의 중점일 때, 직선 AB의 방정식은?

① $y=\dfrac{1}{8}x+\dfrac{7}{6}$ ② $y=\dfrac{1}{4}x+1$

③ $y=\dfrac{1}{2}x+\dfrac{2}{3}$ ④ $y=x$

⑤ $y=2x-\dfrac{4}{3}$

096 학교 기출 신유형

두 집합

$$A=\{(x, y)\,|\,(2x^2+y^2-2)(4x^2-y^2+4)=0\},$$
$$B_m=\{(x, y)\,|\,y=mx+\sqrt{3},\ m\text{은 양수}\}$$

에 대하여 $n(A\cap B_m)=3$이 되도록 하는 m의 값은?

① $\dfrac{1}{2}$ ② 1 ③ $\dfrac{3}{2}$

④ 2 ⑤ $\dfrac{5}{2}$

개념 2 포물선의 접선의 방정식

097

오른쪽 그림과 같이 포물선 $y^2=12x$의 초점을 F라고 할 때, 이 포물선 위의 점 P와 점 A$(5, 2)$에 대하여 삼각형 PFA의 넓이의 최댓값은? (단, 점 P는 제1사분면 위의 점이다.)

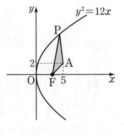

① $2\sqrt{7}$ ② $4\sqrt{2}$ ③ 6
④ $2\sqrt{10}$ ⑤ $2\sqrt{11}$

098

다음 그림과 같이 포물선 $y^2=4x$의 초점을 F라 하고, 포물선 위의 점 P$(3, 2\sqrt{3})$에서의 접선을 l, 직선 l과 x축과의 교점을 Q라고 할 때, $\angle$QPF의 크기는?

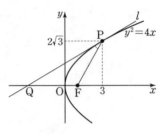

① $15°$ ② $30°$ ③ $40°$
④ $60°$ ⑤ $75°$

099

점 P$(-1, 2)$에서 포물선 $y^2=8x$에 그은 두 접선의 접점을 각각 A, B라고 하자. 삼각형 APB의 무게중심을 G라 하고, 포물선 $y^2=8x$의 초점을 F라고 할 때, 선분 GF의 길이는?

① 1 ② $\sqrt{2}$ ③ 2
④ $\sqrt{5}$ ⑤ $2\sqrt{2}$

100

포물선 $y^2=4px$ 위의 점과 직선 $y=p(x-3)$ 사이의 거리의 최솟값이 1일 때, $4p$의 값을 구하여라.

(단, p는 0이 아닌 실수이다.)

101

원 $(x-2)^2+y^2=4$와 포물선 $y^2=-8x$에 동시에 접하는 직선이 세 개일 때, 이 세 직선으로 둘러싸인 삼각형의 넓이는?

① $10\sqrt{3}$ ② $11\sqrt{3}$ ③ $12\sqrt{3}$
④ $13\sqrt{3}$ ⑤ $14\sqrt{3}$

102 다빈출

포물선 $y^2=12x$ 위의 점 P에서의 접선과 포물선 $x^2=16y$ 위의 점 Q에서의 접선이 서로 평행하다. 점 P의 x좌표가 점 Q의 x좌표보다 작을 때, 삼각형 POQ의 넓이를 구하여라. (단, O는 원점이고, 두 점 P, Q는 제1사분면 위에 있다.)

103

원 $\left(x+\dfrac{5}{2}\right)^2+\left(y-\dfrac{7}{2}\right)^2=5$ 위의 점 P와 포물선 $y^2=8x$ 위의 점 Q에 대하여 선분 PQ의 길이의 최솟값은?

① $\dfrac{\sqrt{2}}{2}$ ② $\dfrac{\sqrt{3}}{2}$ ③ 1
④ $\dfrac{\sqrt{5}}{2}$ ⑤ $\dfrac{\sqrt{6}}{2}$

104 학교 기출 신유형

포물선 $x^2=4y$의 초점을 F라 하고, 이 포물선에 접하면서 기울기가 $\sqrt{3}$인 직선을 l이라고 하자. 이때 중심이 포물선 $x^2=4y$ 위에 있고 점 F를 지나면서 직선 l에 접하는 원이 두 개 존재한다. 이 두 원의 반지름의 길이의 합은?

① 4 ② 8 ③ 12
④ 16 ⑤ 20

105 평가원 기출

두 양수 k, p에 대하여 점 $A(-k, 0)$에서 포물선 $y^2=4px$에 그은 두 접선이 y축과 만나는 점을 각각 F, F′, 포물선과 만나는 두 점을 각각 P, Q라고 할 때, $\angle PAQ=60°$이다. 두 점 F, F′을 초점으로 하고 두 점 P, Q를 지나는 타원의 장축의 길이가 $4\sqrt{3}+12$일 때, $k+p$의 값은?

① 8 　　　　② 10 　　　　③ 12

④ 14 　　　　⑤ 16

개념 **3** 타원의 접선의 방정식

106

타원 $\dfrac{x^2}{4}+\dfrac{y^2}{16}=1$ 위의 점 $(-1, 2\sqrt{3})$에서의 접선이 포물선 $y^2=ax$에 접할 때, 양수 a의 값은?

① 20 　　　　② $\dfrac{61}{3}$ 　　　　③ $\dfrac{62}{3}$

④ 21 　　　　⑤ $\dfrac{64}{3}$

107

타원 $\dfrac{x^2}{9}+\dfrac{y^2}{4}=1$ 밖의 한 점 $A(a, 0)$에서 타원에 그은 접선의 접점을 P라고 할 때, $\overline{OA}=\overline{AP}$가 성립하도록 하는 상수 a에 대하여 $14a^2$의 값을 구하여라.

(단, O는 원점이다.)

108

타원 $\dfrac{x^2}{9}+ky^2=1$의 한 초점을 지나고 이 타원 위의 점 (a, b)에서의 접선에 수직인 직선의 방정식은 $y=3x+3\sqrt{3}$이다. 상수 a, b, k에 대하여 abk의 값을 구하여라. (단, $k>\dfrac{1}{9}$, $a>0$)

109

타원 $\dfrac{x^2}{4}+\dfrac{y^2}{20}=1$의 초점 중 y좌표가 양수인 초점을 F라 하고, x좌표가 양수인 꼭짓점을 A라고 하자. 타원 $\dfrac{x^2}{4}+\dfrac{y^2}{20}=1$ 위의 점 P에서의 접선이 직선 FA에 수직일 때, 점 P의 x좌표와 y좌표의 곱을 구하여라.

(단, 점 P는 제4사분면 위의 점이다.)

110 ◁다빈출▷

두 점 A$(0, -3)$, B$(2, 0)$과 A, B가 아닌 타원 $\dfrac{x^2}{4}+\dfrac{y^2}{9}=1$ 위의 점 P에 대하여 삼각형 ABP의 넓이의 최댓값은?

① $3+\sqrt{2}$ ② $3+2\sqrt{2}$ ③ $3+3\sqrt{2}$

④ $3+4\sqrt{2}$ ⑤ $3+5\sqrt{2}$

112

직선 $y=4$ 위의 점 P에서 타원 $x^2+\dfrac{y^2}{4}=1$에 그은 두 접선의 기울기의 곱이 $\dfrac{1}{2}$이다. 점 P의 x좌표를 k라고 할 때, k^2의 값은?

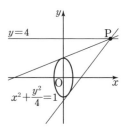

① 17 ② 19 ③ 21

④ 23 ⑤ 25

111

점 P$(a, 2b)$에서 타원 $x^2+4y^2=16$에 그은 두 접선이 서로 수직일 때, a, b 사이의 관계식은?

① $b^2=16a$ ② $a^2+b^2=16$

③ $a^2+b^2=20$ ④ $a^2+4b^2=20$

⑤ $a^2-4b^2=20$

113

오른쪽 그림과 같이 타원 C_1: $\dfrac{x^2}{3}+\dfrac{y^2}{7}=1$의 한 초점 F$_1$을 지나면서 타원 C_2: $\dfrac{x^2}{2}+y^2=1$에 접하는 직선이 타원 C_1과 제4사분면에서 만나는 점을 P라고 하자.

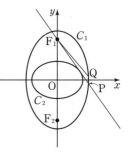

$\overline{PF_1}+\overline{QF_1}=2\sqrt{7}$을 만족시키는 타원 C_1 위의 제1사분면 위의 점 Q와 타원 C_1의 또 다른 초점 F$_2$를 지나는 직선 l의 방정식이 $ax+by-4=0$이다. 상수 a, b에 대하여 a^2+b^2의 값을 구하여라. (단, 초점 F$_1$의 y좌표는 양수이고, 초점 F$_2$의 y좌표는 음수이다.)

114 학교 기출 신유형

다음 그림과 같이 포물선 $y^2=8x$와 타원 $\dfrac{x^2}{12}+\dfrac{y^2}{24}=1$ 이 제1사분면에서 만나는 점을 P라 하고, 점 P에서 포물선과 타원에 각각 그은 두 접선이 x축과 만나는 점을 각각 Q, R라고 하자. 삼각형 PQR에 내접하는 원의 넓이를 구하여라.

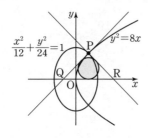

115

쌍곡선 $\dfrac{x^2}{4a^2}-\dfrac{y^2}{b^2}=1$의 한 점근선에 평행하고 타원 $\dfrac{x^2}{a^2}+\dfrac{y^2}{b^2}=1$에 접하는 직선을 l이라고 하자. 원점과 직선 l 사이의 거리가 2일 때, $\dfrac{1}{a^2}+\dfrac{4}{b^2}$의 값은?

(단, a, b는 상수이다.)

① $\dfrac{1}{2}$　　② $\dfrac{3}{4}$　　③ 1

④ $\dfrac{5}{4}$　　⑤ $\dfrac{3}{2}$

116 수학Ⅰ 융합

오른쪽 그림과 같이 두 초점이 F, F′인 타원 $6x^2+9y^2=54$ 위를 움직이는 점 P에서의 접선 l이 x축과 만나는 점을 Q, 점 P를 지나고 접선 l과 수직인 직선이 x축과 만나는 점을 R라고 하자. 세 삼각형 PRF, PF′R, PFQ의 넓이가 이 순서대로 등차수열을 이룰 때, 삼각형 PF′Q의 넓이를 구하여라. (단, 점 P는 제1사분면 위의 점이다.)

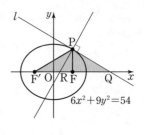

117 학교 기출 신유형

다음 그림과 같이 두 점 F$(\sqrt{7}, 0)$, F′$(-\sqrt{7}, 0)$을 초점으로 하고 장축의 길이가 8인 타원에 외접하는 마름모가 있다. 이 타원과 마름모가 접하는 제1사분면 위의 점을 P라 하고, $\angle$POF$=\theta°$라고 하자. 마름모의 둘레의 길이의 최솟값을 m, 그때의 $\tan\theta°$의 값을 n이라고 할 때, $m\times n$의 값은? (단, O는 원점이다.)

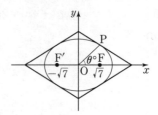

① $9\sqrt{3}$　　② $\dfrac{19\sqrt{3}}{2}$　　③ $\dfrac{19\sqrt{7}}{2}$

④ $\dfrac{21\sqrt{3}}{2}$　　⑤ $\dfrac{21\sqrt{7}}{2}$

개념 4 쌍곡선의 접선의 방정식

118

점 $P(0, a)$ $(a \neq 0)$에서 쌍곡선 $x^2-8y^2=8$에 그은 두 접선의 기울기를 각각 m_1, m_2라고 하자. $m_1 m_2 > -3$을 만족시키는 실수 a의 값의 범위가 $\alpha < a < 0$ 또는 $0 < a < \beta$일 때, $\alpha^2 + \beta^2$의 값을 구하여라.

119

쌍곡선 $x^2 - \dfrac{y^2}{8} = 1$ 위의 점 $(n, \sqrt{8n^2-8})$에서의 접선과 x좌표가 양수인 초점 F 사이의 거리가 $\sqrt{7}$보다 작도록 하는 모든 자연수 n의 값의 합을 구하여라.

120

타원 $\dfrac{x^2}{18} + \dfrac{y^2}{9} = 1$과 쌍곡선 $\dfrac{x^2}{a^2} - \dfrac{y^2}{b^2} = 1$은 점 $P(2\sqrt{3}, -\sqrt{3})$에서 만나고 점 P에서의 타원의 접선과 쌍곡선의 접선이 서로 수직일 때, 양수 a, b에 대하여 ab의 값을 구하여라.

121 ◀다빈출▶

쌍곡선 $x^2 - 2y^2 = -2$ 위의 점 $(-2, \sqrt{3})$에서의 접선에 수직이고, 점 $(-3, -\sqrt{3})$을 지나는 직선 위의 임의의 점을 (a, b)라고 할 때, $a^2 + b^2$의 최솟값은?

① $\sqrt{3}$ ② $\sqrt{6}$ ③ 3
④ $2\sqrt{3}$ ⑤ $\sqrt{15}$

122 _평가원 기출_

다음 그림과 같이 쌍곡선 $x^2 - y^2 = 32$ 위의 점 $P(-6, 2)$에서의 접선 l에 대하여 원점 O에서 직선 l에 내린 수선의 발을 H, 직선 OH와 이 쌍곡선이 제1사분면에서 만나는 점을 Q라고 하자. 이때 $\overline{OH} \times \overline{OQ}$의 값을 구하여라.

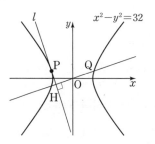

123

오른쪽 그림과 같이 쌍곡선 $x^2 - y^2 = 2$ 위의 점 $P(a, b)$에서의 접선 l에 대하여 쌍곡선의 두 초점 F, F′에서 직선 l에 내린 수선의 발을 각각 A, B라고 할 때, 선분 AB의 길이가 2이다. $a^2 + b^2$의 값을 구하여라.

(단, 점 P는 제1사분면 위의 점이다.)

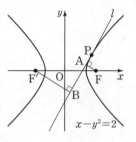

124

쌍곡선 $\dfrac{x^2}{16} - \dfrac{y^2}{4} = 1$ 위의 점 (a, b)에서의 접선이 타원 $\dfrac{(x+2)^2}{8} + y^2 = 1$의 넓이를 이등분할 때, $a^2 + b^2$의 값을 구하여라.

125 교육청 기출

좌표평면에서 쌍곡선 $\dfrac{x^2}{a^2} - \dfrac{y^2}{b^2} = 1$의 점근선의 방정식이 $y = \pm\dfrac{\sqrt{3}}{3}x$이고 한 초점이 F$(4\sqrt{3}, 0)$이다. 점 F를 지나고 x축에 수직인 직선이 이 쌍곡선과 제1사분면에서 만나는 점을 P라고 하자. 쌍곡선 위의 점 P에서의 접선의 기울기는? (단, a, b는 상수이다.)

① $\dfrac{2\sqrt{3}}{3}$　　② $\sqrt{3}$　　③ $\dfrac{4\sqrt{3}}{3}$

④ $\dfrac{5\sqrt{3}}{3}$　　⑤ $2\sqrt{3}$

126 수학Ⅰ 융합

오른쪽 그림과 같이 점 $P(\sqrt{6}, 0)$을 중심으로 하고 반지름의 길이가 2인 원이 있다. 쌍곡선 $\dfrac{x^2}{3} - \dfrac{y^2}{9} = -1$ 위의 임의의 점 Q에 대하여 선분 PQ가 원과 만나는 점을 X라고 할 때, 점 X가 움직이는 자취의 길이를 구하여라.

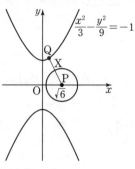

127 학교 기출 신유형

다음 그림과 같이 쌍곡선 $x^2 - y^2 = 6$에 접하는 평행한 두 직선 l_1, l_2가 있다. 두 직선 l_1, l_2가 쌍곡선 $x^2 - y^2 = 6$의 두 점근선과 만나는 점을 각각 A, B, C, D라고 할 때, 사각형 ABCD의 넓이를 구하여라.

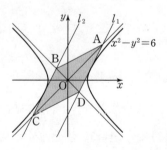

128

다음 그림과 같이 초점이 F인 포물선 $y^2=8x$ 위의 두 점 A, B가 $\overline{AB}=10$을 만족시키며 움직이고 있다. 선분 AB의 중점 M의 x좌표가 최소일 때, 선분 MF의 길이는?

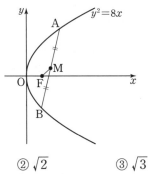

① 1   ② $\sqrt{2}$ ③ $\sqrt{3}$

④ 2   ⑤ $\sqrt{5}$

129

오른쪽 그림과 같이 포물선 $y^2=10x$의 초점 F를 지나는 직선이 이 포물선과 서로 다른 두 점 P, Q에서 만난다. 두 점 P, Q에서의 접선에 수직인 직선이 x축과 만나는 점을 각각 A, B 라고 할 때, $\dfrac{1}{\overline{AP}^2}+\dfrac{1}{\overline{BQ}^2}$의 값을 구하여라.

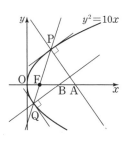

130

오른쪽 그림과 같이 타원 $\dfrac{x^2}{64}+\dfrac{y^2}{36}=1$의 두 초점을 F, F′이라 하고 x축과의 교점을 각각 A, B라고 하자. 이 타원 위의 점 P에 대하여 $\overline{PF}\times\overline{PF'}=48$일 때, $\overline{PA}^2+\overline{PB}^2$의 값을 구하여라.

(단, 점 P는 제1사분면 위의 점이다.)

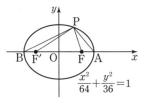

131

타원 $\dfrac{x^2}{16}+\dfrac{y^2}{4}=1$ 위의 점 $(x,\,y)$에 대하여

$\dfrac{x+2y+2}{-x+3y-12}$ 의 최댓값과 최솟값의 차를 구하여라.

132

쌍곡선 $\dfrac{x^2}{a^2}-\dfrac{y^2}{b^2}=1$의 두 초점 F, F′과 쌍곡선 위의 제 1사분면 위의 한 점 P가 있을 때, 선분 F′P가 쌍곡선과 만나는 점을 Q라고 하면 삼각형 PQF는 정삼각형이다. 또, 점 P를 지나는 타원 $\dfrac{x^2}{c^2}+\dfrac{y^2}{d^2}=1$의 두 초점도 F, F′일 때, $\dfrac{bd}{ac}$의 값을 구하여라.

  (단, 점 F의 x좌표와 a, b, c, d는 모두 양수이다.)

133

다음 그림과 같이 두 초점이 F, F′인 쌍곡선

$\dfrac{x^2}{28}-\dfrac{y^2}{36}=-1$에 대하여 쌍곡선 위의 점 P에서의 접선을 l이라 하고, 직선 l과 y축의 교점을 Q라고 하자. $\overline{RF'}=12$를 만족시키는 선분 PF′ 위의 점 R를 잡고 $\overline{RF'}$을 지름으로 하는 원을 그리면 이 원은 점 Q를 지난다. 점 F′에서 직선 l에 내린 수선의 발을 H라고 할 때, $\overline{PF}\times\overline{F'H}$의 값은? (단, 점 F의 y좌표는 양수이고, 두 점 P, R는 제2사분면 위의 점이다.)

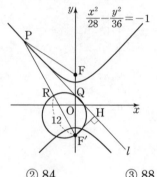

① 80   ② 84   ③ 88
④ 92   ⑤ 96

미니 모의고사 - 1회

제한시간 : 30분

01

점 F(−2, 0)을 초점, 점 (2, 0)을 꼭짓점으로 하는 포물선이 점 (a, 8)을 지날 때, a의 값을 구하여라. [3점]

02

타원 $\dfrac{x^2}{a^2}+\dfrac{y^2}{16}=1$의 두 초점을 F, F′이라고 할 때, 이 타원 위의 두 점 A, B에 대하여

$$\overline{\mathrm{AF}}+\overline{\mathrm{BF}}=12,\ \overline{\mathrm{AF'}}+\overline{\mathrm{BF'}}=16$$

이다. 양수 a의 값은? [3점]

① 5   ② $\dfrac{11}{2}$ ③ 6

④ $\dfrac{13}{2}$ ⑤ 7

03

쌍곡선 $2x^2-y^2=-4$의 초점을 지나고 이 쌍곡선의 점근선에 평행한 네 개의 직선으로 둘러싸인 도형의 넓이를 구하여라. [3점]

04

직선 $y=2x+6$을 x축의 방향으로 k만큼 평행이동하였더니 포물선 $x^2=4y$와 만나지 않았다. 이때 실수 k의 값의 범위는? [3점]

① $k<-5$ ② $k<5$ ③ $k<0$

④ $k>-5$ ⑤ $k>5$

05

쌍곡선 $x^2-y^2=5$ 위의 점 (3, 2)에서의 접선과 두 점근선으로 둘러싸인 부분의 넓이는? [3점]

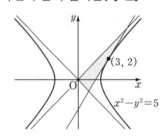

① 2   ② 3   ③ 4

④ 5   ⑤ 6

미니 모의고사 - 1회

06

오른쪽 그림과 같이 두 점 A(3, 0), B(−1, 0)을 각각 꼭짓점으로 하고 초점이 원점인 두 포물선 p_1, p_2가 있다. 두 포물선의 교점을 각각 C, D라고 할 때, 사각형 ACBD의 넓이를 구하여라. [4점]

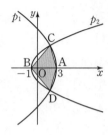

07

점 A(5, 0)과 직선 $x=2$에 이르는 거리의 비가 2 : 1인 점 P의 집합이 나타내는 도형의 한 초점의 좌표가 $(a, 0)$일 때, a의 최솟값은? [4점]

① −5   ② −4   ③ −3
④ −2   ⑤ −1

08

포물선 $y^2=6x$의 제1사분면 위를 움직이는 점 P에서의 접선과 x축, y축 및 직선 $x=9$로 둘러싸인 도형의 넓이의 최솟값을 구하여라. [4점]

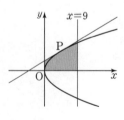

09

다음 그림과 같이 타원 $9x^2+16y^2=144$ 위의 점 P에서의 접선이 x축, y축과 만나는 점을 각각 A, B라고 할 때, 선분 AB를 한 변으로 하는 정사각형의 넓이의 최솟값은? (단, 점 P는 제1사분면 위의 점이다.) [4점]

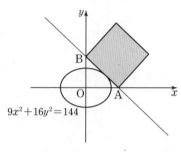

① 45   ② 46   ③ 47
④ 48   ⑤ 49

10

쌍곡선 $x^2-\dfrac{y^2}{9}=-1$ 위에 있지 않은 한 점 P에서 쌍곡선에 그은 두 접선이 서로 수직일 때, 점 P의 자취의 길이는? [4점]

① p ② $\sqrt{2}\pi$ ③ $2\sqrt{2}\pi$
④ $3\sqrt{2}\pi$ ⑤ $4\sqrt{2}\pi$

✅ 실력점검

맞힌 개수	/10개	점수	/35점

미니 모의고사 - 2회   제한시간 : 30분

01

포물선 $y^2=12x$의 초점을 F라 하고, 이 포물선 위의 점 P에서 준선에 내린 수선의 발을 H라고 하자. 삼각형 PHF가 정삼각형일 때, 삼각형 PHF의 둘레의 길이는? [3점]

① 30   ② 33   ③ 36
④ 39   ⑤ 42

02

두 초점이 F$(0,\ 8)$, F$'(0,\ -8)$이고 장축과 단축의 길이의 차가 8인 타원 위의 한 점을 P라고 할 때, $\overline{PF}+\overline{PF'}$의 값은? [3점]

① 12   ② 14   ③ 16
④ 18   ⑤ 20

03

$\overline{AB}=8$, $\overline{BC}=4\sqrt{5}$, $\overline{CA}=4$인 삼각형 ABC에서 두 점 B, C를 초점으로 하고 점 A를 지나는 타원의 단축의 길이를 구하여라. [3점]

04

직선 $y=mx$가 쌍곡선 $x^2-8y^2=-64$와 만나지 않을 때, m의 최댓값은? [3점]

① $\dfrac{1}{4}$ ② $\dfrac{\sqrt{2}}{4}$ ③ $\dfrac{\sqrt{3}}{4}$
④ $\dfrac{1}{2}$ ⑤ $\dfrac{\sqrt{5}}{4}$

05

다음 그림과 같이 타원 $3x^2+4y^2=36$과 쌍곡선 $2x^2-y^2=2$가 제1사분면의 점 P에서 만난다. 타원 위의 점 P에서의 접선이 x축과 만나는 점을 Q라 하고, 쌍곡선 위의 점 P에서의 접선이 x축과 만나는 점을 R라고 할 때, 삼각형 PQR의 넓이를 구하여라. [3점]

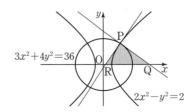

06

원 $(x-5)^2+y^2=r^2$과 쌍곡선 $x^2-y^2=4$가 서로 다른 세 점에서 만나기 위한 양수 r의 최댓값은? [4점]

① 3   ② 5   ③ 7
④ 9   ⑤ 11

미니 모의고사 - 2회

07

초점이 F인 포물선 $y^2=4px$ 위의 점 A에서의 접선이 x축, y축과 만나는 점을 각각 B, C라고 하자. 점 A에서 x축에 내린 수선의 발을 H라고 할 때, |보기|에서 옳은 것만 있는 대로 고른 것은? (단, O는 원점이다.) **[4점]**

─ 보기 ─

ㄱ. $\overline{OB}=\overline{OH}$ ㄴ. $\overline{OB}=\overline{OC}$

ㄷ. $\overline{AF}=\overline{BF}$ ㄹ. $\overline{AC}=\overline{BC}$

① ㄱ, ㄴ   ② ㄴ, ㄷ   ③ ㄷ, ㄹ

④ ㄱ, ㄴ, ㄷ   ⑤ ㄱ, ㄷ, ㄹ

08

포물선 $y^2=4x$와 타원 $\dfrac{x^2}{8}+\dfrac{y^2}{k}=1\,(k>0)$의 교점 중 제1사분면 위의 점을 A라고 하자. 포물선 위의 점 A에서의 접선과 타원 위의 점 A에서의 접선이 서로 수직으로 만나도록 하는 상수 k의 값을 구하여라. **[4점]**

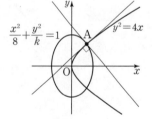

09

$0<k<2$인 실수 k에 대하여 타원 $\dfrac{x^2}{2+k}+\dfrac{y^2}{2-k}=1$과 직선 $y=-x+n$이 제3사분면 위의 한 점 P에서 접한다. 점 P와 원점을 지나는 직선의 기울기가 $\dfrac{1}{3}$일 때, $k+n$의 값은? **[4점]**

① -2 ② -1 ③ 0

④ 1 ⑤ 2

10

쌍곡선 $6x^2-y^2=12$ 위의 점 $A(2, 2\sqrt{3})$에서의 접선을 l이라 하고, 이 쌍곡선의 두 점근선 중 기울기가 양수인 것을 m, 기울기가 음수인 것을 n이라고 하자. 두 직선 l, m의 교점을 B, 두 직선 l, n의 교점을 C라고 할 때, $\overline{BC}=k\overline{AB}$를 만족시키는 상수 k의 값은? **[4점]**

① $\dfrac{1}{2}$ ② 1 ③ $\dfrac{3}{2}$

④ 2 ⑤ $\dfrac{5}{2}$

✅ 실력점검

맞힌 개수	/10개	점수	/35점

평면벡터

개념 ① 벡터

(1) 벡터

① 벡터: 크기와 방향을 함께 가지는 양

② 평면벡터: 평면에서의 벡터

③ 점 A에서 점 B로 향하는 방향과 크기가 주어진 선분 AB를 벡터 AB라 하고, 기호 $\overrightarrow{AB}$로 나타낸다.

참고 벡터를 한 문자로 나타낼 때는 기호 $\vec{a}$로 나타낸다.

(2) 벡터의 크기

① 벡터 $\overrightarrow{AB}$의 크기: 벡터 $\overrightarrow{AB}$에서 선분 AB의 길이와 같고, 기호 $|\overrightarrow{AB}|$로 나타낸다.

참고 벡터 $\vec{a}$의 크기는 $|\vec{a}|$로 나타낸다.

② 단위벡터: 크기가 1인 벡터

③ 영벡터: 시점과 종점이 일치하는 벡터이며, 기호 $\vec{0}$로 나타낸다. → 영벡터의 크기는 0이다.

(3) 서로 같은 벡터

두 벡터 $\vec{a}$, $\vec{b}$의 크기와 방향이 같을 때, 두 벡터 $\vec{a}$, $\vec{b}$는 서로 같다고 하고, 기호 $\vec{a}=\vec{b}$로 나타낸다.

(4) 크기가 같고 방향이 반대인 벡터

벡터 $\vec{a}$와 크기가 같고 방향이 반대인 벡터는 기호 $-\vec{a}$로 나타낸다.

등급업 TIP 시점과 종점이 주어진 두 벡터 $\overrightarrow{AB}$, $\overrightarrow{CD}$에 대하여 벡터 $\overrightarrow{AB}$를 평행이동하여 벡터 $\overrightarrow{CD}$와 겹칠 수 있으면 두 벡터는 크기와 방향이 같으므로 $\overrightarrow{AB}=\overrightarrow{CD}$이다.

001

출제율 ▱▱▱▱

오른쪽 그림과 같이 한 변의 길이가 1인 정육각형 ABCDEF에서 각 꼭짓점을 시점과 종점으로 하는 벡터 중 크기가 $\sqrt{3}$인 벡터의 개수는?

① 4   ② 6

③ 8   ④ 10

⑤ 12

002

출제율 ▱▱▱▱

오른쪽 그림과 같이 한 변의 길이가 1인 정육각형 ABCDEF에서 각 꼭짓점과 대각선의 교점 O를 시점과 종점으로 하는 벡터 중 $\overrightarrow{BA}$와 서로 같은 벡터의 개수를 a, $\overrightarrow{CD}$와 방향이 반대인 단위벡터의 개수를 b라고 할 때, $a+b$의 값은?

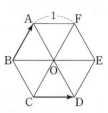

① 6   ② 7   ③ 8

④ 9   ⑤ 10

003

출제율 ▱▱▱▱

$|\overrightarrow{AC}|=2$, $\angle A=60°$인 삼각형 ABC가 있다. 삼각형 ABC의 넓이가 6일 때, 벡터 $\overrightarrow{AB}$의 크기를 구하여라.

004

출제율 ▱▱▱▱

오른쪽 그림과 같이 반지름의 길이가 $\dfrac{\sqrt{2}}{2}$인 원에 내접하는 정팔각형 ABCDEFGH가 있다. 정팔각형의 꼭짓점을 시점과 종점으로 하는 벡터 중 서로 다른 단위벡터의 개수를 구하여라.

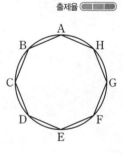

개념 ② 벡터의 연산

(1) 벡터의 덧셈

두 벡터 $\vec{a}$, $\vec{b}$에 대하여
$\vec{a}=\overrightarrow{AB}$, $\vec{b}=\overrightarrow{BC}$일 때,
$\vec{a}+\vec{b}=\overrightarrow{AB}+\overrightarrow{BC}=\overrightarrow{AC}$

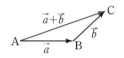

(2) 벡터의 덧셈에 대한 연산 법칙

세 벡터 $\vec{a}$, $\vec{b}$, $\vec{c}$에 대하여
① 교환법칙: $\vec{a}+\vec{b}=\vec{b}+\vec{a}$
② 결합법칙: $(\vec{a}+\vec{b})+\vec{c}=\vec{a}+(\vec{b}+\vec{c})$

(3) 벡터의 뺄셈

두 벡터 $\vec{a}$, $\vec{b}$에 대하여
$\vec{a}=\overrightarrow{AB}$, $\vec{b}=\overrightarrow{AC}$일 때,
$\vec{a}-\vec{b}=\overrightarrow{AB}-\overrightarrow{AC}=\overrightarrow{CB}$

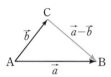

(4) 벡터의 실수배

실수 k와 영벡터가 아닌 벡터 $\vec{a}$에 대하여 $k\vec{a}$는
① $k>0$이면 $\vec{a}$와 방향이 같고, 크기가 $k|\vec{a}|$인 벡터
② $k<0$이면 $\vec{a}$와 방향이 반대이고, 크기가 $|k||\vec{a}|$인 벡터
③ $k=0$이면 $k\vec{a}=\vec{0}$

참고 $\vec{a}=\vec{0}$이면 $k\vec{a}=\vec{0}$

등급업 TIP

크기가 일정한 두 벡터 $\vec{a}$, $\vec{b}$가 이루는 각의 크기를 $\theta°(0°\leq\theta°<180°)$라고 하면 $\theta°$가 커질수록 벡터 $\vec{a}+\vec{b}$의 크기는 작아진다.
즉, 두 벡터 $\vec{a}$, $\vec{b}$가 같은 방향일 때 $\vec{a}+\vec{b}$의 크기는 최대이다.

005

출제율 ◖▬▬▬▭◗

오른쪽 그림과 같이 대각선의 길이가 각각 4, 6인 마름모 ABCD에서 벡터 $\overrightarrow{AB}-\overrightarrow{AD}-\overrightarrow{DB}+\overrightarrow{AC}$의 크기는?

① 1   ② 2   ③ 4
④ 6   ⑤ 8

006

출제율 ◖▬▬▬▭◗

오른쪽 그림과 같이 서로 합동인 두 개의 정육각형을 한 변이 겹치도록 붙여 놓았다. $\overrightarrow{AB}=\vec{a}$, $\overrightarrow{AF}=\vec{b}$라고 할 때, 벡터 $\overrightarrow{BI}$를 $\vec{a}$와 $\vec{b}$로 나타내어라.

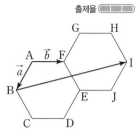

007

출제율 ◖▬▬▬▭◗

등식 $2(\vec{a}-\vec{b})-3(\vec{x}+2\vec{b})=-\vec{x}+\vec{a}$를 만족시키는 벡터 $\vec{x}$에 대하여 $\vec{x}=m\vec{a}+n\vec{b}$가 성립할 때, mn의 값은?
(단, m, n은 실수이다.)

① -4 ② -2 ③ -1
④ 1 ⑤ 2

008

출제율 ◖▬▬▬▭◗

오른쪽 그림과 같이 한 변의 길이가 2인 정육각형 ABCDEF에서 $|\overrightarrow{CD}-\overrightarrow{EF}+\overrightarrow{BD}|$의 값은?

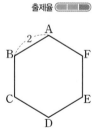

① 4 ② $4\sqrt{2}$
③ $4\sqrt{3}$ ④ 8
⑤ $4\sqrt{6}$

009 평가원 기출

출제율 ▱▱▱▱▱

삼각형 ABC에서
$$\overrightarrow{AB}=2, \angle B=90°, \angle C=30°$$
이다. 점 P가 $\overrightarrow{PB}+\overrightarrow{PC}=\vec{0}$를 만족시킬 때, $|\overrightarrow{PA}|^2$의 값은?

① 5   ② 6   ③ 7
④ 8   ⑤ 9

010

출제율 ▱▱▱▱▱

삼각형 ABC에서 변 BC의 연장선 위의 점 D에 대하여 $\overrightarrow{AD}+\overrightarrow{AB}=2\overrightarrow{AC}$가 성립할 때, 삼각형 ABC와 ACD의 넓이의 비는?

① 1 : 1   ② 1 : 3   ③ 2 : 1
④ 2 : 3   ⑤ 2 : 5

011 학교 기출 신 유형

출제율 ▱▱▱▱▱

다음 그림과 같이 일정한 간격의 모눈종이 위에 세 점 A, B, C가 있다. $9\overrightarrow{AB}=7\overrightarrow{AC}-3\overrightarrow{AD}$가 성립할 때, 다음 중 점 D의 위치로 옳은 것은?

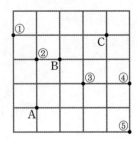

012

출제율 ▱▱▱▱▱

중심이 O이고 반지름의 길이가 3인 원 위의 두 점 A, B에 대하여 $\overrightarrow{OC}=\overrightarrow{OA}-\overrightarrow{OB}$를 만족시키는 점 C가 원 위에 존재할 때, 부채꼴 OBC의 넓이는?

(단, $\angle AOB<180°$)

① $\dfrac{3}{2}\pi$ ② 2π ③ $\dfrac{5}{2}\pi$
④ 3π ⑤ $\dfrac{7}{2}\pi$

013

출제율 ▱▱▱▱▱

오른쪽 그림과 같이 중심이 O인 원의 둘레를 8등분하는 점을 각각 P_1, P_2, P_3, $\cdots$, P_8이라고 할 때, 임의의 점 G에 대하여 다음 중 $\overrightarrow{GP_1}+\overrightarrow{GP_3}+\overrightarrow{GP_5}+\overrightarrow{GP_7}$과 같은 벡터는?

① $3\overrightarrow{GO}$ ② $4\overrightarrow{GO}$ ③ $5\overrightarrow{GO}$
④ $6\overrightarrow{GO}$ ⑤ $7\overrightarrow{GO}$

개념 ③ 벡터의 평행

(1) 벡터의 평행

영벡터가 아닌 두 벡터 $\vec{a}$, $\vec{b}$의 방향이 같거나 반대일 때, 두 벡터 $\vec{a}$와 $\vec{b}$는 서로 평행하다고 하며, 기호 $\vec{a}/\!/\vec{b}$로 나타낸다.

(2) 두 벡터가 평행할 조건

영벡터가 아닌 두 벡터 $\vec{a}$, $\vec{b}$에 대하여
$\vec{a}/\!/\vec{b} \Longleftrightarrow \vec{b}=k\vec{a}$ (단, k는 0이 아닌 실수이다.)

참고 영벡터가 아닌 두 벡터 $\vec{a}$, $\vec{b}$가 서로 평행하지 않을 때,
① $k\vec{a}+l\vec{b}=\vec{0} \Longleftrightarrow k=0, l=0$
② $k\vec{a}+l\vec{b}=m\vec{a}+n\vec{b} \Longleftrightarrow k=m, l=n$
(단, k, l, m, n은 실수이다.)

TIP 서로 다른 세 점 A, B, C가 한 직선 위에 있다.
$\Longleftrightarrow \overrightarrow{AB}=k\overrightarrow{AC}$를 만족시키는 실수 $k(k\neq0)$가 존재한다.

014
출제율 ▭▭▭▭

영벡터가 아닌 세 벡터 $\vec{a}$, $\vec{b}$, $\vec{c}$에 대하여 $2\vec{a}=-\vec{b}$일 때, 다음 식을 만족시키는 상수 k의 값을 구하여라.
(단, $\vec{a}$와 $\vec{c}$는 서로 평행하지 않다.)

$$\frac{1}{2}(6\vec{a}+\vec{b}+\vec{c})-4\left(\vec{a}+\frac{1}{2}\vec{b}+\frac{2}{3}\vec{c}\right)=2\vec{a}+k\vec{c}$$

015
출제율 ▭▭▭▭

세 벡터 $\vec{p}=3\vec{a}+\vec{b}$, $\vec{q}=\vec{a}-\vec{b}$, $\vec{r}=k\vec{a}-2\vec{b}$에 대하여 $\vec{p}+\vec{r}$와 $\vec{q}+2\vec{r}$가 서로 평행할 때, $3k$의 값은? (단, k는 실수이고, 두 벡터 $\vec{a}$, $\vec{b}$는 영벡터가 아니고 서로 평행하지 않다.)

① -14　　② -7　　③ 0

④ 7　　⑤ 14

016
출제율 ▭▭▭▭

세 벡터 $\vec{a}$, $\vec{b}$, $\vec{p}$에 대하여 $\vec{p}=2\vec{a}-3\vec{b}$일 때, |보기|에서 서로 평행한 벡터인 것만을 있는 대로 고른 것은? (단, 세 벡터 $\vec{a}$, $\vec{b}$, $\vec{p}$는 영벡터가 아니고 서로 평행하지 않다.)

◆ 보기 ◆
ㄱ. $\vec{a}-\vec{p}$　　　　ㄴ. $\vec{a}+\vec{p}$
ㄷ. $\vec{b}-\vec{p}$　　　　ㄹ. $\vec{b}+\vec{p}$

① ㄱ, ㄴ　　② ㄱ, ㄷ　　③ ㄱ, ㄹ

④ ㄴ, ㄷ　　⑤ ㄴ, ㄹ

017
출제율 ▭▭▭▭

영벡터가 아니고 서로 평행하지 않은 두 벡터 $\vec{a}$, $\vec{b}$에 대하여 $\overrightarrow{OA}=\vec{a}$, $\overrightarrow{OB}=\vec{b}$, $\overrightarrow{OC}=-3\vec{a}+k\vec{b}$일 때, 세 점 A, B, C가 한 직선 위에 있도록 하는 실수 k의 값은?

① -4　　② -2　　③ 0

④ 2　　⑤ 4

018
출제율 ▭▭▭▭

오른쪽 그림과 같이 반지름의 길이가 1이고 중심각의 크기가 $90°$인 부채꼴 AOB에서 $\overset{\frown}{AC}=\overset{\frown}{BC}$일 때, $\overrightarrow{OC}=m\overrightarrow{OA}+n\overrightarrow{OB}$를 만족시키는 실수 m, n에 대하여 m^2+n^2의 값을 구하여라.

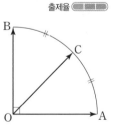

최상위권 도약 실력 완성 문제 STEP B

개념 ① 벡터

019 학교 기출 신유형

오른쪽 그림과 같이 지름 AB의 길이가 2인 원 위에 $\overrightarrow{\mathrm{AP}}=\overrightarrow{\mathrm{QB}}$가 되도록 두 점 P, Q를 잡았다. 사각형 AQBP의 넓이가 2일 때, 사각형 AQBP의 둘레의 길이는?

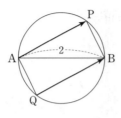

① $4\sqrt{2}$ ② $4\sqrt{3}$ ③ 8
④ $6\sqrt{2}$ ⑤ $6\sqrt{3}$

020

오른쪽 그림과 같이 $\overline{\mathrm{AC}}=\sqrt{7}$, $\overline{\mathrm{BC}}=\sqrt{2}$, $\angle\mathrm{C}=90°$인 직각삼각형 ABC가 있다. 벡터 $\overrightarrow{\mathrm{AB}}$와 방향이 같고 크기는 2배인 벡터 $\overrightarrow{\mathrm{AP}}$에 대하여 $|\overrightarrow{\mathrm{PC}}|^2$의 값은?

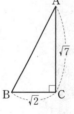

① 10   ② 15
③ 20   ④ 25
⑤ 30

021

점 A(2, 0)과 원 $x^2+y^2=1$ 위를 움직이는 점 P에 대하여 $\overrightarrow{\mathrm{AQ}}=\dfrac{\overrightarrow{\mathrm{AP}}}{|\overrightarrow{\mathrm{AP}}|}$의 종점 Q가 나타내는 도형의 길이는?

① $\dfrac{\pi}{12}$ ② $\dfrac{\pi}{6}$ ③ $\dfrac{\pi}{4}$
④ $\dfrac{\pi}{3}$ ⑤ $\dfrac{\pi}{2}$

개념 ② 벡터의 연산

022

서로 평행하지 않은 두 벡터 $\vec{a}$, $\vec{b}$에 대하여 $\overrightarrow{\mathrm{AB}}=m\vec{a}+\vec{b}$, $\overrightarrow{\mathrm{AC}}=\vec{a}+n\vec{b}$일 때, 임의의 점 O에 대하여 $\overrightarrow{\mathrm{OA}}+\overrightarrow{\mathrm{OB}}=2\overrightarrow{\mathrm{OC}}$가 성립한다. 실수 m, n에 대하여 mn의 값을 구하여라.

023 다빈출

오른쪽 그림과 같은 정오각형 ABCDE의 외접원의 중심을 O라고 하자. $\overrightarrow{\mathrm{AB}}+\overrightarrow{\mathrm{AC}}+\overrightarrow{\mathrm{AD}}+\overrightarrow{\mathrm{AE}}=k\overrightarrow{\mathrm{OA}}$를 만족시키는 실수 k의 값을 구하여라.

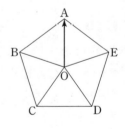

024

오른쪽 그림과 같이 반지름의 길이가 1인 원에 정육각형 $P_1P_2P_3P_4P_5P_6$이 내접하고 있다. 변 P_1P_2의 중점을 A라고 할 때,

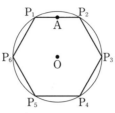

$\overrightarrow{AP_1}+\overrightarrow{AP_2}+\overrightarrow{AP_3}+\overrightarrow{AP_4}+\overrightarrow{AP_5}+\overrightarrow{AP_6}$의 크기는?

(단, O는 원의 중심이다.)

① $\sqrt{3}$　　　② 3　　　③ $2\sqrt{3}$

④ 4　　　⑤ $3\sqrt{3}$

025 수학I 융합

오른쪽 그림과 같이 $\overline{AB}=3$인 삼각형 OAB의 변 AB 위의 점 P_k에 대하여 $\overrightarrow{OA}=\vec{a}$, $\overrightarrow{OB}=\vec{b}$, $\overrightarrow{OP_k}=\vec{x_k}$라고 하면

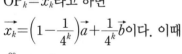
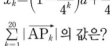

$\vec{x_k}=\left(1-\dfrac{1}{4^k}\right)\vec{a}+\dfrac{1}{4^k}\vec{b}$이다. 이때

$\displaystyle\sum_{k=1}^{20}|\overrightarrow{AP_k}|$의 값은?

① $1-\dfrac{1}{2^{10}}$　　② $1-\dfrac{1}{2^{20}}$　　③ $1-\dfrac{1}{2^{40}}$

④ $\dfrac{1}{2^{40}}$　　⑤ $\dfrac{1}{2^{20}}$

026

타원 $\dfrac{x^2}{16}+\dfrac{y^2}{9}=1$의 두 초점을 F, F′이라고 하자. 타원 위의 점 P가 $|\overrightarrow{OP}+\overrightarrow{OF}|=3$을 만족시킬 때, 선분 PF의 길이를 구하여라. (단, O는 원점이다.)

027

쌍곡선 $\dfrac{x^2}{4}-\dfrac{y^2}{9}=1$ 위의 점 P와 두 초점 F, F′에 대하여 $|\overrightarrow{F'P}-\overrightarrow{OF}|$의 최솟값을 구하여라.

(단, O는 원점이다.)

028

오른쪽 그림과 같이 원 $x^2+y^2=1$ 위의 점 P와 원 $x^2+y^2=4$ 위의 점 Q에 대하여 $|\overrightarrow{OP}-\overrightarrow{OQ}|$의 최댓값을 M, 최솟값을 m이라고 할 때, M^2+m^2의 값은?

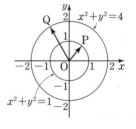

(단, O는 원점이다.)

① $6-2\sqrt{2}$　　② $4+\sqrt{2}$　　③ $3+2\sqrt{2}$

④ 8　　　⑤ 10

029

오른쪽 그림과 같이 반지름의 길이가 1인 원 C가 직선 l과 점 T에서 접한다. $\overline{AT}=2$를 만족시키는 직선 l 위의 점 A와 원 위를 움직이는 두 점 P, Q에 대하여 $|\overrightarrow{AP}+\overrightarrow{AQ}|$의 최댓값을 M, 최솟값을 m이라고 할 때, Mm의 값은?

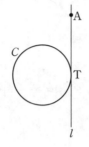

① 12   ② 14   ③ 16

④ 18   ⑤ 20

030   교육청 기출

$\overline{AB}=8$, $\overline{BC}=6$인 직사각형 ABCD에 대하여 네 선분 AB, CD, DA, BD의 중점을 각각 E, F, G, H라고 하자. 선분 CF를 지름으로 하는 원 위의 점 P에 대하여 $|\overrightarrow{EG}+\overrightarrow{HP}|$의 최댓값은?

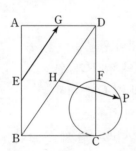

① 8   ② $2+2\sqrt{10}$ ③ $2+2\sqrt{11}$

④ $2+4\sqrt{3}$ ⑤ $2+2\sqrt{13}$

031

한 변의 길이가 3인 정삼각형 ABC의 외접원의 중심 O를 지나는 직선이 외접원과 만나는 두 점을 각각 P, Q라고 할 때, $|\overrightarrow{PA}+\overrightarrow{QA}|$의 값은?

① 1   ② $\sqrt{2}$ ③ $\sqrt{3}$

④ $2\sqrt{2}$ ⑤ $2\sqrt{3}$

032

오른쪽 그림과 같이 $\overline{AB}=3$, $\overline{BC}=2$인 직사각형 ABCD에서 변 DC를 1 : 2로 내분하는 점을 P라고 할 때, $|2\overrightarrow{AP}+\overrightarrow{BD}|^2$의 값을 구하여라.

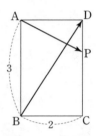

033

점 A(2, 0)과 원 $(x-3)^2+(y-4)^2=1$ 위의 점 P에 대하여 $|\overrightarrow{OP}+\overrightarrow{OA}|$의 최댓값과 최솟값의 합을 구하여라. (단, O는 원점이다.)

034 학교 기출 신 유형

오른쪽 그림과 같이 $\overline{AD}=2$, $\overline{BC}=4$인 등변사다리꼴 ABCD에 대하여 임의의 점 P가 $2t^2\overrightarrow{AD}-t\overrightarrow{AP}+\overrightarrow{BC}=\vec{0}$를 만족시킨다. 이때 $|\overrightarrow{AP}|$의 최솟값은? (단, t는 양수이다.)

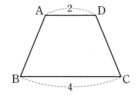

① 4   ② 6   ③ 8
④ 10   ⑤ 12

035

오른쪽 그림과 같이 $\overline{AB}=\overline{AC}=4$, $\overline{BC}=6$인 삼각형 ABC의 두 변 AC, BC의 연장선과 변 AB에 접하는 원이 있다. 원의 중심을 O라고 할 때, $\overrightarrow{OA}=a\overrightarrow{AB}+b\overrightarrow{AC}$가 성립한다. 두 상수 a, b에 대하여 ab의 값은?

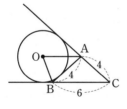

① $-\dfrac{2}{3}$ ② $-\dfrac{4}{9}$ ③ $-\dfrac{1}{9}$
④ $\dfrac{4}{9}$ ⑤ $\dfrac{2}{3}$

개념 3 벡터의 평행

036

두 벡터 $20\vec{a}+m\vec{b}$와 $n\vec{a}+\vec{b}$의 방향이 서로 반대이고, $|20\vec{a}+m\vec{b}|=4|n\vec{a}+\vec{b}|$가 성립하도록 하는 상수 m, n에 대하여 $m+n$의 값은?

(단, $\vec{a}\neq\vec{0}$, $\vec{b}\neq\vec{0}$이고 $\vec{a}$와 $\vec{b}$는 서로 평행하지 않다.)

① -9 ② -8 ③ -7
④ -6 ⑤ -5

037

영벡터가 아닌 세 벡터 $\vec{a}$, $\vec{b}$, $\vec{c}$에 대하여 $\vec{a}/\!/\vec{b}$이고 $\vec{b}$와 $\vec{c}$는 서로 평행하지 않을 때,

$$k(2\vec{a}-\vec{c})+3\vec{c}-2\vec{b}=\vec{0}, \quad |\vec{a}| : |\vec{b}|=l : 1$$

을 만족시키는 두 실수 k, l에 대하여 kl의 값은?

① 1   ② 2   ③ 3
④ 4   ⑤ 5

038 수학Ⅰ 융합

영벡터가 아닌 벡터 $\overrightarrow{A_iB_i}$ (i는 자연수)가 다음 조건을 만족시킨다.

> (가) $\overrightarrow{A_iB_i}=\dfrac{1}{3}\overrightarrow{A_{i+1}B_{i+1}}$
> (나) $|\overrightarrow{A_{i+2}B_{i+2}}|-|\overrightarrow{A_iB_i}|=2^{i+2}(3^{10}+1)$

|보기|에서 옳은 것만을 있는 대로 고른 것은?

> **보기**
> ㄱ. $\overrightarrow{A_1B_1}/\!/\overrightarrow{A_3B_3}$
> ㄴ. $|\overrightarrow{A_1B_1}|=3^{10}+1$
> ㄷ. $\left|\sum\limits_{i=1}^{10}\overrightarrow{A_iB_i}\right|=\dfrac{3^{20}-1}{2}$

① ㄱ   ② ㄷ   ③ ㄱ, ㄴ
④ ㄴ, ㄷ   ⑤ ㄱ, ㄴ, ㄷ

039

오른쪽 그림과 같은 정오각형 ABCDE에서 $\overrightarrow{AB}=\vec{a}$, $\overrightarrow{AE}=\vec{b}$라고 할 때, $\overrightarrow{CD}=m\vec{a}+n\vec{b}$이다. 상수 m,n에 대하여 m^2+n^2의 값은?

$\left(\text{단, 한 변의 길이가 1인 정오각}\right.$

형의 대각선의 길이는 $\dfrac{1+\sqrt{5}}{2}$이다. $\Big)$

① $3-\sqrt{5}$ ② $-1+\sqrt{5}$ ③ $\sqrt{5}$
④ $1+\sqrt{5}$ ⑤ $3+\sqrt{5}$

040

오른쪽 그림과 같이 중심이 점 O 이고 반지름의 길이가 1인 원 위의 두 점 A, B에 대하여 $\angle AOB=60°$이다. 선분 OC가 $\angle AOB$의 이등분선이고 $\overrightarrow{OC}=k(\overrightarrow{OA}+\overrightarrow{OB})$일 때, 상수 k의 값은?

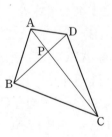

① $\dfrac{1}{2}$ ② $\dfrac{\sqrt{3}}{3}$ ③ $\dfrac{\sqrt{3}}{2}$
④ 1 ⑤ 2

041

오른쪽 그림과 같은 사각형 ABCD의 두 대각선의 교점을 P 라고 하자.

$\overrightarrow{AC}=\dfrac{4}{3}\overrightarrow{AB}+\dfrac{5}{2}\overrightarrow{AD}$일 때, $\overrightarrow{AP}=k\overrightarrow{AC}$를 만족시키는 k의 값은?

① $\dfrac{5}{23}$ ② $\dfrac{6}{23}$ ③ $\dfrac{7}{23}$
④ $\dfrac{5}{13}$ ⑤ $\dfrac{6}{13}$

042

오른쪽 그림과 같은 평행사변형 ABCD에서 변 AB를 $3:1$로 내분하는 점을 P, 대각선 DB를 $m:1$로 내분하는 점을 Q라고 하자. 세 점 P, Q, C가 한 직선 위에 있을 때, 상수 m의 값을 구하여라.

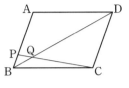

043

오른쪽 그림과 같은 평행사변형 AOBC에서 선분 OA의 연장선 위에 있는 점 P와 선분 OB의 연장선 위에 있는 점 Q에 대하여 세 점 C, P, Q가 한 직선 위에 있다. $\overrightarrow{OA}=\vec{a}$, $\overrightarrow{OB}=\vec{b}$에 대하여 $\overrightarrow{OP}=m\vec{a}$, $\overrightarrow{OQ}=n\vec{b}$를 만족시킬 때, 다음 중 항상 옳은 것은?

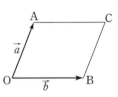

① $m+n=\dfrac{1}{2}mn$
② $m+n=2mn$

③ $m+n=mn$
④ $m+n+2=mn$

⑤ $m+n+4=mn$

044

한 직선 위에 있지 않은 세 점 O, A, B에 대하여
$$\overrightarrow{OP}=\overrightarrow{OB},\ \overrightarrow{OQ}=(x^2+xy)\overrightarrow{OA}+(y^2+1)\overrightarrow{OB},$$
$$\overrightarrow{OR}=2\overrightarrow{OA}+2\overrightarrow{OB}$$
를 만족시키는 세 점 P, Q, R가 한 직선 위에 있도록 하는 실수 x, y의 관계식으로 옳은 것을 모두 고르면?

(정답 2개)

① $x=y$
② $x=-y$
③ $x=2y$

④ $x=-2y$
⑤ $x=3y$

045

오른쪽 그림과 같은 삼각형 OAB에서 변 OA, OB를 $2:3$으로 내분하는 점을 각각 C, D라 하고, 선분 AD와 BC의 교점을 P라고 하자. $\overrightarrow{OP}=t\overrightarrow{OA}+s\overrightarrow{OB}$를 만족시키는 실수 t, s에 대하여 $t+s$의 값은?

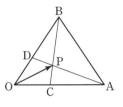

① $\dfrac{2}{7}$
② $\dfrac{3}{7}$
③ $\dfrac{4}{7}$

④ $\dfrac{5}{7}$
⑤ $\dfrac{6}{7}$

046 학교 기출 신유형 수학Ⅰ 융합

서로 평행하지 않고 영벡터가 아닌 두 벡터 $\overrightarrow{OA}$, $\overrightarrow{OB}$에 대하여
$$\overrightarrow{OC}=(2-\sin\theta°)\overrightarrow{OA}+\cos^2\theta°\overrightarrow{OB}$$
가 성립할 때, 서로 다른 세 점 A, B, C가 한 직선 위에 있도록 하는 $\theta°$의 값은? (단, $0°<\theta°\le180°$)

① $30°$
② $45°$
③ $60°$

④ $90°$
⑤ $180°$

STEP A 상위권 보장 개념+필수 기출 문제

개념 1 위치벡터

(1) 위치벡터

① 점 O를 시점으로 하는 벡터 $\overrightarrow{OP}$를 점 O에 대한 점 P의 위치벡터라고 한다.

> **참고** 원점 O의 위치벡터는 영벡터 $\vec{0}$이다.

② 두 점 A, B의 위치벡터를 각각 $\vec{a}$, $\vec{b}$라고 하면

$$\overrightarrow{AB}=\overrightarrow{OB}-\overrightarrow{OA}=\vec{b}-\vec{a}$$

(2) 선분의 내분점과 외분점의 위치벡터

두 점 A, B의 위치벡터를 각각 $\vec{a}$, $\vec{b}$라고 할 때, 선분 AB를 $m:n$ $(m>0, n>0)$으로 내분하는 점 P와 외분하는 점 Q의 위치벡터를 각각 $\vec{p}$, $\vec{q}$라고 하면

$$\vec{p}=\frac{m\vec{b}+n\vec{a}}{m+n}, \vec{q}=\frac{m\vec{b}-n\vec{a}}{m-n}\ (단, m\neq n)$$

(3) 삼각형의 무게중심의 위치벡터

삼각형 ABC의 무게중심을 G라 하고 점 A, B, C, G의 위치벡터를 각각 $\vec{a}$, $\vec{b}$, $\vec{c}$, $\vec{g}$라고 하면

$$\vec{g}=\frac{\vec{a}+\vec{b}+\vec{c}}{3}$$

등급업 TIP

$\overrightarrow{OP}=m\overrightarrow{OA}+n\overrightarrow{OB}$에서 $m+n=1$일 때,

$\overrightarrow{OP}=\dfrac{m\overrightarrow{OA}+n\overrightarrow{OB}}{m+n}$이므로

(1) $mn>0$이면 점 P는 선분 AB의 내분점이다.

(2) $mn=0$이면 점 P는 점 A 또는 점 B이다.

(3) $mn<0$이면 점 P는 선분 AB의 외분점이다.
또, 이 경우 점 P의 자취는 직선 AB이다.

047

출제율 ▱▱▱

선분 AB를 $1:2$로 내분하는 점과 $2:3$으로 외분하는 점을 각각 P, Q라고 할 때, 선분 AB 위에 있지 않은 점 O에 대하여 $\overrightarrow{PQ}=m\overrightarrow{OA}+n\overrightarrow{OB}$이다. 실수 m, n에 대하여 $m-n$의 값은?

① $\dfrac{10}{3}$ ② $\dfrac{11}{3}$ ③ 4

④ $\dfrac{13}{3}$ ⑤ $\dfrac{14}{3}$

048

출제율 ▰▰▱

오른쪽 그림과 같은 삼각형 ABC에서 변 BC, CA, AB를 $3:1$로 내분하는 점을 각각 D, E, F라고 할 때, $|\overrightarrow{AD}+\overrightarrow{BE}+\overrightarrow{CF}|$의 값을 구하여라.

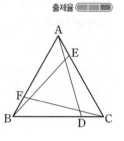

049

출제율 ▰▰▱

오른쪽 그림과 같은 삼각형 OAB에서 변 OA를 $3:1$로 내분하는 점을 P, 선분 BP를 $1:2$로 내분하는 점을 Q라고 할 때, $\overrightarrow{OQ}=a\overrightarrow{OA}+b\overrightarrow{OB}$이다. 실수 a, b에 대하여 $12ab$의 값은?

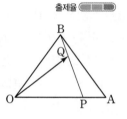

① 1   ② 2   ③ 3

④ 4   ⑤ 5

050

출제율 ▰▱▱

삼각형 ABC의 꼭짓점 A, B, C의 위치벡터를 각각 $\vec{a}$, $\vec{b}$, $\vec{c}$라고 하자. $\overrightarrow{PA}+\overrightarrow{PB}+\overrightarrow{PC}=\vec{0}$를 만족시키는 점 P의 위치벡터의 크기가 3일 때, $|\vec{a}+\vec{b}+\vec{c}|$의 값은?

① 1   ② 3   ③ 6

④ 9   ⑤ 12

051

출제율 ▱▱▱▱

넓이가 30인 삼각형 ABC에 대하여 점 P가

$$2\overrightarrow{PA}+3\overrightarrow{PB}+\overrightarrow{PC}=\overrightarrow{BC}$$

를 만족시킬 때, 삼각형 PAC의 넓이를 구하여라.

052

출제율 ▰▰▱▱

오른쪽 그림과 같은 삼각형 OAB에서 $\overrightarrow{OA}=2\overrightarrow{OB}$이고 $\angle AOP=\angle BOP$일 때, $\overrightarrow{OP}=a\overrightarrow{OA}+b\overrightarrow{OB}$이다. 실수 a, b에 대하여 ab의 값은?

① $\dfrac{1}{9}$ ② $\dfrac{2}{9}$ ③ $\dfrac{1}{3}$

④ $\dfrac{2}{3}$ ⑤ $\dfrac{4}{3}$

053

출제율 ▰▰▰▱

오른쪽 그림과 같은 삼각형 OAB에서 변 OA, OB를 $1:2$ 로 내분하는 점을 각각 C, D라 하고, 삼각형 OAB의 무게중 심을 G라고 하자. $\overrightarrow{AD}+\overrightarrow{BC}=k\overrightarrow{OG}$를 만족시키는 실수 k의 값을 구하여라.

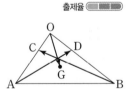

054

출제율 ▰▰▱▱

점 $A(4, 3)$과 원 $x^2+y^2=9$ 위를 움직이는 점 P에 대하여 $\left|\dfrac{1}{2}\overrightarrow{OA}+\dfrac{1}{2}\overrightarrow{OP}\right|$의 최댓값은? (단, O는 원점이다.)

① 3 ② 4 ③ 5

④ 6 ⑤ 7

055

출제율 ▰▰▰▰

선분 AB를 5등분한 점을 차례로 P_1, P_2, P_3, P_4라고 하자. 선분 AB 위에 있지 않은 점 O에 대하여

$$\overrightarrow{OP_1}+\overrightarrow{OP_2}+\overrightarrow{OP_3}+\overrightarrow{OP_4}=m\overrightarrow{OA}+n\overrightarrow{OB}$$

일 때, 실수 m, n에 대하여 $m+n$의 값은?

① 2 ② 3 ③ 4

④ 5 ⑤ 6

056

출제율 ▰▱▱▱

두 점 A, B의 위치벡터를 각각 $\vec{a}$, $\vec{b}$라고 할 때, $|\vec{a}|=2$, $|\vec{b}|=5$이고 두 벡터 $\vec{a}$, $\vec{b}$가 이루는 각의 크기가 $60°$이다. 위치벡터가 $\vec{p}=m\vec{a}+n\vec{b}$인 점 P가 나타내는 도형의 넓이는? (단, $0 \le m \le 3$, $0 \le n \le 1$)

① $15\sqrt{3}$ ② $18\sqrt{3}$ ③ $21\sqrt{3}$

④ $24\sqrt{3}$ ⑤ $27\sqrt{3}$

개념 2 평면벡터의 성분

(1) 평면벡터의 성분

좌표평면 위의 점 $A(a_1, a_2)$의 위치벡터를 $\vec{a}$라고 하면
$$\vec{a} = (a_1, a_2)$$
로 나타낸다. 이때 두 실수 a_1, a_2를 벡터 $\vec{a}$의 성분이라 하고, a_1을 x성분, a_2를 y성분이라고 한다.

(2) 평면벡터의 크기와 두 평면벡터가 서로 같을 조건

두 벡터 $\vec{a} = (a_1, a_2)$, $\vec{b} = (b_1, b_2)$에 대하여
① $|\vec{a}| = \sqrt{a_1^2 + a_2^2}$
② $\vec{a} = \vec{b} \Longleftrightarrow a_1 = b_1, a_2 = b_2$

(3) 평면벡터의 성분에 의한 연산

두 벡터 $\vec{a} = (a_1, a_2)$, $\vec{b} = (b_1, b_2)$에 대하여
① $\vec{a} + \vec{b} = (a_1 + b_1, a_2 + b_2)$
② $\vec{a} - \vec{b} = (a_1 - b_1, a_2 - b_2)$
③ $k\vec{a} = (ka_1, ka_2)$ (단, k는 실수이다.)

(4) 평면벡터 $\overrightarrow{AB}$의 성분과 크기

두 점 $A(a_1, a_2)$, $B(b_1, b_2)$에 대하여
① $\overrightarrow{AB} = (b_1 - a_1, b_2 - a_2)$
② $|\overrightarrow{AB}| = \sqrt{(b_1 - a_1)^2 + (b_2 - a_2)^2}$

057

출제율 ◖▬▬▬◗

세 벡터 $\overrightarrow{OA} = (x-2, 2x-y)$, $\overrightarrow{OB} = (-x+3y, -3)$, $\overrightarrow{OC} = (2, x)$에 대하여 $\overrightarrow{OA} + 2\overrightarrow{OB} = \overrightarrow{OC}$가 성립할 때, 실수 x, y에 대하여 $x+y$의 값은? (단, O는 원점이다.)

① 8   ② 9   ③ 10
④ 11   ⑤ 12

058

출제율 ◖▬▬▬◗

좌표평면 위에 네 점 $A(2, -2)$, $B(-3, 7)$, $C(-2, 1)$, $P(a, b)$가 있다. $\overrightarrow{PA} + \overrightarrow{PB} + \overrightarrow{PC} = \vec{0}$가 성립할 때, 실수 a, b에 대하여 $a+b$의 값은?

① 1   ② 2   ③ 3
④ 4   ⑤ 5

059

출제율 ◖▬▬▬◗

좌표평면 위의 두 벡터 $\vec{a}$, $\vec{b}$가 $\vec{a} = (2, 4)$, $\vec{b} = (1, -1)$일 때, 모든 실수 t에 대하여 등식 $\vec{c} = \vec{a} + t\vec{b}$를 만족시키는 $|\vec{c}|$의 최솟값은?

① 1   ② $\sqrt{2}$ ③ $2\sqrt{2}$
④ $3\sqrt{2}$ ⑤ $4\sqrt{2}$

060

출제율 ◖▬▬▬◗

좌표평면 위의 두 점 $A(1, 1)$, $B(4, 5)$와 x축 위의 점 P에 대하여 $|3\overrightarrow{PA} - \overrightarrow{PB}|$가 최솟값을 갖도록 하는 점 P의 x좌표의 값을 구하여라.

개념 3 평면벡터의 내적

(1) 평면벡터의 내적

① 두 평면벡터 $\vec{a}, \vec{b}$가 이루는 각의 크기를
$\theta°(0°\leq\theta°\leq180°)$라고 할 때

$$\vec{a} \cdot \vec{b} = \begin{cases} |\vec{a}||\vec{b}|\cos\theta° & (0°\leq\theta°\leq90°) \\ -|\vec{a}||\vec{b}|\cos(180°-\theta°) & (90°<\theta°\leq180°) \end{cases}$$

참고 $90°<\theta°\leq180°$일 때 $\cos\theta°<0$이므로
$\vec{a}\cdot\vec{b}=|\vec{a}||\vec{b}|\cos\theta°$ $(0°\leq\theta°\leq180°)$
임을 알 수 있다. (수학 Ⅰ)

② 두 벡터 $\vec{a}=(a_1, a_2), \vec{b}=(b_1, b_2)$에 대하여
$\vec{a}\cdot\vec{b}=a_1b_1+a_2b_2$

(2) 평면벡터의 내적의 성질

세 평면벡터 $\vec{a}, \vec{b}, \vec{c}$에 대하여

① $\vec{a}\cdot\vec{b}=\vec{b}\cdot\vec{a}$

② $\vec{a}\cdot(\vec{b}+\vec{c})=\vec{a}\cdot\vec{b}+\vec{a}\cdot\vec{c}$
$(\vec{a}+\vec{b})\cdot\vec{c}=\vec{a}\cdot\vec{c}+\vec{b}\cdot\vec{c}$

③ $(k\vec{a})\cdot\vec{b}=\vec{a}\cdot(k\vec{b})=k(\vec{a}\cdot\vec{b})$ (단, k는 실수이다.)

(3) 두 평면벡터가 이루는 각의 크기

영벡터가 아닌 두 벡터 $\vec{a}=(a_1, a_2), \vec{b}=(b_1, b_2)$가 이루는 각의 크기를 θ라고 할 때

① $\vec{a}\cdot\vec{b}\geq0$이면 $0°\leq\theta°\leq90°$이고

$$\cos\theta°=\frac{\vec{a}\cdot\vec{b}}{|\vec{a}||\vec{b}|}=\frac{a_1b_1+a_2b_2}{\sqrt{a_1{}^2+a_2{}^2}\sqrt{b_1{}^2+b_2{}^2}}$$

② $\vec{a}\cdot\vec{b}<0$이면 $90°<\theta°\leq180°$이고

$$\cos(180°-\theta°)=-\frac{\vec{a}\cdot\vec{b}}{|\vec{a}||\vec{b}|}$$
$$=-\frac{a_1b_1+a_2b_2}{\sqrt{a_1{}^2+a_2{}^2}\sqrt{b_1{}^2+b_2{}^2}}$$

(4) 두 평면벡터의 수직 조건과 평행 조건

영벡터가 아닌 두 평면벡터 $\vec{a}, \vec{b}$에 대하여

① $\vec{a}\perp\vec{b} \iff \vec{a}\cdot\vec{b}=0$

② $\vec{a}/\!/\vec{b} \iff \vec{a}\cdot\vec{b}=\pm|\vec{a}||\vec{b}|$

참고 $\vec{a}=(a_1, a_2), \vec{b}=(b_1, b_2)$일 때
① $\vec{a}\perp\vec{b} \iff \vec{a}\cdot\vec{b}=a_1b_1+a_2b_2=0$
② $\vec{a}/\!/\vec{b} \iff \vec{b}=k\vec{a} \iff b_1=ka_1, b_2=ka_2$
(단, k는 0이 아닌 실수이다.)

등급업 TIP

두 평면벡터 $\vec{a}, \vec{b}$와 두 실수 m, n에 대하여
(1) $(\vec{a}+\vec{b})\cdot(\vec{a}+\vec{b})=|\vec{a}|^2+2\vec{a}\cdot\vec{b}+|\vec{b}|^2$
(2) $(\vec{a}-\vec{b})\cdot(\vec{a}-\vec{b})=|\vec{a}|^2-2\vec{a}\cdot\vec{b}+|\vec{b}|^2$
(3) $(\vec{a}+\vec{b})\cdot(\vec{a}-\vec{b})=|\vec{a}|^2-|\vec{b}|^2$
(4) $|m\vec{a}+n\vec{b}|^2=(m\vec{a}+n\vec{b})\cdot(m\vec{a}+n\vec{b})$
$=m^2|\vec{a}|^2+2mn\vec{a}\cdot\vec{b}+n^2|\vec{b}|^2$

061   출제율 ●●●○

세 점 $O(0, 0)$, $A(3, 4)$, $B(3, 0)$을 세 꼭짓점으로 하는 직각삼각형 AOB에 대하여
$$a=\overrightarrow{AO}\cdot\overrightarrow{AB}, \ b=\overrightarrow{AB}\cdot\overrightarrow{BO}, \ c=\overrightarrow{OA}\cdot\overrightarrow{OB}$$
의 대소 관계는?

① $a<b<c$ ② $b<a<c$ ③ $b<c<a$

④ $c<a<b$ ⑤ $c<b<a$

062   출제율 ●●●○

$|\vec{a}|=4\sqrt{2}$, $|\vec{b}|=2$이고 두 벡터 $\vec{a}$와 $\vec{b}$가 이루는 각의 크기가 $45°$일 때, $(\vec{a}+3\vec{b})\cdot(2\vec{a}-2\vec{b})$의 값은?

① 62   ② 64   ③ 68

④ 70   ⑤ 72

063   출제율 ●●●○

세 벡터 $\vec{a}=(0, 2), \vec{b}=(2, -1), \vec{c}=(-1, 3)$에 대하여 $\vec{a}+k\vec{b}$와 $\vec{c}-\vec{a}$가 서로 평행할 때, 실수 k의 값은?

① -3 ② -2 ③ -1

④ 1   ⑤ 2

064

오른쪽 그림과 같이 선분 AB를 지름으로 하는 원 O 위의 점 P에 대하여 $\overline{AB}=8$, $\overline{AP}=5$일 때, $\overrightarrow{BA} \cdot \overrightarrow{BP}$의 값을 구하여라. (단, 점 O는 원의 중심이다.)

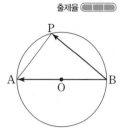

065

세 벡터 $\vec{a}$, $\vec{b}$, $\vec{c}$의 크기가 각각 1, 2, 3이고 $\vec{a}-2\vec{b}+\vec{c}=\vec{0}$일 때, $\vec{a} \cdot \vec{b}+\vec{b} \cdot \vec{c}+\vec{c} \cdot \vec{a}$의 값은?

① 7   ② 8   ③ 9

④ 10   ⑤ 11

066

오른쪽 그림과 같이 $\overline{AB}=3$, $\overline{AD}=4$인 직사각형 ABCD에서 변 BC의 중점을 P, 변 CD를 $1:2$로 내분하는 점을 Q라고 할 때, 두 벡터 $\overrightarrow{AP}$와 $\overrightarrow{BQ}$에 대하여 $\overrightarrow{AP} \cdot \overrightarrow{BQ}$의 값은?

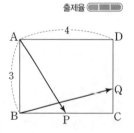

① 3   ② 5   ③ 7

④ 9   ⑤ 11

개념 4 평면벡터와 직선의 방정식

(1) 방향벡터를 이용한 직선의 방정식

점 (x_1, y_1)을 지나고 방향벡터가 $\vec{u}=(a, b)$인 직선의 방정식은

$$\frac{x-x_1}{a}=\frac{y-y_1}{b} \text{ (단, } ab \neq 0)$$

(2) 법선벡터를 이용한 직선의 방정식

점 (x_1, y_1)을 지나고 법선벡터가 $\vec{n}=(a, b)$인 직선의 방정식은

$$a(x-x_1)+b(y-y_1)=0$$

(3) 두 직선이 이루는 각의 크기

두 직선 l, m의 방향벡터가 각각 $\vec{u}=(u_1, u_2)$, $\vec{v}=(v_1, v_2)$일 때, 두 직선 l, m이 이루는 각의 크기를 $\theta°(0° \leq \theta° \leq 90°)$라고 하면

$$\cos \theta°=\frac{|\vec{u} \cdot \vec{v}|}{|\vec{u}||\vec{v}|}=\frac{|u_1v_1+u_2v_2|}{\sqrt{u_1{}^2+u_2{}^2}\sqrt{v_1{}^2+v_2{}^2}}$$

등급업 TIP

점 (x_1, y_1)을 지나고 방향벡터가 $\vec{u}=(a, b)$인 직선에 대하여

(1) $a \neq 0$, $b=0$일 때 $\vec{u}$는 x축에 평행하므로 직선의 방정식은 $y=y_1$

(2) $a=0$, $b \neq 0$일 때 $\vec{u}$는 y축에 평행하므로 직선의 방정식은 $x=x_1$

067 *평가원 기출*

좌표평면 위의 점 $(6, 3)$을 지나고 벡터 $\vec{u}=(2, 3)$에 평행한 직선이 x축과 만나는 점을 A, y축과 만나는 점을 B라고 할 때, $\overline{AB}^2$의 값을 구하여라.

068

점 $(2, -1)$을 지나고 방향벡터가 $\vec{u}=(3, 1)$인 직선과 점 $(1, 3)$을 지나고 법선벡터가 $\vec{n}=(-1, 1)$인 직선이 점 (a, b)에서 만날 때, $a+b$의 값은?

① 11   ② 9   ③ 1

④ -9 ⑤ -11

069

출제율 ▱▱▱▱

두 직선 $l: \dfrac{x-1}{k} = \dfrac{y-2}{2}$, $m: 4-x = y-1$이 이루는 각의 크기가 $30°$일 때, 모든 실수 k의 값의 합은?

① -8　　　　② -7　　　　③ -6

④ -5　　　　⑤ -4

070

출제율 ▱▱▱▱

두 직선 $\dfrac{x+1}{-2} = \dfrac{y-2}{2k}$, $\dfrac{x-2}{4} = \dfrac{-y}{3}$가 서로 평행할 때, 실수 k의 값은?

① $\dfrac{1}{4}$　　　　② $\dfrac{1}{2}$　　　　③ $\dfrac{3}{4}$

④ 1　　　　⑤ $\dfrac{5}{4}$

071

출제율 ▱▱▱▱

두 직선

$$l: \dfrac{1-x}{4} = \dfrac{y}{3}, \quad m: x-2y+4=0$$

이 이루는 각의 크기를 $\theta°$라고 할 때, $\sin \theta°$의 값은?

① $\dfrac{\sqrt{5}}{5}$　　　　② $\dfrac{3}{5}$　　　　③ $\dfrac{4}{5}$

④ $\dfrac{2\sqrt{5}}{5}$　　　　⑤ $\dfrac{2\sqrt{6}}{5}$

개념 5 평면벡터와 원의 방정식

(1) 평면벡터를 이용한 원의 방정식

원의 중심 C와 원 위의 임의의 점 P의 위치벡터를 각각 $\vec{c}$, $\vec{p}$라고 할 때, 반지름의 길이가 r인 원의 방정식은

$$|\vec{p}-\vec{c}| = r \iff (\vec{p}-\vec{c}) \cdot (\vec{p}-\vec{c}) = r^2$$

등급업 TIP

두 점 A, B의 위치벡터를 각각 $\vec{a}$, $\vec{b}$라고 하면

(1) 두 점 A, B를 지름의 양 끝 점으로 하는 원의 방정식은

$$(\vec{x}-\vec{a}) \cdot (\vec{x}-\vec{b}) = 0$$

(2) 선분 AB의 중점을 중심으로 하는 원의 방정식은

$$(\vec{x}-\vec{a}) \cdot (\vec{x}-\vec{b}) = k \text{ (단, } k\text{는 상수이다.)}$$

072

출제율 ▱▱▱▱

두 점 $A(-3, -1)$, $B(5, -7)$에 대하여 $\overrightarrow{AP} \cdot \overrightarrow{BP} = 0$을 만족시키는 점 P가 나타내는 도형의 길이는?

① 5π　　　　② 8π　　　　③ 10π

④ 16π　　　　⑤ 25π

073

출제율 ▱▱▱▱

세 점 $A(1, 1)$, $B(2, -1)$, $C(0, 6)$에 대하여 $|\overrightarrow{PA} + \overrightarrow{PB} + \overrightarrow{PC}| = 3$을 만족시키는 점 P가 나타내는 도형이 원 $x^2 + y^2 + ax + by + c = 0$일 때, 실수 a, b, c에 대하여 abc의 값은?

① 28　　　　② 32　　　　③ 36

④ 40　　　　⑤ 44

최상위권 도약 **실력 완성 문제**

개념 **1** 위치벡터

074

오른쪽 그림과 같이 삼각형 ABC의 무게중심 G를 지나는 직선이 $\overline{AB}$, $\overline{BC}$와 만나는 점을 각각 P, Q라고 하자.

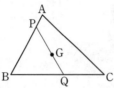

$\overline{AP} : \overline{PB} = 1 : 4$일 때, $\dfrac{\overline{BQ}}{\overline{QC}}$의 값은?

① $\dfrac{3}{2}$　　　② $\dfrac{4}{3}$　　　③ $\dfrac{5}{3}$

④ $\dfrac{5}{4}$　　　⑤ $\dfrac{6}{5}$

075

평행하지 않은 두 벡터 $\vec{a}$, $\vec{b}$에 대하여 세 벡터
$$\overrightarrow{OA} = 2\vec{a} - \vec{b},\ \overrightarrow{OB} = x\vec{a} + y\vec{b},\ \overrightarrow{OC} = \vec{a} + 3\vec{b}$$
의 종점 A, B, C가 이 순서대로 한 직선 위에 있도록 하는 정수 x, y에 대하여 $x+y$의 최댓값은? (단, $\vec{a} \neq \vec{0}$, $\vec{b} \neq \vec{0}$이고, 세 점 A, B, C는 서로 다른 점이다.)

① 3　　　② 4　　　③ 5

④ 6　　　⑤ 7

076 〈다빈출〉

좌표평면 위의 원 $x^2 + y^2 = 4$ 위를 움직이는 점 P와 점 A$(6, 0)$, 점 B$(0, 3)$에 대하여 $|2\overrightarrow{PA} + \overrightarrow{PB}|$의 최댓값은?

① $\sqrt{17} + 2$　　② $2(\sqrt{17} + 2)$　　③ $3(\sqrt{17} + 2)$

④ $\sqrt{19} + 4$　　⑤ $3(\sqrt{19} + 4)$

077

좌표평면 위의 직선 $3x - 4y + 1 = 0$ 위를 움직이는 점 P와 점 O$(0, 0)$, A$(5, 0)$에 대하여 $|2\overrightarrow{PO} + 3\overrightarrow{PA}|$의 최솟값은?

① 4　　　② 6　　　③ 8

④ 10　　　⑤ 12

078 학교 기출 신유형

삼각형 ABC의 무게중심 G와 두 점 P, Q가 다음 조건을 만족시킬 때, $\dfrac{|\overrightarrow{BP}|}{|\overrightarrow{BQ}|}$의 값은?

> (가) $2\overrightarrow{AP} + \overrightarrow{CA} = \vec{0}$
> (나) $3\overrightarrow{BQ} + \overrightarrow{AG} + \overrightarrow{CG} = \vec{0}$

① $\dfrac{7}{2}$　　　② 4　　　③ $\dfrac{9}{2}$

④ 5　　　⑤ $\dfrac{11}{2}$

079

오른쪽 그림과 같은 직사각형 ABCD에서 점 P는 변 BC를 2 : 1로 내분하는 점이고, 점 Q는 변 AD의 중점이다.
$\overrightarrow{AP} = \vec{p}$, $\overrightarrow{AQ} = \vec{q}$라고 할 때, $|\vec{p} + t\vec{q}|$의 값이 최소가 되도록 하는 실수 t의 값은?

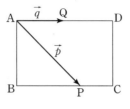

① $-\dfrac{4}{3}$ ② $-\dfrac{1}{2}$ ③ $-\dfrac{1}{3}$

④ $\dfrac{1}{3}$ ⑤ $\dfrac{4}{3}$

080

한 직선 위에 있지 않은 세 점 O, A, B에 대하여
$$\overrightarrow{OP} = x\overrightarrow{OA} + y\overrightarrow{OB}, \quad 3x + 5y = 2$$
를 만족시키는 점 P의 자취는? (단, x, y는 실수이다.)

① 삼각형 OAB의 둘레
② 삼각형 OAB의 둘레 및 그 내부
③ 선분 OA를 2 : 1로 내분하는 점과 선분 OB를 2 : 3으로 내분하는 점을 양 끝 점으로 하는 선분
④ 선분 OA의 중점과 선분 OB를 3 : 1로 내분하는 점을 지나는 직선
⑤ 선분 OA를 2 : 1로 내분하는 점과 선분 OB를 2 : 3으로 내분하는 점을 지나는 직선

081

오른쪽 그림과 같이 삼각형 ABC의 내부의 한 점 P에 대하여 $\overrightarrow{PA} + \overrightarrow{PB} + 3\overrightarrow{PC} = \vec{0}$이다. 선분 AP의 연장선과 변 BC의 교점을 D라고 할 때, $\dfrac{\triangle ABP}{\triangle CDP}$의 값을 구하여라.

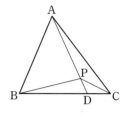

082

좌표평면 위의 세 점 O, A, B에 대하여 $|\overrightarrow{OA}| = 4$, $|\overrightarrow{OB}| = 8$이고, 점 P가
$$\overrightarrow{OP} = k\overrightarrow{OA} + l\overrightarrow{OB} \quad (k + 2l = 1, \ k \geq 0, \ l \geq 0)$$
를 만족시킨다. 점 P의 자취의 길이가 4일 때, 삼각형 OAB의 넓이를 구하여라.

개념 **2** 평면벡터의 성분

083

세 벡터 $\vec{a}$, $\vec{b}$, $\vec{c}$에 대하여 $\vec{a}+\vec{b}=(2, -2)$,
$\vec{b}+\vec{c}=(0, -1)$, $\vec{c}+\vec{a}=(4, 3)$일 때, $\dfrac{|\vec{a}||\vec{b}|}{|\vec{c}|^2}$의 값은?

① 1   ② 2   ③ 3

④ 4   ⑤ 5

084 〈다빈출〉

좌표평면 위의 두 점 A$(-1, 2)$, B$(2, 0)$과 직선 $2x+y-3=0$ 위의 점 P에 대하여 $|\overrightarrow{AP}+\overrightarrow{BP}|^2$의 최솟값은?

① $\dfrac{4}{5}$ ② 1   ③ $\dfrac{6}{5}$

④ $\dfrac{7}{5}$ ⑤ $\dfrac{8}{5}$

085

$\vec{a}=(0, 4)$, $\vec{b}=(\sqrt{3}, 1)$에 대하여 $\left|k\vec{a}+\dfrac{1}{k}\vec{b}\right|^2$의 최솟값은? (단, $k \neq 0$)

① 3   ② 6   ③ 12

④ 24   ⑤ 48

086

오른쪽 그림과 같이 점 P가 원점 O를 출발하여 대각선 방향으로 움직인다. 점 P는 x좌표, y좌표가 모두 정수인 점으로만 움직인다고 할 때, 다음 중 점 P가 도착할 수 없는 점은?

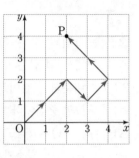

① $(5, 5)$ ② $(8, 10)$ ③ $(10, 11)$

④ $(11, 17)$ ⑤ $(13, 31)$

087

오른쪽 그림과 같이 $\overline{OA}=3$인 직각이등변삼각형 OAB에서 변 AB를 1 : 2로 내분하는 점을 P, 3 : 2로 내분하는 점을 Q라고 하자. $\overrightarrow{OP}=\vec{p}$, $\overrightarrow{OQ}=\vec{q}$라고 할 때, $|(1-x)\vec{p}+x\vec{q}|=\dfrac{\sqrt{173}}{5}$을 만족시키는 양수 x의 값은?

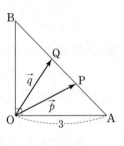

① 1   ② $\dfrac{3}{2}$ ③ 2

④ $\dfrac{5}{2}$ ⑤ 3

088 평가원 기출

다음 그림과 같이 좌표평면 위에 두 점 A(3, 0), B(0, 3)과 직선 $x=1$ 위의 점 P(1, a)가 있다. 점 Q가 중심각의 크기가 90°인 부채꼴 OAB의 호 AB 위를 움직일 때 $|\overrightarrow{OP}+\overrightarrow{OQ}|$의 최댓값을 $f(a)$라고 하자. $f(a)=5$가 되도록 하는 모든 실수 a의 값의 곱은?

(단, O는 원점이다.)

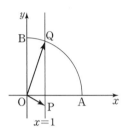

① $-5\sqrt{3}$ ② $-4\sqrt{3}$ ③ $-3\sqrt{3}$

④ $-2\sqrt{3}$ ⑤ $-\sqrt{3}$

개념 ③ 평면벡터의 내적

089

$\overrightarrow{OA}=(2, 1)$, $\overrightarrow{OB}=(2, -1)$, $\overrightarrow{OC}=(k, k)$일 때, 삼각형 ABC가 직각삼각형이 되게 하는 실수 k의 값의 합은?

① 0   ② 1   ③ 2

④ 3   ⑤ 4

090

영벡터가 아닌 세 벡터 $\overrightarrow{AB}=\vec{a}$, $\overrightarrow{BC}=\vec{b}$, $\overrightarrow{CA}=\vec{c}$에 대하여 $\vec{a}\cdot\vec{b}+\vec{b}\cdot\vec{c}+\vec{c}\cdot\vec{a}=-3$일 때, $|\vec{a}|^2+|\vec{b}|^2+|\vec{c}|^2$의 값을 구하여라.

091

좌표평면 위의 네 점 O, P, Q, R에 대하여 $|\overrightarrow{OP}|=4$, $|\overrightarrow{OQ}|=1$, $\angle POQ=60°$이고, $\overrightarrow{OP}+\overrightarrow{RQ}=\vec{0}$를 만족시킨다. 이때 $\cos(\angle POR)$의 값은?

① $\dfrac{\sqrt{21}}{14}$ ② $\dfrac{3\sqrt{21}}{28}$ ③ $\dfrac{2\sqrt{21}}{14}$

④ $\dfrac{5\sqrt{21}}{28}$ ⑤ $\dfrac{3\sqrt{21}}{14}$

092

영벡터가 아닌 두 벡터 $\vec{a}$, $\vec{b}$에 대하여 $|\vec{a}|=|\vec{b}|$, $\sqrt{2}|\vec{a}-\vec{b}|=|\vec{a}+\vec{b}|$가 성립한다. $\vec{a}$, $\vec{b}$가 이루는 각의 크기를 $\theta°$라고 할 때, $\cos\theta°$의 값은?

① 1   ② $\dfrac{2}{3}$ ③ $\dfrac{1}{2}$

④ $\dfrac{1}{3}$ ⑤ $\dfrac{1}{4}$

093 학교 기출 신유형 수학I 융합

오른쪽 그림과 같이 좌표평면에 두 점 $P(0, 5)$, $Q(0, -5)$와 10개의 점 $A_k(k, 0)$이 있다. 이때 $\sum\limits_{k=1}^{10} \overrightarrow{PA_k} \cdot \overrightarrow{QA_k}$의 값을 구하여라.

(단, $k=1, 2, 3, \cdots, 10$)

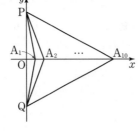

094

오른쪽 그림과 같이 $\overline{AB}=1$, $\overline{AD}=3$인 직사각형 ABCD의 내부의 한 점 P에 대하여 $\overrightarrow{PA} \cdot \overrightarrow{PC}$의 최솟값은?

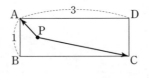

① $-\dfrac{9}{2}$　　　② -4　　　③ $-\dfrac{7}{2}$

④ -3　　　⑤ $-\dfrac{5}{2}$

095

오른쪽 그림과 같이 중심이 O이고 반지름의 길이가 2인 원에 내접하는 정육각형이 있다. 변 AB, CD, EF의 중점을 각각 M_1, M_2, M_3이라고 할 때, $\overrightarrow{M_2M_1} \cdot \overrightarrow{M_2M_3}$의 값은?

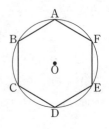

① 4　　　② $\dfrac{17}{4}$　　　③ $\dfrac{9}{2}$

④ $\dfrac{19}{4}$　　　⑤ 5

096

원 $(x+1)^2+y^2=4$와 직선 $y=-2x+3$의 교점을 A, B라고 할 때, $\overrightarrow{OA} \cdot \overrightarrow{OB}$의 값은? (단, O는 원점이다.)

① -1　　　② 0　　　③ 1

④ 2　　　⑤ 3

097

$\angle AOB=90°$, $\overline{OA}=a$, $\overline{OB}=b$인 직각삼각형의 빗변 AB 위에 $\overrightarrow{OA} \cdot \overrightarrow{OP}=\overrightarrow{OB} \cdot \overrightarrow{OP}$가 되도록 점 P를 잡을 때, $|\overrightarrow{AP}| : |\overrightarrow{BP}|$를 a, b에 대한 식으로 나타내면?

① $1 : a$　　　② $2 : b$　　　③ $a : b$

④ $b : a$　　　⑤ $a^2 : b^2$

098

$|\overrightarrow{AB}|=4$를 만족시키는 좌표평면 위의 두 점 A, B에 대하여 $\overrightarrow{OA}$, $\overrightarrow{OB}$의 값이 이차방정식 $x^2-2\sqrt{5}x+3=0$의 두 근이다. 두 벡터 $\overrightarrow{OA}$, $\overrightarrow{OB}$가 이루는 각의 크기를 $\theta°$라고 할 때, $\cos\theta°$의 값은? (단, O는 원점이다.)

① $-\dfrac{1}{2}$ ② $-\dfrac{1}{3}$ ③ 0

④ $\dfrac{1}{3}$ ⑤ $\dfrac{1}{2}$

099

두 벡터 $\vec{a}=(t-5,\ -2)$, $\vec{b}=(t+1,\ kt-7)$이 모든 실수 t에 대하여 서로 수직이 되지 않도록 하는 k의 값의 범위를 구하여라.

100

두 벡터 $\vec{a}=(-1,\ 2\sqrt{2})$, $\vec{b}=(x,\ y)$에 대하여 $\vec{a}\cdot\vec{b}=12$일 때, $|\vec{b}|$의 최솟값은?

① 4 ② 5 ③ 6

④ 7 ⑤ 8

101

서로 다른 네 점 A, B, C, D의 위치벡터를 각각 $\vec{a}$, $\vec{b}$, $\vec{c}$, $\vec{d}$라고 하자. $\vec{a}+\vec{c}=\vec{b}+\vec{d}$, $\vec{a}\cdot\vec{c}=\vec{b}\cdot\vec{d}$일 때, 사각형 ABCD는 어떤 사각형인가?

① 사다리꼴   ② 등변사다리꼴

③ 평행사변형   ④ 직사각형

⑤ 정사각형

102

삼각형 ABC에서 $\overrightarrow{AB}\cdot\overrightarrow{BC}=0$, $\overrightarrow{CB}\cdot\overrightarrow{CA}=4$, $\overrightarrow{CA}\cdot\overrightarrow{BA}=12$일 때, 삼각형 ABC의 넓이는?

① $2\sqrt{2}$ ② $2\sqrt{3}$ ③ 4

④ $2\sqrt{5}$ ⑤ $2\sqrt{6}$

103 수학 I 융합

좌표평면 위의 두 점 A$(3,\ -2)$, B$(2,\ 3)$에 대하여 벡터 $\overrightarrow{OP}$가

$$\overrightarrow{OP}=\sin\theta°\overrightarrow{OA}+(1-\cos\theta°)\overrightarrow{OB}$$

일 때, 점 P의 자취의 길이는? (단, O는 원점이다.)

① $2\sqrt{11}\pi$ ② $4\sqrt{3}\pi$ ③ $2\sqrt{13}\pi$

④ $8\sqrt{3}\pi$ ⑤ $3\sqrt{13}\pi$

104

쌍곡선 $\dfrac{x^2}{16}-\dfrac{y^2}{9}=1$의 두 초점 F, F′과 쌍곡선 위의 점 P에 대하여 $\overrightarrow{PF}\cdot\overrightarrow{PF'}$의 최솟값은?

① -9　　　② -8　　　③ -7

④ -6　　　⑤ -5

105 °평가원 기출

한 원 위에 있는 서로 다른 네 점 A, B, C, D가 다음 조건을 만족시킬 때, $|\overrightarrow{AD}|^2$의 값은?

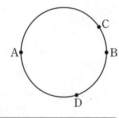

(가) $|\overrightarrow{AB}|=8$, $\overrightarrow{AC}\cdot\overrightarrow{BC}=0$
(나) $\overrightarrow{AD}=\dfrac{1}{2}\overrightarrow{AB}-2\overrightarrow{BC}$

① 32　　　② 34　　　③ 36

④ 38　　　⑤ 40

개념 ④ 평면벡터와 직선의 방정식

106

좌표평면 위의 세 점 A$(a,\,-2)$, B$(-1,\,b)$, C$(3,\,-3)$에 대하여 $\overrightarrow{OA}\perp\overrightarrow{OC}$이고 $|\overrightarrow{BC}|=4\sqrt{2}$일 때, 점 C를 지나고 방향벡터가 $\vec{u}=(a,\,b)$인 직선의 방정식은?

(단, $b>0$이고, O는 원점이다.)

① $\dfrac{x-3}{3}=\dfrac{y+3}{-2}$　　② $x-3=\dfrac{y+3}{-2}$

③ $x+3=\dfrac{y-3}{-2}$　　④ $\dfrac{x-3}{-2}=3-y$

⑤ $\dfrac{x-3}{-2}=y+3$

107

직선 $\dfrac{x-2}{4}=-y+2$와 서로 수직이고 점 $(-1,\,3)$을 지나는 직선과 x축, y축으로 둘러싸인 도형의 넓이는?

① $\dfrac{45}{8}$　　　② $\dfrac{23}{4}$　　　③ $\dfrac{47}{8}$

④ 6　　　⑤ $\dfrac{49}{8}$

108

두 벡터 $\vec{a}=(-3,\,2)$, $\vec{b}=(1,\,4)$와 점 $P(2,\,2)$에 대하여 두 직선 $l_1,\,l_2$를 다음과 같이 정의할 때, 두 직선 l_1, l_2와 x축으로 둘러싸인 도형의 넓이를 구하여라.

> l_1: 방향벡터가 $\vec{a}+\vec{b}$이고 점 P를 지나는 직선
> l_2: 법선벡터가 $\vec{a}-\vec{b}$이고 점 P를 지나는 직선

109 〈다빈출〉

점 $A(-1,\,5)$에서 직선 $\dfrac{x+4}{2}=y-2$에 내린 수선의 발을 $H(a,\,b)$라고 할 때, 실수 a, b에 대하여 $a+b$의 값은?

① $\dfrac{14}{5}$ ② 3 ③ $\dfrac{16}{5}$

④ $\dfrac{17}{5}$ ⑤ $\dfrac{18}{5}$

110

좌표평면 위의 세 직선 $l,\,m,\,n$의 방향벡터가 각각

$$\vec{u_1}=(a,\,b),\ \vec{u_2}=(c,\,d),\ \vec{u_3}=(e,\,f)$$

이고 $l\perp m$, $m /\!/ n$일 때, |보기|에서 옳은 것만을 있는 대로 고른 것은?

> • 보기 •
> ㄱ. $ac+bd=0$
> ㄴ. $\dfrac{d}{c}=\dfrac{f}{e}$ (단, $ce\neq0$)
> ㄷ. $\dfrac{a}{f}=-\dfrac{b}{e}$ (단, $ef\neq0$)

① ㄱ   ② ㄱ, ㄴ   ③ ㄴ, ㄷ

④ ㄱ, ㄷ   ⑤ ㄱ, ㄴ, ㄷ

111

점 $A(3,\,-6)$을 직선 $\dfrac{x+1}{2}=\dfrac{y-1}{3}$에 대하여 대칭이동한 점을 $A'(a,\,b)$라고 할 때, 실수 a, b에 대하여 $b-a$의 값은?

① 8 ② 9 ③ 10

④ 11 ⑤ 12

112

좌표평면 위의 직선 $l : x-1=\dfrac{-a-y}{2}$ 위의 점 P에서 x축에 내린 수선의 발을 Q, y축에 내린 수선의 발을 R 라고 하자. 직선 l과 직선 QR가 서로 수직이고 $|\overrightarrow{OR}|=4$일 때, 벡터 $\overrightarrow{OP}$의 크기는?

(단, O는 원점이다.)

① $4\sqrt{3}$ ② 8   ③ $4\sqrt{5}$
④ $4\sqrt{6}$ ⑤ $4\sqrt{7}$

개념 ⑤ 평면벡터와 원의 방정식

113

좌표평면에서 원점 O를 시점으로 하는 점 C(4, 3)과 점 P의 위치벡터를 각각 $\vec{c}$, $\vec{p}$라고 할 때, $|\vec{p}-\vec{c}|=5$이다. $\vec{p}$의 크기가 최대가 되도록 하는 점 P의 좌표가 (a, b) 일 때, $a+b$의 값은?

① 13   ② 14   ③ 16
④ 17   ⑤ 19

114 ◀다빈출▶

두 벡터 $\overrightarrow{OA}=(1, -4)$와 $\overrightarrow{OB}=(3, 2)$에 대하여 $\overrightarrow{CA} \cdot \overrightarrow{CB}=0$을 만족시키는 점 C가 있다. $|\overrightarrow{OC}|$의 최댓 값과 최솟값의 합은? (단, O는 원점이다.)

① $\sqrt{5}$ ② $2\sqrt{5}$ ③ $\sqrt{10}$
④ $2\sqrt{10}$ ⑤ $2\sqrt{15}$

115

좌표평면 위의 점 A(3, 0)에 대하여 점 P가 $|\overrightarrow{AP}|=2$ 를 만족시키며 움직인다. $\overrightarrow{OQ}=(\overrightarrow{OA} \cdot \overrightarrow{OP})\overrightarrow{OA}$일 때, $|\overrightarrow{OQ}|$의 최댓값은?

① 4   ② 8   ③ 16
④ 36   ⑤ 45

116 학교 기출 신유형 수학I 융합

점 C$(\sin \theta°, \cos \theta°+1)$에 대하여 $|\overrightarrow{CP}|=3$을 만족시 키는 점 P가 나타내는 도형과 점 C를 지나는 직선의 교 점을 각각 A, B라고 할 때, $|\overrightarrow{OA}+\overrightarrow{OB}|$의 최댓값을 구 하여라. (단, O는 원점이다.)

상위 1% 도전 문제

STEP C

117

다음 그림과 같이 한 변의 길이가 1인 정사각형 16개를 붙여 만든 도형이 있다. $\overrightarrow{OA}=\vec{a}$, $\overrightarrow{OB}=\vec{b}$에 대하여 벡터 $\vec{c}$를 $\vec{c}=m\vec{a}+n\vec{b}$로 정의할 때, 조건 $p(m, n)$을 만족시키는 벡터 $\vec{c}$의 개수를 $N(p(m, n))$이라고 하자. |보기| 에서 옳은 것만을 있는 대로 고른 것은?

(단, m, n은 정수이고 $\vec{c}\neq\vec{0}$이다.)

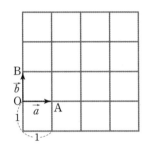

─ 보기 ─

ㄱ. $N(|mn|=1)=2$

ㄴ. $N(mn>2)>N(mn\leq0)$

ㄷ. $N(m^2+n^2=10)<N((m-4)^2+n^2=5)$

① ㄱ   ② ㄴ   ③ ㄷ

④ ㄱ, ㄴ   ⑤ ㄱ, ㄴ, ㄷ

118

오른쪽 그림과 같이 한 변의 길이가 3인 정삼각형 ABC에 내접하는 원 O가 있다. 원 O 위를 움직이는 점 P에 대하여 $\overrightarrow{AB}\cdot\overrightarrow{AP}$의 최댓값과 최솟값을 각각 M, m이라고 할 때, Mm의 값을 구하여라.

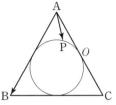

119

다음 그림과 같이 타원 $\dfrac{x^2}{36}+\dfrac{y^2}{25}=1$과 직선 $y=\dfrac{1}{2}x+k$가 두 점 A, B에서 만난다. 이 타원 위의 점 X에 대하여 $\overrightarrow{AB}\cdot\overrightarrow{AX}$의 최댓값과 최솟값의 차가 $\sqrt{5}$일 때, $\overline{AB}=\dfrac{q}{p}$이다. $p+q$의 값을 구하여라.

(단, k는 상수이고, p와 q는 서로소인 자연수이다.)

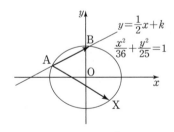

120

다음 그림과 같이 중심이 O인 원 C와 원 위의 점 A에서 원 C와 접하는 직선 l이 있다. 원 C 위의 점 P와 $\overline{AB}=6$을 만족시키는 직선 l 위의 점 B에 대하여 $\overrightarrow{PA}\cdot(\overrightarrow{OB}+\overrightarrow{PB})$의 최댓값이 72일 때, 원 C의 반지름의 길이를 구하여라.

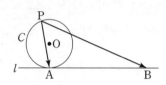

121

$\overline{AB}=\overline{BC}=8$이고 $\angle B=90°$인 직각이등변삼각형 ABC에 대하여 두 점 P, Q가 다음 조건을 만족시킬 때, $|\overrightarrow{CQ}|$의 최댓값을 구하여라.

(가) $\overrightarrow{AP}\cdot\overrightarrow{BP}=0$

(나) $\overrightarrow{BQ}=\dfrac{1}{2}(\overrightarrow{BA}+\overrightarrow{BP})$

01

오른쪽 그림과 같이 한 변의 길이가 1인 정육각형 ABCDEF에서 $\overrightarrow{AD}$, $\overrightarrow{BE}$, $\overrightarrow{CF}$의 교점을 O라고 할 때, 다음 중 옳지 않은 것은? [3점]

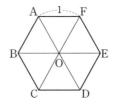

① $\overrightarrow{AB}+\overrightarrow{CD}=\overrightarrow{BC}$

② $\overrightarrow{AB}+\overrightarrow{CD}+\overrightarrow{EF}=\vec{0}$

③ $\overrightarrow{AD}+\overrightarrow{CF}=\overrightarrow{EB}$

④ $\overrightarrow{AB}-\overrightarrow{BD}=\overrightarrow{EB}$

⑤ $\overrightarrow{AC}-\overrightarrow{FC}=\overrightarrow{CD}$

02

한 직선 위에 있지 않은 서로 다른 세 점 O, A, B에 대하여 점 P가 $\overrightarrow{OP}=\dfrac{2}{5}\overrightarrow{OA}+\dfrac{3}{5}\overrightarrow{OB}$를 만족시킬 때, 삼각형 OAP의 넓이는 삼각형 OAB의 넓이의 k배이다. 실수 k의 값을 구하여라. [3점]

03

세 벡터 $\vec{a}=(-1,\ -1)$, $\vec{b}=(3,\ 3)$, $\vec{c}=(2,\ 1)$에 대하여 $\vec{a}+2\vec{b}-\vec{c}$와 방향이 같은 단위벡터를 $\vec{e}=(e_1,\ e_2)$라고 할 때, e_1+e_2의 값은? [3점]

① $\dfrac{3}{7}$　　　　② $\dfrac{5}{7}$　　　　③ $\dfrac{7}{5}$

④ $\dfrac{7}{3}$　　　　⑤ 7

04

두 벡터 $\vec{a}$, $\vec{b}$에 대하여 $|\vec{a}+2\vec{b}|=3$, $|\vec{a}-2\vec{b}|=2$일 때, $\vec{a}\cdot\vec{b}=\dfrac{q}{p}$이다. 서로소인 자연수 p, q에 대하여 $p+q$의 값은? [3점]

① 12　　　　② 13　　　　③ 14

④ 15　　　　⑤ 16

05

서로 다른 두 점 A, B에 대하여 $|\overrightarrow{PA}+3\overrightarrow{PB}|=8$을 만족시키는 점 P의 자취는 어떤 도형인가? [3점]

① 직선　　　　　　　② 길이가 2인 선분

③ 포물선　　　　　　④ 반지름의 길이가 2인 원

⑤ 반지름의 길이가 8인 원

06

오른쪽 그림과 같이 한 변의 길이가 같은 정삼각형 ABC와 정사각형 BDEC가 변 BC를 공유하고 있다. 삼각형 PBD가 정삼각형이 되도록 점 P를 잡고, 정삼각형 ABC의 무게중심을 G라고 하자.

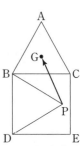

$\overrightarrow{PG}=m\overrightarrow{BC}+n\overrightarrow{BD}$를 만족시키는 실수 m, n에 대하여 $m+n$의 값은? [4점]

① $-2\sqrt{3}$　　　　② $-\sqrt{3}$　　　　③ $-\dfrac{2\sqrt{3}}{3}$

④ $\dfrac{2\sqrt{3}}{3}$　　　　⑤ $2\sqrt{3}$

미니 모의고사 - 1회

07

다음 그림과 같이 가로줄 3개, 세로줄 4개로 만든 한 변의 길이가 1인 6개의 정사각형으로 이루어진 도형이 있다. 첫 번째 가로줄과 n번째 세로줄이 만난 점을 a_n, 두 번째 가로줄과 n번째 세로줄이 만난 점을 b_n, 세 번째 가로줄과 n번째 세로줄이 만난 점을 c_n이라고 하자. 두 집합 A, B를

$A = \{\overrightarrow{a_i b_j} \,|\, i,\, j = 1,\, 2,\, 3,\, 4\}$,
$B = \{\overrightarrow{c_i b_j} \,|\, i,\, j = 1,\, 2,\, 3,\, 4\}$

로 정의할 때, |보기|에서 옳은 것만을 있는 대로 고른 것은? (단, $i = 1,\, 2,\, 3,\, 4$) **[4점]**

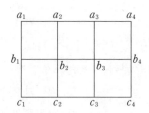

보기

ㄱ. $n(A) + n(B) = 14$
ㄴ. $\vec{x} \in A$, $\vec{y} \in B$일 때, $|\vec{x} + \vec{y}|$의 최댓값은 6이다.
ㄷ. $\vec{x} \in A$, $\vec{y} \in B$일 때, $|\vec{x} - \vec{y}|$의 최댓값은 $2\sqrt{10}$이다.

① ㄱ   ② ㄴ   ③ ㄱ, ㄴ

④ ㄱ, ㄷ   ⑤ ㄱ, ㄴ, ㄷ

08

삼각형 ABC의 내부의 점 P가 $2\overrightarrow{AP} + 5\overrightarrow{BP} + 3\overrightarrow{CP} = \vec{0}$를 만족시킨다. 직선 CP와 선분 AB의 교점을 Q라고 할 때, $\overrightarrow{CQ} = k\overrightarrow{CP}$를 만족시키는 양수 k의 값은? **[4점]**

① 1   ② $\dfrac{10}{7}$ ③ 2

④ $\dfrac{18}{7}$ ⑤ 3

09

길이가 2인 선분 AB를 지름으로 하는 원 위의 점 P에 대하여 $\overline{AP} < \overline{BP}$, $\triangle ABP = \dfrac{\sqrt{3}}{2}$일 때, $\overrightarrow{AP} \cdot \overrightarrow{AB}$의 값을 구하여라. **[4점]**

10

좌표평면에서 점 A(6, 8)과 점 P의 위치벡터를 각각 $\vec{a}$, $\vec{p}$라고 할 때, $\vec{p} \cdot (\vec{p} - \vec{a}) = 0$을 만족시킨다.
점 Q(-3, 4)에 대하여 $\overrightarrow{OP} \cdot \overrightarrow{OQ}$의 최댓값과 최솟값의 합을 구하여라. (단, O는 원점이다.) **[4점]**

✓ 실력점검

맞힌 개수	/10개	점수	/35점

미니 모의고사 - 2회

제한시간 : 30분

정답과 풀이 070쪽

01

오른쪽 그림과 같이 $\overline{AB}=1$, $\overline{AD}=2$인 직사각형 ABCD에서 변 AB, BC, DA의 중점을 각각 E, F, G라고 하자. $\overrightarrow{EF}=\vec{a}$, $\overrightarrow{FA}=\vec{b}$, $\overrightarrow{AC}=\vec{c}$, $\overrightarrow{CG}=\vec{d}$일 때, $|\vec{d}+\vec{a}+\vec{b}+\vec{c}|$의 값은? [3점]

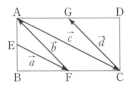

① $\dfrac{\sqrt{5}}{2}$ ② $\dfrac{\sqrt{6}}{2}$ ③ $\dfrac{\sqrt{7}}{2}$

④ $\sqrt{2}$ ⑤ $\dfrac{3}{2}$

02

오른쪽 그림과 같이 좌표평면 위의 원 $(x-3)^2+(y-3)^2=4$에 내접하는 정삼각형 ABC가 있다. $|\overrightarrow{OA}+\overrightarrow{OB}+\overrightarrow{OC}|$의 값을 구하여라.

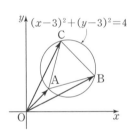

(단, O는 원점이다.) [3점]

03

이차방정식 $x^2-3x-5=0$의 두 근을 α, β라고 하자. 두 벡터 $\overrightarrow{OA}$, $\overrightarrow{OB}$에 대하여 $|\overrightarrow{OA}|=\alpha$, $|\overrightarrow{OB}|=\beta$, $\overrightarrow{OA}\cdot\overrightarrow{OB}=-4$일 때, $|\overrightarrow{AB}|$의 값은? [3점]

① $3\sqrt{2}$ ② $\sqrt{21}$ ③ $2\sqrt{6}$

④ $3\sqrt{3}$ ⑤ $\sqrt{30}$

04

오른쪽 그림과 같이 한 변의 길이가 1인 두 정육각형이 한 변을 공유한다. 두 벡터 $\overrightarrow{AB}$, $\overrightarrow{AC}$에 대하여 $\overrightarrow{AB}\cdot\overrightarrow{AC}$의 값은? [3점]

① $-3\sqrt{3}$ ② $-\dfrac{3\sqrt{3}}{2}$ ③ $-\sqrt{3}$

④ $-\dfrac{3}{2}$ ⑤ $-\dfrac{4}{3}$

05

두 직선 $6x-3y-2=0$, $\dfrac{1-x}{4}=\dfrac{y-3}{k}$이 서로 수직일 때, 실수 k의 값을 구하여라. [3점]

06

오른쪽 그림과 같이 $\overline{OA}=3$, $\overline{OB}=4$인 직사각형 AOBC가 있다. 두 실수 a, b에 대하여 $\overrightarrow{OP}=a\overrightarrow{OA}+b\overrightarrow{OB}$를 만족시키는 점 P가 나타내는 도형의 길이를 구하여라. (단, $|a|+|b|=1$) [4점]

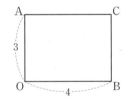

07

오른쪽 그림과 같은 삼각형 OAB에서 변 OA를 3 : 1로 외분하는 점을 C, 변 OB를 1 : 4로 내분하는 점을 D라고 하자.

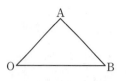

선분 CD와 변 AB의 교점을 P라고 할 때, $\dfrac{\triangle POB}{\triangle PCO}$의 값을 구하여라. [4점]

08

오른쪽 그림과 같이 가로와 세로의 길이의 비가 2 : 1인 직사각형 ACDB가 있다. 두 점 A, B를 지름의 양 끝 점으로 하는 반원 위의 점 P와 선분 CD 위의 점 Q에 대하여 |보기|에서 옳은 것만을 있는 대로 고른 것은? [4점]

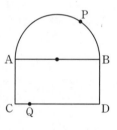

보기

ㄱ. $\overrightarrow{AP} \cdot \overrightarrow{AB} = |\overrightarrow{AP}|^2$
ㄴ. $\overrightarrow{AQ} \cdot \overrightarrow{BQ} > 0$
ㄷ. $(\overrightarrow{AP} + \overrightarrow{BP}) \cdot \overrightarrow{AB} = |\overrightarrow{AB}|^2$

① ㄱ ② ㄴ ③ ㄱ, ㄷ
④ ㄴ, ㄷ ⑤ ㄱ, ㄴ, ㄷ

09

한 원 위에 있는 서로 다른 네 점 A, B, C, D가 다음 조건을 만족시킬 때, $|\overrightarrow{CD}|^2$의 값은? [4점]

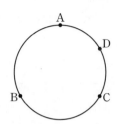

(가) $\overrightarrow{BC} \cdot \overrightarrow{DC} = 0$
(나) $\overrightarrow{BA} \cdot \overrightarrow{BC} = 2$, $|\overrightarrow{AB}| = |\overrightarrow{BC}| = 2$

① $\dfrac{1}{3}$ ② $\dfrac{2}{3}$ ③ 1

④ $\dfrac{4}{3}$ ⑤ $\dfrac{5}{3}$

10

두 점 A(4, −1), P(x, y)의 위치벡터를 각각 $\vec{a}$, $\vec{p}$라고 하자. $|\vec{p} - \vec{a}| = 5$를 만족시키는 점 P가 나타내는 도형 위의 점 B(1, 3)에서의 접선의 방정식이 $ax - 4y + b = 0$이다. 실수 a, b에 대하여 $a + b$의 값은? [4점]

① 11 ② 12 ③ 13
④ 14 ⑤ 15

✔ 실력점검

| 맞힌 개수 | /10개 | 점수 | /35점 |

공간도형과 공간좌표

STEP A 상위권 보장 개념+필수 기출 문제

개념 1 직선과 평면의 위치 관계

(1) 평면의 결정 조건

① 한 직선 위에 있지 않은 서로 다른 세 점
② 한 직선과 그 위에 있지 않은 한 점
③ 한 점에서 만나는 두 직선
④ 평행한 두 직선

참고 ① 한 점을 지나는 직선은 무수히 많다.
② 서로 다른 두 점을 지나는 직선은 단 하나로 결정된다.
③ 서로 다른 두 점을 지나는 평면은 무수히 많다.

(2) 직선과 평면의 위치 관계

① 서로 다른 두 직선의 위치 관계
　(i) 한 점에서 만난다.　┐ 한 평면 위에 있다.
　(ii) 평행하다.　　　　┘
　(iii) 꼬인 위치에 있다. ── 한 평면 위에 있지 않다.
　참고 두 직선이 만나지도 않고 평행하지도 않을 때, 두 직선
　　은 꼬인 위치에 있다고 한다.

② 직선과 평면의 위치 관계
　(i) 직선이 평면에 포함된다. ┐ 만난다.
　(ii) 한 점에서 만난다.　　 ┘
　(iii) 평행하다. ── 만나지 않는다.

③ 서로 다른 두 평면의 위치 관계
　(i) 만난다.
　(ii) 평행하다.

등급업 TIP 직선과 평면의 평행

(1) 평행한 두 평면 α, β와 다른 평면 γ가 만나서 생기는
　교선을 각각 l, m이라고 하면　$l \, /\!/ \, m$
(2) 직선 l과 평면 α가 평행할 때, 직선 l을 포함하는 평
　면 β와 평면 α의 교선을 m이라고 하면　$l \, /\!/ \, m$
(3) 두 직선 l, m이 평행할 때, 직선 l을 포함하고 직선
　m을 포함하지 않는 평면 α에 대하여　$m \, /\!/ \, \alpha$
(4) 평면 α 위에 있지 않은 점 P에서 만나는 두 직선 l,
　m이 모두 평면 α에 평행하면 두 직선 l, m에 의하여
　결정되는 평면 β에 대하여　$\alpha \, /\!/ \, \beta$
(5) 서로 다른 세 평면 α, β, γ에 대하여 $\alpha \, /\!/ \, \beta$, $\beta \, /\!/ \, \gamma$이면
　$\alpha \, /\!/ \, \gamma$

001

출제율 ▬▬▭

오른쪽 그림과 같은 직육면체에
서 직선 BH와 한 점에서 만나는
면의 개수를 a, 꼬인 위치에 있는
모서리의 개수를 b, 평행한 모서
리의 개수를 c라고 할 때,
$a+b+c$의 값은?

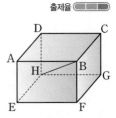

① 11　　　　② 12　　　　③ 13
④ 14　　　　⑤ 15

002

출제율 ▬▬▭

오른쪽 그림과 같은 사면체에서
면 ABC, ACD의 무게중심을
각각 P, Q라고 할 때, |보기|에
서 두 직선이 꼬인 위치에 있는
것만을 있는 대로 고른 것은?

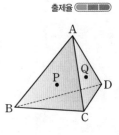

┌─ 보기 ─────────────────┐
ㄱ. 직선 AD와 직선 BQ
ㄴ. 직선 AB와 직선 CP
ㄷ. 직선 PQ와 직선 BD
└──────────────────────┘

① ㄱ　　　　② ㄷ　　　　③ ㄱ, ㄴ
④ ㄱ, ㄷ　　⑤ ㄱ, ㄴ, ㄷ

003

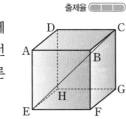

출제율 ◖▮▮▯▯◗

오른쪽 그림과 같은 정육면체에서 세 꼭짓점 A, B, G와 두 직선 EF, CE로 결정되는 서로 다른 평면의 개수는?

① 4　　　　② 5

③ 6　　　　④ 7

⑤ 8

004

출제율 ◖▮▮▮▯◗

서로 다른 5개의 평면으로 만들어지는 교선의 최대 개수는?

① 5　　　② 10　　　③ 15

④ 20　　　⑤ 25

005

출제율 ◖▮▮▯▯◗

서로 다른 세 평면 α, β, γ와 서로 다른 두 직선 l, m에 대하여 |보기|에서 옳은 것만을 있는 대로 고른 것은?

┌─ 보기 ●────────────────────────┐
ㄱ. $l \perp \alpha$, $l \perp \beta$이면　$\alpha /\!/ \beta$
ㄴ. $\alpha \perp l$, $\alpha /\!/ m$이면　$l \perp m$
ㄷ. $\alpha \perp \beta$, $\alpha \perp \gamma$이면　$\beta /\!/ \gamma$
ㄹ. $\alpha /\!/ l$, $\alpha /\!/ m$이면　$l /\!/ m$
└────────────────────────────────┘

① ㄱ, ㄴ　　　② ㄱ, ㄷ　　　③ ㄴ, ㄷ

④ ㄱ, ㄴ, ㄹ　　　⑤ ㄱ, ㄷ, ㄹ

개념 ② 두 직선이 이루는 각

(1) 꼬인 위치에 있는 두 직선이 이루는 각

두 직선 l, m이 꼬인 위치에 있을 때, 직선 l을 직선 m과 한 점에서 만나도록 평행이동한 직선 l'과 직선 m이 이루는 각 중 크지 않은 것을 두 직선 l, m이 이루는 각이라고 한다.

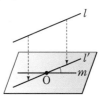

참고 ① 두 직선 l, m이 이루는 각이 직각이면 두 직선 l과 m은 서로 수직이라 하고, 기호 $l \perp m$으로 나타낸다.
② 두 직선 l, m이 평행하면 두 직선 l, m이 이루는 각의 크기는 0°이다.

(2) 직선과 평면의 수직

직선 l이 평면 α와 한 점 O에서 만나고 점 O를 지나는 평면 α 위의 모든 직선과 수직일 때, 직선 l과 평면 α는 서로 수직이라 하고, 기호 $l \perp \alpha$로 나타낸다.

이때 직선 l을 평면 α의 수선이라 하고, 점 O를 수선의 발이라고 한다.

등급업 TIP　직선 l이 평면 α 위의 평행하지 않은 두 직선 m, n과 수직이면 직선 l은 평면 α와 수직이다.

└─ 직선 l이 평면 α 위의 모든 직선과 수직임을 보이지 않아도 $l \perp \alpha$가 성립함을 알 수 있다.

006

출제율 ◖▮▯▯▯◗

오른쪽 그림과 같은 정팔면체에서 모서리 AB와 모서리 CF가 이루는 각의 크기는?

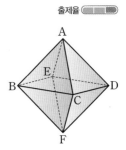

① 30°　　　② 45°

③ 60°　　　④ 90°

⑤ 120°

007

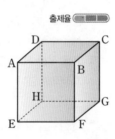

오른쪽 그림과 같은 정육면체에서 선분 AC와 선분 DE가 이루는 각의 크기를 $\theta°$라고 할 때, $\cos\theta°$의 값은?

① $\dfrac{1}{4}$ ② $\dfrac{1}{2}$

③ $\dfrac{\sqrt{2}}{2}$ ④ $\dfrac{\sqrt{3}}{2}$

⑤ 1

008

오른쪽 그림과 같은 정육면체에 대하여 |보기|에서 옳은 것만을 있는 대로 고른 것은?

• 보기 •

ㄱ. (평면 ADG)$\perp\overline{BE}$

ㄴ. (평면 BDH)$\perp\overline{AG}$

ㄷ. (평면 ACE)$\perp\overline{DH}$

① ㄱ ② ㄴ ③ ㄷ

④ ㄱ, ㄴ ⑤ ㄱ, ㄷ

009

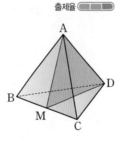

오른쪽 그림과 같은 정사면체에서 모서리 BC의 중점을 M이라고 할 때, 모서리 BC와 평면 AMD가 이루는 각의 크기를 구하여라.

개념 ③ 삼수선의 정리

(1) **삼수선의 정리**

평면 α 위에 있지 않은 점 P, 평면 α 위의 점 O, 점 O를 지나지 않는 평면 α 위의 직선 l, 직선 l 위의 점 H에 대하여

① $\overline{PO}\perp\alpha$, $\overline{OH}\perp l$이면 $\overline{PH}\perp l$

② $\overline{PO}\perp\alpha$, $\overline{PH}\perp l$이면 $\overline{OH}\perp l$

③ $\overline{PH}\perp l$, $\overline{OH}\perp l$, $\overline{PO}\perp\overline{OH}$이면 $\overline{PO}\perp\alpha$

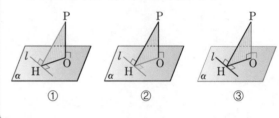

010

다음은 평면 α 위에 있지 않은 점 P에서 평면 α에 내린 수선의 발을 O, 점 O를 지나지 않는 평면 α 위의 직선 l, 점 O에서 직선 l에 내린 수선의 발 H에 대하여 $\overline{PH}\perp l$임을 증명하는 과정이다. □ 안에 알맞은 것을 차례대로 적은 것은?

$\overline{PO}\perp\alpha$이므로 선분 PO는 평면 α 위의 임의의 직선과 수직이다. 이때 (가) 은 평면 α에 포함되므로 $\overline{PO}\perp l$

또, $\overline{OH}\perp$ (나) 이므로 직선 l은 선분 PO와 선분 OH를 포함하는 평면 PHO와 수직이다.

이때 선분 PH는 (다) 에 포함되고, 직선 l은 (다) 위에 있는 모든 직선과 수직이므로 $\overline{PH}\perp l$

	(가)	(나)	(다)
①	직선 l	$\overline{PO}$	평면 PHO
②	직선 l	l	평면 PHO
③	직선 l	l	$\overline{OH}$
④	$\overline{PO}$	$\overline{PO}$	$\overline{OH}$
⑤	$\overline{PO}$	$\overline{OH}$	평면 PHO

011

오른쪽 그림과 같이 평면 α 위에 있지 않은 점 P에서 α에 내린 수선의 발을 O, 점 O에서 α 위의 선분 AB에 내린 수선의 발을 Q라고 하자. $\overline{OP}=4$, $\overline{AQ}=\sqrt{11}$, $\overline{AP}=6$일 때, $\overline{OQ}$의 길이는?

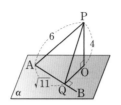

① 1 　　② 2 　　③ 3
④ 4 　　⑤ 5

012

오른쪽 그림과 같이 $\overline{AB}=\sqrt{7}$, $\overline{AD}=3$, $\overline{AE}=2$인 직육면체의 꼭짓점 C에서 선분 FH에 내린 수선의 발을 O라고 할 때, $\overline{CO}=\dfrac{\sqrt{a}}{4}$이다. 양수 a의 값을 구하여라.

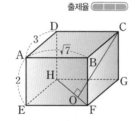

013

오른쪽 그림과 같이 $\overline{OA}\perp\overline{OB}$, $\overline{OA}\perp\overline{OC}$, $\overline{OB}\perp\overline{OC}$인 사면체에서 $\overline{OA}=1$, $\overline{OB}=2$, $\overline{OC}=1$일 때, 삼각형 ABC의 넓이는?

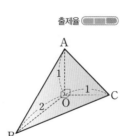

① $\dfrac{3}{16}$ 　　② $\dfrac{3}{8}$
③ $\dfrac{3}{4}$ 　　④ $\dfrac{3}{2}$
⑤ 3

개념 ④ 이면각

(1) 이면각

① 직선 l을 공유하는 두 반평면 α, β로 이루어진 도형을 이면각이라 하고, 직선 l을 이면각의 변, 두 반평면 α, β를 각각 이면각의 면이라고 한다.

참고 평면 위의 한 직선은 그 평면을 두 부분으로 나누는데, 그 각각을 반평면이라고 한다.

② 이면각의 변 l 위의 점 O를 지나고 l에 수직인 반직선 OA, OB를 각각 반평면 α, β 위에 그을 때, $\angle AOB$의 크기를 이면각의 크기라고 한다.

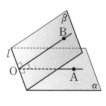

(2) 두 평면이 이루는 각의 크기

① 서로 다른 두 평면이 만나면 네 개의 이면각이 생기는데, 이 중 크기가 크지 않은 한 이면각의 크기를 두 평면이 이루는 각의 크기라고 한다.

② 두 평면 α, β가 이루는 각의 크기가 90°일 때, 두 평면 α, β는 서로 수직이라 하고, 기호 $\alpha\perp\beta$로 나타낸다.

014

오른쪽 그림과 같은 정육면체에서 평면 AEHD와 평면 DEG가 이루는 각의 크기를 θ°라고 할 때, $\cos\theta$°의 값은?

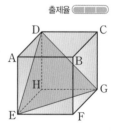

① $\dfrac{1}{3}$ 　　② $\dfrac{\sqrt{3}}{3}$
③ $\dfrac{\sqrt{3}}{2}$ 　　④ $\dfrac{\sqrt{6}}{3}$
⑤ $\dfrac{2\sqrt{2}}{3}$

015

출제율 ▣▣▣

오른쪽 그림과 같은 정사면체에서 모서리 AD의 중점을 M이라 하고, 평면 ABC와 평면 BCM이 이루는 각의 크기를 $\theta°$라고 할 때, $\cos \theta°$의 값을 구하여라.

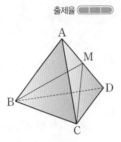

016

출제율 ▣▣▣

오른쪽 그림과 같이 한 변의 길이가 2인 정사각형 모양의 종이 ABCD가 있다. 이 종이를 대각선 BD를 접는 선으로 하여 접어 올렸을 때 꼭짓점 A'에서 면 BCD 위에 내린 수선의 발이 삼각형 BCD의 무게중심 G와 일치했다. 평면 A'BD와 평면 BCD가 이루는 각의 크기를 $\theta°$라고 할 때, $\sin \theta°$의 값은?

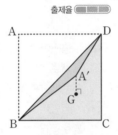

(단, 종이의 두께는 고려하지 않는다.)

① $\dfrac{1}{3}$ ② $\dfrac{1}{2}$ ③ $\dfrac{\sqrt{2}}{2}$

④ $\dfrac{\sqrt{3}}{2}$ ⑤ $\dfrac{2\sqrt{2}}{3}$

017

출세율 ▣▣▣

오른쪽 그림과 같이 $\overline{OA} \perp \overline{OB}$, $\overline{OA} \perp \overline{OC}$, $\overline{OB} \perp \overline{OC}$인 사면체에서 $\angle CAO = 60°$, $\angle CBO = 45°$이다. 평면 OAB와 평면 ABC가 이루는 각의 크기를 $\theta°$라고 할 때, $\tan \theta°$의 값을 구하여라.

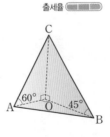

개념 ⑤ 정사영

(1) 정사영

평면 α 위에 있지 않은 점 P에서 평면 α에 내린 수선의 발을 P'이라고 할 때, 점 P'을 점 P의 평면 α 위로의 정사영이라고 한다.

또, 도형 F에 속하는 각 점의 평면 α 위로의 정사영으로 이루어진 도형 F'을 도형 F의 평면 α 위로의 정사영이라고 한다.

[참고] 일반적으로 평면 위로의 정사영에서 점의 정사영은 점이고, 직선의 정사영은 점 또는 직선이며, 다각형의 정사영은 선분 또는 다각형이다. └─ 이 점은 평면과 직선의 교점이다.

(2) 정사영의 길이

선분 AB의 평면 α 위로의 정사영을 선분 A'B', 직선 AB와 평면 α가 이루는 각의 크기를 $\theta°(0° \leq \theta° \leq 90°)$라고 하면
$$\overline{A'B'} = \overline{AB} \cos \theta°$$

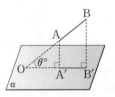

(3) 정사영의 넓이

도형 F의 평면 α 위로의 정사영을 F', 도형 F를 포함하는 평면이 평면 α와 이루는 각의 크기를 $\theta°$ $(0° \leq \theta° \leq 90°)$, 도형 F와 도형 F'의 넓이를 각각 S, S'이라고 하면
$$S' = S \cos \theta°$$

등급업 TIP

두 평면 α, β가 이루는 각의 크기를 구할 때는

(1) 두 평면의 교선을 찾을 수 있다.
➡ 이면각의 크기를 이용한다.

(2) 두 평면의 교선을 알 수 없다.
➡ 정사영의 길이 또는 정사영의 넓이를 이용한다.

018

출제율 ▣▣▣

오른쪽 그림과 같이 한 모서리의 길이가 3인 정사면체에서 모서리 AB의 평면 ACD 위로의 정사영의 길이를 구하여라.

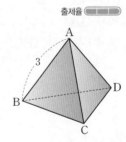

019

오른쪽 그림과 같이 한 모서리의 길이가 1인 정육면체에 대하여 다음 ㈎, ㈏, ㈐의 길이를 각각 a, b, c라고 할 때, 대소 관계로 옳은 것은?

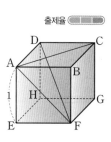

㈎ 선분 AC의 평면 AEHD 위로의 정사영
㈏ 선분 AF의 평면 EFGH 위로의 정사영
㈐ 선분 DF의 평면 CDHG 위로의 정사영

① $a<b<c$ ② $a<c<b$ ③ $a=b<c$
④ $a<b=c$ ⑤ $a=b=c$

020

오른쪽 그림과 같이 변 BC가 평면 α와 평행하고 $\overline{AB}=\overline{AC}=4$, $\overline{BC}=2$인 이등변삼각형 ABC의 평면 α 위로의 정사영은 정삼각형이다. 삼각형 ABC와 평면 α가 이루는 각의 크기를 $\theta°$라고 할 때, $\cos\theta°$의 값은?

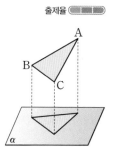

① $\dfrac{\sqrt{5}}{5}$ ② $\dfrac{\sqrt{3}}{3}$ ③ $\dfrac{\sqrt{5}}{3}$
④ $\dfrac{\sqrt{2}}{2}$ ⑤ $\dfrac{\sqrt{3}}{2}$

021

오른쪽 그림과 같이 밑면 EFGH가 정사각형인 직육면체에서 선분 BD의 중점을 M, 선분 AH와 DE의 교점을 N이라고 하자. 평면 MBN과 밑면 EFGH가 이루는 각의 크기가 45°일 때, 삼각형 MBN의 넓이는 정사각형 EFGH의 몇 배인가?

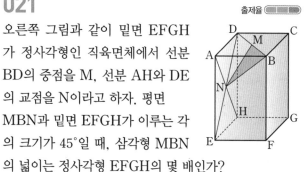

① $\dfrac{1}{2}$배   ② $\dfrac{\sqrt{2}}{4}$배   ③ $\dfrac{1}{4}$배
④ $\dfrac{\sqrt{2}}{8}$배   ⑤ $\dfrac{1}{8}$배

022

오른쪽 그림과 같이 밑면이 타원이고, 밑면과 모선이 이루는 각의 크기가 60°인 입체도형 안에 구가 접해 있다. 입체도형의 한 밑면의 넓이가 $6\sqrt{3}\,\pi$일 때, 구의 반지름의 길이는?

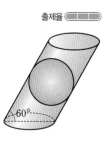

① 2   ② 3   ③ 4
④ 5   ⑤ 6

최상위권 도약 **실력 완성 문제**

개념 ① 직선과 평면의 위치 관계

023

서로 다른 세 평면에 대하여 어느 두 평면은 반드시 만나고, 총 3개의 교선이 생긴다고 한다. |보기|에서 3개의 교선의 위치 관계가 될 수 있는 것만을 있는 대로 고른 것은?

> • 보기 •
> ㄱ. 한 점에서 만난다.
> ㄴ. 평행하다.
> ㄷ. 꼬인 위치에 있다.

① ㄱ   ② ㄴ   ③ ㄱ, ㄴ
④ ㄴ, ㄷ   ⑤ ㄱ, ㄴ, ㄷ

024

한 모서리의 길이가 a인 정사면체에서 두 면의 무게중심을 각각 G_1, G_2라고 할 때, 선분 G_1G_2의 길이는?

① $\frac{1}{4}a$ ② $\frac{1}{3}a$ ③ $\frac{2}{5}a$
④ $\frac{1}{2}a$ ⑤ $\frac{4}{5}a$

025

서로 다른 세 평면에 의하여 분할되는 공간 수의 최댓값을 M, 최솟값을 m이라고 할 때, $M-m$의 값은?

① 2   ② 3   ③ 4
④ 5   ⑤ 6

026

오른쪽 그림과 같이 공간에 사각형 ABCD와 이 사각형을 포함한 평면과 평행한 직선 l 위의 서로 다른 두 점 P, Q가 있다. 이 6개의 점 A, B, C, D, P, Q로 결정되는 평면의 개수의 최댓값을 M, 최솟값을 m이라고 할 때 $M+m$의 값은?

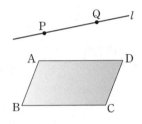

① 28   ② 29   ③ 30
④ 31   ⑤ 32

027

공간에서 서로 다른 6개의 점으로 만들 수 있는 서로 다른 직선의 개수가 13일 때, 이 6개의 점으로 결정되는 평면의 최대 개수를 구하여라.

028 교육청 기출 / 수학I 융합

정n각기둥에서 밑면의 한 모서리와 꼬인 위치에 있는 모서리의 개수를 $f(n)$ 이라고 하자. 예를 들어 $f(3)=3$, $f(4)=4$이다. $\sum\limits_{n=3}^{20} f(n)$의 값을 구하여라.

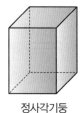

정삼각기둥　정사각기둥

030 다빈출

오른쪽 그림과 같은 정육면체에서 선분 BD와 선분 AG가 이루는 각의 크기는?

① 45° 　② 60°

③ 75° 　④ 90°

⑤ 110°

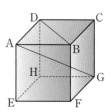

개념 **2** 두 직선이 이루는 각

029

오른쪽 그림과 같이 밑면이 정사각형이고 옆면이 정삼각형인 정사각뿔이 있다. 모서리 AB와 모서리 AD가 이루는 각의 크기를 $\theta_1°$, 모서리 AB와 모서리 DE가 이루는 각의 크기를 $\theta_2°$ 라고 할 때, $\theta_1°+\theta_2°$의 값은?

① 105° 　② 120° 　③ 135°

④ 150° 　⑤ 180°

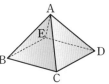

031

오른쪽 그림과 같은 정육면체에서 선분 AG와 평면 DEFC가 이루는 각의 크기를 $\theta°$라고 할 때, $\sin\theta°$의 값은?

① $\dfrac{\sqrt{2}}{3}$ 　② $\dfrac{\sqrt{3}}{3}$

③ $\dfrac{2}{3}$ 　④ $\dfrac{\sqrt{5}}{3}$

⑤ $\dfrac{\sqrt{6}}{3}$

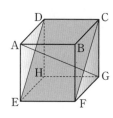

032

오른쪽 그림과 같은 정육면체에서 선분 AC의 중점을 M이라고 하자. 직선 AB와 직선 MF가 이루는 각의 크기를 $\theta°$라고 할 때, $\cos\theta°$의 값은?

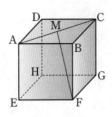

① $\dfrac{\sqrt{3}}{6}$ ② $\dfrac{1}{3}$ ③ $\dfrac{\sqrt{2}}{4}$

④ $\dfrac{\sqrt{6}}{6}$ ⑤ $\dfrac{1}{2}$

033

오른쪽 그림과 같이 모서리의 길이가 1인 정사면체에서 모서리 AB와 모서리 CD 사이의 거리는?

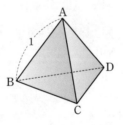

① $\dfrac{\sqrt{2}}{2}$ ② 1

③ $\sqrt{2}$ ④ 2

⑤ $2\sqrt{2}$

034

오른쪽 그림과 같은 정사면체 ABCD에서 모서리 BD의 중점을 M이라고 하자. 모서리 BC와 선분 AM이 이루는 각의 크기를 $\theta°$라고 할 때, $\cos\theta°$의 값은?

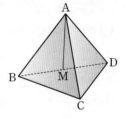

① $\dfrac{1}{6}$ ② $\dfrac{\sqrt{2}}{6}$

③ $\dfrac{\sqrt{3}}{6}$ ④ $\dfrac{1}{3}$

⑤ $\dfrac{\sqrt{5}}{6}$

035

오른쪽 그림과 같이 $\overline{AB}=\overline{AD}=2$, $\overline{AE}=4$인 직육면체에서 모서리 DH, FG의 중점을 각각 M, N이라고 하자. 선분 AN과 선분 CM이 이루는 각의 크기를 $\theta°$라고 할 때, $\cos\theta°$의 값은?

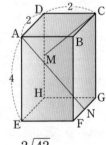

① $\dfrac{\sqrt{21}}{21}$ ② $\dfrac{\sqrt{42}}{21}$ ③ $\dfrac{2\sqrt{42}}{21}$

④ $\dfrac{\sqrt{21}}{7}$ ⑤ $\dfrac{\sqrt{42}}{7}$

036 학교 기출 신유형

정육면체의 한 모서리 AB와 A, B가 아닌 임의의 꼭짓점 2개를 연결하여 만든 선분이 이루는 각의 크기를 $\theta°$라고 할 때, $12\cos^2\theta°$의 값의 합은?

① 20　　　　② 22　　　　③ 24

④ 26　　　　⑤ 28

개념 ③ 삼수선의 정리

037

오른쪽 그림과 같이 한 모서리의 길이가 2인 정육면체가 있다. 모서리 AD의 중점 M에서 선분 EG에 이르는 최단 거리는?

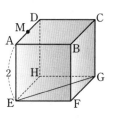

① $\dfrac{\sqrt{2}}{2}$　　　② $\dfrac{\sqrt{6}}{2}$

③ $\dfrac{3\sqrt{2}}{2}$　　　④ $\sqrt{6}$

⑤ $\dfrac{3\sqrt{6}}{2}$

038 다빈출

오른쪽 그림과 같이 평면 α 위에 $\overline{AB}=\overline{AC}=6$, $\overline{BC}=4$인 이등변삼각형 ABC가 있다. 평면 α 위에 있지 않은 점 P에서 평면 α에 내린 수선의 발 A에 대하여 $\overline{PA}=2$일 때, 삼각형 PBC의 넓이는?

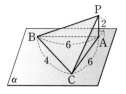

① 4　　　　② 6　　　　③ 8

④ 10　　　　⑤ 12

039

오른쪽 그림과 같이 서로 수직인 두 평면 α, β의 교선 XY에 대하여 평면 α 위의 직선 l과 평면 β 위의 직선 m이 직선 XY 위의 점 P에서 만나고, 직선 XY와 이루는 각의 크기가 각각 60°, 30°이다.

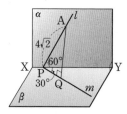

$\overline{PA}=4\sqrt{2}$인 직선 l 위의 점 A에서 직선 m에 내린 수선의 발을 Q라고 할 때, 선분 PQ의 길이는?

① $\sqrt{3}$　　　② 2　　　　③ $\sqrt{5}$

④ $\sqrt{6}$　　　⑤ 3

040

오른쪽 그림과 같이 높이가 5이고 밑면의 반지름의 길이가 5인 원기둥이 있다. 원기둥의 한 밑면의 원주 위의 점 P와 다른 밑면의 원주 위의 점 A에 대하여 $\overline{AP}=\sqrt{35}$일 때, 점 P와 지름 AB 사이의 거리의 최솟값은?

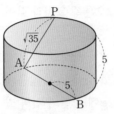

① $\sqrt{31}$ ② $4\sqrt{2}$ ③ $\sqrt{33}$

④ $\sqrt{34}$ ⑤ $\sqrt{35}$

041 학교 기출 신유형

다음 그림과 같이 밑면이 직각이등변삼각형인 삼각기둥에서 면 ABED 위의 직선 l이 모서리 AB와 이루는 각의 크기가 60°이다. 직선 l이 면 BEFC와 이루는 각의 크기를 $\theta°$라고 할 때, $\sin\theta°$의 값은?

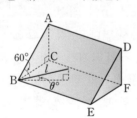

① $\dfrac{\sqrt{2}}{4}$ ② $\dfrac{\sqrt{3}}{4}$ ③ $\dfrac{\sqrt{2}}{2}$

④ $\dfrac{\sqrt{3}}{2}$ ⑤ $\dfrac{2\sqrt{2}}{3}$

042 평가원 기출

서로 수직인 두 평면 α와 β가 있다. 평면 α 위의 두 점 A, B에 대하여 $\overline{AB}=3\sqrt{5}$이고 직선 AB가 평면 β와 평행할 때, 점 A와 평면 β 사이의 거리가 2이고, 평면 β 위의 점 P와 평면 α 사이의 거리는 4이다. 이때 삼각형 PAB의 넓이를 구하여라.

043

오른쪽 그림과 같이 $\overline{AE}=\sqrt{6}$인 직육면체에서 꼭짓점 H, F에서 선분 EG에 내린 수선의 발을 각각 P, Q라고 할 때, $\overline{HP}=\sqrt{2}$, $\triangle DPQ=2\sqrt{6}$이다. 이때 선분 EG와 선분 FH의 교점과 점 D 사이의 거리는?

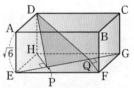

① $\sqrt{5}$ ② $\sqrt{7}$ ③ 3

④ $\sqrt{11}$ ⑤ $\sqrt{13}$

044

오른쪽 그림과 같이 평면 α 위에 있지 않은 점 A에 대하여 $\overline{AB}=12$, $\overline{AC}=13$, $\angle ABC=90°$인 삼각형이 만들어지도록 평면 α 위의 두 점 B, C를 잡았다. 이때 선분 BC의 자취의 넓이를 구하여라.

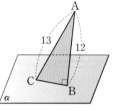

045

오른쪽 그림과 같이 $\overline{OA}\perp\overline{AB}$, $\overline{OA}\perp\overline{AC}$, $\overline{AB}\perp\overline{AC}$인 사면체에서 $\overline{OA}=2$, $\overline{AB}=1$, $\overline{AC}=2\sqrt{2}$일 때, 선분 BC 위를 움직이는 점 P에 대하여 $\overline{OP}+\overline{AP}$의 최솟값은?

① $\dfrac{2(\sqrt{2}+\sqrt{3})}{3}$

② $\sqrt{3}$

③ $\dfrac{2(\sqrt{5}+\sqrt{2})}{3}$

④ $\dfrac{2(\sqrt{7}+\sqrt{2})}{3}$

⑤ $\dfrac{2(\sqrt{11}+\sqrt{2})}{3}$

개념 4 이면각

046

오른쪽 그림과 같은 정육면체에서 평면 AFG와 평면 AGH가 이루는 각의 크기를 $\theta°$라고 할 때, $\theta°$의 값은?

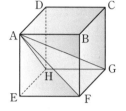

① $30°$ ② $60°$

③ $90°$ ④ $120°$

⑤ $150°$

047 _{평가원 기출}

오른쪽 그림과 같은 정사면체에서 모서리 OA를 1 : 2로 내분하는 점을 P라 하고, 모서리 OB와 OC를 2 : 1로 내분하는 점을 각각 Q와 R라고 하자. △PQR와 △ABC가 이루는 각의 크기를 $\theta°$라고 할 때, $\cos\theta°$의 값은?

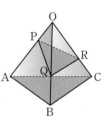

① $\dfrac{1}{3}$ ② $\dfrac{\sqrt{2}}{3}$ ③ $\dfrac{\sqrt{3}}{3}$

④ $\dfrac{\sqrt{5}}{3}$ ⑤ $\dfrac{\sqrt{6}}{3}$

048

오른쪽 그림과 같이 $\overline{AB}=\overline{AD}=2$ 인 직육면체에서 모서리 DH를 2 : 1 로 내분하는 점을 P라고 할 때, 평 면 PFG가 면 EFGH와 이루는 각 의 크기를 $\theta°$라고 하면 $\cos \theta° = \dfrac{2}{3}$ 이다. 이 직육면체의 부피가 $a\sqrt{5}$ 일 때, 자연수 a의 값은?

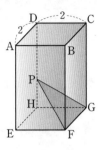

① 6 　　　 ② 12 　　　 ③ 18

④ 24 　　　 ⑤ 30

049

오른쪽 그림과 같이 두 개의 삼각 기둥을 붙여 놓은 입체도형이 있다. $\overline{EF}=\overline{FG}=2$, $\overline{BE}=\sqrt{2}$, $\overline{GJ}=\sqrt{6}$ 이고 밑면 DEFG는 정사각형일 때, 두 평면 BDF, JDF가 이루는 각의 크기는?

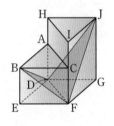

① 45° 　　　 ② 60° 　　　 ③ 75°

④ 90° 　　　 ⑤ 105°

050 수학Ⅰ 융합

다음 그림과 같이 크기가 같은 정사면체 두 개가 놓여 있다. 네 점 B, C, D, F가 한 평면 위에 있을 때, 두 평 면 ACD와 ECD가 이루는 각의 크기를 $\theta°$라고 하자. 이때 $\sin \theta° = \dfrac{p\sqrt{2}}{q}$를 만족시키는 서로소인 자연수 p, q 에 대하여 $q-p$의 값을 구하여라.

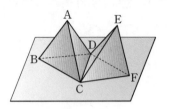

051 수학Ⅰ 융합

오른쪽 그림과 같이 정사면체 ABCD에서 모서리 AB, AC 를 1 : 2로 내분하는 점을 각각 K, L이라 하고, 모서리 BD, CD를 1 : 2로 내분하는 점을 각각 M, N이라고 하자. 평면 KLNM과 평면 BCD가 이루는 각의 크기를 $\theta°$라고 할 때, $\dfrac{1}{\cos^2 \theta°}$의 값은?

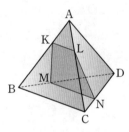

① 31 　　　 ② 32 　　　 ③ 33

④ 34 　　　 ⑤ 35

개념 5 정사영

052

오른쪽 그림과 같이 원기둥을 밑면과 60°를 이루는 평면으로 자른 단면의 넓이를 S_1, 45°를 이루는 평면으로 자른 단면의 넓이를 S_2라고 할 때, $\dfrac{S_1}{S_2}$의 값은?

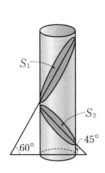

① $\dfrac{\sqrt{2}}{4}$

② $\dfrac{\sqrt{2}}{2}$

③ 1

④ $\sqrt{2}$

⑤ $2\sqrt{2}$

053

오른쪽 그림과 같이 $\overline{AB}=3$, $\overline{BC}=2$, $\overline{AE}=6$인 직육면체를 평면 PFGQ로 잘랐을 때, 삼각기둥 PEF−QHG의 부피는 나머지 부분의 부피의 $\dfrac{1}{5}$이다. 잘린 단면의 넓이를 S라고 할 때, S^2의 값은? (단, 선분 PQ는 모서리 EH와 평행하다.)

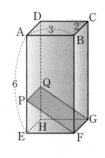

① 36

② 40

③ 44

④ 48

⑤ 52

054

오른쪽 그림과 같이 반지름의 길이가 4인 반구에서 밑면인 원의 중심을 O, 지름의 양 끝점을 A, B라고 하자. 이 반구를 점 A를 지나고 밑면과 30°를 이루는 평면으로 자를 때 생기는 단면의 밑면 위로의 정사영의 넓이는?

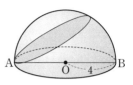

① $3\sqrt{3}\pi$

② $4\sqrt{3}\pi$

③ $5\sqrt{3}\pi$

④ $6\sqrt{3}\pi$

⑤ $7\sqrt{3}\pi$

055 〈다빈출〉

오른쪽 그림과 같이 두 평면 α, β가 이루는 각의 크기가 60°이고, 평면 α 위의 길이가 4인 선분 AB가 두 평면의 교선 l과 이루는 각의 크기가 45°이다. 선분 AB의 평면 β 위로의 정사영의 길이는?

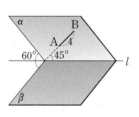

① $\sqrt{6}$

② $\sqrt{7}$

③ $2\sqrt{2}$

④ 3

⑤ $\sqrt{10}$

056

오른쪽 그림과 같이 한 모서리의 길이가 4인 정육면체에서 모서리 AB, BC, AD의 중점을 각각 P, Q, R라고 하자. 삼각형 PQR의 평면 DEFC 위로의 정사영의 넓이는?

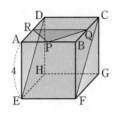

① 1
② $\sqrt{2}$
③ 2
④ $\sqrt{6}$
⑤ $2\sqrt{2}$

057

오른쪽 그림과 같이 모든 모서리의 길이가 2인 정사각뿔에서 삼각형 OAB의 평면 ABCD 위로의 정사영이 삼각형 O′AB일 때, 선분 O′A의 평면 OAB 위로의 정사영의 길이는?

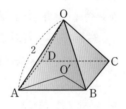

① $\dfrac{2\sqrt{2}}{3}$
② 1
③ $\dfrac{\sqrt{10}}{3}$
④ $\dfrac{\sqrt{11}}{3}$
⑤ $\dfrac{2\sqrt{3}}{3}$

058 〈다빈출〉

오른쪽 그림과 같이 구 모양의 공이 있다. 햇빛에 의하여 지면에 생긴 이 공의 그림자가 장축의 길이가 24이고 그 넓이가 144π인 타원일 때, 구의 반지름의 길이는?

① 10
② 11
③ 12
④ 13
⑤ 14

059

오른쪽 그림과 같이 원기둥을 밑면의 중심 O를 지나는 평면으로 잘랐을 때, 잘린 단면의 넓이가 밑면의 넓이와 같다고 한다. 이 단면과 원기둥의 밑면과 옆면에 모두 접하는 구 중 가장 큰 구의 반지름의 길이가 $\sqrt{3}$일 때, 밑면의 반지름의 길이는? (단, 구는 잘린 원기둥의 두 부분 중 부피가 작은 쪽에 존재한다.)

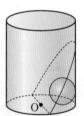

① $2+\sqrt{3}$
② $3+\sqrt{2}$
③ $3+\sqrt{3}$
④ $2+2\sqrt{2}$
⑤ $2+2\sqrt{3}$

060

밑면의 반지름의 길이와 높이가 모두 2인 원기둥을 한 평면으로 비스듬히 잘랐더니 오른쪽 그림과 같았다. 이때 잘린 단면의 넓이는?

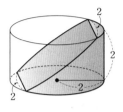

① $\dfrac{4\sqrt{3}}{3}\pi+4$ ② $\dfrac{5\sqrt{3}}{3}\pi+5$

③ $\dfrac{5\sqrt{3}}{4}\pi+3$ ④ $\dfrac{16\sqrt{3}}{9}\pi+4$

⑤ $\dfrac{25\sqrt{3}}{9}\pi+5$

061 평가원 기출

반지름의 길이가 6인 반구가 평면 α 위에 놓여 있다. 반구와 평면 α가 만나서 생기는 원의 중심을 O라고 하자. 다음 그림과 같이 중심 O로부터 거리가 $2\sqrt{3}$이고 평면 α와 45°의 각을 이루는 평면으로 반구를 자를 때, 반구에 나타나는 단면의 평면 α 위로의 정사영의 넓이는 $\sqrt{2}(a+b\pi)$이다. $a+b$의 값을 구하여라.

(단, a, b는 자연수이다.)

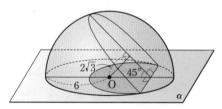

062

오른쪽 그림과 같은 직육면체에서 세 면 ABCD, AEHD, DHGC가 면 ACH와 이루는 각의 크기를 각각 $\alpha°$, $\beta°$, $\gamma°$라고 하면 $\cos \alpha° = \dfrac{\sqrt{3}}{3}$, $\cos \beta° = \dfrac{\sqrt{14}}{7}$, $\cos \gamma° = \dfrac{p\sqrt{42}}{q}$이다. 서로소인 자연수 p, q에 대하여 $p+q$의 값을 구하여라.

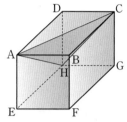

063 학교 기출 신유형

다음 그림과 같이 중심이 O이고 반지름의 길이가 8인 반원 모양의 종이가 있다. 이 종이에 그린 점 O와의 거리가 각각 6, $2\sqrt{2}$인 두 점 A, B에 대하여 선분 OA, OB가 이루는 각의 크기가 45°이다. 이 종이로 원뿔을 만든 후 두 점 A, B의 밑면 위로의 정사영을 각각 A′, B′이라고 할 때, 선분 A′B′의 길이는?

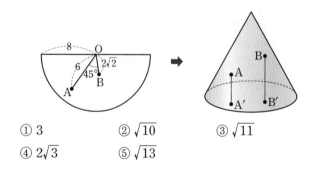

① 3 ② $\sqrt{10}$ ③ $\sqrt{11}$

④ $2\sqrt{3}$ ⑤ $\sqrt{13}$

상위권 보장 **개념+필수 기출 문제**

개념 1 공간에서의 점의 좌표

(1) 좌표공간

① 좌표공간: 좌표축과 좌표평면이 정해진 공간

② 한 점 O에서 서로 직교하는 세 수직선을 그었을 때, 점 O를 원점, 세 수직선을 각각 x축, y축, z축이라 하고, 세 개의 축을 좌표축이라고 한다.

③ x축과 y축으로 결정되는 평면을 xy평면, y축과 z축으로 결정되는 평면을 yz평면, z축과 x축으로 결정되는 평면을 zx평면이라 하고, 이 세 평면을 좌표평면이라고 한다.

(2) 공간좌표

좌표공간 위의 점 P에 대응하는 세 실수의 순서쌍 (a, b, c)를 점 P의 공간좌표라 하고, 기호 P(a, b, c)로 나타낸다.

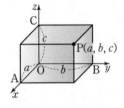

참고 원점 O를 좌표로 나타내면 O$(0, 0, 0)$

(3) 수선의 발의 좌표

점 (a, b, c)에서 좌표축 또는 좌표평면에 내린 수선의 발의 좌표는 다음과 같다.

① x축: $(a, 0, 0)$　　② y축: $(0, b, 0)$
③ z축: $(0, 0, c)$　　④ xy평면: $(a, b, 0)$
⑤ yz평면: $(0, b, c)$　⑥ zx평면: $(a, 0, c)$

(4) 대칭이동한 점의 좌표

점 (a, b, c)를 좌표축 또는 좌표평면에 대하여 대칭이동한 점의 좌표는 다음과 같다.

① x축: $(a, -b, -c)$　② y축: $(-a, b, -c)$
③ z축: $(-a, -b, c)$　④ xy평면: $(a, b, -c)$
⑤ yz평면: $(-a, b, c)$　⑥ zx평면: $(a, -b, c)$
⑦ 원점: $(-a, -b, -c)$

064　　　　출제율 ▢▢▢

점 P(a, b, c)를 x축에 대하여 대칭이동한 점과 점 Q$(a-4b, 2-2b, 3c-2a)$를 yz평면에 대하여 대칭이동한 점이 같을 때, $a+b+c$의 값을 구하여라.

065　　　　출제율 ▢▢▢

점 P에서 xy평면, z축에 내린 수선의 발이 각각 $(-2, 1, 0)$, $(0, 0, 4)$이다. 점 P를 zx평면에 대하여 대칭이동한 점의 좌표를 (a, b, c)라고 할 때, $a+b+c$의 값은?

① 1　　　　② 2　　　　③ 3
④ 4　　　　⑤ 5

---

066 학교 기출 신유형　　　　출제율 ▢▢▢

오른쪽 그림과 같이 두 개의 정육면체를 붙여 만든 직육면체의 꼭짓점 A(a, b, c)에 대하여 $a+b+c=4$일 때, 점 B의 y좌표와 점 E의 x좌표의 합은?

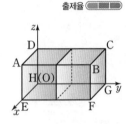

① 4　　　　② 5　　　　③ 6
④ 7　　　　⑤ 8

067　　　　출제율 ▢▢▢

점 P$(2, 3, 5)$에서 x축, y축에 내린 수선의 발을 각각 A, B라 하고, xy평면에 내린 수선의 발을 C라고 할 때, 사면체 PABC의 부피를 구하여라.

개념 ② 두 점 사이의 거리

(1) 좌표공간에서의 두 점 사이의 거리

좌표공간에서 두 점 $A(x_1, y_1, z_1)$, $B(x_2, y_2, z_2)$ 사이의 거리는

$$\overline{AB} = \sqrt{(x_2 - x_1)^2 + (y_2 - y_1)^2 + (z_2 - z_1)^2}$$

특히 원점 O와 점 $A(x_1, y_1, z_1)$ 사이의 거리는

$$\overline{OA} = \sqrt{x_1{}^2 + y_1{}^2 + z_1{}^2}$$

등급업 TIP 좌표평면 위의 점 P에 대하여 $\overline{AP} + \overline{PB}$의 최솟값

(1) 두 점 A, B가 좌표평면을 기준으로 서로 반대쪽에 있는 경우 ➡ ($\overline{AP} + \overline{PB}$의 최솟값) = ($\overline{AB}$의 길이)

(2) 두 점 A, B가 좌표평면을 기준으로 같은 쪽에 있는 경우 ➡ 점 A와 좌표평면에 대하여 대칭인 점을 A'이라고 하면
($\overline{AP} + \overline{PB}$의 최솟값) = ($\overline{A'B}$의 길이)

068

출제율 ◖▬▬▬◗

두 점 $P(t, 1-t, 3)$, $Q(2, t-2, t-1)$에 대하여 선분 PQ의 길이의 최솟값은?

① 2 ② $\sqrt{5}$ ③ $\sqrt{6}$

④ $2\sqrt{2}$ ⑤ 5

069

출제율 ◖▬▬▬◗

두 점 $A(-3, 1, 3)$, $B(2, 2, 5)$에서 같은 거리에 있는 z축 위의 점의 좌표를 $P(a, b, c)$라고 할 때, $a-b+c$의 값은?

① $\dfrac{5}{2}$ ② 3 ③ $\dfrac{7}{2}$

④ 4 ⑤ $\dfrac{9}{2}$

070

출제율 ◖▬▬▬◗

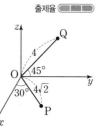

xy평면 위의 점 P, yz평면 위의 점 Q에 대하여 반직선 OP가 x축의 양의 방향과 이루는 각의 크기가 30°, 반직선 OQ가 y축의 양의 방향과 이루는 각의 크기가 45°이다. $\overline{OP} = 4\sqrt{2}$, $\overline{OQ} = 4$일 때, 두 점 P, Q 사이의 거리는? (단, 점 O는 원점이다.)

① $2\sqrt{2}$ ② $2\sqrt{3}$ ③ 4

④ $4\sqrt{2}$ ⑤ $4\sqrt{3}$

071

출제율 ◖▬▬▬◗

세 점 $A(1, -1, 2)$, $B(2, 0, -3)$, $C(0, 4, 1)$을 꼭짓점으로 하는 삼각형 ABC는 어떤 삼각형인가?

① 이등변삼각형 ② 정삼각형

③ 둔각삼각형 ④ 직각삼각형

⑤ 직각이등변삼각형

072

출제율 ◖▬▬▬◗

두 점 $A(-1, 1, 2)$, $B(-3, 2, a)$와 yz평면 위를 움직이는 점 P에 대하여 $\overline{AP} + \overline{PB}$의 최솟값이 $\sqrt{66}$일 때, 양수 a의 값은?

① 8 ② 9 ③ 10

④ 11 ⑤ 12

073

출제율

점 $A(0, -2, a)$와 점 $P(1, 0, 2)$ 사이의 거리가 점 $B(-1, 2, -3)$과 점 P 사이의 거리의 $\frac{\sqrt{3}}{3}$배일 때, 모든 실수 a의 값의 합을 구하여라.

074

출제율

두 점 $A(-1, -3, 1)$, $B(2, -2, -1)$에 대하여 직선 AB와 zx평면이 이루는 각의 크기를 $\theta°$라고 할 때, $\cos^2 \theta°$의 값은?

① $\frac{7}{13}$ ② $\frac{9}{13}$ ③ $\frac{11}{13}$

④ $\frac{11}{14}$ ⑤ $\frac{13}{14}$

075

출제율

세 점 $A(1, 1, 1)$, $B(4, 2a, 1-a)$, $C(a, -2, 0)$을 꼭짓점으로 하는 삼각형 ABC가 각 A가 둔각인 둔각삼각형일 때, 정수 a의 최솟값은?

① -2 ② -1 ③ 0

④ 1 ⑤ 2

개념 ③ 선분의 내분점과 외분점

(1) 좌표공간에서의 선분의 내분점과 외분점

좌표공간 위의 두 점 $A(x_1, y_1, z_1)$, $B(x_2, y_2, z_2)$에 대하여 선분 AB를 $m : n(m>0, n>0)$으로 내분하는 점을 P, 외분하는 점을 Q라고 하면

$$P\left(\frac{mx_2+nx_1}{m+n}, \frac{my_2+ny_1}{m+n}, \frac{mz_2+nz_1}{m+n}\right)$$

$$Q\left(\frac{mx_2-nx_1}{m-n}, \frac{my_2-ny_1}{m-n}, \frac{mz_2-nz_1}{m-n}\right)$$

(단, $m \neq n$)

등급업 TIP 좌표공간 위의 세 점 $A(x_1, y_1, z_1)$, $B(x_2, y_2, z_2)$, $C(x_3, y_3, z_3)$에 대하여 삼각형 ABC의 무게중심 G의 좌표는

$$\left(\frac{x_1+x_2+x_3}{3}, \frac{y_1+y_2+y_3}{3}, \frac{z_1+z_2+z_3}{3}\right)$$

076

출제율

두 점 $A(-5, -3, 1)$, $B(6, 2, -3)$에 대하여 선분 AB가 zx평면에 의하여 $k : 2$로 내분될 때, 양수 k의 값은?

① 1 ② 2 ③ 3

④ 4 ⑤ 5

077

출제율

점 $P(-1, 5, 6)$의 xy평면, yz평면 위로의 정사영을 각각 A, B, 점 P에서 z축에 내린 수선의 발을 C라고 하자. 삼각형 ABC의 무게중심의 좌표가 (a, b, c)일 때, $a+b+c$의 값은?

① -2 ② 1 ③ 4

④ 7 ⑤ 10

078 출제율 ●●○

점 A(2, 4, 1)을 점 B(−1, −3, 0)에 대하여 대칭이 동한 점이 P(a, b, c)일 때, a−b−c의 값은?

① 6　　　　② 7　　　　③ 8

④ 9　　　　⑤ 10

079 학교 기출 신유형 수학I 융합 출제율 ●○○

세 점 A(2n, 0, 0), B(0, n, 0), C(0, 0, 2n)에 대하여 삼각형 ABC의 무게중심과 원점 사이의 거리를 l_n이라고 할 때, $\sum\limits_{n=1}^{10} l_n$의 값을 구하여라.

080 출제율 ●○○

두 점 A(2a, −2, 3), B(b−2, b, −6)에 대하여 선분 AB를 1 : 2로 내분하는 점은 x축 위에 있고, 2 : 3으로 외분하는 점은 yz평면 위에 있을 때, 실수 a, b에 대하여 3a+2b의 값은?

① 6　　　　② 7　　　　③ 8

④ 9　　　　⑤ 10

081 출제율 ●●○

네 점 A(3, −5, 1), B(−5, −7, −2), C(1, 2, −5)에 대하여 사각형 ABCD가 평행사변형일 때, 대각선 BD의 길이는?

① $\sqrt{301}$　　② $\sqrt{307}$　　③ $\sqrt{317}$

④ $\sqrt{319}$　　⑤ $3\sqrt{37}$

082 출제율 ●○○

세 점 A(2, −4, 1), B(1, 1, −1), C(3, 0, −4)에 대하여 선분 AB, BC, CA를 각각 1 : 2로 외분하는 점을 각각 P, Q, R라고 할 때, 삼각형 PQR의 무게중심을 G라고 하자. 점 G와 z축 사이의 거리는?

① 2　　　　② $\sqrt{5}$　　　③ $\sqrt{6}$

④ $\sqrt{7}$　　　⑤ $2\sqrt{2}$

개념 4 구의 방정식

(1) 구의 방정식 – 표준형

중심이 $C(a, b, c)$이고 반지름의 길이가 r인 구의 방정식은

$$(x-a)^2+(y-b)^2+(z-c)^2=r^2$$

참고 중심이 원점 $O(0, 0, 0)$이고 반지름의 길이가 r인 구의 방정식은

$$x^2+y^2+z^2=r^2$$

(2) 구의 방정식 – 일반형

이차방정식 $x^2+y^2+z^2+Ax+By+Cz+D=0$이 나타내는 도형은 중심의 좌표가 $\left(-\dfrac{A}{2}, -\dfrac{B}{2}, -\dfrac{C}{2}\right)$, 반지름의 길이가 $\dfrac{\sqrt{A^2+B^2+C^2-4D}}{2}$인 구이다.

(단, $A^2+B^2+C^2-4D>0$)

(3) 구와 좌표평면의 교선의 방정식

구 $(x-a)^2+(y-b)^2+(z-c)^2=r^2$과

① xy평면이 만나 생기는 교선의 방정식

➡ $(x-a)^2+(y-b)^2=r^2-c^2 \ (r^2>c^2)$

② yz평면이 만나 생기는 교선의 방정식

➡ $(y-b)^2+(z-c)^2=r^2-a^2 \ (r^2>a^2)$

③ zx평면이 만나 생기는 교선의 방정식

➡ $(x-a)^2+(z-c)^2=r^2-b^2 \ (r^2>b^2)$

등급업 TIP

(1) 좌표평면에 접하는 구의 방정식

중심이 $C(a, b, c)$이고

① xy평면에 접하는 구의 방정식

➡ $(x-a)^2+(y-b)^2+(z-c)^2=c^2$

② yz평면에 접하는 구의 방정식

➡ $(x-a)^2+(y-b)^2+(z-c)^2=a^2$

③ zx평면에 접하는 구의 방정식

➡ $(x-a)^2+(y-b)^2+(z-c)^2=b^2$

(2) 구와 좌표평면의 위치 관계

구의 중심과 좌표평면 사이의 거리를 d, 구의 반지름의 길이를 r라고 하면

① $d<r$ ➡ 만나서 원이 생긴다.

② $d=r$ ➡ 접한다.

③ $d>r$ ➡ 만나지 않는다.

083 출제율 ▭▭▭

점 $A(0, 5, -1)$과 구 $(x-4)^2+(y-1)^2+(z-1)^2=9$ 위의 점 사이의 거리의 최솟값은?

① 3 ② 4 ③ 5

④ 6 ⑤ 7

084 출제율 ▭▭▭

구 $x^2+y^2+z^2+6x-8y-2z+22=0$ 위의 점에서 z축에 이르는 거리의 최솟값은?

① 1 ② 2 ③ 3

④ 4 ⑤ 5

085 출제율 ▭▭▭

구 $x^2+y^2+z^2-4x+2y-5=0$ 위의 점 $A(3, -1, 3)$과 구의 중심을 지나는 직선이 구와 만나는 다른 한 점을 $B(a, b, c)$라고 할 때, $a+b+c$의 값은?

① -6 ② -3 ③ 0

④ 3 ⑤ 6

086

출제율 ▬▬▭

반지름의 길이가 3인 구가 yz평면과 만나서 생기는 원의 방정식이 $y^2+(z-3)^2=4$이다. 이 구의 중심을 $(a,\ b,\ c)$라고 할 때, $a^2+b^2+c^2$의 값은?

① 8   ② 9   ③ 10

④ 12   ⑤ 14

087

출제율 ▬▭▭

구 $x^2+y^2+z^2-kx-5y+6z+5=0$이 x축과 만나는 두 점 사이의 거리가 4일 때, 상수 k에 대하여 k^2의 값은?

① 9   ② 16   ③ 25

④ 36   ⑤ 49

088

출제율 ▬▬▭

구 $(x-1)^2+(y-3)^2+(z-4)^2=25$가 xy평면과 만나서 생기는 원이 밑면이고, 구 위의 점이 꼭짓점인 원뿔의 부피의 최댓값은?

① 15π ② 18π ③ 21π

④ 24π ⑤ 27π

089

출제율 ▬▬▭

구 $x^2+y^2+z^2-6x+2ky+4z+7=0$이 xy평면과 만나서 생기는 원의 넓이를 S_1, zx평면과 만나서 생기는 원의 넓이를 S_2라고 하자. $2S_1+kS_2=0$일 때, 상수 k의 값의 곱은?

① 0   ② 1   ③ 2

④ 3   ⑤ 4

090

출제율 ▬▬▭

두 구 $x^2+(y-1)^2+(z+1)^2=1$, $x^2+y^2+z^2-2\sqrt{3}x+2y-4z+k=0$이 내접할 때, 상수 k의 값은?

① -17 ② -8 ③ 1

④ 10   ⑤ 19

최상위권 도약 **실력 완성 문제**

개념 1 공간에서의 점의 좌표

091

오른쪽 그림과 같은 정육면체를
좌표공간에 놓았더니
A(0, 2, 5), F(0, 5, 2),
G(−3, 5, 2)이었다. |보기|에서
옳은 것만을 있는 대로 고른 것은?

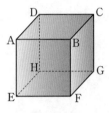

• 보기 •

ㄱ. 꼭짓점 H의 좌표는 (−3, 2, 2)이다.

ㄴ. 두 꼭짓점 B, C의 x좌표는 같다.

ㄷ. 선분 FH는 xy평면과 평행하다.

① ㄱ   ② ㄴ   ③ ㄱ, ㄴ

④ ㄱ, ㄷ   ⑤ ㄱ, ㄴ, ㄷ

092

좌표공간의 점 P(−3, 4, 1)에서 zx평면에 내린 수선
의 발을 H라고 하자. zx평면 위의 직선 l과 점 P 사이
의 거리가 $4\sqrt{2}$일 때, 점 H와 직선 l 사이의 거리를 구하
여라.

093

다음 그림과 같이 xy평면 위에 크기와 모양이 같은 원기
둥들이 서로의 옆면에 접하도록 놓여 있다. 두 점
P(a, b, c), Q(3, d, 4)가 각각 원기둥의 한 밑면의 중
심일 때, $a+b+c+d$의 값은? (단, zx평면과 yz평면
쪽에 있는 원기둥은 각 평면과 접한다.)

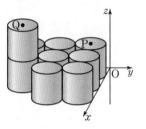

① −3   ② −1   ③ 0

④ 1   ⑤ 3

094

좌표공간에 세 점 A(0, 2, 0), B($\sqrt{2}$, 0, −1),
C(2, −3, 1)이 있다. 점 B를 xy평면에 대하여 대칭이
동한 점을 P, 점 C에서 z축에 내린 수선의 발을 Q라고
하자. 삼각형 APQ와 xy평면이 이루는 각의 크기를 $\theta°$
라고 할 때, $\cos\theta°$의 값은?

① $\dfrac{\sqrt{3}}{5}$ ② $\dfrac{\sqrt{6}}{6}$ ③ $\dfrac{\sqrt{3}}{3}$

④ $\dfrac{2\sqrt{2}}{5}$ ⑤ $\dfrac{2\sqrt{2}}{3}$

개념 2 두 점 사이의 거리

095 다빈출

두 점 $A(3, 1, 4)$, $B(1, 4, 1)$과 zx평면 위의 임의의 점 P, xy평면 위의 임의의 점 Q에 대하여 $\overline{AP}+\overline{PQ}+\overline{QB}$의 최솟값은?

① $3\sqrt{6}$ ② $2\sqrt{14}$ ③ $\sqrt{58}$

④ $2\sqrt{15}$ ⑤ $\sqrt{62}$

096

xy평면 위에 점 $A(3, 1, 0)$을 중심으로 하고 반지름의 길이가 2인 원 C가 있다. 점 $B(-1, 4, 2)$와 원 C 위의 점 사이의 거리의 최솟값은?

① 3   ② $\sqrt{10}$ ③ $\sqrt{11}$

④ $2\sqrt{3}$ ⑤ $\sqrt{13}$

097

세 점 $A(a, 0, b)$, $B(b, a, 0)$, $C(0, b, a)$에 대하여 $ab=1$일 때, 삼각형 ABC의 넓이의 최솟값은?

(단, a, b는 양수이다.)

① $\dfrac{\sqrt{2}}{2}$ ② $\dfrac{\sqrt{3}}{2}$ ③ 1

④ $\dfrac{\sqrt{5}}{2}$ ⑤ 2

098

선분 AB의 xy평면, yz평면, zx평면 위로의 정사영의 길이가 각각 $2\sqrt{2}$, 3, $\sqrt{23}$일 때, 선분 AB의 길이는?

① $2\sqrt{5}$ ② $2\sqrt{6}$ ③ $2\sqrt{7}$

④ $4\sqrt{2}$ ⑤ 6

099

점 $A(2, 4, 5)$에서 xy평면 위의 직선 $y=x$에 내린 수선의 발을 H라고 할 때, 선분 AH의 길이는?

① $2\sqrt{6}$ ② 5   ③ $\sqrt{26}$

④ $3\sqrt{3}$ ⑤ $2\sqrt{7}$

100

점 A(3, 2, 0)에서 원점이 아닌 x축 위의 점 P를 지나 점 B(0, 0, −2)에 이르는 거리의 최솟값은?

① 5　　　　② $3\sqrt{3}$　　　　③ $\sqrt{29}$
④ $\sqrt{31}$　　　　⑤ $\sqrt{33}$

101

두 점 A(0, 2, 0), B(0, 6, 0)과 점 P에 대하여 삼각형 ABP의 넓이가 8일 때, 점 P의 자취의 넓이는?

(단, 2≤(점 P의 y좌표)≤6)

① 28π　　　　② 30π　　　　③ 32π
④ 34π　　　　⑤ 36π

102 학교 기출 신 유형

좌표공간에 두 점 A(4, 2, 1), B(a, −2, b)가 있다. 점 A를 yz평면에 대하여 대칭이동한 점을 C라고 할 때, 삼각형 ABC의 넓이의 최솟값은?

① 13　　　　② 14　　　　③ 15
④ 16　　　　⑤ 17

103

오른쪽 그림과 같이 $\overline{AB}=2$, $\overline{AD}=3$, $\overline{AE}=1$인 직육면체에서 두 점 P, Q가 매초 1의 속력으로 각각 꼭짓점 A, H에서 출발하여 다음과 같은 규칙대로 회전한다.

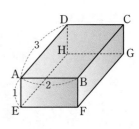

(규칙 1) 점 P는 점 A에서 출발하여 점 B, C, D, A를 거친 후 점 E로 내려가 점 F, G, H, E를 거쳐 점 A로 돌아온다.
(규칙 2) 점 Q는 점 H에서 출발하여 점 E, F, G, H를 거친 후 점 D로 올라가 점 A, B, C, D를 거쳐 점 H로 돌아온다.
(규칙 3) 두 점 P, Q는 각각 (규칙 1), (규칙 2)에 따라 반복하여 회전한다.

두 점 P, Q가 출발한 지 125초 후 두 점 P, Q 사이의 거리는?

① $\sqrt{5}$　　　　② $\sqrt{6}$　　　　③ $\sqrt{7}$
④ $2\sqrt{2}$　　　　⑤ 3

104

두 점 $A(2, 2, 4)$, $B(k, 1-k, -1)$에 대하여 선분 AB의 yz평면 위로의 정사영의 길이가 최소일 때, 직선 AB와 xy평면이 이루는 각의 크기를 $\theta\degree$라고 하자. $\cos\theta\degree = \dfrac{3\sqrt{p}}{q}$일 때, 자연수 p, q에 대하여 $p+q$의 값을 구하여라.

105

점 $P(t, t-2, 3)$에서 x축에 내린 수선의 발을 Q, y축에 내린 수선의 발을 R, zx평면에 대하여 대칭인 점을 S라고 하자. $0 \le t \le 2$일 때, 사면체 PQRS의 부피의 최댓값을 구하여라.

개념 ③ 선분의 내분점과 외분점

106

삼각형 OAB의 한 변 AB가 xy평면과 평행할 때, 이 삼각형의 xy평면 위로의 정사영인 삼각형 OA′B′에 대하여 $A'(-2, 3, 0)$, $B'(-1, 6, 0)$이라고 한다. 삼각형 OAB의 무게중심이 $G(a, b, -2)$일 때, 선분 AG의 길이는? (단, a, b는 상수이고, 점 O는 원점이다.)

① $\sqrt{2}$ ② $\sqrt{3}$ ③ 2
④ $\sqrt{5}$ ⑤ $\sqrt{6}$

107

오른쪽 그림과 같이 $\overline{BC} = \overline{BD} = 2$, $\overline{BC} \perp \overline{BD}$이고, 부피가 $\dfrac{2\sqrt{7}}{9}$인 사면체 ABCD가 있다. 꼭짓점 A에서 밑면 BCD에 내린 수선의 발이 삼각형 BCD의 무게중심일 때, 모서리 AC의 길이는?

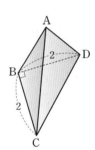

① $\sqrt{3}$ ② $\sqrt{6}$ ③ 3
④ $2\sqrt{3}$ ⑤ $\sqrt{15}$

108 교육청 기출

오른쪽 그림과 같이 모든 모서리의 길이가 6인 정삼각기둥에서 모서리 DE의 중점 M에 대하여 선분 BM을 $1:2$로 내분하는 점을 P라고 하자. $\overline{CP}=l$일 때, $10l^2$의 값을 구하여라.

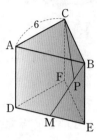

109

오른쪽 그림과 같이 꼭짓점이 P, 선분 QR가 밑면의 지름인 원뿔에서 선분 PQ를 $3:1$로 내분하는 점을 A, 선분 PR를 $1:3$으로 내분하는 점을 B라고 하자. 원뿔의 높이가 3이고 $\overline{QR}=2$일 때, 두 점 A, B 사이의 거리는?

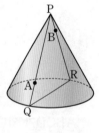

① $\dfrac{\sqrt{11}}{2}$ ② $\sqrt{3}$ ③ $\dfrac{\sqrt{13}}{2}$

④ $\dfrac{\sqrt{14}}{2}$ ⑤ $\dfrac{\sqrt{15}}{2}$

110

두 점 $A(a, -a, 4)$, $B(b, b, -2)$를 지나는 직선이 yz평면과 이루는 예각의 크기가 $60°$이고, 선분 AB를 $1:3$으로 외분하는 점이 zx평면 위에 있을 때, $a-b$의 값은? (단, a는 양수이다.)

① $-24\sqrt{3}$ ② $-12\sqrt{3}$ ③ 0

④ $12\sqrt{3}$ ⑤ $24\sqrt{3}$

111

두 점 $A(t, -2, -2)$, $B(2, -1, 2t)$에 대하여 선분 AB를 $2:1$로 외분하는 점이 z축 위에 있을 때, 삼각형 OAB의 넓이는? (단, O는 원점이다.)

① $7\sqrt{5}$ ② $8\sqrt{5}$ ③ $9\sqrt{5}$

④ $10\sqrt{5}$ ⑤ $11\sqrt{5}$

112

세 점 A$(1, -1, 4)$, B$(0, 2, 3)$, C$(-1, 5, 2)$를 꼭짓점으로 하는 삼각형 ABC에 대하여 ∠A의 이등분선이 변 BC와 만나는 점을 D(a, b, c)라고 할 때, 상수 a, b, c에 대하여 $a+b-c$의 값은?

① -2 ② 0 ③ 2

④ 4 ⑤ 6

113

세 점 A, B, C가 다음 조건을 만족시킨다.

> ㈎ 점 A의 좌표는 $(1, 0, 0)$이다.
> ㈏ 점 B는 xy평면 위의 점이고 $\overline{OB}=\overline{AB}=1$
> ㈐ $\overline{OC}=\overline{AC}=\overline{BC}=1$

점 B의 y좌표와 점 C의 z좌표가 음수일 때, 삼각형 OBC의 무게중심의 좌표는?

① $\left(\dfrac{1}{2}, \dfrac{2\sqrt{2}}{5}, -\dfrac{\sqrt{2}}{8}\right)$

② $\left(\dfrac{1}{2}, -\dfrac{2\sqrt{2}}{7}, -\dfrac{3\sqrt{2}}{10}\right)$

③ $\left(\dfrac{1}{3}, -\dfrac{2\sqrt{3}}{9}, -\dfrac{\sqrt{6}}{9}\right)$

④ $\left(\dfrac{1}{3}, \dfrac{\sqrt{3}}{3}, -\dfrac{\sqrt{3}}{6}\right)$

⑤ $\left(\dfrac{1}{3}, -\dfrac{\sqrt{3}}{4}, -\dfrac{\sqrt{6}}{9}\right)$

114

오른쪽 그림과 같이 두 점 A$(6, 0, 0)$, B$(0, 6, 0)$에 대하여 선분 AB의 중점을 M이라고 하자. z축 위의 점 P$(0, 0, 2)$와 선분 PM 위의 점 Q에 대하여 선분 OQ의 길이가 최소일 때, $\dfrac{\overline{PQ}}{\overline{QM}}=\dfrac{p}{q}$이다. 서로소인 자연수 p, q에 대하여 $p+q$의 값은?

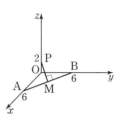

(단, O는 원점이다.)

① 10 ② 11 ③ 12

④ 13 ⑤ 14

115 학교 기출 신유형

두 점 A$(4, -5, -1)$, B$(2, 3, 4)$에 대하여 직선 AB가 xy평면, yz평면과 만나는 점을 각각 점 P, Q라고 하자. 점 P의 y좌표를 a, 점 Q의 y좌표를 b라고 할 때, $a+b$의 값은?

① $\dfrac{37}{5}$ ② $\dfrac{38}{5}$ ③ $\dfrac{39}{5}$

④ 8 ⑤ $\dfrac{41}{5}$

개념 **4** 구의 방정식

116

점 $A(3, 3, -\sqrt{3})$에서 구 $(x+2)^2+(y-1)^2+z^2=16$에 접선을 그을 때, 접점이 그리는 도형의 길이는?

① $2\sqrt{2}\pi$ ② $2\sqrt{3}\pi$ ③ 4π
④ $4\sqrt{2}\pi$ ⑤ $4\sqrt{3}\pi$

117

두 점 $A(-5, 3, 1)$, $B(-1, 3, -2)$에 대하여 $\overline{AP} : \overline{BP} = 3 : 2$를 만족시키는 점 P가 있다. 점 P가 나타내는 도형의 넓이를 구하여라.

118 〈다빈출

구 $x^2+(y-1)^2+(z+1)^2=1$ 위의 점 P와 구 $(x+2)^2+(y-1)^2+(z-5)^2=9$ 위의 점 Q에 대하여 선분 PQ의 길이의 최댓값과 최솟값의 차는?

① 4 ② $2\sqrt{10}$ ③ 8
④ 12 ⑤ $4\sqrt{10}$

119 〈다빈출

xy평면, yz평면, zx평면에 동시에 접하고 점 $(-2, -3, 1)$을 지나는 구는 2개이다. 두 구의 중심 사이의 거리는?

① $2\sqrt{2}$ ② $2\sqrt{3}$ ③ 4
④ $2\sqrt{5}$ ⑤ $2\sqrt{6}$

120 학교 기출 신유형 수학Ⅰ 융합

다음 그림과 같이 평면 α 위에 서로 외접하여 놓여 있는 세 구의 반지름의 길이가 등비수열을 이루고, 가장 작은 구의 반지름의 길이가 3이다. 세 구의 중심 A, B, C에 대하여 삼각형 ABC의 무게중심에서 평면 α에 이르는 거리가 7일 때, 가장 큰 구의 반지름의 길이를 구하여라.

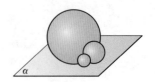

121

구 $(x-1)^2+(y-1)^2+z^2=9$ 위의 점 A와 점 B$(4, 1, 3)$에 대하여 선분 AB를 2 : 1로 내분하는 점이 그리는 도형은 구이다. 이 구의 부피는?

① $\dfrac{2}{3}\pi$ ② π ③ $\dfrac{4}{3}\pi$

④ $\dfrac{5}{3}\pi$ ⑤ 2π

122

구 $(x+4)^2+(y-2)^2+(z-5)^2=25$에 내접하고, 한 밑면이 yz평면 위에 있는 원기둥의 부피는?

① 56π ② 64π ③ 72π

④ 80π ⑤ 88π

123

두 구 $x^2+y^2+z^2-20x-8y-10z-148=0$, $x^2+y^2+z^2+20x=0$이 만나서 생기는 원 위의 임의의 점을 P, 두 구의 중심을 각각 C, C′이라고 할 때, 삼각형 CPC′의 넓이는?

① 82   ② 84   ③ 86

④ 88   ⑤ 90

124

xy평면과 만나서 생기는 원의 방정식이 $x^2+y^2+4x-6y=1$, zx평면과 만나서 생기는 원의 방정식이 $x^2+z^2+4x-2z=1$인 구가 있다. 이 구와 yz평면이 만나서 생기는 원의 넓이는?

① 10π ② 11π ③ 12π

④ 13π ⑤ 14π

125

구 $x^2+y^2+z^2=20$과 xy평면이 만나서 생기는 원 위의
점 A와 점 B$(2, -1, 3)$에 대하여 선분 AB의 길이의
최솟값은?

① $\sqrt{14}$ ② $\sqrt{15}$ ③ 4
④ $\sqrt{17}$ ⑤ $\sqrt{18}$

126

구 $(x-4)^2+(y+5)^2+(z-2)^2=n$이 xy평면과 만나
고, yz평면, zx평면과 만나지 않도록 하는 자연수 n의
개수를 구하여라.

127

중심이 점 C$(0, 0, 5)$이고 반지름의 길이가 3인 구가 있
다. 점 P$(0, 0, 10)$에서 구를 향해 빛을 쏘았을 때, xy
평면 위에 나타나는 구의 그림자의 넓이는?

① $\dfrac{205}{4}\pi$ ② $\dfrac{105}{2}\pi$ ③ $\dfrac{215}{4}\pi$

④ 55π ⑤ $\dfrac{225}{4}\pi$

128

두 집합
$A=\{(x, y, z)\,|\,(x-1)^2+(y-1)^2+(z+1)^2=1\}$,
$B=\{(x, y, z)\,|\,(x+2)^2+y^2+(z-a)^2=16\}$
에 대하여 $A\cap B=\varnothing$이 되도록 하는 자연수 a의 최솟
값은?

① 0   ② 1   ③ 2
④ 3   ⑤ 4

129

중심이 (a, b, c)이고 반지름의 길이가 10인 구가 xy평
면과 만나서 생기는 원을 C_1, yz평면과 만나서 생기는
원을 C_2, zx평면과 만나서 생기는 원을 C_3이라고 하자.
원 C_1, C_2와 C_1, C_3이 각각 접하고 원 C_1의 넓이가 64π
일 때, $a+b+c$의 값을 구하여라.

(단, $a>0$, $b>0$, $c>0$)

130

오른쪽 그림과 같이 한 모서리의
길이가 8인 정육면체의 내부에
원기둥이 있다. 원기둥의 밑면의
중심이 정사각형 ABCD,
EFGH의 두 대각선의 교점과
각각 일치할 때, 이 원기둥이 평면 DEG에 의하여 잘린
단면의 넓이의 최댓값은?

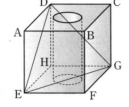

① $4\sqrt{3}\pi$ ② $6\sqrt{3}\pi$ ③ $8\sqrt{3}\pi$

④ $10\sqrt{3}\pi$ ⑤ $12\sqrt{3}\pi$

131

오른쪽 그림과 같이 한 모서리의
길이가 3인 정사면체에서 점 A
의 평면 BCD 위로의 정사영을
A′, 점 A′의 평면 ABC, ACD,
ABD 위로의 정사영을 각각 P,
Q, R라고 하자. 삼각형 PQR의
넓이를 S라고 할 때, $27S^2$의 값을 구하여라.

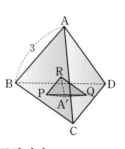

132

오른쪽 그림과 같이 밑면의 반지
름의 길이가 3이고 높이가 9인 원
기둥과 만나지 않는 두 평면 α, β
가 이루는 각의 크기가 120°, 평면
α와 원기둥의 밑면이 이루는 각의
크기는 45°이다. 원기둥의 모선
AB를 1 : 2로 내분하는 점 C의
평면 α 위로의 정사영 C′이 두 평
면 α, β의 교선 l 위에 있을 때,

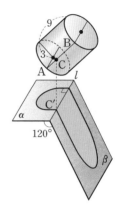

평면 α에 수직으로 비추는 빛에 의하여 두 평면 α, β 위
에 생긴 원기둥의 그림자의 넓이는 $p\sqrt{2}+\dfrac{q\sqrt{2}}{4}\pi$이다.
자연수 p, q에 대하여 $p+q$의 값을 구하여라.

133

두 구 $(x-3)^2+(y+1)^2+(z-3)^2=4$,
$(x-2)^2+(y-1)^2+(z-k)^2=16$의 zx평면 위로의 정사영이 만나지 않도록 하는 자연수 k의 값의 합은?

(단, $0<k\leq10$)

① 20 ② 22 ③ 24
④ 26 ⑤ 28

134

두 구

$$S_1 : x^2+y^2+z^2=36$$
$$S_2 : x^2+(y-3)^2+z^2=15$$

가 만나서 생기는 원 위의 점을 P, 점 P의 xy평면 위로의 정사영을 P', 구 S_1과 y축이 만나는 점을 각각 Q, R라고 할 때, 사면체 PQP'R의 부피의 최댓값을 구하여라.

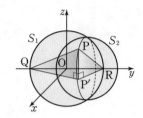

미니 모의고사 - 1회

제한시간 : 30분

01

오른쪽 그림과 같은 직육면체에서 세 꼭짓점을 택하여 만들 수 있는 서로 다른 평면 중 선분 AC를 포함하는 평면의 개수를 구하여라. [3점]

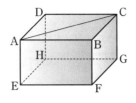

02

정사각형 모양의 종이 ABCD를 대각선 AC를 접는 선으로 하여 선분 BC와 선분 CD가 이루는 각의 크기가 60°가 되도록 접었을 때, 두 평면 ABC, ACD가 이루는 각의 크기는?

(단, 종이의 두께는 고려하지 않는다.) [3점]

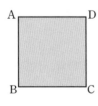 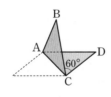

① 30°　　　　② 45°　　　　③ 60°
④ 75°　　　　⑤ 90°

03

오른쪽 그림과 같이 밑면의 반지름의 길이가 3인 원기둥을 밑면과 30°를 이루는 평면으로 잘랐더니 그 단면이 타원이 되었다. 이때 타원의 두 초점 사이의 거리는? [3점]

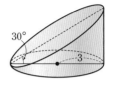

① $2\sqrt{2}$　　　② $2\sqrt{3}$　　　③ 4
④ $2\sqrt{5}$　　　⑤ $2\sqrt{6}$

04

점 P에서 z축에 내린 수선의 발의 좌표가 $(0, 0, -3)$, 점 P를 yz평면에 대하여 대칭이동한 후 이 점에서 xy평면에 내린 수선의 발의 좌표가 $(2, -1, 0)$이다. 이때 선분 OP의 길이는? (단, O는 원점이다.) [3점]

① $\sqrt{14}$　　　② $\sqrt{15}$　　　③ 4
④ $\sqrt{17}$　　　⑤ $3\sqrt{2}$

05

오른쪽 그림과 같이 외접원의 중심이 O(a, b, c)인 정삼각형 ABC에서 A$(4, 0, -3)$이고 변 BC의 중점의 좌표가 $(-1, 3, 2)$일 때, $a+b+c$의 값은? [3점]

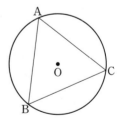

① 1　　　　② 2　　　　③ 3
④ 4　　　　⑤ 5

06

오른쪽 그림과 같은 사면체에서 삼각형 BCD는 한 변의 길이가 4인 정삼각형이고 면 ABC와 면 BCD가 이루는 각의 크기는 60°이다. 점 D에서 면 ABC에 내린 수선의 발 G가 삼각형 ABC의 무게중심일 때, 사면체 ABCD의 부피를 구하여라. [4점]

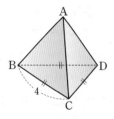

07

오른쪽 그림과 같이 한 모서리의 길이가 1인 정육면체에 대하여 선분 AH 위의 점 P와 선분 DF 위의 점 Q가 $\overline{PQ}\perp\overline{AH}$, $\overline{PQ}\perp\overline{DF}$를 만족시킨다. 이때 선분 AP의 길이는? [4점]

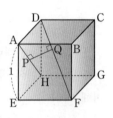

① $\dfrac{1}{2}$ ② $\dfrac{\sqrt{2}}{2}$ ③ $\dfrac{\sqrt{3}}{2}$

④ 1 ⑤ $\dfrac{\sqrt{6}}{2}$

08

오른쪽 그림과 같이 한 모서리의 길이가 6인 정사면체에서 모서리 BC를 1 : 2로 내분하는 점을 E라고 하자. 이때 선분 BE의 평면 ACD 위로의 정사영의 길이는? [4점]

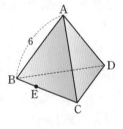

① $\dfrac{\sqrt{3}}{3}$ ② $\dfrac{2\sqrt{3}}{3}$ ③ $\sqrt{3}$

④ $\dfrac{4\sqrt{3}}{3}$ ⑤ $\dfrac{5\sqrt{3}}{3}$

09

두 점 A$(-3,\ 1,\ 3)$, B$(0,\ -1,\ 2)$에 대하여 삼각형 OAB와 xy평면이 이루는 각의 크기를 $\theta°$라고 할 때, $\dfrac{1}{\cos^2\theta°}$의 값은? [4점]

① $\dfrac{62}{3}$ ② $\dfrac{64}{3}$ ③ $\dfrac{22}{3}$

④ $\dfrac{68}{9}$ ⑤ $\dfrac{70}{9}$

10

오른쪽 그림과 같이 중심이 O이고 반지름의 길이가 2인 구와 점 O로부터 같은 거리에 있고 서로 수직인 두 평면 α, β가 있다. 두 평면 α, β의 교선이 구와 만나는 점을 각각 A, B라고 할 때, 삼각형 OAB는 정삼각형이다. 이때 점 O와 평면 α 사이의 거리는? [4점]

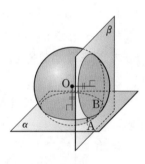

① $\dfrac{\sqrt{6}}{5}$ ② $\dfrac{\sqrt{6}}{4}$ ③ $\dfrac{\sqrt{6}}{3}$

④ $\dfrac{\sqrt{6}}{2}$ ⑤ $\sqrt{6}$

✓ 실력점검

맞힌 개수	/10개	점수	/35점

미니 모의고사 - 2회

⏱ 제한시간 : 30분

정답과 풀이 102쪽

01

오른쪽 그림과 같은 정육면체에서 두 직선 AC와 EH가 이루는 각의 크기를 $\alpha°$, 두 직선 AC와 HF가 이루는 각의 크기를 $\beta°$라고 할 때, $\beta° - \alpha°$의 값은? [3점]

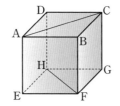

① 0°   ② 30°

③ 45°   ④ 60°

⑤ 90°

02

오른쪽 그림과 같이 한 모서리의 길이가 1인 정팔면체에서 평면 ABC와 평면 BFC가 이루는 각의 크기를 $\theta°$라고 할 때, $\sin\dfrac{\theta°}{2}$의 값은? [3점]

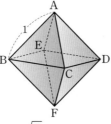

① $\dfrac{\sqrt{3}}{3}$ ② $\dfrac{2}{3}$ ③ $\dfrac{\sqrt{5}}{3}$

④ $\dfrac{\sqrt{6}}{3}$ ⑤ $\dfrac{\sqrt{7}}{3}$

03

오른쪽 그림과 같이 두 평면 α, β가 이루는 각의 크기가 30°, 두 평면 β, γ가 이루는 각의 크기가 45°이다. 평면 β와 수직인 방향으로 빛을 비출 때, 넓이가 20인 평면 α 위의 도형에 의하여 평면 γ에 생기는 그림자의 넓이는? [3점]

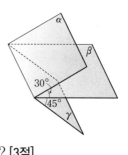

① $10\sqrt{2}$ ② $10\sqrt{3}$ ③ 20

④ $10\sqrt{5}$ ⑤ $10\sqrt{6}$

04

세 실수 x, y, z에 대하여

$$A = \sqrt{x^2 + (y-2)^2 + (z-3)^2}$$
$$B = \sqrt{(x+1)^2 + (y-1)^2 + (z-1)^2}$$

일 때, $A + B$의 최솟값과 $A - B$의 최댓값의 합은? [3점]

① 4   ② $2\sqrt{5}$ ③ $2\sqrt{6}$

④ $2\sqrt{7}$ ⑤ $4\sqrt{2}$

05

$\overline{OA} = 5$, $\overline{OB} = 2$, $\overline{OC} = 3$인 사면체 OABC에 대하여 $\angle AOB = \angle BOC = \angle COA = 90°$일 때, 네 점 O, A, B, C를 지나는 구의 반지름의 길이는? [3점]

① $\dfrac{\sqrt{34}}{2}$ ② 3   ③ $\dfrac{\sqrt{38}}{2}$

④ $\sqrt{10}$ ⑤ $\dfrac{\sqrt{42}}{2}$

미니 모의고사 - 2회

06

오른쪽 그림과 같이 모든 모서리
의 길이가 6인 정사각뿔이 있다.
모서리 BE의 중점 M에 대하여
두 직선 AM, BD가 이루는 각
의 크기를 $\theta°$라고 할 때, $\sin \theta°$
의 값은? [4점]

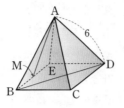

① $\dfrac{\sqrt{22}}{6}$ ② $\dfrac{\sqrt{6}}{3}$ ③ $\dfrac{\sqrt{26}}{6}$

④ $\dfrac{\sqrt{7}}{3}$ ⑤ $\dfrac{\sqrt{30}}{6}$

07

오른쪽 그림과 같은 정육면체에서
두 평면 AFGD, AEGC가 이루
는 각의 크기를 $\theta°$라고 할 때,
$\cos \theta°$의 값은? [4점]

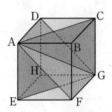

① $\dfrac{1}{3}$ ② $\dfrac{1}{2}$

③ $\dfrac{\sqrt{3}}{3}$ ④ $\dfrac{\sqrt{2}}{2}$

⑤ $\dfrac{\sqrt{3}}{2}$

08

점 $A(-1, 3, 0)$과 도형
$$C=\{(x, y, z)\,|\,x^2+y^2=10,\ z=a\}$$
위의 점 P에 대하여 선분 AP의 길이의 최댓값이 $2\sqrt{19}$
일 때, 양수 a의 값은? [4점]

① 6   ② 7   ③ 8
④ 9   ⑤ 10

09

오른쪽 그림과 같이 한 모서리의
길이가 6인 정사면체 OABC를
점 O가 원점, 모서리 OA가 x
축, 꼭짓점 B가 xy평면 위에 있
도록 좌표공간에 놓았다. 정사면
체 내부에 $\overline{PO}=\overline{PA}=\overline{PB}=\overline{PC}$

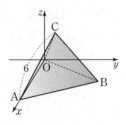

가 되도록 점 $P(a, b, c)$를 잡을 때, $a^2+b^2+4c^2$의 값
을 구하여라. [4점]

10

반구 $(x-15)^2+(y-13)^2+z^2=25$, $z\ge0$이 y축을 포
함하는 평면 α와 접한다. 평면 α와 xy평면이 이루는 각
의 크기를 $\theta°$라고 할 때, $\cos \theta°$의 값은? [4점]

① $\dfrac{\sqrt{3}}{2}$ ② $\dfrac{\sqrt{30}}{6}$ ③ $\dfrac{\sqrt{14}}{4}$

④ $\dfrac{2\sqrt{2}}{3}$ ⑤ $\dfrac{3\sqrt{10}}{10}$

✅ 실력점검

맞힌 개수	/10개	점수	/35점

I 이차곡선

001 ① 002 20 003 ③ 004 ③ 005 18
006 ③ 007 ① 008 ⑤ 009 ⑤ 010 $8\sqrt{3}$
011 ④ 012 30 013 $6\sqrt{3}$ 014 ④ 015 ①
016 ③ 017 73 018 ④ 019 ② 020 ③
021 ① 022 $0<k<\dfrac{1}{2}$ 또는 $\dfrac{1}{2}<k<1$ 023 ④
024 16 025 ③ 026 150 027 ④ 028 $2\sqrt{13}$
029 ③ 030 ④ 031 128 032 ④ 033 ①
034 20 cm 035 ③ 036 ② 037 ⑤ 038 $4\sqrt{15}$
039 100 040 $10+4\sqrt{2}$ 041 ⑤ 042 ⑤
043 ① 044 ② 045 ⑤ 046 32 047 $\dfrac{81\sqrt{2}}{2}$
048 $-\dfrac{4}{9}$ 049 2 050 36π 051 ⑤ 052 ④
053 $\left(\dfrac{24}{5}, \dfrac{3\sqrt{11}}{5}\right)$ 또는 $\left(\dfrac{56}{5}, \dfrac{9\sqrt{19}}{5}\right)$ 054 24 055 ⑤
056 ④ 057 ④ 058 ③ 059 ⑤ 060 ④
061 ⑤ 062 $-\dfrac{27}{2}$ 063 ① 064 ⑤ 065 $\dfrac{1}{16}$
066 ⑤ 067 20 068 ① 069 $-\dfrac{3}{2}$ 070 ①
071 4 072 ③ 073 ④ 074 ④ 075 ④
076 12 077 ② 078 ⑤ 079 18
080 $\left(\dfrac{3\sqrt{2}}{2}, 2\sqrt{2}\right)$ 081 ① 082 $\dfrac{9\sqrt{3}}{2}$ 083 ④
084 15 085 ④ 086 ① 087 4 088 ③
089 ⑤ 090 ⑤ 091 ③ 092 ④
093 $a=\dfrac{1}{3}, b=\dfrac{\sqrt{2}}{3}$ 094 ④ 095 ② 096 ④
097 ③ 098 ② 099 ④ 100 -3 101 ③
102 18 103 ④ 104 ④ 105 ① 106 ⑤
107 45 108 $\dfrac{3}{7}$ 109 $-\dfrac{40}{21}$ 110 ③ 111 ④
112 ⑤ 113 10 114 $16(3-2\sqrt{2})\pi$ 115 ④
116 $4\sqrt{3}$ 117 ④ 118 46 119 10 120 $3\sqrt{2}$
121 ③ 122 32 123 4 124 76 125 ①
126 $\dfrac{5}{3}\pi$ 127 24

상위 1% 도전 문제

128 ⑤ 129 $\dfrac{1}{25}$ 130 232 131 $\dfrac{30}{23}$ 132 $\dfrac{6\sqrt{3}}{5}$
133 ②

미니 모의고사 - 1회

01 -2 02 ⑤ 03 $6\sqrt{2}$ 04 ⑤ 05 ④
06 $8\sqrt{3}$ 07 ③ 08 $27\sqrt{3}$ 09 ⑤ 10 ⑤

미니 모의고사 - 2회

01 ③ 02 ⑤ 03 8 04 ② 05 $\dfrac{11\sqrt{6}}{4}$
06 ③ 07 ⑤ 08 16 09 ② 10 ④

II 평면벡터

001 ⑤ 002 ② 003 $4\sqrt{3}$ 004 8 005 ③
006 $-\vec{a}+3\vec{b}$ 007 ② 008 ② 009 ③
010 ① 011 ④ 012 ④ 013 ② 014 $-\dfrac{13}{6}$
015 ① 016 ⑤ 017 ⑤ 018 1 019 ①
020 ② 021 ④ 022 1 023 -5 024 ⑤
025 ③ 026 5 027 2 028 ⑤ 029 ③
030 ② 031 ⑤ 032 37 033 $2\sqrt{41}$ 034 ③
035 ③ 036 ① 037 ① 038 ③ 039 ①
040 ② 041 ⑤ 042 4 043 ③ 044 ①, ④
045 ③ 046 ④ 047 ⑤ 048 0 049 ②
050 ④ 051 20 052 ② 053 -2 054 ②
055 ③ 056 ① 057 ③ 058 ⑤ 059 ④
060 $-\dfrac{1}{2}$ 061 ③ 062 ⑤ 063 ② 064 39
065 ⑤ 066 ② 067 52 068 ④ 069 ①
070 ③ 071 ④ 072 ③ 073 ② 074 ②
075 ① 076 ③ 077 ④ 078 ⑤ 079 ①
080 ⑤ 081 12 082 $8\sqrt{3}$ 083 ② 084 ①
085 ④ 086 ⑤ 087 ③ 088 ③ 089 ①
090 6 091 ⑤ 092 ④ 093 135 094 ⑤
095 ③ 096 ⑤ 097 ⑤ 098 ②
099 $-5<k<1$ 100 ① 101 ④ 102 ②
103 ③ 104 ① 105 ⑤ 106 ⑤ 107 ⑤
108 $\dfrac{1}{3}$ 109 ③ 110 ⑤ 111 ④ 112 ③
113 ② 114 ④ 115 ⑤ 116 4

상위 1% 도전 문제

117 ① 118 $\dfrac{27}{2}$ 119 31 120 3 121 12

미니 모의고사 - 1회

01 ③ 02 $\dfrac{3}{5}$ 03 ③ 04 ② 05 ④
06 ③ 07 ⑤ 08 ② 09 1 10 14

미니 모의고사 - 2회

01 ① 02 $9\sqrt{2}$ 03 ④ 04 ④ 05 2
06 20 07 8 08 ③ 09 ④ 10 ②

III 공간도형과 공간좌표

001 ②	002 ①	003 ③	004 ②	005 ①
006 ③	007 ②	008 ①	009 $90°$	010 ②
011 ③	012 127	013 ④	014 ②	015 $\dfrac{\sqrt{6}}{3}$
016 ⑤	017 2	018 $\sqrt{3}$	019 ③	020 ①
021 ④	022 ②	023 ③	024 ②	025 ③
026 ①	027 13	028 351	029 ④	030 ④
031 ⑤	032 ④	033 ①	034 ③	035 ②
036 ②	037 ③	038 ⑤	039 ④	040 ④
041 ①	042 15	043 ④	044 25π	045 ⑤
046 ④	047 ⑤	048 ②	049 ③	050 5
051 ③	052 ④	053 ⑤	054 ④	055 ⑤
056 ⑤	057 ⑤	058 ③	059 ③	060 ④
061 15	062 23	063 ③	064 8	065 ①
066 ③	067 5	068 ②	069 ③	070 ④
071 ①	072 ②	073 4	074 ⑤	075 ④
076 ③	077 ④	078 ②	079 55	080 ⑤
081 ③	082 ②	083 ①	084 ③	085 ②
086 ⑤	087 ④	088 ⑤	089 ③	090 ①
091 ④	092 4	093 ①	094 ④	095 ①
096 ⑤	097 ②	098 ①	099 ④	100 ①
101 ③	102 ④	103 ②	104 68	105 1
106 ①	107 ①	108 350	109 ③	110 ④
111 ③	112 ②	113 ③	114 ②	115 ②
116 ④	117 144π	118 ③	119 ⑤	120 12
121 ③	122 ③	123 ②	124 ②	125 ①
126 12	127 ⑤	128 ④	129 22	

상위 1% 도전 문제

130 ③	131 16	132 72	133 ⑤	134 11

미니 모의고사 - 1회

01 4	02 ⑤	03 ②	04 ①	05 ③
06 $6\sqrt{3}$	07 ②	08 ②	09 ⑤	10 ④

미니 모의고사 - 2회

01 ③	02 ④	03 ⑤	04 ③	05 ③
06 ⑤	07 ②	08 ①	09 18	10 ④